한국어판 서문

한국 독자 여러분께

저희 책이 한국어로 번역되어 매우 감격스럽습니다.

스포츠는 언제나 승패보다 더 큰 의미를 지니고 있습니다. 한국에서도 마찬가지라고 생각합니다. 1936년 손기정 선수는 베를린 올림픽 마라톤 우승이라는 놀라운 성과를 조국의 자유를 지키는 데 사용했습니다. 1947년에는 그의 제자 서윤복 선수가 보스턴 마라톤에서 세계 신기록으로 우승하며 대한민국의 이름을 걸고 국제대회에서 첫 우승을 차지했습니다. 이 일이 대한민국 국민들에게 얼마나 큰 자부심을 불러일으켰을지 상상만 해도 가슴이 벅찹니다.

이 역사적인 사건 이후, 대한민국은 세계 무대에서 놀라운 활약을 펼치는 선수들과 세계 스포츠계에서 가장 큰 행사들을 연이어 성공적으로 개최하는 등 국제 스포츠 강국으로 발돋움했습니다.

대한민국 국민은 선수들이 경기에서 이길 때 경외심을 갖고 지켜보며 함께 축하해 주리라 믿어 의심치 않습니다. 그리고 질 때는 온 국민이 함께 슬퍼합니다.

선수들도 이를 잘 알고 있습니다. 선수들은 경기에 나설 때마다 국민들의 꿈과 기대를 어깨에 짊어지고 경기에 임합니다. 이는 무거운 짐입니다. 훈련할 때와 국민들이 지켜보는 가운데 주요 경기장에서 경기하는 것의 차이는 이해할 수 없을 정도로 큽니다. 이것이 스포츠 심리학이 중요한 이유입니다.

이 책에선 위대한 운동선수는 뛰어난 정신력을 타고난다는 단순한 생각을 믿지 않습니다. 운동선수는 슈퍼 히어로가 아닙니다. 그들 역시도 한 인간으로서 긴장하고 수행 불안에 시달립니다. 그들도 부담감에 압도당하면서 때때로 의미와 동기를 상실하기도 합니다.

이 책을 통해 엘리트 스포츠에서 선수들이 어려운 생각과 감정이 자연스러운 것임을 받아들이는 법을 배우고, 호기심을 갖고 선수들 자신이 스포츠에서 어떤 사람이 되고 싶은지 살펴볼 용기를 갖는다면 정신적 강인함을 기를 수 있다는 확고한 믿음이 전달되기를 바랍니다.

제 조국인 덴마크에서는 선수들이 메달을 따는 것보다 더 많은 것을 스포츠 경력에서 얻어가야 한다고 믿습니다. 우리는 선수들에게 스포츠에 대한 접근 방식이 인생에 대한 접근 방식이 될 수 있도록 가르치고 싶습니다. 선수들은 경기에서 져도 용기를 잃지 않을 수 있으며, 미래에 대한 목표와 꿈이 있더라도 지금 이 순간에 현존할 수 있으며, 야망이 있더라도 자신의 실수와 팀 동료와 코치의 실수를 수용하고, 용서할 수 있음을 배울 수 있습니다.

스포츠는 선수와 국가의 삶에 긍정적인 원동력이 될 수 있는 잠재력을 가지고 있으며, 스포츠 심리학은 이를 실현하기 위한 핵심 요소입니다.

아무쪼록 마음챙김과 수용전념치료가 어떻게 스포츠와 선수들의 삶에 녹아들었는지 이 책을 쓰면서 우리가 즐거웠던 만큼 여러분도 즐겁게 이 책을 읽어주시길 바라겠습니다.

크리스토퍼 헨릭슨

역자 서문

초등학교 시절 교내 육상부에서 운동을 한 적이 있었다. 운동회에서 100미터 달리기에서 입상한 뒤, 담임선생님이 육상부에 넣어 주셨는데, 아침 등교 전과 방과 후에, 그리고 방학기간에도 육상부 형, 누나들과 함께 재미있게 운동하면서 보냈던 기억이 떠오른다. 아마 88서울올림픽을 거의 1년 앞둔 어느 날이었다. 서울시 육상연맹의 임원과 서울시 남부교육청 산하의 선생님들이 참관을 오시자, 체육 선생님이 운동장에 선수들을 집합시켰다. 우리가 하는 육상이 모든 체육의 기본이지만, 선수층이 얇아 걱정이고, 임춘애 선수가 금메달을 3개나 따고 라면 광고도 찍고 인생이 확 바뀌었다고, 헝그리 정신을 갖고 운동을 한다면 너희들도 할 수 있다고 정신교육을 하시면서 다음 주부터 한국체대 다니는 코치님이 오셔서 훈련을 도와줄 거라고 하셨다. 코치님이 오시고 나서 고된 훈련이 되었지만, 운동을 마치고 따끈한 제과점 빵을 마음껏 먹을 수 있게 해준다는 달콤한 보상 때문에 꾹 참고 다녔었던 기억이 난다.

그때를 되돌아보면, 열심히 하시는 코치님을 보면서 어린 나이지만 기록단축을 위해서 선수들이 다 온 힘을 쏟아부은 것 같다. 하지만 서울시장기 시합에 나가 냉혹한 현실을 깨닫고, 코치님의 실망한 표정에 '나는 안되겠구나' 하는 좌절감에 '그냥 빨리 포기를 하는 것이 낫겠다'고 생각했던 것 같다. 그때부터였을까. 운동시간이 당연히 즐겁지 않아 운동을 그만두겠다고 말했지만, 씨알도 안 먹혔다. 결국 아버지가 나서서 체육선생님과 면담을 했지만, 미국 학생들은 운동과 학업을 병행한다는 이야기와 함께, 운동을 해서 체력을 기르면 인생에도 도움이 되니 더 열심히 하라는 말을 전해 들었을 때 '운동도 마음대로 그만두지도 못하는구나'란 실망감이 무척 컸다. 얼마 후에 코치님이 중

장거리 종목 선수로 전향해 뛰라고 해서 결국 더 힘든 훈련을 소화해야만 하는 처지가 되었다.

울며 겨자 먹기로 어수선하게 운동을 이어가던 어느 날 코치님이 안 나오시기 시작했고, 아마도 서울올림픽이 끝나자 군불성 유소년 지원 정책이 종료된 것이 아니었을까 추정한다. 될 놈들만 남고 나머지는 나가는 그런 분위기에 나는 빠져나올 수 있었지만, 당시를 돌이켜보면, 2년간 고된 체력 훈련의 혜택을 받은 것 같아 감사하기도 하다. 체력은 겨울 훈련에서 다져진다며 경기력 향상을 위한 코치님의 열정과 육상에 진심 어린 훈련 분위기는 당시 초등학생이었던 나도 여전히 선명하게 기억이 날 정도다. 코치님은 한 사람도 소외되지 않도록 육상부로서 한 팀임을 중시하셨는데, 입에 단내가 나도록 뛰면서, 웃는 순간과 뿌듯함이 있었을 때도 있었고, 목표에 집중하는 끈기와 단합, 협동의 가치를 어렴풋이 배우지 않았나 싶다.

사실 그때 이후로 육상은 넌더리가 난 것처럼 거의 쳐다보지도 않게 되었지만, 교내 체육대회 계주경기에 나가 가끔 짜릿하게 따라잡는 환호의 순간을 경험하기도 했다. 빠른 발을 이용해 축구대회에선 결승 골을 넣어 다음 수업을 째는 선물을 반 친구들에게 안겨주며 잠시 행복한 순간을 누리기도 했다. 물론, 1등으로 달리다 어이없게 넘어져 욕도 먹고, 자책했던 순간도 있었지만, 지금도 예전 중고등학교에 가면 운동장에서 공을 차고 달렸던 순수했던 그때의 모습이 여전히 떠오른다. 그때의 나는 무엇을 소중히 여겼을까? 작은 교내대회에서 반을 대표해 한 골을 넣는 경험도 이 정도일진대, 하물며 FIFA 월드컵 무대에서 뛰는 대표선수들이나 세계 선수권대회나 올림픽과 같은 국제 무대에서 조국을 대표하는 선수들이 받는 환호와 부담감은 감히 비교하거나 헤아릴 수 없을 정도로 강렬하지 않을까 싶다.

개인적으로 교통사고를 당한 후 나와 같은 통증 환자들에 대한 연민과 관심이 생겨 정신과 진료를 병행하며 통증클리닉을 운영하고 있던 차에 몸과 마음이 만신창이가 된 엘리트 운동선수들을 만나볼 기회가 종종 있었다. 정신과에서 길게 상담받는 것이 꺼려졌는지 주사 치료만 받겠다고 하는 모습을 보면서, 이들에게 딱 맞는 특화된 접근법이 필요할 것 같다는 생각이 들기 시작했다. 선수들에게 주사 치료를 하거나 과사용 부상을 방지하기 위한 교육이나 스트레칭을 제공하는 것 외에 정신과 의사로 부상선수들에게 해줄 수 있는 방법을 찾아보다가 그런 고민을 녹여낸 이 책을 발견하게 되었다.

이 책은 마음챙김과 수용전념치료라는 3동향의 CBT 접근에 가장 근접해 여러 스포츠 종목에서(예: 축구, 농구, 미식축구, 아이스하키, 배구, 사이클, 핸드볼, 테니스, 배드민턴, 볼링, 요트, 카누, 수영 등) 엘리트 올림픽 선수들을 지도한 사례가 생생하게 기록되어 있다. 또한 풍부한 사례연구로 꿈의 무대인 NBA나 NFL, 영국 프리미어리그 EPL에서 활동하거나 올림픽 무대에서 실제 메달을 딴 현장의 경험들이 다채롭고 세밀하게 묘사되어 있어 몰입하며 읽게 된다. 마침 2024년 파리올림픽을 앞두고 있는 시점에서 이런 분야의 진료를 꿈꾸는 상담가들과 엘리트 선수들에게도 실제적인 도움을 주는 참고서가 될 수 있을 것이다.

이 책을 집필한 덴마크, 영국, 미국, 스웨덴, 노르웨이, 홍콩 출신의 29명의 공동 저자들은 모두 조국의 올림픽 대표팀에서 일하는 스포츠 심리학자들로서 전통적인 심리기술훈련에 입각한 상담방식을 고집하다가 3동향 CBT인 ACT를 만나 자신의 상담이 활력을 띠게 되었다는 변화의 고백이 실려있기도 하다. 또한 심리상담가로서 자신이 담당하는 선수는 경기에서 졌지만, 자신이 좋아하는 육상경기를 보러 가기 위해 고민했던 것을 솔직히 토로하며, 심리상담가가 자신을 돌보는 것에 대한 도전적인 주제를 던지기도 한다. 특별히 이 책은 마음챙김과 수용전념치료를 스포츠에 본격적으로 접목하는 체계화 과정이 구체적으로 그려져 있다. 성인 선수들뿐 아니라 청소년 선수들과 코치와 감독을 대상으로 ACT 교육을 접목한 사례와 교훈이 흥미롭게 제시되고 있는데, 실무자들이나 스포츠행정가분들이 스포츠 종목에 이를 적용하는 데 참고해 본다면, 저자들이 앞서서 경험했던 시행착오를 조금 줄일 수 있는 훌륭한 지침서가 되어줄 거라 기대한다.

이 책을 통해 스포츠에서 마음챙김과 수용전념치료의 저변이 확산되고, 선수들이 커리어 내내 삶의 다양한 측면을 기꺼이 경험하는 데 이 책이 조금이나마 도움이 되었으면 좋겠다. 무엇보다 대한민국이 K스포츠 강국으로 지속가능한 성장을 할 수 있도록 이 책이 어떤 촉매 역할을 한다면, 2년간의 공짜 훈련의 혜택을 받은 나로서는 은혜에 조금이라도 보답하는 차원에서 그 의미가 남다를 것 같다. 스포츠 심리학의 흥미를 갖고 있는 분들이나 운동선수를 지도하는 실무자들이 선수들의 수행 불안과 압박감을 잘 이해하고, 좋은 성적을 낼 수 있겠다는 순수한 마음으로 번역의 과정에 전념을 다했지만, 행여 모자란 부분이 있었다면, 그것은 오로지 모두 역자의 불찰이기에 아무쪼록 행간의 맥락을 잘 살펴봐 주시기를 바랄 뿐이다.

우리 각자는 인생이라는 경기장에서 삶의 소중한 가치를 향해 나아가는 선수들이다. 중요한 것은 꺾이지 않는 마음일 것이다. 대학 농구 88연승의 전설적인 미국 농구 감독인 故 존 우든은 '상황을 잘 활용하는 사람이 가장 좋은 상황을 만든다.'고 말했다. 우리 모두가 심리적 유연성을 잘 발휘하고, 어제보다 더 성장하는 삶의 챔피언이자 주인공으로 시련 속에서도 자기 안에 실현 가능한 최선의 사람이 되려는 노력을 지금, 이 순간에 지속해 나가기를 응원하고 싶다. 그리고 우리 자신이 우리가 생각하는 것보다 더 소중하고 꼭 필요한 존재임을 잊지 않았으면 좋겠다.

"선수들이 위대하고 자신감 있는 생각을 가지고 메달을 따는 것이 아니었다. 경쟁에서 요구되는 동작을 수행하여 메달을 따는 것이었다. 느낌으로서의 자신감(및 편안함)은 그다지 중요하지 않다. 결국 느낌이 아닌 자신이 하고 싶은 가치에 충실한 것이 중요하다." (네덜란드의 올림픽 팀 스포츠 상담가, 켈리 데커 Kelly Dekker)

이상수

추천사

올림픽 출전권을 따내기 위해 고군분투했던 젊은 시절에 누군가 나에게 마음챙김과 수용전념을 가르쳐 주었더라면 좋았을 것 같다. 시합을 앞두고 분주한 마음을 다스리려고 얼마나 많은 에너지를 허비했는지 뒤늦게 깨달았다. 마음을 다스리려고 애쓰는 것을 그만두고 그 모든 에너지를 내가 연습해 온 것을 하는 데 쏟아부었더라면 얼마나 달라졌을지 가끔은 궁금해지기도 하다. 나는 이 새로운 접근 방식을 통해 훨씬 더 많은 자유로움을 느꼈다. 현재는 요트 코치로서 스포츠 심리학자와 유기적으로 협력하며 선수들이 순간순간 차이를 만드는 요소에 집중할 수 있도록 돕고 있다. 나는 어린 선수들에게 개인적인 이야기를 자주 들려주곤 한다. 운동선수 여러분은 내면의 평화를 찾고, 자신이 좋아하는 스포츠를 즐기며 온전히 몰입할 자격이 있다.

피터 한센, 덴마크 올림픽 요트 대표팀 코치

선수 생활을 하면서 내 자신이 누구이며, 어떤 사람이 되고 싶은지 아는 것이 얼마나 중요한지 배웠다. 선수로서뿐만 아니라 인간으로서, 그리고 나중에는 남편과 아버지로서 나의 가치를 찾는 것은 한두 번이 아니라 지속적으로 최고가 되기 위한 삶의 여정에서 핵심적인 요소였다. 힘든 패배와 압박감과 심한 스트레스, 자기회의의 순간을 겪기도 했지만, 힘들고 어려운 상황 속에서도 담대한 결정을 내리고, 앞으로 나아가고, 나 자신에게 충실해지는 법을 배우는 것은 험난하지만 도전적이고 의미 있는 여정에서 매우 중요했던 것 같다.

마크 오 마드센, 올림픽 레슬링 은메달리스트이자 3번의 세계선수권대회에서 은메달을 획득한 선수, 현재는 종합격투기(UFC) 선수로서 정상에 오르기 위한 길에 전념하고 있다.

추천사

이 책은 29명의 저자 모두가 올림픽 대표팀에서 일하고 있는 ACT 치료자들이다. 따라서 매우 구체적이고 실전적이며 무엇보다 현장에서 이미 효과성이 증명된 방식을 제공하고 있다. 사실 마음챙김이 스포츠에 도움이 된다는 점은 비교적 쉽게 짐작할 수 있다. 전문 선수들이 마음챙김 훈련을 꾸준히 실천한다면 고도의 집중력, 안정된 감정 조절, 스트레스 조절, 신체 상태에 대한 정확한 자각 등의 능력을 함양할 수 있고, 이는 더 나은 성적으로 이어질 것이다. 이 책에서는 구체적이고 종합적으로 마음챙김을 적용할 수 있는 방법을 제시한다.

이 책의 핵심 내용인 수용전념치료는 최근 들어서야 스포츠 심리학 분야에서 모습을 드러내기 시작했다. 기존의 스포츠 심리학에서 여러 가지 심리적 기술을 섞어 놓은 툴박스를 제공하였다면 수용전념치료 최신의 행동 이론을 바탕으로 통합적으로 연결된 체계적인 훈련 체계를 제공한다. 스포츠에서 진정으로 원하는 목표 지점이 있다면 불쾌한 생각, 괴로운 감정, 실패와 좌절의 아픈 기억, 강렬한 정서에 의해 유발되는 충동, 불편하게 느껴지는 신체 감각 등의 부정적 내면 경험에서 자유롭기 어려울 것이다. 이 책은 수용전념치료의 기본 원리에 충실하면서도 스포츠에 적합한 방식으로 응용하고 있으며, 힘겨운 훈련 과정과 긴장된 실전 상황에서 바로 적용할 수 있는 구체적인 지침을 제공한다.

이 책은 스포츠 지도자와 스포츠 심리학자는 물론 스포츠를 즐기는 모든 사람에게 바로 적용할 수 있는 귀중한 자산이다. 진료와 맥락과학연구회 연구활동으로 바쁜 와중에도 이 가치 있는 책을 번역해 준 이상수 선생님께 감사드린다. 아마 운동선수들의 고통을 낫게 하고 싶은 연민의 마음이 힘든 번역

과정을 견디게 해 주었으리라 짐작한다. 그도 오랫동안 만성통증의 희생자였으므로.

이강욱
(현) 강원대학교 정신건강의학과 교수
(현) 대한명상의학회 회장
(전) 대한정서인지행동의학회 이사장

저는 정신건강의학과 전문의로 중앙대학교 광명병원에서 교수로 재직 중입니다.

처음 인지행동치료를 접한 것은 저의 전공의 시절로, 은사님이신 이재우 교수님이 소개해 주셨습니다. 당시엔 프로이트, 융 등의 생소한 고전 이론들도 어려웠지만, 당장 조현병, 알코올 의존, 우울삽화, 조증 삽화 등의 진단 기준을 외우며 환자들과 실랑이를 하던 햇병아리 시절이었습니다. 더군다나 2세대 항정신병약물이 국내에서도 사용되기 시작하였고, 새로 개발된 항우울제가 쏟아져 나왔기에 정신-심리치료보다는 약물의 기전과 그 효능에 대한 공부에 주안점을 두던 시절이기도 했습니다.

다른 것에 여력이 없던 그 시절에는 미처 몰랐던 인지행동치료의 효능을 나중에 깨닫게 되었습니다. 왜냐하면 항우울제나 항정신병약물과 고전적 정신-심리 이론으로 호전이 되는 환자가 분명히 있었지만, 그것만으로는 해결되지 않는 문제들이 여전히 존재했기 때문입니다.

그래서 보관하고 있던 인지행동치료 책자와 프로그램 매뉴얼을 다시 꺼내어 알코올 의존 환자들과 수년간 실랑이를 하며, 그들의 인지 왜곡을 찾아 저만의 중독 치료 매뉴얼을 만들고 알코올 중독의 인지행동치료 책도 번역하면서 공부하던 어느 날 문득 깨달았습니다.

저는 쫄면을 못 먹습니다. 누가 물어보면, "원래 못 먹어"라고 대답하곤 했습니다. 그 원래가 언제일까? 못 먹는 것을 알고 있다면, 반드시 한 번은 먹어봤다는 것일 텐데. 인지행동치료 도식화를 했습니다. 친척 형의 군대 면회를 갔던 초등학교 시절까지 거슬러 올라갔습니다. 당시 면 지방의 군부대까지 포장되지 않은 도로 구간이 많았고, 면회 시간에 먼 길을 맞추어 가기 위해 채비를 서두르다 보니 점심으로 먹었던 떡볶이와 쫄면을 결국 토하였습니다. 큼직한, 거의 씹지 않은 떡의 모습이 매우 고통스러운 느낌과 함께 지금도 선명하게 떠오릅니다. 그 이후부터 떡볶이, 쫄면 등의 분식을 떠올리면 고통스러운 감정이 떠올랐고, 그래서 결국 저는 쫄면과 떡볶이를 피하는 성인이 되었습니다. 그런 도식화를 하면서 떡볶이나 쫄면이 구토의 원인이 아니라, 당시의 여러 가지 상황과 급하게 먹는 버릇 등이 문제라고 생각을 고쳐먹고는 떡볶이를 아주 천천히 꼭꼭 씹어 먹기를 반복했고, 지금은 아주 잘 먹습니다.

그러던 차에 우연히 하버드 대학의 내과 교수인 허버트 벤슨 교수가 쓴 과학명상법이란 책을 접하면서 단순 비과학적이라고 치부하던 '명상'에 대하여 새롭게 생각하게 된 계기가 되었습니다. '과학'이란 글자는 내과 의사가 의학적 근거를 제시할 수 있다는 의미였기 때문입니다. 그렇게 시작된 명상과의 인연은 대한정서인지행동의학회의 공부로 이어집니다. 정신-심리치료의 근거 확보와 핵심 증상은 결국 정서, 인지, 행동이 인간의 행동을 결정하며, 또한 병적인 행동을 수정하려면 정서와 인지의 변화가 필요하다는 내용의 공부를 하는 모임입니다. 이 학회의 창립 학술대회에 평생회원으로 참여하면서 인지행동치료가 명상과 만나 마음챙김 기반 인지치료, 수용전념치료(ACT), 변증법적 행동치료(DBT)로 진화하고 있다는 것을 알게 되었습니다.

또한 우연한 계기로 같이 공부하던 동료들과 스포츠 정신의학을 번역하면서 운동 선수들의 정신건강에 대한 관심을 갖게 되었습니다.

그 과정 중, 이상수 원장님으로부터 이 책의 추천사를 써달라는 부탁을 받게 되니, 부담이 이만저만이 아닙니다. 지금은 잘 하지 않는 주례사를 맡은 기분입니다. 무슨 애기를 써야 하나, 그냥 좋다고 할까, 많은 고민을 하다가 그냥 독자로서 그리고 정신건강의학과 전문의로서 이 책을 읽고, 실제 생활에 적용할 수 있는지, 환자들에게 권유할 수 있는지를 정리하기로 했습니다.

우리는 감정의 바다에서 살고 있습니다. 그 감정은 즐겁기도 하지만, 고통스럽기도 합니다. 즐거운 감정은 우리를 살아가게 하지만 고통스러운 감정은 우리를 변하게 만듭니다. 특히 과거의 부정적인 감정 경험은 사람의 믿음을 바꾸어 놓고, 그로 인한 행동까지 변하게 만듭니다. 정신건강에 문제가 있는 환자들은 일상적이고 이성적인 행동에서 변화된 모습을 보입니다. 그렇다면 벗어난 행동을 다시 되돌릴 수도 있을까요? 무언가에 집중할 수 있다면, 또 다른 것으로 집중을 돌릴 수도 있습니다. 폭음에만 집중(의존)하는 환자에게, "그렇게 술에 집착했다면, 다른 일상의 것으로도 집착할 능력이 있습니다. 그러나 단지 집중하는 연습이 안 되었을 뿐입니다"라고 말해주곤 합니다. 이런 환자들에게 알코올 의존에서 벗어나는 한 가지 좋은 방법이 바로 마음챙김입니다. 마음챙김은 본래의 자신을 바라보는 명상법이기 때문입니다.

그리고 이 책은 운동선수뿐만 아니라 우리 모두에게 필요합니다. 우리는 우리 집의, 내 직장의 대표선수이기 때문입니다. 올림픽보다 훨씬 복잡한 경쟁을 하고 있기도 하고, 국가 대항전을 치르기도 하기 때문입니다. 타인과의 경쟁을 넘어서 자신을 더 나은 사람으로 만들고자 하는 누구에게나 유용한 책임에는 틀림없다고 생각합니다.

종교를 책으로 배울 수는 없습니다. 그러나 불경이나 성경은 종교의 이해뿐만 아니라 종교를 생활화하는 데 필수적입니다. 마찬가지로 마음챙김이나 ACT를 책으로 쉽게 배울 수 없겠지만 마음챙김이나 ACT를 삶에 적용하는 데 이 책은 목적지까지 틀림없이 잘 안내하는 좋은 내비게이션이라고 생각합니다. 그리고 반드시 꾸준한 반복 연습이 필요합니다. 마치 피아노를 배워서 내가 원하는 곡을 치기까지의 과정과 비슷합니다. 그 한 곡을 치고 나면 다른 곡을 칠 수 있는 자신감과 기술이 생길 겁니다.

이 책을 읽으면서 있었던 일들을 적어보겠습니다. 첫 페이지를 읽을 때의 집중력이 200쪽을 넘어가자, 잡생각으로 가득 찹니다. “아직도 수십 페이지가 남았네, 굳이 내가 이걸 다 읽어야 하나…” 짜증도 나고, 시간도 더디게 가고. 다른 할 일이 눈앞에 쌓여 있는 것이 여간 신경 쓰이는 게 아닙니다. 그러다 보니 단락을 건성으로 빠르게 스쳐 지나가고 있는 내 자신을 발견합니다.

그래서 이 책에서 하라는 대로 해봤습니다.

– 나는 추천사를 통해 무엇을 바라는가? 무슨 얘기를 하고 싶은가?

– 아니다, 나의 얕은 지적 수준이 드러날지 모르는 두려움에 자꾸 회피하고 싶은 거다.

– 아직 내가 공부가 덜 되었구나, 남들의 시선을 너무 의식하는구나.

이렇게 자신의 감정에 집중을 하며 매 페이지를 마치 첫 페이지를 읽듯이, 200여 쪽에 집중했습니다. 마음챙김에서 호흡에 집중하듯, 잡생각이 날 때마다 200페이지를 첫 페이지라 생각하고 다시 집중하기를 반복했습니다.

그러자 각 사례와 비유를 읽을 때마다 과도한 정서적 소진으로 힘들게 찾아온 공무원, 교사, 직장인들의 모습이 떠올랐습니다. “아, 그분에게 이 책에 나오는 이 비유를 들려주었으면 좋았을 것을” 하는 생각이 듭니다.

이 책의 19장에서 혼란에 빠지는 심리상담가처럼, 저도 하루 진료 중 적어도 한 번은 짜증내고 화내곤 합니다. 그럴 때, 내 감정은 이미 지구상공을 넘어 우주로 나가 있는 경우가 허다합니다. 그럴 때마다 호흡에 집중하고 있는 내 감정을 있는 그대로 받아들이고, "내 발 바닥이 바닥에 닿아있구나, 왼쪽 네 번째 발가락의 두 번째 마디가 여기 있구나..." 하면서 지금-여기로 돌아오기를 연습합니다.

정신건강 전문가로 이런 질문을 흔히 받습니다. "본인만의 스트레스나 정신건강관리의 비법이 있을까요?" 다음과 같은 책의 내용으로 그 대답을 대신하겠습니다.

'마음챙김은 현재의 순간을 있는 그대로 받아들이는 것이다.'라는 카밧-진(1994)의 말을 의역해서 들려주는 것이다. 마음챙김은 알아차림의 연습이며, 순간을 더 잘 알아차림으로써 경기장 안팎에서 행복한 시간, 슬픈 시간, 스트레스를 받는 시간, 스트레스를 받지 않는 시간 동안 그것을 알아차리고 그 순간을 받아들이는 데 도움이 될 수 있다고 설명한다.

수용은 체념이 아니라 목표지향적 행동에 자유롭게 참여하기 위해 불쾌한 내적 경험을 기꺼이 견디는 것이다.

간혹 내비게이션 2개를 동시에 틀어 놓고 운행하는 택시 기사님을 볼 수 있습니다. 안내자가 너무 많으면 혼란스럽겠지만, 2개 정도면 서로 보완을 해줄 수 있다는 생각도 들었습니다. 인생의 가치를 설정하지만 살다 보면 그 가치는 바뀔 수밖에 없습니다. 목적지가 바뀌는 이유이기도 합니다. 그럴 때 길을 잃고 헤매는 순간의 두려움은, 어디로 가야 할지 모르기 때문일 수도 있지만, 지금 여기가 어디인지 모르기 때문에 더욱 두렵기도 합니다. 그런 순간에 내 위치를 알아챌 수 있다면, 그 불안은 줄어들고 새로운 에너지가 생겨날 전환점이 될 수 있습니다. 나를 온전히 받아들이는 과정은 새로운 목적지로 가는 에너지를 얻는 시작입니다.

이 책을 통해 많은 분들이 인생을 살아가는 데 좋은 도구를 하나 더 가져갈 수 있기를 바랍니다.

서정석

(현) 중앙대학교 의과대학 및 중앙대학교광명병원 정신건강의학과 교수

(전) 건국대학교 의과대학 및 건국대학교충주병원 정신건강의학과 교수

스포츠 정신의학(시그마프레스, 2015) 등 다수의 책 저자 및 역자

마음챙김(Mindfulness)과 수용전념(Acceptance and Commitment)이 정신 치료와 상담의 대세로서 이미 활발히 적용되고 있다. 기존의 정신 치료가 가진 과학성의 약점과 적용의 비실용성을 대체한 것이 이유였지만 더 중요한 것은 인간을 바라보는 관점이, 정신과 무의식에서 몸으로 대전환이 이루어지고 있기 때문이다. 나는 나의 생각이나 영혼이 아니라 나의 몸(자신 自身)일 뿐이다. 고차원의 추상적 개념 역시 몸의 움직임의 은유일 뿐이라는 인지과학적, 철학적 통찰이 만들어낸 결과이다. 이러한 접근이 극한의 스트레스를 견디며 몸과 마음의 고통을 겪는 스포츠 선수들을 도와주는 스포츠 심리학에 접목되는 것은 너무도 당연하다. 이 책은 이러한 현대 정신 치료의 주요 흐름을 잘 담고 있으며 스포츠 선수들이 겪는 어려움에 대한 공감을 기반으로 현실적인 해결책을 제시해 주고 있다. 현대적 통찰과 실용성의 미덕을 구현한 이 책을, 몸과 마음의 고통(痛)을 몸과 마음의 소통(通)으로 해결하려고 노력하는 통통(痛通)샤인정신건강의학과 이상수 원장이 번역 소개하는 것 역시 자연스러운 일일 것이다.

수고와 노력에 박수를 보낸다.

남범우

(현) 대한정서인지행동의학회 이사장

(현) 대한우울조울병학회 회장/평안정신건강의학과 원장

새로운 스포츠 심리학

마음챙김과 수용전념

압박감 속에서 최고의 성과를 만들어내기

수용전념치료(ACT–Acceptance and Commitment Therapy)와 마음챙김 수용전념(Mindfulness Acceptance Commitment, MAC)과 같은 마음챙김 및 수용 기반 접근법이 엘리트 운동선수를 지원하는 스포츠 심리학 전문가들 사이에서 엄청난 호응과 지지를 얻고 있다. 스포츠 심리학 분야의 이러한 수용 기반의 제3 동향 인지 행동 접근법은 사고 억제 및 통제 기술이 메타인지 검열 과정(메타인지 스캐닝)을 유발할 수 있으며, 과도한 인지적 활동과 과제와 무관한 집착(생각을 바꾸려고 하는 자기초점적 주의)이 운동선수의 수행 능력을 방해한다는 점을 강조한다. 이러한 관점에서 스포츠 심리학 개입의 목표는 선수가 내면의 경험을 관리하고 통제하는 실효성 없는 작업에 참여하도록 돕는 것이 아니다. 오히려 스포츠 심리학 전문가는 운동선수가 가치 있는 목적을 추구하기 위해 부정적인 생각과 감정을 기꺼이 받아들이려는 의지를 높이기 위해 노력해야 한다고 제안한다. 이러한 개입의 핵심적인 측면에는 선수가 마음을 열고 자신에게 주어진 상황을 받아들이도록 지도하고, 현재 순간에 주의 깊게 참여하도록 가르치며, 선수가 자신에게 소중한 가치를 명료화하고 이러한 가치를 향한 전념 행동에 참여하도록 돕는 것이 포함된다.

이 책의 목표는 제목에서 보는 것처럼 스포츠 심리학부 학생, 연구자, 심리상담가, 코치와 감독에게 운동선수와 함께 일할 때 마음챙김과 수용전념 접근법을 구현하는 데 필요한 실용적인 지침을 제공하는 것이다. 이 책은 고도로 숙련된 전세계의 전문가들이 모여 그들의 효과적인 개입 방법, 연습예시, 실제 적용 사례 등을 공유하여 스포츠 심리학 분야에 영감을 불어넣기 위해 다음의 대표 저자들에 의해서 기획되었다.

크리스토퍼 헨릭센은 남덴마크대학교 스포츠 과학 및 임상 생체역학 연구소의 부교수이자 팀 덴마크의 스포츠 심리학 전문가이다.

야콥 한센은 스포츠, 비즈니스 및 기타 성과 영역의 전임 개인 성과 상담가이다. 2008년부터 2018년까지 팀 덴마크에서 스포츠 심리학 전문가로 활동했다.

카스텐 흐비드 라센은 남덴마크대학교 스포츠 과학 및 임상 생체역학 연구소의 부교수이자 팀 덴마크의 스포츠 심리학 전문가이다.

새로운 스포츠 심리학

Mindfulness and Acceptance in Sport

마음챙김과 수용전념

압박감 속에서 최고의 성과를 만들어내기

How to Help Athletes Perform and Thrive under Pressure

크리스토퍼 헨릭센

야콥 한센

카스텐 흐비드 라센

옮긴이 이상수

새로운 스포츠 심리학

마음챙김과 수용전념

첫째판 1쇄 인쇄 | 2024년 01월 19일
첫째판 1쇄 발행 | 2024년 01월 31일

대 표 저 자 크리스토퍼 헨릭센, 야콥 한센, 카스텐 흐비드 라센
옮 긴 이 이상수
발 행 인 장주연
출 판 기 획 임경수
책 임 편 집 이연성
일 러 스 트 김명곤
표지디자인 김재욱
편집디자인 주은미
제 작 담 당 황인우
발 행 처 군자출판사(주)
등록 제 4-139호(1991. 6. 24)
본사 (10881) **파주출판단지** 경기도 파주시 회동길 338(서패동 474-1)
전화 (031) 943-1888 팩스 (031) 955-9545
홈페이지 | www.koonja.co.kr

ISBN 979-11-7068-085-7 (93510)
정가 33,000원

자신에게 진정으로 중요한 것을 추구하기 위해
매일 싸우고 땀 흘리며 고군분투하는 모든 운동선수 여러분께.
여러분 모두는 희망과 꿈이 있고,
그 꿈에 도달할 수 있을지에 대한 의구심도 가지고 있습니다.
이런 모습은 지극히 인간적인 모습입니다.
정말 그렇습니다. 그래도 괜찮습니다.

우리와 함께 일한 모든 선수들에게 감사합니다.
여러분의 여정에 우리를 초대해 주셔서, 실험할 수 있게 해주셔서,
그리고 우리 곁에서 많은 힘든 순간을 함께 견뎌주어서 감사합니다.
선수 여러분의 야망과 고군분투가 없었다면
이 책에 담긴 아이디어는
결코 세상 밖으로 나올 수 없었을 것입니다.

사랑하는 나의 가족들에게, 있는 그대로의 모습에 감사해요. 고마워요.

CONTENTS

그림

표

공동 저자 소개

마크 W. 아오야기 박사는 콜로라도주 덴버에 위치한 성과 심리학 전문 기관인 스포츠 및 성과 우수성 컨설팅 센터의 공동 설립자이자 수석 상담가며, 덴버 대학교의 스포츠 및 성과 심리학 디렉터 겸 전문 심리학 대학원의 교수다. 덴버 브롱코스, 덴버 너게츠, 미국 육상 대표팀, 콜로라도 맘모스 및 전미대학체육협회(NCAA) 소속된 여러 종목의 운동선수와 함께 일했다. 콜로라도주에서 면허를 취득한 심리학자이자 미국 응용 스포츠 심리학 협회(AASP)의 공인 멘탈 퍼포먼스 상담가(CMPC)이며, 미국 올림픽 위원회(USOC) 스포츠 심리학 분야에 공인된 전문가로 등재되어 있다. 미주리 대학교에서 스포츠 심리학을 전공하여 상담 심리학 박사 학위를 받았으며, 서던 캘리포니아 대학교(USC)에서 스포츠 심리학 박사후 연구원으로 근무했다. 그 전에는 유타 대학교에서 운동 및 스포츠 과학 학사 및 심리학 학사 학위를, 조지아 서던 대학교에서 스포츠 심리학을 전공해 운동학 석사 학위, 덴버대학교 다니엘스 경영대학원에서 경영학 석사 학위를 취득했다. 럭비, 축구, 야구, 레슬링 선수로 활동했으며 현재는 다양한 레저 스포츠와 야외 활동을 즐기고 있다.

르네 N. 어패널은 현재 호주 스포츠 연구소에서 근무하고 있다. 그녀는 엘리트 스포츠, 운동, 재활 및 의학 분야에서 20년 넘게 선수들의 운동 능력 최적화를 위해 노력해 왔다. 1994년 노스캐롤라이나 대학교 채플힐에서 스포츠 심리학을 전공한 후 웨스트버지니아 대학교를 거쳐 매사추세츠주 보스턴에서 응용 스포츠 심리학 교육을 시작했다. 대학원 졸업 후 연구원이자 심리학 펠

로우로 보스턴에 머무는 동안 인생여정의 동반자인 크레이그를 만나 결혼했다. 그린즈버러에 있는 노스캐롤라이나 대학교에서 8년 동안 교수로서, 대학원 지도/멘토링, 연구 및 컨설팅의 업무를 나름 균형적으로 하기 위해 노력하다가 그녀는 네 명의 가족과 함께 풀타임 심리상담가가 되기 위한 새로운 모험을 위해 호주로 떠났다. 호주 스포츠 연구소의 선임 스포츠 심리학자로서 비장애인 및 장애인 육상, 수영, 농구, 쇼트트랙 스피드 스케이팅, 장애인 동계 스포츠 분야의 선수, 코치, 스포츠 과학/의료진, 리더들과 함께 일해 왔다. 그녀는 스포츠 부상/질병 예방 및 재활과 관련하여 선수 및 여러 분야의 지원 스태프와 상담해 왔다. 선수경력 내내 그녀는 정서적, 신체적으로 취약한 시기에 처음 만난 선수들과 소통하기 위해 항상 겸손한 자세로 임했다. 그녀는 자신의 일을 통해 선수들이 스트레스를 잘 대처해 성장의 계기를 마련하고, 인생에서 의미 있는 일로 돌아갈 수 있기를 희망한다.

에이미 발첼은 미국응용스포츠심리학협회의 직전 회장이자 교수, 레이키(Reiki) 마스터, 작가이다. 개인 스포츠 심리학 클리닉을 운영하고 있으며 육상, 복싱, 펜싱, 사격, 야구, 스쿼시, 조정 등의 스포츠 분야에서 엘리트 운동선수, 음악가, 올림픽 선수 지망생들과 함께 일해 왔다. 그녀의 전공은 마음챙김, 자기연민, 성과 심리학이다. 그녀는 웨슬리언 대학교(코네티컷)에서 학사 학위를 취득하고 보스턴 대학교에서 석사와 박사 학위를 받았다. 미국 국가대표(1989년, 1990년) 및 올림픽(1992년) 조정팀 멤버이자 여자 아메리카컵 요트팀(1995년)의 일원이었다. 하버드 대학교에서 스포츠 심리학 과정을 처음으로 개설해서 가르쳤다. 비즈니스 및 스포츠 전문 강사로 활동 중이며 미국, 영국, 캐나다, 스웨덴의 국제학회에서 기조 연설자로 활동했다.

존 바라노프 박사는 현재 불안 및 우울증 치료 센터와 애들레이드 대학교에서 근무하고 있다. 그는 호주 사이클 대표팀 심리학자, 호주 스포츠 연구소 성과 심리학 부서의 선임 스포츠 심리학자 등의 직책을 8년 동안 수행하면서 다양한 스포츠 선수들과 함께 일해 왔다. 또한 리우 올림픽에서 호주 사이클 대표팀의 심리학자였으며, 이전에는 호주 비치발리볼 국가대표팀에서 근무한 바 있다. 호주 룰스 축구 및 기타 축구 종목에 폭넓은 경험을 보유하고 있고, 특히 정신 건강, 만성 통증, 부상 재활 심리학 분야에서 관심이 많으며, 10년 넘게 다학제 통증 팀과 스포츠 의학 팀의 일원으로 일했다. 그는 수영선수로서 부상 재활과 지속적인 통증에 대한 개인적인 경험을 가지고 있으며, 지금도 개인적으로 바다 수영에 열정을 쏟고 있다.

제시카 D. 바틀리는 덴버대학교 심리전문대학원의 스포츠 및 성과 심리학 프로그램 교수이자 스포츠 및 성과 우수성 컨설팅 센터의 디렉터이다. 그녀는 면허를 소지한 심리학자이자 임상 사회복지사 자격증을 보유하고 있다. 또한 미국 응용 스포츠 심리학 협회의 공인 멘탈 퍼포먼스 상담가(CMPC)이며, 미국 올림픽 위원회(USOC) 스포츠 심리학 분야에 공인된 전문가로 등재되어 있다. 그녀의 전문 분야는 운동선수의 정신 건강, 특히 우울증, 불안, 섭식 장애 및 신체 이미지, 약물 사용, 수행 불안, 동기 부여, 운동 후 스포츠 전환/은퇴 등이다. 그녀는 섭식장애전문클리닉 EDCare–Denver에서 경력을 시작하여 동료들과 협력하여 섭식 장애를 가진 운동선수를 위한 프로그램을 개발했다. 대학 환경에서 팀과 운동선수들을 상담했으며 오하이오 주립대, 노스캐롤라이나 대학교, 채플힐 대학교, 덴버 대학교에서 근무했다. 올림픽 대표팀 및 국가대표선수들과 함께 일했으며, 미국 육상 대표팀과 미국 가라데의 스포츠 심리학자로도 활동했다.

아스트리드 베커–라르센은 현재 팀 덴마크를 지원하는 외부 협력기관의 응용 스포츠 심리학자로 일하고 있으며, 남덴마크 대학교에서 연구 조교로 일하고 있다. 그녀의 연구 분야는 정신적 스트레스와 회복이며, 선수와 코치가 슬럼프와 같은 힘든 시기에 어떻게 균형을 유지할 수 있는지에 대한 연구를 진행하고 있다. 그녀는 볼링, 수영, 역도, 테니스 종목에서 성인 및 청소년 국가대표팀 선수들을 지도하며 스포츠 심리학 기술을 훈련하고 있다. 덴마크 스포츠 심리학 포럼의 부회장으로서 클럽과 연맹을 조율하며 덴마크의 스포츠 심리학 발전을 위해 노력하고 있다.

다니엘 비러는 스위스 마글링겐 연방 스포츠 연구소의 스포츠 심리학 부서장이다. 공인 스포츠 심리학자로서 다양한 스포츠 종목의 수많은 정상급 선수와 코치에게 스포츠 심리학 서비스를 제공하고 있다. 스위스 올림픽 코치 교육 과정에 정규 강사로 재직 중이며, 2004~2010년 올림픽을 앞두고 스위스 올림픽 위원회의 일원으로 활동했다. 그의 연구 관심 분야는 기분과 수행 능력의 연관관계, 과도한 훈련, 멘탈 트레이닝 기법의 효율성 검증, 스포츠 영역에서 마음챙김 기반 개입의 효과이다. 현재 그는 미국 응용 스포츠 심리학 협회(AASP), 맥락행동과학회 (ACBS), 스위스 심리학자협회, 스위스 스포츠심리학회 회원이다. 전직 육상 선수(10종 경기)였던 그는 현재 비치발리볼, 산악자전거, 프리라이딩, 스키, 등산과 같은 아웃도어 스포츠를 즐기며 여가를 보내고 있다.

그렉 디멘트 박사는 덴마크 대표팀에서 스포츠 심리학자로 일하고 있다. 호주 출신인 그는 호주 엘리트 스포츠 시스템에서 5년간 근무한 후 2008년 덴마크 코펜하겐으로 이주하여 팀 덴마크의 새로운 스포츠 심리학 팀의 일원이 되었다. 현재 그는 팀 내에서 코디네이터 역할을 하며, 조정, 카약, 사이클링 국가대표팀과 관련된 업무를 담당하고 있다. 여기에는 일상적인 훈련 환경에서 선수들과 긴밀히 협력하는 것은 물론, 여러 세계 선수권 대회와 런던 및 리우 올림픽을 포함한 주요 국제 대회에 참가하는 것도 포함된다. 런던 올림픽에서 전통적인 인지 치료의 측면이 의도한 대로 일부 선수들에게 도움이 되지 않는다는 것을 느낀 후부터 수용전념치료(ACT)와 마음챙김에 대한 여정을 시작했다. 이후로 그는 선수들이 주요 경기의 압박감뿐만 아니라 일상 생활에서 직면하는 많은 '일상적' 도전에 대처할 수 있도록 다양한 접근법을 모색했다.

요한 에켄그렌은 할름스타드 대학교의 박사 과정 학생이다. 그의 박사 프로젝트는 운동선수의 경력 개발과 전환에 초점을 맞춘 스포츠 심리학 분야에서 진행되고 있으며, 전반적인 목표는 스웨덴 핸드볼 선수의 경력 전반에 걸친 심리 지원 시스템을 위한 프레임워크를 개발, 구현 및 평가하는 것이다. 핸드볼은 그의 삶에서 하나의 실타래처럼 이어져 있다. 그는 연구자이자 스포츠 심리학자인 동시에 선수, 엘리트 코치, 최근에는 유소년 코치로도 활동했다. 스포츠 심리학을 전공하여 이학 석사 학위를 받았으며, 인지행동치료(CBT) 학사 학위를 취득했다. 스웨덴 핸드볼 연맹과 엘리트 팀에서 수년간 스포츠 심리학자로 일했다. 그의 진료의 기초는 수용전념치료와 마음챙김과 같은 3동향 CBT를 중심으로 한다. 그는 스웨덴 핸드볼 리그 챔피언으로 4회 연속 우승을 차지한 IFK 크리스티안스타드에 2013년부터 고용되어 일하고 있으며, 현재 아내 헬레나, 두 딸과 함께 스웨덴 서부 해안의 할름스타드에 거주하고 있다.

조나단 페이더는 면허를 소지한 임상 및 성과 심리학자이다. 그는 뉴욕 메츠, 뉴욕 자이언츠 등 메이저리그 야구와 전미 미식축구 리그(NFL)의 프로 선수들과 함께 일한 것으로 가장 잘 알려져 있다. 페이더는 뉴욕에 위치한 정신 건강 센터인 Union Square Practice와 퍼포먼스 코칭 그룹인 SportStrata의 공동 설립자이다. 그는 운동선수, 공연자, 기업가, 기업, 학교, 의사, 그리고 뉴욕시 소방국(FDNY)과 같은 응급 구조대원 그룹과 정기적으로 협력하고 있다. 그는 마음챙김, 동기 부여, 성과 향상, 스트레스 감소, 의사소통 개선, 팀 빌딩을 주제로 여러 그룹에 강연을 하고 있다. 그는 동기 부여 인터뷰 상담가이며 전국적으로 인정받는 동기 부여 인터뷰 상담가 네트워크(MINT)의 일원으로 여러 권의 책을 공동 저술했다.

캐롤 R. 글래스 박사는 워싱턴 DC에 있는 미국 가톨릭대학교의 심리학과 명예교수이다. 120편이 넘는 논문과 챕터를 집필했으며, 마음챙김 스포츠 성과 향상(MSPE)의 공동 개발자이자 MSPE 연구소의 공동 설립자이다. 임상 심리학자로서 35년 이상의 경력을 보유하고 있다.

피터 하벌은 1998년부터 미국 올림픽위원회에서 재직 중이다. 현재 수석 스포츠 심리학자로서 팀 스포츠에 특화된 전문성을 가지고 국가대표 상비군 및 국가대표팀 선수들에게 개인 및 팀 상담 세션을 제공하고 있다. 그는 미국 선수들과 함께 8번의 올림픽, 3번의 팬아메리칸 게임, 1번의 패럴림픽(그리고 수많은 세계 선수권 대회)에 참가해서 함께 일할 수 있는 특권을 누렸다. 미국올림픽 위원회에 합류하기 전에는 오스트리아에서 프로 아이스하키 선수로 활동했다. 오스트리아에서 태어나 오스트리아 비엔나 대학교에서 스포츠 과학 학사 학위를 받았다. 이후 보스턴 대학교에서 상담학 석사 학위와 상담 심리학 박사 학위를 취득했다. 공인 심리학자로서 마음챙김 기반 개입에 중점을 두고 있다.

야콥 한센은 스포츠, 비즈니스 및 기타 성과 영역(음악, 연기, 정치 등)에서 전임 개인 성과 상담가로 활동하고 있다. 그는 성과가 뛰어난 조직, 팀, 리더 및 개인과 협력하여 이들이 자기 통찰력과 지혜를 바탕으로 압박감 속에서도 지치지 않고 성과를 낼 수 있도록 돕는다. 2008년부터 2018년까지 덴마크 엘리트 스포츠 기관인 Team Denmark에서 근무했다. 다섯 번의 올림픽과 여러 종목의 세계 및 유럽 선수권 대회에서 스포츠 심리상담가로 참여했다. 덴마크어로 세 권의 스포츠 심리학 책을 공동 저술했다. 그는 덴마크 스포츠 심리학 학회에 마음챙김과 수용전념 접근법을 도입하는 데 열정적인 영향력을 행사해 왔다. 2017년 4월 코펜하겐에서 엘리트 스포츠의 마음챙김과 수용전념 접근법에 관한 첫 번째 국제 학회를 개최하여 전 세계 전문가들을 한자리에 모으는 데 핵심적인 역할을 했다.

크리스토퍼 헨릭센 박사는 남덴마크대학교 스포츠 과학 및 임상 생체역학 연구소의 부교수이자 '스포츠에서의 배움과 재능'(LETS) 연구 부서의 책임자이다. 그의 연구는 주로 성공적인 스포츠 환경에 중점을 두고 사회적 관계와 그것이 선수의 발달과 성과에 미치는 영향을 연구한다. 10년 이상 덴마크 국가대표팀에서 스포츠 심리학 전문가로 일해 오면서 국가대표팀과 정신적으로 강한 선수 및 코치들의 탁월한 경기력 향상을 위해 노력해 왔다. 그는 여러 스포츠 분야에서 일했지만 주로 철인 3종 경기, 오리엔티어링, 올림픽 요트 분야에서 일하면서, 다수의 세계선수권 및 유럽 선수권 대회와 런던 및 리우 올림픽 기간 동안 선수와 팀을 지원했다. 인재 개발 및 응용 스포츠 심리학 분야에서 광범위한 논문을 발표했으며 국제 스포츠 심리학 협회(ISSP)의 이사로 활동하고 있다. 개인적으로 로드 및 산악 자전거와 트라이애슬론을 즐긴다.

쇠렌 스베인 호이어는 현재 남덴마크 대학교의 스포츠 과학 및 임상 생체역학 연구소에서 연구 조교로 일하고 있다 그의 연구는 프로 계약을 통해 덴마크에서 다른 나라로 이주하는 축구 선수들의 문화적 전환에 초점을 맞추고 있으며, 새로운 전환을 위해 선수와 주요 관계를 어떻게 준비해야 하는지에 대한 연구를 진행하고 있다. 그는 수많은 비치발리볼 세계 및 유럽 투어와 청소년 세계 및 유럽 선수권 대회에 참가한 국가대표 선수로서 비치발리볼에 풍부한 경험을 가지고 있다. 코치로서 그는 덴마크, 노르웨이, 슬로베니아 국가대표팀과 덴마크 청소년 대표팀과 함께 일했으며, 수년 동안 덴마크 배구 연맹에서 비치발리볼 코치 교육을 담당하며, 게임의 기술적, 전술적, 심리적 측면을 가르쳤다.

키스 A 카우프만 박사는 운동선수의 정신 훈련을 전문으로 하는 임상 심리학자로, 2008년부터 워싱턴 DC에서 개인 클리닉을 운영하고 있다. 그는 마음챙김 스포츠 성과 향상(MSPE) 프로그램을 공동 개발했으며, MSPE 연구소를 공동 설립했다. 또한 미국 가톨릭 대학교에서 10년 넘게 스포츠 심리학을 가르쳤다.

괴란 켄타 박사는 2001년 스톡홀름 대학교에서 심리학 박사 학위를 취득했다. 그의 연구의 대부분은 엘리트 스포츠에 중점을 두었다. 현재 스톡홀름에 위치한 스웨덴 스포츠 및 건강 과학 대학에서 연구직을 맡고 있으며, 이 대학의 코치 교육 프로그램 디렉터이자 스웨덴 스포츠 심리학 협회의 전 회장을 역임하기도 했다. 또한 현재 스웨덴 스포츠 연맹에서 스포츠 심리학 분야 학과장으로 재직 중이며 오타와 대학교에서 겸임 교수로 재직하고 있다. 스포츠심리학 분야의 전문가로서 여러 종목의 엘리트 선수, 수석 코치, 국가 대표팀에 스포츠 심리학 지원을 제공했으며 세계 선수권 대회, 패럴림픽, 올림픽을 비롯한 여러 대형 이벤트에 참가했다.

크리스텔 키엔스는 에스토니아 탈린에 있는 엘리트 스포츠 체육관 오덴테스에서 스포츠 심리학자로 일하고 있으며 개인 클리닉도 운영하고 있다. 그녀는 다양한 스포츠 종목의 엘리트 청소년 선수들과 정기적으로 협력하며 선수들의 진로 개발 및 경력 향상에 중점을 두고 있다. 에스토니아 여자 농구 대표팀과 같이 유럽 엘리트 리그에서 활약하는 올림픽 선수 및 팀 스포츠 선수를 포함하여 국내 및 국제 수준의 다양한 스포츠 선수들과 함께 일해 왔다. 탈린 대학교에서 심리학 박사 과정을 시작했으며, 특히 전체적 생태학적 관점에서의 이중 경력 경로와 발달에 중점을 두고 연구하고 있다. 어린 시절에는 다양한 스포츠를 즐겼으며 비치발리볼에서 국제적인 수준의 선수로 활동했다. 지금도 정기적으로 스포츠 활동을 하고 있으며, 특히 장거리 달리기에 관심이 많다.

카스텐 흐비드 라센 박사는 남덴마크대학교 스포츠 과학 및 임상 생체역학 연구소의 부교수이자 팀 덴마크의 스포츠 심리상담가다. 그는 팀 덴마크에서 일하면서 유럽 및 세계 선수권 대회에 출전하는 선수와 팀을 지원했다. 그는 팀 개발, 경기력 향상, 정신 건강, 회복탄력성 있는 선수와 코치 육성에 중점을 두고 있다. 현재 그는 주로 축구 분야에서 국가 대표팀을 위한 스포츠 심리학 지원을 제공하고 있다. 응용 스포츠 심리학 및 인재 개발에 관한 광범위한 논문을 발표했으며, 주로 축구, 정신 건강, 어린 선수를 위한 스포츠 심리학, 선수 개발 및 성과향상, 성공적인 인재 개발 환경에 중점을 둔 연구를 진행하고 있다.

힌 유에(헨리) 리 박사는 호주 멜버른의 빅토리아 대학교에서 응용 심리학(스포츠 및 운동) 박사 학위를 취득했다. 홍콩 스포츠 연구소에서 약 10년간 스포츠 심리학자로 일하고 있다. 펜싱, 가라테, 볼링, 스쿼시 등의 스포츠에 대한 개인 및 그룹 상담을 제공하고 있다. 여러 세계 및 아시아 선수권 대회와 월드 시리즈에서 선수들과 함께 현장 심리지원을 위해 전세계를 누볐다. 또한 세 번의 아시안게임, 동아시안게임, 전국체전에서 홍콩 대표단의 공식 서포터로 선정되기도 했다. 그의 연구 관심 분야는 엘리트 스포츠 환경에서의 운동선수 정체성과 마음챙김 실천에 대한 문화 간 연구이다. 홍콩 스포츠 및 운동 심리학 학회 회장으로서 젊은 스포츠 심리학자의 전문성 개발과 홍콩 및 중국 본토의 스포츠 심리학 개발에 관한 국제 서적에 학술 챕터를 집필했다. 대학과 지역 리그에서 10년 이상 핸드볼 선수로 활동했으며, 현재는 테니스와 체력 및 컨디셔닝, 마음챙김 연습에 더 많은 시간을 할애하고 있으며, 후자의 두 가지가 3살 아들 Jaspar의 아버지로서 자신의 역할을 지원하는 데 필수적이라는 것을 깨닫고 있다.

토비아스 룬드그렌 박사는 심리학자이자 심리치료사 면허를 취득한 이래로 임상 심리학, 심리치료, 운동선수 심리 훈련 등 여러 분야에서 일해 왔다. 현재 스웨덴 카롤린스카 연구소의 연구 그룹 리더이자 정신의학 연구 센터 내 헬스케어 개발 부서의 책임자이다. 지난 15년 동안 운동선수의 건강 및 경기력 향상을 위한 임상 연구를 수행했으며, 운동선수를 위한 신경인지 분야와 운동선수를 위한 ACT의 영향에 관한 논문을 발표했다. 또한 ACT 상담가로서 뇌전증, 통증, 자폐 스펙트럼 장애(ASD) 등 다양한 임상 집단을 위한 ACT 개발에 관한 4권의 책과 수많은 학술챕터를 저술하였고, 많은 연구 논문을 발표했다. 또한 2003년 스웨덴 린코핑에서 열린 ACT와 관계구성이론(RFT)에 관한 첫 번째 세계학회부터 ACT 이론적 발전에 기여해 왔다.

앤더스 멜란트 박사는 현재 노르웨이 오슬로의 항공 의학 연구소에서 연구원이자 인적 요인 전문가로 일하고 있다. 또한 오슬로 올림픽 훈련 센터의 스포츠 심리학 부서에서 파트타임으로 근무하고 있다. 그는 스트레스 감소와 경기 환경에서 주의력 조절 능력을 배양하는 새로운 방법을 개발하고 검증하는데 특별한 관심을 가지고 있다. 2009년까지 크로스컨트리 스키, 배드민턴, 해군 근대5종 종목에서 선수와 코치로 활동했다. 지난 10년 동안 그는 공군 조종사 및 엘리트 운동선수들과 함께 멘탈 트레이닝이 어떻게 수행 능력을 향상시키고, 높은 야망과 많은 업무량을 극복하고 번영하는 데 도움이 될 수 있는지 연구했다. 그는 스포츠 및 군사 분야의 동료들과 함께 300명 이상의 프로그램 참가자를 대상으로 4~12개월의 훈련과 최대 2년간의 추적 관찰을 통해 광범위한 결과 측정을 수행했다. 개인적으로 스포츠선수로 활약했던 배경을 접목해서 그는 경쟁적인 시합 환경에서 심리 훈련 프로그램을 개발, 실행 및 평가하는 방법에 대한 폭넓은 지식을 쌓았다.

안네 마르테 펜스가드 박사는 현재 노르웨이 스포츠과학대학과 오슬로에 위치한 노르웨이 올림픽 트레이닝 센터에서 스포츠 심리학 교수로 재직하고 있다. 2002년부터 축구, 핸드볼, 스키, 스노보드, 사격, 요트, 오리엔티어링 등 다양한 스포츠 종목에서 함께 일했으며, 다섯 번의 올림픽과 수많은 세계 선수권 대회 및 유럽 선수권 대회에서 공인 스포츠 심리학자로 활동했다. 여러 권의 책을 저술했으며, 세계적인 재즈 피아니스트 버그 웨셀토프트와 협업하여 마음챙김 및 멘탈 트레이닝 사운드트랙을 개발하기도 했다. 또한 공연 예술 분야에서 국제적으로 유명한 아티스트들과 함께 작업하고 있다. 그녀는 노르웨이 국가 대표 축구 선수로 활약했으며 두 차례의 여성 최초 그린란드 횡단 탐험에 참여했고, 스발바르/스피츠베르겐 횡단에 참여했다. 아웃도어 활동을 통해 쌓은 풍부한 경험을 올림픽 수준의 선수들에게 접목하기 위해 노력하고 있다.

티모시 R. 피노 박사는 미국 워싱턴 DC에서 개인 클리닉을 운영하는 임상 심리학자이며 미국 가톨릭 대학교에서 마음챙김과 명상을 가르쳤다. 그는 조정 선수로 활동하면서 스포츠 심리학에 관심을 갖게 되었다. 그는 마음챙김 스포츠 성과 향상(MSPE)의 공동 개발자이자 MSPE 연구소의 공동 설립자이다.

구스타프 라이네보는 스웨덴 심리치료 교육 및 연구 센터(카롤린스카 인스티튜트 및 스톡홀름 카운티 위원회)에서 공인 심리학자로 일하고 있다. 그는 임상 심리학 및 스포츠 심리학 분야에서 내담자와 함께 일해 왔다. 스포츠 관련 연구는 운동선수의 인지 능력을 조사하고, 스포츠에서 수행 능력의 개발 및 운동능력을 평가하는 데 중점을 두었다. 카롤린스카 연구소 임상 신경과의 박사 과정 학생이기도 하다.

필립 룉린 박사는 현재 스위스 마글링겐 연방 스포츠 연구소(SFISM)에서 근무하고 있다. 2010년부터 스포츠 심리학자로 일하고 있다. 지난 4년 동안 주로 스위스 남자 비치발리볼 국가대표팀에서 일하면서, 메이저 시리즈 토너먼트와 유럽 선수권 대회를 포함한 훈련 캠프와 토너먼트에 선수와 코치로서 동행했다. 또한 SFISM에서 연구와 교육에 참여하고 있다. 코치 교육 프로그램, 스포츠 과학 학사 및 석사 프로그램, 스포츠 심리학자를 위한 대학원 프로그램에서 정기적으로 강연을 하고 있다. 박사 학위 논문을 통해 마음챙김이 경쟁 스포츠에서 감정과 생각을 다루는 데 어떤 영향을 미치는지 밝혔다. 현재 그는 운동선수와 코치가 자기연민을 통해 어떤 이점을 얻을 수 있는지 연구 중에 있으며, 워크샵을 통해 정기적으로 마음챙김과 자기연민을 연습하는 것이 현재에 집중하고 자비로운 태도를 취하려는 목적에 도움이 된다는 것을 강조한다.

올리비에 슈미드 박사는 'The Difference in Mind' 기관에서 개인 스포츠 심리학자로 활동하고 있다. 그는 미국에서 교육을 받은 스위스 출신 스포츠 심리학자로 현재 스위스 제네바 지역에서 활동하고 있다. 개인 클리닉을 열기 전에는 스위스 베른 대학교 스포츠과학연구소에서 스포츠 심리학 컨설팅과 학술적 직책을 병행하며 성과 심리학, 청소년 스포츠 육아(부모–코치 포함), 생활 기술을 통한 긍정적인 청소년 발달에 관한 프로젝트를 이끌었다. 수년 동안 그는 개인 선수, 팀, 코치, 학부모를 대상으로 다양한 스포츠 종목과 연령대에 걸쳐 퍼포먼스 심리 및 정신 건강 관련 서비스를 제공했다. 또한 스위스 대형 병원의 올림픽 스포츠 의학 부서에서 일하며 선수들의 부상 대처와 성공적인 재활을 돕고 있다. 엘리트 스포츠 분야에서 테니스, 골프, 스키, 아이스하키, 요트, 축구, 육상, 주짓수, 농구 등 수많은 프로 선수 및 올림픽 선수들과 함께 일했으며 주요 국제 대회무대에서 활동했다.

에이미 L. 스펜서는 영국 사우샘프턴 FC 축구 클럽에서 심리학을 전문으로 하는 영국 스포츠 및 운동 과학 협회 스포츠 과학자이다. 클럽에서 9세 이하

부터 1군 수준의 엘리트 선수들, 코치 및 지원 스태프들과 함께 일하고 있다. 현재 스포츠 심리학 박사 과정을 밟고 있다.

닝수는 홍콩 교육대학교에서 응용 스포츠 및 운동 심리학을 전공하는 박사 과정 학생이다. 홍콩 스포츠 연구소의 스포츠 심리상담가로서 2015년부터 조정, 테니스, 볼링, 우슈 등 다양한 스포츠 팀의 홍콩 엘리트 선수들과 함께 일하고 있다. 그는 선수들에게 개인 및 그룹 상담, 멘탈 트레이닝, 중요한 스포츠 이벤트(예: 올림픽, 아시안게임, 세계 및 아시아 선수권 대회)를 위한 멘탈 준비 등의 서비스를 제공했다. 또한 다양한 국제 스포츠 이벤트(예: 세계 및 아시아 선수권 대회)에서 선수들을 위한 현장 스포츠 심리 지원도 제공했다. 또한 중국 본토의 카누 슬라럼 선수들을 위한 심리 서비스도 제공했으며, 주니어 선수들을 대상으로 한 심리 서비스 경험도 풍부하다. 중국 선수들을 위한 마음챙김-수용-통찰-전념(MAIC) 훈련 접근법의 주요 개발자로서 조정, 테니스, 우슈 등 다양한 종목의 선수들에게 MAIC를 적용했다. 홍콩 스포츠 및 운동 심리학 학회 집행위원이기도 한 그는 중학교와 대학교 시절에서 축구 선수로 활동하기도 했다. 주로 마음챙김 및 수용 기반 훈련, 응용 스포츠 심리학 서비스, 긍정 심리학에 관심이 있다.

감사 인사

처음에는 이상하게 보일 수 있는 아이디어를 자유롭게 추구할 수 있도록 허락해 준 팀 덴마크(Team Denmark)와 남덴마크 대학교의 경영진에게 진심으로 감사의 말씀을 전한다. 팀 덴마크가 2017년 엘리트 스포츠에서의 마음챙김과 수용전념 접근에 관한 학회 참석과 해당 분야의 숙련된 심리상담가들을 만나기 위한 연구 여행을 재정적으로 지원하지 않았다면, 우리는 결코 훌륭한 연구자들이 공동으로 집필한 이 책을 편찬하는 모험을 시작하지 못했을 것이다.

1

운동선수를 위한 마음챙김과 수용전념

과연 이 방법이 엘리트 스포츠에서 자리 잡을 수 있을까?

크리스토퍼 헨릭센, 피터 하벌, 에이미 발첼, 야콥 한센, 다니엘 비러, 카스텐 흐비드 라센

저자들은 스포츠 심리상담가로 일하면서 스포츠 심리학에 대한 전문적인 철학과 접근법을 발전시켜 왔다. 이런 변화는 보통 작은 조정을 통해 이루어지지만, 일부에게는 거의 패러다임적인 변화를 포함한 큰 발전도 있을 수 있다. 모든 경우에서 발전은 일을 하면서 겪는 특정 경험에 의해 촉발되는 경우가 많다. 우리가 전문성을 갖춰왔던 이야기를 하는 과정에서, 스포츠 심리학 개입에 대한 접근 방식을 혁신하도록 자극한 경험을 모두 언급해 보고자 한다. 여기에는 운동선수가 가장 성공적인 경기력을 펼치고 있는 시기에 잘 하려는 의욕을 되찾고, 노력의 의미를 찾도록 돕는 것도 포함된다. 우리는 선수들이 시합에서 최적의 경기력을 발휘할 수 있는 상태에 들어가도록 의도적으로 가르치지만, 정작 가장 중요한 순간에 실패하는 것을 보게 된다. 정신적으로 강인하다고 생각했던 선수가 큰 경기에서 압박감에 맥없이 무너지는 경우를 보면서, 우리는 선수들이 경기력 향상보다 불안감에 더 긴장한다는 사실을 깨달았다. 반면에 우리는 선수들이 자신의 생각과 감정을 통제하기 위한 노력을 포기하자, 예기치 않게 자신의 기대치를 뛰어넘는 성적을 내는 것을 현장에서 자주 목도한다. 우리가 선수들의 성공적인 메달 획득을 돕다보면, 선수 생활 자체에 더 많은 것이 있다는 것을 깨닫게 된다. 우리는 일부 선수들에게 스포츠에 대한 애정과 메달 획득에 대한 자부심 없이 메달을 따는 것은 진정한 만족감을 주지 못한다는 것을 발견했다. 심리상담가로서 우리가 어떤 사람이 되고 싶은지 잊어버리고 압박감과 긴장에 시달릴 때 선수들과 온전히 함께

할 수 없고, 선수들의 잠재력은 충분히 발휘되지 않는다.

마음챙김과 수용전념에 기반한 접근 방식은 이러한 경험을 이해하는 데 도움을 주었다. 이러한 접근 방식은 엘리트 선수들이 큰 경기를 앞두고 멘탈 강화를 돕기 위해 노력할 때 우리가 추구하는 해답 중 일부를 제공한다. 그런 맥락에서 마음챙김과 수용전념이 엘리트 스포츠에서 상당한 호응을 받고 있는 이유를 어느 정도 설명할 수 있을 것으로 생각한다.

프롤로그: 국제 학술대회

2017년 팀 덴마크(Team Denmark)는 엘리트 스포츠에서의 마음챙김과 수용전념 접근법에 관한 코펜하겐 국제학술대회를 주최했다. 이것은 국제 수준의 엘리트 스포츠에서 마음챙김과 수용전념을 주제로 한 최초의 국제 행사였다. 우리는 경험이 풍부한 심리상담가들을 초청했지만, 그들이 정말 관심을 가질지는 확신이 서지 않았다. '과연 얼마나 참가하겠다고 할까?' 하지만 우리는 밀려드는 참가 신청을 보며 너무 놀라서 눈이 휘둥그레졌다. 순식간에 5개 대륙 17개국에서 48명의 참가자가 신청했고, 우리는 참가 명단을 황급히 마감해야 했다.

3일간 진행된 학회의 초점은 엘리트 스포츠에 마음챙김과 수용전념 접근법을 과연 어떻게 적용하는지에 관한 것이었다. 참가자들은 고도로 숙련된 스포츠 심리학 전문가들이었고, 조국의 엘리트 스포츠 단체, 프로팀 등에서 저마다 일하면서, 세계 선수권 대회나 올림픽과 같은 주요 스포츠 행사에서 선수들을 지원한 경험이 풍부했다. 이번 학술대회는 세계 최고의 스포츠 심리학 전문가들이 마음챙김과 수용전념을 받아들이기 시작했음을 분명히 보여주는 자리였다. 참가자들 각자가 전문적인 사례와 적용 방법, 연습법을 기꺼이 공유했다.

하지만 이번 학회는 스포츠 심리학계가 주류 심리학의 방법과 기법을 엘리트 스포츠 환경에 적용하는 작업이 여전히 진행 중이라는 것도 보여주었다. 높은 기대만큼이나 질문도 많았다. 질문에 대한 해답을 찾기 위해 2018년 스위스 마글링겐에서 두 번째 학회가 열렸다.

그런 호기심과 각자만의 노하우를 공유하는 분위기가 무르익었고, 결국 각국의 전문가들이 의기투합해서 이 책을 기획하도록 자극했다. 좋은 아이디어를 가지고 있고 기꺼이 공유하고자 하는 경험이 풍부한 전문가들이 너무 많았기 때문에 선택의 여지가 없었다.

이 소개 장에서는 이 책이 기획이 된 맥락과 관련된 이론적 배경을 설명하고자 한다. 엘리트 스포츠에서의 마음챙김과 수용전념에 대한 전반적인 아이디어, 이론적 토대, 실제 모델을 소개할 것이다. 또한 이 분야의 최신 연구 현황에 대한 간략한 리뷰도 제공할 것이다. 마지막으로, 엘리트 스포츠 분야에서 일하는 스포츠 심리상담가들이 이러한 접근방식을 어떻게 활용하고 있는지 살펴보고, 경험 많은 심리상담가들이 왜 이러한 관점을 적용할 수밖에 없었는지에 대한 두 가지 개인적인 이야기를 들려줄 것이다.

마음챙김과 수용전념 기반 접근법이란 무엇인가?

'마음챙김 및 수용전념 기반 접근법'이라는 용어는 특별한 프로그램이나 심리적 관행을 지칭하는 것이 아니다. 마음챙김과 수용전념을 핵심 요소로 사용하는 다양한 행동 치료 방법과 프로그램을 총칭하는 용어이다.

행동 치료는 전반적으로 (1) 정신 건강 문제를 과학적으로 분석하는 방법을 제시하고 (2) 이러한 문제에 대해 검증된 개입을 개발하는 것을 목표로 한다(Hayes, Luoma, Bond, Masuda, & Lillis, 2006). 역사적으로 이러한 행동 치료는 세 가지 동향이라 불리는 방식으로 발전해 왔다.

첫 번째 동향인 전통적인 행동 치료는 행동과 행동 형성에만 초점을 맞추었고(예: Skinner, 1953) 생각에는 거의 관심을 기울이지 않았다. 고전적 조건화와 조작적 조건화가 그 예이다. 1940년대에 발전한 이 이론은 2차 세계대전 참전 용사들의 요구에 대한 중요한 해답이 되었으며, 과학에 기반한 효과적인 단기 치료법이라는 점에서 획기적이었다. 오늘날에도 그 원리는 대부분의 심리 치료에서 널리 사용되고 있다.

두 번째 동향인 인지행동치료(CBT)는 심리학계의 '인지 혁명'에 자극을 받아 사고와 선택에 초점을 맞춘 치료법이다(예: Beck, 1995). 이러한 접근 방식은 인간을 컴퓨터의 이미지로 보고 인간이 데이터를 처리하는 방식에 근본적인 관심을 가졌다. CBT는 생각이 우리가 느끼고 행동하는 방식을 결정하는 주요 요인이며, 심리적 문제는 왜곡된 생각에서 비롯된다는 개념을 기반으로 한다. 치료자는 내담자가 가진 역기능적인 생각-감정-행동 상호 작용 패턴을 보다 기능적인 패턴으로 바꾸도록 돕는 것을 목표로 한다.

오늘날 우리는 당혹스러운 딜레마에 직면해 있다. 한편으로는 삶이 그 어느 때보다 쉬워졌다(적어도 전 세계의 특권층에서는 분명히 그러할 것이다). 우리는 이전 세대보다 더 오래 살고 있고, 우리는 더 많은 돈을 벌고 있으며, 더 많은 질병을 치료할 수 있다. 자기계발, 행복, 좋은 삶에 집중할 수 있는 시간과 에너지가 생겼다. 우리는 심리 분야의 위대한 자조 서적과 훌륭한 인생 코치들을 통해 풍부한 영감을 얻을 수 있다. 반면 전 세계 사람들은 전례 없을 정도의 고통을 겪고 있다. 우울증과 불안증 같은 정신 질환이 들불처럼 번지고 있다. 세계보건기구는 2030년까지 우울증이 전 세계 공중 보건에 가장 큰 위협이 될 것으로 예상하고 있다. 엘리트 스포츠의 발전은 이러한 딜레마를 반영한다. 한편 우리는 그 어느 때보다 재정과 전문성 영역에서 더 나은 지원을 받고 있다. 반면에 정신 건강 문제로 어려움을 겪는 운동선수는 점점 더 늘어나고 있는 실정이다(Henriksen et al., 2019).

제3동향인 수용전념치료 및 마음챙김 기반 접근법(Hayes & Strosahl, 2004)도 생각이 정신 질환의 중요한 뿌리라는 생각에 기반을 두고 있지만 이들은 우리의 생각과 감정을 통제하려는 시도는 해결책의 일부가 아니라 오히려 문제 자체라고 주장한다. 대신, 치료자는 내담자가 모든 내적 경험을 받아들이고(즐거운 것뿐만 아니라 불쾌한 경험조차도) 현재 순간에 몰입하며 가치 있는 행동에 전념하도록 돕는 것을 목표로 한다.

마음챙김과 수용전념은 밀접하게 연관되어 있다. 마음챙김은 '현재 순간에 펼쳐지는 경험에 대해 의도적인 주의를 기울임으로써 드러나는 비판단적인 알아차림'으로 정의되어 왔다(Kabat-Zinn, 1994, p.8). 여기에는 외부 사건뿐만 아니라 내부 경험에도 주의를 기울이는 것이 수반된다. 마음챙김은 현재 순간에 자신이 하고 있는 일에 몰입할 수 있게 해주는 정신적 상태이다. 예를 들어, 시합 전에 자신의 생각을 좋은 생각이나 나쁜 생각으로 분류하지 않고, 제거하거나 바꾸려는 의도 없이 관찰하는 것을 의미한다. 그냥 알아차리기만 하면 된다. 이는 내면과 주변에서 무슨 일이 일어나고 있는지 알지 못하는 상황을 묘사하는 정신없는 상태나 자동 조종 장치에 의존하는 것과는 반대되는 개념이다. 자동 조종 모드에선 생각이 머릿속을 스쳐 지나가고, 그 생각이 있다는 것을 알아차리기도 전에 그 생각에 따라 행동하기 쉽다.

*수용*이란 긍정적인 생각뿐만 아니라 삶과 스포츠 경력의 자연스러운 일부인 모든 생각, 감정, 감각을 받아들이고 이를 위한 공간을 마련하는 것을 의미한다. 수용은 이러한 감정과의 싸움을 내려놓고 숨 쉴 공간을 주며 거기에 압도당하지 않고 그냥 내버려두는 것을 의미한다. 수용하고 마음을 여는 법을

배우면 에너지를 고갈시키거나 싸우느라 발목이 잡히지 않고 감정이 왔다가 사라지도록 내버려두는 것이 더 쉬워진다. 스포츠 심리학의 마음챙김 수용전념(MAC) 접근법에 관한 중요한 연구에서 Gardner와 Moore(2007)는 다음과 같이 결론을 내린다.

> 수행 결과를 예측하는 것은 부정적인 생각, 생리적 각성, 불안이나 분노와 같은 감정의 유무가 아니라 개별 수행자가 이러한 경험을 받아들이고 수행 과제에 주의를 다하고 행동에 몰입할 수 있는 정도에 달려있다.
>
> *(p. 16)*

ACT 모델

수용전념치료(ACT, 에이.씨.티의 철자를 따라 발음하지 않고 '액트'로 발음)는 주류 심리학에서 이미 효과적인 것으로 입증되었다(Hayes & Strosahl, 2004). ACT는 미국 국립 증거 기반 프로그램 및 치료행위 레지스트리(NREPP)를 비롯한 여러 국가의 정신건강위원회에서 정신건강 치료의 증거 기반 치료행위로 인정받고 있다(samhsa.gov 사이트 참조).

ACT의 핵심 아이디어는 사람들이(부분적으로는 맥락과 언어 때문에) 자신의 가치와 현재 순간과의 접촉을 잃게 된다는 것이다. 우리 문화에 깊이 뿌리내린 '좋은 기분을 느끼는 것'을 중시하다 보니 사람들은 불쾌한 생각과 감정을 줄이거나 없애는 데 도움이 되는 많은 행동을 해야 할 것처럼 자극받는다. 알코올 중독자는 괴로운 생각을 잊기 위해 술을 마실 수 있다고 생각한다. 부모는 십대 아들과의 갈등을 피하기 위해 스마트폰에 몰두(주의분산)할 수 있다. 운동선수는 훈련이 충분하지 않다는 불쾌한 불안감을 피하기 위해 과도하게 훈련할 수 있다. 또한 승부를 결정짓는 순간에 압박감을 느끼는 선수는 위험을 감수하는 데 따른 불안을 피하기 위해 다른 선수에게 패스를 하거나 방어적으로 플레이할 수 있다. 그러나 이러한 행동은 우리가 풍요롭고 충만하며 의미 있는 삶을 사는 데 도움이 되지 않는다.

ACT의 전반적인 목표는 내담자가 심리적 유연성을 향상시키도록 돕는 것이며, 심리적 유연성은 '의식적인 인간으로서 현재의 순간에 더 온전히 접촉하고, 가치 있는 목적을 위해 행동을 변화시키거나 그런 행동을 지속할 수 있는 능력'으로 설명할 수 있다(Hayes et al., 2006, p.7). 즉, ACT 상담가는 단순히 내담자의 불쾌한 내적 상태를 줄이는 것이 아니라 가치 있는 삶에 더 가까워지는 행동을 하도록 돕는 것을 목표로 한다.

ACT는 그림 1.1과 같이 6가지 핵심 프로세스에 집중하여 심리적 유연성을 확립한다. 여기서는 전체적인 개요를 제공하기 위해 이러한 프로세스를 아주 간략하게만 소개한다. 각 프로세스에 대해 선수들과 협력하는 방법은 다음 장에서 보다 자세히 설명할 것이다.

- 사적 경험의 **수용**이란 인간의 모든 경험(예: 생각, 감정, 충동, 기억)을 싸우거나 그 형태나 빈도를 바꾸려고 하지 않고 적극적으로 수용하는 것으로, 선수들의 반응유연성 향상에 도움이 된다. 운동선수들은 종종 긴장하지 않으려고 노력하거나 자신감을 가지려고 노력한다. 엘리트 스포츠 현장에서 자연스럽게 생기는 긴장감과 자신감 등 다양한 감정을 기꺼이 경험할 수 있다면, 운동선수는 자신에게 직면하는 도전전 상황에 대해 유연하고 가치에 기반하여 대응할 수 있을 가능성이 높아진다.

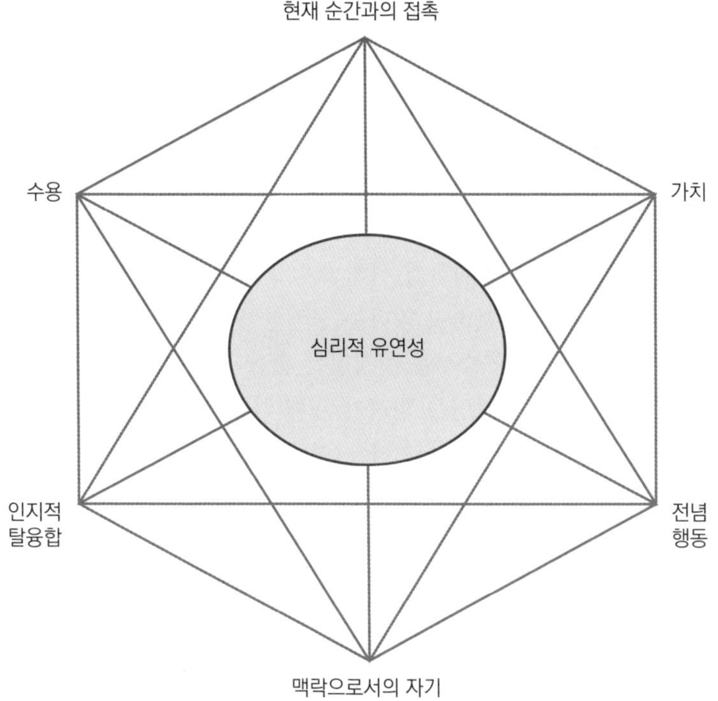

그림 1.1 ACT 심리유연성의 6각형 모델. (출처: 저작권자인 스티브 헤이즈의 허락을 받고 사용함)

- **인지적 탈융합**이란 자신의 불편한 생각을 문자 그대로 받아들이지 않고, 그것을 관찰할 수 있는 기술로, 그 생각에서 한 발짝 물러나 마치 개울에 떠다니는 나뭇잎처럼 생각도 왔다 갔다하는 것을 지켜볼 수 있게 하는 능력이다. 많은 운동선수들은 압박감이 높은 상황에서 “내가 이걸 과연 할 수 있을까?” 또는 “완벽하지 않게 하는 것은 전혀 할 가치가 없어”와 같은 생각을 하게 된다. 이러한 생각을 너무 문자 그대로 받아들이면 선수는 경기를 그만두게 되거나, 경기에서 어려운 요소를 배제하려는 시도를 할 수 있다. 그러나 이러한 생각은 자연스러운 것이며, 생각은 하지 않으려고 노력해도 쉽게 제거되지 않는다. 생각의 형태나 빈도를 바꾸기보다는 생각과 같은 내적 경험과 새롭게 관계 맺는 것을 촉진하기 위해(즉, 생각의 융합으로부터 벗어나기 위해) 다양한 기법이 개발되었다.
- **현재 순간과 접촉**한다는 것은 현재 순간 벌어지고 있는 외적 및 내적 사건에 유연하고 자발적으로 주의를 집중한다는 것을 의미한다. 그것은 무슨 일이 일어나고 있는지 판단하지 않고, 그 순간에 일어나는 일에 참여할 수 있는 능력이다. 운동선수들은 종종 과거(“내가 왜 그 득점을 못했지?”) 또는 미래(“이번 경기에서 지면…”)에 자동적으로 주의를 기울이는 것을 발견할 수 있다. 또는 매점에 가서 아이스크림을 한 입만 베어 물었던 것 같은데, 순간 남은 것이 빈 봉지뿐이라는 것을 깨닫는 것처럼 마음이 방황할 수 있다는 것도 알아차릴 수 있다. 바쁜 현대 생활에서 자각을 잃기는 무척 쉽다. 마음챙김 훈련은 주의를 기울여 현재에 집중하는 법을 배우는 데 핵심적인 요소이다.
- **맥락으로서의 자기**는 관점을 취하는 자기 감각을 의미하며, 지속적인 자기 감각과 접촉하는 것을 말한다. 이는 개념화된 자기에 집착하는 것과는 반대되는 개념이다. 운동선수는 자신이 누구인지에 대한 개념에 상당히 집착할 수 있다. 여기에는 “나는 창의적인 플레이를 통해 승리하는 선수다”와 같은 생각이 포함된다. 이러한 개념화된 자기에 대한 강한 집착은 현재 상황에 맞는 유연한 대처를 하는 데 방해가 될 수 있다. 예를 들어, 한 사이클 선수가 250 km 경주의 결승선을 2 km 앞두고 강한 맞바람을 맞으면서 대열에서 이탈해 무리하게 앞서 나가려 했던 이유는, 자신은 평지에 강한 스프린터가 아니니 2 km를 남기고 승부를 보겠다는 생각에 사로잡혀 있었기 때문이었다. 실제로는 모두가 지쳐 있었던

이 시점에서 아무도 좋은 스프린트를 할 수 없었던 상황이었다. 결국 혼자서 바람을 거슬러 역주를 하다가 결승선을 바로 앞두고 추월당하고야 말았다.

- **가치**란 개인적으로 중요한 가치를 식별하는 것을 말한다. 각자의 인생에서 어떤 가치를 추구하고 싶은가? 가치는 행동의 지침으로, 목표와 달리 정확히 어떤 지점에 도달할 수는 없는 것이지만, 평생 그것을 향해 갈 수 있는 것이다. 일부 운동선수들은 자신이 왜 운동을 하는지, 또는 성적 외에 자신의 스포츠 선수경력이 어떻게 마무리되기를 원하는지 모른다. 가치와의 강한 연관성은 만족감을 가져다줄 뿐만 아니라 역경의 시기에 중요한 자원이 되기도 한다.
- **전념 행동**은 우리가 가치 있는 목적에 더 가까이 다가가는 데 도움이 되는 행동에 주의를 기울여 모든 것을 쏟아붓겠다는 약속이다. 타이어가 지면과 만나서 마찰을 일으키는 순간처럼 실행력의 가장 중요한 지점이다. 바쁜 일정 속에서 살다 보면 운동선수들은 자신의 가치에 대한 전념을 금방 잊어버릴 수 있다. 멘탈 트레이닝이 좋은 예가 될 수 있다. 마음챙김 훈련을 진지하게 하기로 스스로에게 약속했지만 지난 경기가 잘 풀렸으니 훈련을 내일로 미룰 수 있다. 모든 행동 치료와 마찬가지로, 선수가 전념 행동을 취하도록 돕기 위해서는 명확한 행동 변화의 목표를 설정하고 가치를 구체적인 행동으로 전환하는 것이 필요하다.

ACT는 특정 단계로 어떤 순서부터 해야 한다는 것으로 정해진 매뉴얼화된 프로그램이 아니다. 어떤 프로세스를 어떤 순서로 공략할 것인지에 대한 것은 해당 운동선수를 만나는 숙련된 심리상담가의 올바른 결정에 달려있다. ACT의 창시자인 스티븐 헤이즈는 ACT를 농담 삼아 '증거 기반 방법을 싫어하는 사람들을 위한 증거 기반 방법'이라고 불렀다. 책 전체에서 볼 수 있듯이 ACT는 연습, 체험 및 은유에 크게 의존하는 실제적이고 체험적 접근 방식의 치료법이다.

ACT와 마음챙김의 효과: 기초

스포츠에서의 마음챙김과 수용전념 접근법에 대한 우리의 관심은 일반 심리학 연구의 강력한 증거와 스포츠 심리학 분야의 급성장하는 지지를 기반으로 한다. 이러한 개입은 개념적으로 존 카밧-진(1994)의 마음챙김 정의(현재 순간에 펼쳐지는 경험에 대해 의도적인 주의를 기울임으로써 드러나는 비판단적인 알아차림)를 기반으로 하거나, 엘렌 랭거(1989)의 정의(새로운 것을 알아차리고 지속적으로 변화하는 상황의 본질을 받아들이며, 변화하는 맥락에 따라 관점을 유연하게 전환하는 것)에서 출발한다. 고전적인 심리학 관점에서 마음챙김은 특성(일상에서 마음챙김)이나 상태(현재 순간에 마음챙김)나 훈련(상태 및 특성 마음챙김을 키우기 위한 도구)으로 언급된다. 이러한 의미에서 '마음챙김은 내적, 외적으로 경험의 내용을 객관화하여 그 내용에 대한 포용력, 호기심, 명료성을 증진하는 알아차림의 특성'이라고 할 수 있다(Baltzell & Summers, 2016, p.527). 이와 관련하여 마음챙김의 세 가지 다른 과정이 중요한 마음챙김의 구성 요소로 간주된다(Birrer & Röthlin, 2017). (1) 현재-순간을 의도적으로 인식하는 것, (2) 메타인지적 알아차림(마음속에서 스쳐 지나가는 모든 것을 자신과 동일시하지 않고 그저 일시적인 사건으로 의식적으로 인식함), (3) 의식 속에 무엇이 있고, 의식으로 떠오르거나 의식 속으로 들어오는 것에 대한 수용하기가 그것이다.

마음챙김 접근법의 효과에 대한 증거가 계속 쌓이면서 임상 현장 중심의 연구가 상당히 진행되었다. 종종 엄격한 표준 무작위 대조 시험(RCT) 설계를 사용해서 효과를 밝히기도 했다(Creswell, 2017). 마음챙김과 수용 기반 접근법은 주요 우울증, 통증, 흡연, 약물 남용 및 기타 심리적 기능 장애로 어려움을 겪는 사람들을 포함하여 임상 장애에 미치는 영향에 관한 연구는 그 효과성이 입증되었다(Goldberg et al., 2018). 이와 함께 마음챙김 수용전념 접근법에 대한 설득력 있는 지지도 ACT에 기반하고 있다. 예를 들어, 만성 통증, 약물 남용 및 불안 장애에 대한 고유한 메타 분석 연구에 따르면 ACT가 효과적인 치료법이라는 압도적으로 충분한 증거가 있다. ACT 연구의 대부분은 ACT가 일반적인 치료보다 우월하고, 종종 전통적인 인지 행동 개입보다 더 영향력이 있다는 증거기반의 엄격한 표준 무작위 대조시험 연구에 기반한다(Atkins et al., 2017).

스포츠의 경우, 마음챙김과 수용전념 접근법이 제공할 수 있는 긍정적인 영향에 관한 잠재적인 증거가 이제 막 축적되기 시작했다. 최초의 메타분석 리뷰 연구 중 하나에서 스포츠에 마음챙김 기반 중재를 적용한 결과 긍정적인 영향을 미쳤다는 결과가 나왔다(Bühlmayer, Birrer, Röthlin, Faude, & Donath, 2017). 또한 스포츠에서 마음챙김과 수용 중재가 긍정적인 효과를 보인다는 연구 결과도 다수 보고된 바 있다(Noetel, Ciarrochi, Van Zanden, & Lonsdale, 2017). 스포츠에 대한 이러한 연구는 소규모로 수행되는 경향이 있고, 스포츠 현장에서 실제 수행되기에, RCT를 거의 사용하지 않는다는 점에서 한계가 있다. 물론 이러한 한계점은 주로 응용 스포츠 문화에 대한 연구 수행의 어려움과 그러한 연구를 수행할 수 있도록 지원되는 정부 출연 연구비 부족에도 기인한다.

응용 스포츠분야 전문가들이 가장 관심을 가질 만한 것은 마음챙김과 수용에 기반한 접근 방식이 한 가지 유형이 아니라는 점이다. 동양의 불교와 서양 스포츠 심리학에 대한 하류 효과 내에서 마음챙김과 수용 기반 접근법을 스포츠에 적용하는 데는 여전히 큰 차이가 있다. 개입의 유형, 개입 정도 및 기간은 매우 다양하다(Baltzell & Summers, 2016 참조). 스포츠에서의 마음챙김 수용전념 접근법(MAC) (Gardner & Moore, 2007), 마음챙김 스포츠 성과 향상(MSPE; Kaufman, Glass, & Pineau, 2018), 마음챙김 성과 향상 인식과 숙지(MPEAK; Haas et al., 2015), 마음챙김 스포츠 명상 훈련(MMTS; Baltzell & Summers, 2018) 등 몇 가지 공식화된 마음챙김 및 수용 개입이 연구 중이다. 이러한 마음챙김 수용 기반 개입은 그 자체로도 효과적일 수 있으며, 참고문헌을 보면서 연습 방법에 대한 비교적 상세한 안내도 제공받을 수 있다. 마음챙김과 수용기반 접근법 중에서 무엇이 정답이라고 말할 수는 없다. 이 책은 엘리트 스포츠라는 특수한 분야에서 전문 심리상담가로서 개발한 마음챙김과 수용전념에 기반한 접근법을 경쟁적인 스포츠 문화에 적용하는 데 필요한 미묘한 차이를 밝히고 진정한 승리 비결 공유를 기획되었다. 스포츠에서의 마음챙김과 수용전념 접근법에 대한 연구는 일반 심리학에 비하면 아직 미미한 수준이지만, 운동선수들에게 동기부여와 불안이라는 고질적인 문제를 해결할 수 있는 대안적 접근법을 제공한다는 점에서 상당히 큰 잠재력을 가지고 있다.

마음챙김에 대한 다양한 개념만큼이나 마음챙김을 향상시키는 방법도 매우 다양하다. 고전적으로 마음챙김은 명상을 통해 길러진다. 마음챙김 명상에서 수행자는 일반적으로 호흡이나 촛불같이 선택한 대상이나 사건에 주의를 집중하거나(집중 명상), 특정 대상을 선택하거나 판단하거나 집중하지 않고 인식 자체를 모니터링하거나(개방 모니터링 명상), 자신과 타인에 대한 사랑과 자비를 키우는 데(자애와 친절 명상) 주의를 기울이도록 요청받는다. 이러한 각 형태는 연습하는 사람에게 저마다 다른 영향을 미친다(Colzato & Kibele,

2017; Lippelt, Hommel, & Colzato, 2017). 이러한 공식적인 마음챙김 수행 형태 외에도 걷기, 식사, 혼자 또는 다른 사람과 함께하는 등 일상적인 활동 중에 비공식적인 마음챙김 수행에 참여하는 것도 마음챙김을 증진시킬 수 있다(Kang & Whittingham, 2010).

엘리트 스포츠에서 마음챙김과 수용전념이 필요한 이유는 무엇인가?

마음챙김과 ACT는 건강 영역에서 점점 더 인기를 얻고 있으며 입지를 넓혀가고 있다. 그렇다면 엘리트 운동선수들이 더 나은 성과를 낼 수 있게 마음챙김과 수용을 장려해야 하는 이유는 무엇인가? 결국 마음챙김은 과정과 수용에 관한 것이다. 반면 엘리트 스포츠는 결과에 관한 것이다. 마음챙김을 강조하다 보면, 우리가 선수들을 움직이는 원동력, 즉 '완벽하지 않은 것을 받아들이지 않고 무언가를 개선하려고 노력하는 마음가짐을 선수들에게서 빼앗아 갈 위험은 없을까?'란 의문이 들 수도 있다.

어린 선수들은 정신적으로 강한 선수를 '항상 자신감이 넘치고 긴장하지 않는' 선수로 묘사할 수 있다. 엘리트 운동선수들은 초자연적인 정신력, 강철 같은 헌신, 흔들리지 않는 자신감에 대한 이야기를 들려줄 때 이러한 이미지를 강화한다. 스포츠 심리학자조차도 위대한 사람들의 정신력에 대해 이야기할 때 이러한 오해를 키울 수 있다.

이는 잘못된 생각일 뿐만 아니라 의심과 걱정을 혼자만 겪는다고 생각할 수 있는 어린 선수들에게 불필요하고 무거운 짐을 지우는 일이기도 한다. 대회에서 성공적으로 경기를 치르기 몇 분 전에 최고 수준의 선수들 바로 옆에서는 특권을 누려본 스포츠 심리학자들은 이 긴박한 순간에 선수들이 느끼는 주된 감정이 의심과 걱정, 심지어는 도망치고 싶은 마음이었다고 말한다.

ACT에선 정신력을 '압박을 받는, 어려운 생각과 감정에 직면했을 때에도 자신의 가치와 경기 계획에 부합하는 방식으로 행동할 수 있는 능력'으로 다르게 이해하고 있다(Henriksen & Hansen, 2016). 선수들은 이 개념의 의미를 이해하면 안도감을 느낀다. 우리의 목표는 불안해하거나 걱정하지 않는 것이 아니라 항상 긍정적인 생각을 해야 한다는 불가능한 싸움에서 이길 필요가 없다는 것을 아는 것이다. 그러고 나선 올바른 일에 전념하는 것이다. 동시에 엘리트 스포츠는 결과가 전부가 아니며 운동선수는 메달을 따는 기계가 아니다.

'어떤 대가를 치르더라도' 승리하는 것은 선수 뒤에 있는 인간을 중시하는 현대의 책임감 있는 스포츠 시스템과 양립할 수 없으며, 우리는 정신 건강을 지원하는 것을 모든 탁월한 문화의 핵심 요소로 간주한다. 경험상 자신의 선수 경력을 만족스럽게 되돌아보는 선수들은 자신의 가치에 충실하고 결과 이상의 목적을 가지고 메달을 획득한 선수들이었다. 국가 단위의 메달 수는 앞으로도 계속 늘어날 것이지만, 그 모든 숫자 뒤에는 사람이 있음을 기억해야 한다. ACT의 관점에서 우리는 선수들이 올바른 결정을 내리고, 현재 순간에 머무르며, 과제에 집중하고, 다양한 감정을 자연스럽게 경험하고, 자신의 가치와 경기 계획을 향해 한 걸음씩 나아갈 수 있도록 돕는 것을 목표로 한다.

달라이 라마를 비롯한 여러 사람이 인용한 다음 인용문은 운동선수들에게도 지침이 될 수 있다. "고통은 피할 수 없고, 기쁨은 누릴 수 있으며, 고통을 겪는 것은 선택 사항이지만 스스로 선택해야 한다." 이 구절에서 마음챙김과 수용은 의미 있는 차이를 만들 수 있다는 것을 보여준다.

우리가 올인하는 이유: 두 가지 개인적인 이야기

심리상담가인 우리도 사람이다. 훌륭한 심리상담가는 항상 근거에 기반한 방법을 사용하지만, 그들의 실제 상담행위는 개인적인 경험과 치료자 나름의 학습 이력에 의해 형성되기도 한다. 지금부터 마음챙김과 수용전념치료에 전념해 온 숙련된 심리상담가 두 명의 개인적인 이야기를 소개하겠다. 두 명의 심리상담가는 전에는 다른 방식으로 상담치료를 했었던 사람들이었다. 하지만 개인적, 직업적 경험을 통해 관점을 바꾸고 근본적으로 다른 방식의 상담에 올인할 수밖에 없는 개인적인 고백이 담긴 이야기를 이 지면에서 나누고자 한다.

심리상담가로 이렇게 ACT를 하는 이유?
여섯이 더 이상 일곱을 두려워하지 않았기 때문에

피터 하벌, 미국 올림픽 위원회

자, 수수께끼부터 풀어보자. 왜 6은 7을 두려워했을까? 모를 수 있으니 생뚱맞은 질문에 대해 정답을 미리 알려드리겠다. 7이 (8)9를 먹었기 때문이다. 약간 우스꽝스러운 말장난이라는 걸 안다. 하지만 올림픽 대표팀의 심리적 준비에 어떻게 기여할 수 있을지 고민하는 나에게는 매우 의미 있는 말이라 생각한다. 올림픽을 준비할 때는 두려움을 갖는 것이 도움이 된다! 그렇다. 두려워해라! 생각과 느낌이 경기력을 방해하는 것이 얼마나 쉬운지 두려워해라. 두려워해야 준비하고, 두려워하지 않으면 자만심에 빠지게 되고, 뛰는 놈 위에 나는 놈이 있기 때문이다. 따라서 6이 7을 두려워하는 것이 좋다. 내 경력에서 마음의 변덕스러움을 두려워하는 것을 '잊은'때가 있었는데, 선수들이 모든 신호등이 녹색으로 켜져 있다고 안심하며, 반드시 성공할 것이라는 잘못된 가정 아래 있었을 때였다. 6은 더 이상 7을 두려워하지 않았고, 7은 곧바로 (8)9를 먹어 치우며 최적의 퍼포먼스를 방해했다. '7'은 올림픽에서 경기력을 저해할 수 있는(종종 그럴 수 있는) 강하고 불쾌하며 예기치 못한 모든 감정과 생각을 은유적으로 표현한 것이다. '6'은 올림픽이라는 감정의 롤러코스터에 대처할 준비가 되어 있고, 그 감정에 마음을 열고, 능숙하게 대처하는 것을 의미한다.

나는 경력 초창기인 1998년에 대학원생으로서 미국 여자 아이스하키 대표팀의 올림픽 준비 과정에 함께 동행할 수 있는 믿기지 않는 행운을 얻었다. 당시에는 수용전념치료에 대해 전혀 모르는 시절이었고, 마음챙김에 대해 막 배우기 시작했기 때문에 나의 상담무기는 주로 전통적인 CBT와 심리기술훈련 접근 방식에 의존했다. 하지만 스토리텔링을 이용한 접근법은 그 당시에도 이미 내 작업의 핵심 요소였다. 나에게 공감을 불러일으켰고 올림픽을 준비하는 데 도움이 될 것이라고 생각한 이야기는 1974년 콩고 자이르에서 열린 무하메드 알리와 WBC 및 WBA 챔피언 조지 포먼의 복싱 헤비급 세계 타이틀을 놓고 벌인 유명한 '정글속의 난타전' 경기다. 다큐멘터리 영화인 '우리가 왕이었을 때'에서 아름답게 묘사된 이야기였기도 했다. 이 영화는 스포츠 심리학의 보고라고 할 수 있는데, 영화에서 알리가 포먼을 오른손 리드로 기습해 쓰러뜨리려던 전략이 첫 라운드에서 먹히지 않았을 때 알리가 실존적 공포를 느꼈다는 대목이 인상적이었다. 그 전략은 영화에서 말했듯이 포먼을 '분노에 미쳐버린' 선수로 만들 뿐이었다. 평소 자신감 넘치고 활달했던 알리는 그 순간 자신의 경기력을 마비시킬 수 있는 매우 불쾌한 감정인 두려움에 직면했다. 포먼은 무패에다 더 젊었고 알리보다 더 강력한 펀치가 있었다.

나의 의도는 알리의 사례를 통해 치열한 경쟁 환경에서 불쾌한 생각과 감정의 경험을 정상화하고, 특히 공포와 불안을 정상화하며, 선수가 불편한 생각과 감정이 있더라도 자신의 주의와 행동을 능숙하게 통제할 수 있는 방법을 보여주고자 했다. 당시 여자 아이스하키가 일본 나가노 동계올림픽에 처음 정식종목으로 채택되어 대표팀으로 올림픽 무대에 첫 출전했기 때문에 초보 스포츠 심리상담가를 포함해 그 누구도 사전 경험이 없었다. 경기 결과는 매우 불확실했지만 선수들에게는 전 세계의 주목을 받는 문제였기 때문에 불쾌한 생각과 감정이 나타날 수 있다고 생각했다. 실제로 그런 감정들이 나타났지만, 대표팀은 준비가 되어 있었기 때문에 경기력에 부정적인 영향을 미치지는 않았다.

그 올림픽에서 대표팀의 성공적인 메달 획득 덕분에 나는 이후에도 올림픽 선수들과 함께 경력을 쌓을 수 있었다. 돌이켜보면 당시에는 잘 이해하지 못했지만, 불쾌한 감정을 경험하고 정상화하는 알리의 사례는 ACT 접근 방식과 일치했다. 하지만 올림픽을 위해 심리적으로 팀을 준비하는 여정에서 나는 그 교훈을 잊어버렸다. 7을 두려워하는 것을 잊었던 것이다. 선수들에게 생각과 감정을 만들어내는 인간의 마음공장의 작동 원리를 알려줘야 하는 것도 잊어버렸다. 한 가지 예를 들자면, 나중에 열린 올림픽에서 우리가 맡았던 팀이 모든 주요 상대들을 상대로 무패 행진을 이어갔기 때문에 자신감이 하늘을 찌를 듯했고 모든 것이 승승장구할 것 같은 청신호로 보였다. 하지만 결승전에서 일이 잘 풀리지 않았다. 팀은 시즌 첫 패배를 가장 중요한 순간에 정확히 잘못된 타이밍에 당하고야 말았다. 무슨 일이 있었던 것일까? 한 가지 가설은 선수들의 긴장감과 부담감이 발목을 잡았다는 것이다. 나는 올림픽이 끝날 때마다 피드백을 들어보려고 노력하는데, 한 선수의 인터뷰에서 그 실마리를 찾을 수 있다.

> '특히 올림픽이 가까워질수록 팀 미팅을 더 많이 했으면 좋았을 것 같다. 우리 팀은 올림픽을 앞둔 한 달 동안과 올림픽 2주 동안 정신적으로 긴장이 풀리기 시작한 것 같았다.'

그렇다. 피드백은 하나의 데이터일 뿐이고 올림픽에서의 성과는 여러 가지 요인이 복합적으로 작용하지만, 올림픽을 한 달 앞둔 시점과 올림픽 기간 동안 팀이 정신적으로 무너진다면 스포츠 심리상담가로서의 역할을 제대로 하지 못한 걸로도 간주된다. 확실히 그렇게 느꼈다. 돌이켜보면 나는 올림픽 환경에서 생각하고 느끼는 마음을 능숙하게 다룰 수 있도록 팀을 충분히 준비시키지 못했다. 올림픽 메달에 대한 긴장감과 중압감으로 자신감이 무너질 가능성에 대비하지 못했던 것이다. 마음이 풀릴 가능성과 그 마음을 능숙하게 다룰 수 있도록 준비시키지 못했다고 볼 수 있다. 이러한 미숙하고 부주의한 경험을 통해 나는 스포츠 심리상담가로서 분명히 겸손함을 배울 수 있었고, 내면에서 스포츠 심리학에 대한 기존의 접근 방식을 변화시켜야 할 필요성을 절감했다. 6은 다시 7을 두려워해야 했다. 올림픽에서 올바른 감정을 갖는 것도, 올림픽에서 올바른 생각을 갖는 것도 중요한 것이 아니다. 오히려 어떤 생각과 감정이 있든 그것을 알아차리고, 그 알아차림을 바탕으로 끊임없이 변화하는 감정과 생각을 있는 그대로 개방적으로 받아들이고, 주의를 조절하는 기술을 갖추며, 자신의 가치에 부합하는 행동을 취할 수 있도록 마음을 훈련하는 것이 더 중요한 것이다. 마음챙김과 ACT는 바로 이러한 인식과 주의력, 마음이 어떻게 작동하는지 이해하는 능력을 훈련하여 결국 경쟁에서 승리할 수 있도록 도와준다. 6이 7을 두려워하는 것은 좋은 일이다. 그러면 6이 철저히 준비될 것이기 때문이다.

ACT와 마음챙김으로 들어가는 나의 여정

야콥 한센, 팀 덴마크

2012년에 나는 스포츠 심리상담가로서 올림픽에 두 번째로 참가했다. 첫 번째(2010년 밴쿠버 동계올림픽)와 다른 점은 이번에는 메달 가능성이 있는 팀과 4명의 개인 선수들과 함께 일했다는 점이다. 내 역할은 선수들이 올림픽이라는 부담감과 중압감 속에서 선수들이 잘할 수 있도록 돕는 것이었다.

개막식을 앞둔 며칠 동안 덴마크 대표팀의 분위기는 흥분과 열기로 가득했다. 덴마크 대표팀의 잠재력은 작은 나라에 비해 매우 컸고, 현장의 분위기는 하늘을 찌를 듯 고조되었다. 나는 시합 전날 선수들을 일일이 만나서 마지막 정신적 준비를 함께 했다. 이 미팅과 그 후 2주간 겪은 올림픽 메달에 대한 스트레스를 통해 스포츠 심리학이 무엇이고, 어떤 것이어야 하는지에 대한 나의 관점이 바뀌었다.

메달 획득 가능성이 있는 선수들은 당연히 세계 최정상급 선수들이었다. 그들은 지난 몇 달 동안 대회와 실제 국제 경기에서 뛰어난 성과를 거두었다. 물론 나는 긴장하고 스트레스를 받고, 심지어 불안해하는 선수들을 만날 것으로 예상했다. 가장 중요한 경기 전날이었으니까. 하지만 나는 내 할 일을 할 준비가 되어 있었다. 그 당시 나는 심리기술훈련과 CBT 수련을 받았고, 이 분야에서만큼은 누구보다 잘할 수 있다고 느꼈다. 이제 내가 할 수 있는 것은 갈고 닦은 내 실력을 선수들에게 쏟아부어, 선수들이 자신의 생각을 통제하고 불안한 감정을 없애고 자신감을 유도하는 것이다. 선수들이 긴장했을 때 긴장한 선수들에게 전에도 여러 번 해왔던 것처럼 통상적인 질문을 던졌다. 미심쩍은 의심이 긍정적인 생각으로 바뀔 수 있도록 지원하기 위해서였다. "내일 경기를 잘할 수 있다는 증거는 무엇인가?", "무엇을 잘 준비했다는 증거는 무엇인가?" 나는 선수들이 천천히 그리고 꾸준히 자신들이 잘 준비했고, 컨디션이 좋으며, 더 이상 할 수 있는 것이 없다고 생각하는 방향으로 변화하길 기대했다. 그리고 그들이 무엇보다 자신이 이룬 성과에 대해서 흔들림 없는 확신을 갖기를 원했다. 나는 좋은 질문이 선수들에게 변화를 가져올 것이라고 기대했다. 선수들은 당연하다는 듯이 "네, 준비는 잘했어요. 이번 대회에 앞서 열린 마지막 대회에서 제가 우승했으니까요"라고 대답했다. 하지만 이번에는 상황이 달랐다. 나는 선수들이 그런 대답을 했지만, 그들의 얼굴이나 몸짓에서 긍정적인 신호를 볼 수 없었다. 감정적인 변화의 신호가 감지되지 않았다. 그들은 여전히 패배자의 운명을 예상한 듯 긴장한 것처럼 보였다. 그때 선수들이 말했다. "하지만 내일 제 능력을 다 발휘하지 못하면 어떡하죠? 아니면 제가 너무 많이 준비한 탓에 너무 일찍 정점에 도달해서 본 경기에 문제가 생기는 것은 아니겠죠? 그러니까 제 말은 지난 몇 달 동안 너무 잘한 게 화근이 될 수도 있지 않을까요?"라고 조곤조곤 반문하기까지 했다. 내가 확신을 심어주기는커녕 내 질문이 오히려 선수들 자신을 더 의심하게 만드는 것 같았다. 처음에는 "이게 아닌데. 분위기가 심상치 않은 게 내가 뭔가 잘못하고 있나"라고 생각했다. 그러다가 나중에 깨닫게 되었지만 그 때는 '창조적 절망감'이라는 한가운데에 있었던 것이다. 창조적 절망감은 생각과 감정을 통제하려고 너무 열심히 노력하다 보면 이런 것을 악화시키거나 더 많은 고통을 초래하게 되고, 마음이 자신을 더 옭아매게 되는 것을 결국 인정하고 깨닫게 되는 것을 말한다. 이 시점에서 나는 마음챙김에 관한 몇 가지 기사를 읽었고, 마음챙김 워크숍에도 몇 번 참석했다. 하지만 혼란스러운 생각과 감정을 받아들인다는 생각은 여전히 비합리적으로 느껴졌다. 분명 통제하거나 제거할 수 있는 방법이 있을텐데, 왜 이런 전통적이지 않은 약간 이단적인 방식을 받아들이라고 강요하나? 하지만 그 중요한 회의에 참여하면서 모든 것이 이해되기 시작했다. 나의 인지행동적 접근 방식은 뭔가를 놓치고 있었던 것이다. 내 질문은 막다른 골목에 계속 부딪히고 있었다.

이 회의가 열리기 전날 저녁, 12명의 다른 외국 동료들과 함께 나는 피터 하벨을 만났다. 나는 그가 스포츠 심리상담가로 언론과 인터뷰한 기사를 읽은 적이 있었고, 그가 마음챙김 접근법을 사용해 선수들과 상담하고 있다는 걸 알고 있었다. 그는 큰 압박감이 닥쳤을 때 유일한 해결책으로 받아들이는 것에 대해 이야기했다. 그 회의가 끝난 다음 날, 내 자신의 의구심 속에 침잠하다가, 결국 그동안의 통제의 방법들과 헤어질 결심을 했다. 나는 이렇게 말하기 시작했다. "글쎄, 어쩌면 완전한 확신을 가져야 하는 상황이 아닐 수도 있겠다. 어쩌면 지금은 의심과 긴장을 위한 여지를 만들어야 할 때일 수도 있지 않을까 싶다. 어쩌면 지금 우리 선수들이 경험하고 있는 생각과 두려움은 단지 올림픽이라는 자연스런 경험의 일부일 수도 있고, 앞으로 나아가는 길은 그것을 정상적인 것으로 받아들이는 것일 수도 있겠다!"라고.

진솔하게 말하려고 노력했지만 마음속으로는 선수들의 반응이 걱정되었다. 하지만 내가 본 것은 즉각적인 안도감이 담긴 표정이었다. 그것은 선수들의 긴장과 의심이 싹 사라졌기 때문이 아니라, 그들이 그렇게 느낄 수 있어도 된다는 '허락'을 받았기 때문이다. 선수들은 자신들이 정상이기 때문에, 그래서 싸움을 멈출 수 있기 때문에 안도했다. 그 후 2주 동안 나는 심리적 중재에 수용을 포함시키기 위해 최선을 다했다. 경기 도중에 방법을 바꾸는 것은 쉽지 않은 일이고, 사실 스트레스를 많이 받았지만 어쨌든 올림픽에서의 최종 결과는 좋았다.

그 순간부터 나는 수용에 기반한 접근법을 더 깊이 탐구해야겠다는 생각이 들었다. 집에 돌아와서 ACT와 마음챙김에 대한 수련을 더 오래 받았다. 그리고 이 분야의 최고의 전문가들과 교류하며 더 깊이 배웠고, 그로 인해 선수들과 함께 한 작업들은 올림픽 역사의 뿌듯한 장면이 되어 남았다. 2016년에 나는 리우데자네이루 올림픽이라는 큰 행사에서 본격적으로 ACT를 할 생각에 들떠 있었다. 마침내 압박감 속에서 운동선수들의 성과를 내도록 지원하는 나만의 가야 할 길을 찾은 것 같았다. 마지막 날, 나는 국가대표 코치와 함께 앉아서, 상담을 했던 두 선수가 금메달을 획득한 것을 축하하고 있었는데, 코치가 모든 것을 정리하면서 이렇게 말하는 것을 들었다. "올림픽에서는 할 수 있다는 자신감과 같이 특별한 감정이 있어서 경기를 하는 것이 아니라 어떤 감정이 나타나더라도 경기를 하는 것이다." 나는 기존의 방법과 헤어질 결심을 한 그날의 나의 선택이 운명적이었다는 확신이 들었다.

독자 가이드

이 책에서는 마음챙김과 ACT의 효과에 대한 과학적 연구와 리뷰는 찾아볼 수 없다. 왜 그럴까? 그 책들은 이미 잘 쓰여, 책으로도 출간되었기 때문이다(예: Baltzell, 2016; Gardner & Moore, 2007).

이 책의 목적은 스포츠 심리학자, 코치, 스포츠 심리학 학부생들에게 운동선수와 함께 심리지원을 할 때 마음챙김과 수용전념 접근법을 실행할 수 있는 실용적인 지침을 제공하는 것이다. 우리는 이 책의 공동 저자들이자 경험이 풍부한 전 세계 심리상담가들에게 개입 방법, 연습 문제, 실제 사례를 공유하여 스포츠 심리학에 최대한 영감을 불어넣어 달라고 요청했다.

그러나 사람들이 성과를 극대화하도록 돕는 것은 스포츠에만 국한되지 않다. 최적의 성과를 원하는 음악가, 배우, 연구원, 매니저, 공연자 등 다른 영역에서 수행성과를 높이고 싶은 사람들과 탁월한 심리 서비스를 제공하는 분들에게도 이 책이 귀중한 가이드가 될 것으로 믿는다. 이 책은 크게 두 부분으로 나뉜다.

1부
엘리트 스포츠에서 마음챙김과 수용전념의 핵심 과정을 다루는 방법

1부는 5개의 장으로 구성되어 있으며, 각 장마다 ACT 모델의 핵심 과정을 개괄적으로 설명할 것이다. 이 파트에서 독자는 운동선수가 ACT의 다양한 심리유연성 과정에 참여할 수 있도록 돕는 방법을 배우게 된다. 각 장에서는 모델의 한 두 가지 과정을 소개할 것이고, 주요 방법을 개괄하며, 엘리트 선수들과의 작업에서 얻은 사례를 제공하고, 경기 현장에서 선수들이 빠지기 쉬운 함정을 설명한다.

행동의 기능을 분석하는 것은 행동 개입의 핵심적인 기본 원칙이므로 2장에서는 라이네보, 헨릭센, 룬드그렌이 기능 분석을 통해 운동선수가 올바른 결정을 내릴 수 있도록 돕는 방법을 설명한다. 3장에서는 라센, 라이네보, 룬드그렌이 운동선수가 자신의 가치를 명확히 하고 스포츠 분야에서 확고한 기반을 갖도록 돕는 방법에 대한 통찰을 제공한다. 한센과 하벨은 4장에서 마음챙김을 실천하는 공식적, 비공식적 수행방법을 구분하고, 이러한 방법을 엘리트 스포츠의 맥락에서 어떻게 적용하고 실행할 수 있는지에 대해 논의할 것이다. 5장에서는 비러, 디멘트, 슈미드가 엘리트 운동선수로서 겪는 다양한 생각과 감정을 받아들이는 데 도움이 되는 중요한 관점을 강조한다. 현재 순간에 집중하고, 경험을 수용하고, 가치를 인정하는 것은 운동선수가 이러한 가치에 전념하는 행동을 할 때에만 진정으로 가치가 있다. 1부의 마지막 장인 6장에서는 아오야기와 바틀리가 전념 행동에 어려움을 겪는 엘리트 선수들을 도울 수 있는 방법을 살펴본다.

2부
적용 사례와 훌륭한 사례들, 그리고 심리상담가로서 마주치는 어려움

지금까지 ACT의 배경과 핵심 프로세스를 소개했으니, 2부에서는 설명한 모든 프로세스를 통합한 사례에 초점을 맞춘다. 2부에서는 개별 프로세스를 종합하여 실제 환경에서 ACT 및 마음챙김 개입이 어떻게 이루어지는지 설명한다. 2부에서는 선수, 코치 및 팀에 대한 개입의 예가 포함되어 있다. 개별 장들에선 1부에서 소개한 용어를 사용하지만, 실제 개입은 모델에 설명된 것보다 더 복잡하고 깔끔하지 않은 경우가 많다는 점도 설명한다.

2부는 11개의 장으로 구성되어 있다. 7장에서 라센과 헨릭센은 올림픽을 앞둔 중요한 시기에 동기를 잃고 선수 생활을 접은 프로 수영 선수와 함께 상담을 한 사례로 시작하여 다시 수영을 시작하고 올림픽 시상대에 오르는 감동적인 여정을 설명한다. 8장에서는 호이어, 베커-라센, 한센, 헨릭센이 코치들에게 ACT와 마음챙김 방법을 가르치는 것을 목표로 하는 코치들을 위한 정규 멘탈 코칭 교육과정을 소개한다. 9장에서는 아오야기와 페이더가 미국 프로스포츠의 매우 남성적인 환경 속에서 마음챙김 훈련을 도입한 경험을 공유한다. 10장에선 키엔스와 라센은 재능 있는 젊은 운동선수들이 성인 운동선수의 축소판이 아니라 관심을 기울여야 하는 특정 그룹이라는 점을 인식시킨다. 청소년 운동선수들이 당면한 구체적인 어려움과 필요를 설명하고, 청소년을 위한 ACT를 활용하는 다양한 관점을 생생하게 펼치며, 어린 엘리트 농구 선수와 함께 탈융합과 수용을 위해 노력한 사례를 설명한다. 스펜서, 카우프만, 글래스, 피노는 마음챙김 스포츠 성과 향상(MSPE)이라는 개입 프로토콜을 개발했는데, 11장에서는 영국 엘리트 축구 아카데미의 16세 이하 유소년 팀에

MSPE가 어떻게 녹아들었는지 설명한다. 다음으로 12장에서는 에켄그렌이 리우 올림픽을 앞두고 스웨덴 남자 핸드볼 대표팀에 스포츠 심리지원 서비스를 제공한 경험과 자신의 역할이 종종 모호했던 경험에 대해 매우 솔직하게 털어놓는다. 13장에서는 멜란트가 프로 축구에 마음챙김 훈련을 도입한 방법을 구체적으로 설명한다. 14장에서 펜스가드는 엘리트 스포츠뿐만 아니라 탐험 원정대에서의 방대한 경험을 바탕으로, 리더들이 자연을 마주하는 경험을 관점 취하기와 경외감의 경험하는 원천으로 활용할 수 있다고 주장하며, 이것이 엘리트 선수들과의 개입을 어떻게 풍부하게 만들 수 있는지 좋은 예시를 제시한다. 15장에서는 정신 건강이라는 중요한 주제를 다루면서 발첼, 뢰틀린, 켄타가 자기연민과 엘리트 스포츠의 관련성에 대해 논의하며, 특히 스트레스가 많은 스포츠 관련 문제로 어려움을 겪는 운동선수에게 자기연민은 매우 중요하다고 강조한다. 마음챙김과 수용은 운동 수행 능력과 관련이 있을 뿐만 아니라 특히 어려움을 겪는 시기에 유용할 수 있다. 16장에서 바라노와 어필은 부상당한 운동선수가 부상을 받아들이고 다시 집중할 수 있도록 돕는 방법에 대해 자세히 설명한다. 다음으로, 성공적인 개입은 항상 그 개입이 이루어지는 특정 상황에 맞게 조정되기 때문에 17장에서는 리와 수가 중국과 홍콩의 엘리트 스포츠에서 마음챙김을 사용한 구체적인 방법을 설명한다. 이 책의 마지막 장인 18장에서 헨릭센, 라센, 한센은 운동선수와 함께 하는 스포츠 심리상담가에서 상담가 자신으로 관심을 전환한다. 상담가 자신이 상당한 압박감에 시달렸던 세 가지 사례와 압박감 속에서 마음챙김 스포츠 심리 전문가로서 어떻게 자신의 전문기술을 활용했는지를 나눌 것이다.

전 세계 다양한 국적의 심리상담가들이 공유한 다양한 종목에 걸친 통찰력 있고 생생한 사례가 엘리트 스포츠에서 마음챙김과 수용전념 접근법을 통해 그들이 보다 과학적으로 일하는 데 도움이 되기를 바란다. 아울러, 스포츠 안팎에서 스포츠 경력을 쌓는 동안 선수들을 지원하는 데 이 책이 조금이라도 도움이 된다면 더할 나위 없이 기쁠 것 같다.

참고문헌

Atkins, P. W. B., Ciarrochi, H., Gaudiano, B. A., Bricker, J. B., Rovner, G., Smout, M., Livheim, F., Lundgren, T. and Hayes, SC. (2017). Departing from the essential features of a high quality systematic review of psychotherapy: A response to Öst (2014) and recommendations for improvement. *Behaviour Research and Therapy*, 259 - 272. doi: 10.1016/j. brat.2017.05.016

Baltzell,A. (Ed.) (2016). *Mindfulness and performance*. NewYork: Cambridge University Press.

Baltzell, A. L., & Summers, J. (2016). The future of mindfulness and performance across disciplines. In A. L. Baltzell (Ed.), *Mindfulness and performance*. New York: Cambridge University Press.

Baltzell,A. L., & Summers, J. (2018). *The power of mindfulness: Mindfulness meditation for Sport*. New York: Cambridge University Press.

Beck, J. (1995). *Cognitive therapy: Basics and beyond*. New York:The Guilford Press.

Birrer, D., & Röthlin, P. (2017). Riding the third wave: CBT and mindfulness-based interventions in sport psychology. In J. Zizzi & M. B. Andersen (Eds.), *Being mindful in sport and exercise psychology*. Morgantown,WV: Fitness Information Technology.

Bühlmayer, L., Birrer, D., Röthlin, P., Faude, O., & Donath, L. (2017). Effects of mindfulness practice on performance-relevant parameters and performance outcomes in sports: A meta-analytical review. *Sports Med*, *47*(11), 2309 - 2321. doi: doi.org/10.1007/ s40279-017-0752-9

Colzato, L. S., & Kibele, A. (2017). How different types of meditation can enhance athletic performance depending on the specific sport skills. *Journal of Cognitive Enhancement*, *1*(2), 122 - 126. doi: 10.1007/s41465-017-0018-3

Creswell, J. D. (2017). Mindfulness interventions. *Annual Review of Psychology*, *68*, 491 - 516.

Gardner, F., & Moore, Z. (2007). *The psychology of enhancing human performance:The Mindfulness-Acceptance-Commitment (MAC) approach*. New York: Springer.

Goldberg, S., Tucker, R., Greene, P. A., Davidson, R. J., Wampold, B. E., Kearney, D. J., & Simpson,T. L. (2018). Mindfulness-based interventions for psychiatric disorders: A systematic review and meta-analysis. *Clinical Psychology Review*, 59, 52 - 60.

Haas, L., May, A., Falahpour, M., Isakovic, S., Simmons, A. N., Hickmn, S., . . . Paulus, M. P. (2015). A pilot study investigating changes in neural processing after mindfulness training in elite athletes. *Frontiers in Behavioral Neuroscience*. doi: doi.org/10.3389/ fnbeh.2015.00229

Hayes, S. C., Luoma, J. B., Bond, F.W., Masuda,A., & Lillis, J. (2006). Acceptance and Commitment Therapy: Model, processes and outcomes.

Behavior Research and Therapy, *44*, 1–25. doi: doi.org/10.1016/j.brat.2005.06.006

Hayes, S. C., & Strosahl, K. D. (2004). *A practical guide to Acceptance and Commitment Therapy*. New York: Springer.

Henriksen, K., & Hansen, J. (2016). *Præster under pres: Guide til mental styrke i sport, kunst og erhvervsliv [Perform under pressure: Your guide to mental strenght in sport, arts and business]*. Copenhagen: Danish Psychological Publishers.

Henriksen, K., Schinke, R. J., Moesch, K., McCann, S., Parham, W. D., Larsen, C. H., & Terry, P. (2019). Consensus statement on improving the mental health of high performance athletes. *International Journal of Sport and excercise Psychology, E-pub ahead of print*. doi: doi.org/10.1080/1612197X.2019.1570473

Kabat-Zinn, J. (1994). *Full catastrophe living: Using the wisdom of your body and mind to face stress, pain and ilness*. New York: Delacorte.

Kang, C., & Whittingham, K. (2010). Mindfulness: A dialogue between buddhism and clinical psychology. *Mindfulness*, 1(3), 161–173. doi: 10.1007/s12671-010-0018-1

Kaufman, K. A., Glass, C. R., & Pineau, T. P. (2018). *Mindful sport performance enhancement: Mental training for athletes and coaches*. Washington, DC: American Psychological Association.

Langer, E. J. (1989). *Mindfulness*. Cambridge, MA: Perseus Books.

Lippelt, D. P., Hommel, B., & Colzato, L. S. (2017). Focused attention, open monitoring and loving kindness meditation: Effects on attention, conflict monitoring, and creativity—A review. *Frontiers in Psychology*, 5(1083). doi: doi.org/10.3389/fpsyg.2014.01083

Noetel, M., Ciarrochi, J., Van Zanden, B., & Lonsdale, C. (2017). Mindfulness and acceptance approaches to sporting performance enhancement: A systematic review. *International Review of Sport and Exercise Psychology*, 1–37. doi: https://doi.org/10.1080/1750 984X.2017.1387803

Skinner, B. F. (1953). *Science and human behavior*. New York: The Free Press.

1부

엘리트 스포츠에서 마음챙김과 수용전념의 핵심 과정을 다루는 방법

2

스포츠 생명선과 기능 분석을 통해 선수들이 현명한 결정을 내릴 수 있도록 지원하기

구스타프 라이네보, 크리스토퍼 헨릭센, 토비아스 룬드그렌

스포츠 생명선(Sport Lifeline)의 배경

수용전념치료(ACT)는 행동 치료에서 비롯된 심리학 및 심리 치료 모델로, 행동 변화를 촉진하기 위해 가치, 마음챙김 및 수용 과정을 강조한다(Hayes, Strosahl, & Wilson, 1999). 이 장의 목적은 스포츠 생명선(SLL)으로 알려진 스포츠 맥락에 적합한 심리 치료 연습을 통해 ACT 관련 프로세스를 다루는 방법을 효과적으로 소개하는 데에 있다. 독자들은 스포츠 심리상담가의 사례를 통해 스포츠 생명선을 사용하여 운동 수행 능력을 향상시키는 변화 행동을 다루는 방법을 배울 수 있겠다. 생명선 모델은 ACT에서 심리 치료 도구로 개발되었으며 원래 임상 심리학에서 다양한 형태의 정신 병리를 갖고 있는 환자를 대상으로 쓰이던 것이다. 이 모델은 약 10년 전에 처음으로 보급되었으며, ACT 작업의 중심이 되는 몇 가지 구성 요소를 통합했다(Dahl, Plumb, Stewart, & Lundgren, 2009). 이 장에서는 스포츠 생명선의 각 부분, 기본 이론과 각 구성 요소가 ACT의 다양한 심리유연성 과정과 어떻게 연관되며, 운동 수행 능력 향상을 위한 변화행동을 촉진하는 데 어떻게 사용될 수 있는지 살펴볼 것이다. 무엇보다 실제 활용에 초점을 맞춰서 올림픽 선수에게 스포츠 생명선이 어떻게 사용되었는지에 대한 풍부한 예시를 제공할 것이다. 이를 통해 독자들이 스포츠 맥락에서 ACT 관련 프로세스를 이해하고 활용하는 방법을 배울 수 있기를 바란다.

기능 분석에 대한 간단한 요약

스포츠 생명선을 이해하려면 학습 이론에 대한 몇 가지 기본 개념을 먼저 알아둘 필요가 있다. 행동 변화를 연구할 때는 사람들이 특정 상황에서 왜 그렇게 행동하는지를 고려해야 한다. 분석의 단위는 맥락 안의 행동이며, 행동은 분석의 시작점이 된다. 분석을 위해 선택한 행동이 정의되면, 행동을 둘러싼 유발 요인과 결과에 관한 가설이 윤곽을 드러낸다. 유발 요인과 결과는 행동의 무대를 설정하는 맥락적 요인으로, 내부적 요인일 수도 있고 외부적 요인일 수도 있다. 유발 요인은 특정 행동을 유발하는 자극으로 볼 수 있다. 결과는 행동 유지 요인으로 작용한다. 유발 요인, 행동, 결과의 세 단계는 모두 서로 얽혀 있으며 분리할 수 없다. 다음 예시를 통해 행동 분석에서 이 세 가지 요소가 의미하는 바를 더 잘 이해할 수 있도록 살펴보자.

축구 선수가 플레이 옵션을 찾기 위해 공을 앞으로 몰고 갈 때, 팀 동료가 왼쪽으로 공격적으로 달려오는 것을 보고 공을 패스하도록 유도할 수 있다. 공을 왼쪽으로 패스하는 것이 우리가 분석하려는 행동이라면, 팀 동료가 왼쪽으로 달리는 것을 보는 선행사건은 왼쪽으로 정확히 연결하는 행동을 유도하는 중요한 유발 요인 중 하나일 수 있다. 반면에 결과는 분석을 위해 선택한 행동에 뒤따르는 이벤트로, 향후 해당 행동이 다시 발생할 가능성을 어느 정도 높이거나 낮춘다. 이 사례에서는 왼쪽으로 패스한 것이 공간을 만들어 결국 골로 이어졌다고 했을 때, 그 행동은 좋은 플레이였고 팀원들의 축하로 이어질 것이다. 그 결과 골에 기여한 팀원들 역시 기쁨과 자기 성취감을 느꼈을 것이고, 코치도 만족할 것이다. 대부분의 상호 작용의 결과는 연구 대상 행동이나 행동과 밀접한 관련이 있는 경우가 많다. 이 경우 비슷한 상황에서 왼쪽으로 패스하는 행동이 결과적으로 이 선수에게 더 자주 선택될 수 있을 것이라 가정할 수 있다. 결과는 행동뿐만 아니라 유발 요인에도 영향을 미친다. 중요한 점은 이러한 분석을 통해 유발 요인과 결과에 대한 검증 가능한 가설을 만든다는 것이다. 그런 다음 이것이 실제로 맞는지를 검증해야 한다. 기능 분석은 행동을 이해하고 영향을 미치기 위한 작업을 체계화하는 방법이다. 심리 상담가에게 종종 어려운 작업은 무엇을 분석할지를 실제로 정의하는 것이다. 행동 문헌에는 행동을 강화하는 결과와 유사한 미래 상황에서 해당 행동이 발생할 가능성을 약화시키는 결과 등 다양한 유형의 결과가 정의되어 있다. 행동의 결과를 더 잘 이해하기 위해 축구의 예를 다시 한 번 들어보겠다. 왼쪽으로 찔러주는 패스가 실패했다면 '약화' 또는 처벌을 가하는 결과를 통해 해당 행동이 다시 발생할 가능성이 줄어들 것이다. 예를 들어, 팀 동료가 화를 내거나, 상대팀의 역습을 당해 관중이 선수에게 야유를 퍼붓거나 화를 낼 수도 있다. 처벌은 혐오스러운 결과가 더해지거나(예: 코치의 고함을 들어야하는 것), 그렇지 않았다면 정적 강화가 되었을 것이 없어지는 결과(예: 팀에서 주전 자리와 선발 기회를 잃는 것 등)를 말한다. 행동 분석에서는 결과가 늘어나면 정적, 결과가 줄어들면 부적으로 명명한다. 선수가 공을 전반적으로 앞으로 돌리지 않는 행동을 이해하는 합리적인 가설은 선수가 일어날 지도 모를 부정적인 결과를 피하고 있다는 것이다. 이러한 행동 패턴을 부적 강화라고 하는데(때로는 잠재적인) 혐오 경험을 빼기 때문에 부적이라고 하고, 향후 유사한 상황에서 다시 발생할 가능성이 높기 때문에 강화라고 한다. 다양한 형태의 행동(흔히 행동의 지형도라고 함)도 기능적으로 동등할 수 있다. 선수는 공을 앞으로 돌리는 것을 멈추거나 팀 동료에게 패스하며 자신을 덜 이용하게 할 수 있다. 이 경우 두 행동 모두 경기장에서의 새로운 실수가 가져올 수 있는 잠재적인 불리한 결과를 피하기 위한 기능으로 볼 수 있다. 따라서 분석을 위해 선택한 행동의 단위는 주어진 맥락에서 작동할 수 없다고 가정한 행동의 전체 기능과 일치해야 한다. 이러한 행동은 다양한 방식으로 나타날 수 있으며, 평가를 통해 고려할 수 있다. 행동 분석은 선수가 특정 위기 상황에서 왜 그렇게 행동하는지에 대한 가설을 세우고 분석할 수 있는 기회를 제공한다. 또한 변화의 목표인 행동 패턴을 유지할 수 있는 요인에 관한 가설을 세울 수 있게 한다. 심리상담가로서 우리가 원하는 것은 더 많이 보고 싶은 바람직한 행동은 강화하는 것이고, 덜 보고 싶은 문제 행동에 대한 맥락을 변화시켜 체계적으로 행동에 영향을 미치는 것이라 할 수 있다.

스포츠 생명선

스포츠 생명선(그림 2.1)은 성과에 접근하는 두 가지 방법을 설명한다.[1] 가치 중심 경로는 운동 행동이 행동의 단위이며, 의사 결정이 선수의 가치와 일치하는 바람직한 장기적 결과를 기반으로 이뤄진다는 것을 보여준다. 운동선수는 가치 중심 방향을 추구하는 동안 지속적인 수행과정에서 직면하게 될 심리적 내용이나 어려움을 의식적으로, 비판단적으로 수용한다. 스포츠 생명선 모델에 따른 성과에 접근하는 또 다른 방법은 회피 중심 경로이다. 선수의 결정과 선택은 가능한 부정적인 결과에 대한 회피(예: 수행 불안을 당장 느끼지 않기, 미래에 발생할 수 있는 결과에 대한 두려움 또는 자신이 충분하지 않다는 생각을 피하는 것)에 의해 주도된다. 단기적으로 회피하는 것이 당장은 더 쉬운 방법일 수 있지만 선수 개인의 성과와 성장 모두에서 장기적으로 비효율적인 결과를 초래하는 경우가 많다. 가치 중심 경로가 바로 우리가 선수들이 더 민감하게 반응하고 참여하도록 가르치고자 하는 것이다.

이제 스포츠 생명선의 각 부분을 살펴보고 나중에 이를 선수들에게 어떻게 적용할 수 있는지 설명하겠다. 우리가 하는 이 훈련의 목표는 선수가 심리적으로 유연한 운동선수가 될 수 있도록 돕는 것이다. 심리적으로 유연한 운동선수란 다양한 상황에서 사적인 경험(생각, 감정, 기억, 신체 감각 등)을 비판단적인 방식으로 알아차리고, 주의를 충분히 기울이고, 상황이 요구하는 바에 따라 최대한 효과적으로 행동할 수 있는 선수를 일컫는다. 운동선수가 모든 주어진 상황에서 항상 그렇게 할 수 있는 것은 아니지만 선수들은 이를 더 자주 연습할 수 있고, 그렇지 않은 상황을 더 잘 분별하고 다시 집중할 수 있는데, 이를 '생명선으로 돌아가기'라고 부른다.

스포츠 생명선(SLL)은 쉽게 말해 운동선수들이 자신의 스포츠와 운동 경력의 특정 부분에 어떻게 접근하고 싶은지 명확히 하기 위해 선수들과 같이 협력하는 방법이라고 설명할 수 있다. 또한 스포츠 생명선은 운동선수가 자신의 행동에 영향을 미치는 요인을 더 잘 인식하고, 보다 의식적으로 행동을 선택해 최고의 기량을 발휘할 수 있도록 돕는 것을 목표로 한다. 교육적인 이유로 우리는 가치 중심 경로에 대해 설명하기 시작하는데, 이는 회피 중심 경로가 스포츠 성과에 비효율적이고, 지속 가능하지 않은 이유에 대한 추가적인 배경지식을 제공할 수 있기를 바라기 때문이다.

가치와 장기적인 결과의 안내를 받는 것의 중요성을 명확히 이해하기

우선 가치 있는 방향에 대한 은유인 '등대'를 소개하고자 한다(그림 2.1). 가치는 언어적으로 구축된 동기부여 기능을 증진하는 규칙이다(Plumb, Stewart, Dahl, & Lundgren, 2009). 간단히 말해, 행동에 동기를 부여하는 것은 언어적으로 표현되는 소중하고, 중요한 것에 관한 진술이다. 내재적으로 가치 있는 행동은 완전히 완료되어야 한다는 의미에서 '도달'할 수 있는 것이 아니기 때문에 가치는 종종 목표가 아닌 나침반의 방향으로 직관적으로 이해

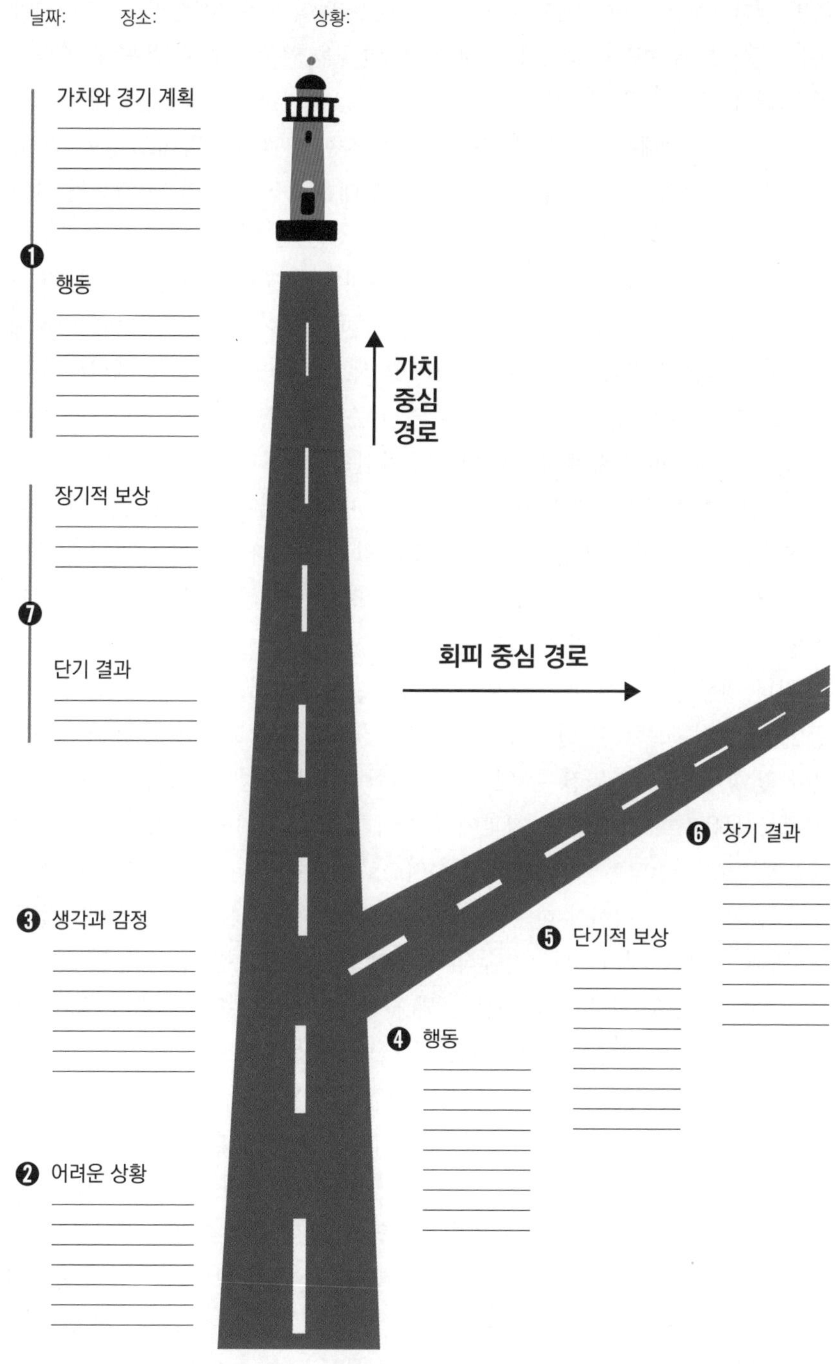
날짜:
장소:
상황:
가치와 경기 계획
1
행동
가치 중심 경로
장기적 보상
7
단기 결과
회피 중심 경로
6 장기 결과
3 생각과 감정
5 단기적 보상
4 행동
2 어려운 상황

그림 2.1 **스포츠 생명선**

하면 쉽다. 예를 들어, 좋은 아빠가 되는 것은 완성될 수 없는, 항상 추구해야 하는, 동기를 부여받을 수 있는 가치이고, 아들을 일주일에 두 번 축구 연습장에 데려다 주는 것은 달성할 수 있는 목표일 수 있지만, 행동의 본질에 대해서는 아무 것도 말해주지 않는다. 운동선수가 자신의 가치 방향대로 살게 되면, 경기력과 장기적으로 운동을 지속하는 것에 대한 동기 부여가 더 강화될 가능성이 높다는 가설이 있다. 가치 또는 의미를 찾는 작업을 하는 것은 운동선수에게 스포츠 영역에서 가장 중요한 것이 무엇인지 명확히 하는 것이다. 또한 전념과 목표 설정에 대한 작업을 통해 다양한 상황에서 운동 성과에 어떻게 접근하고 싶은지 명확히 하고 경기를 어떤 식으로 풀어가야 할지 계획하는 것도 포함된다. 예를 들어, 경기 전이나 경기 중에 불안감을 느낄 때, 어떻게 해야 선수가 직면한 상황에 접근하면서도 자신의 가치와 장기적인 소망에 충실할 수 있을까? 이러한 질문에 대한 답을 찾기 위해 우리는 일과 밀접한 관련이 있는 가치인 전념 행동에 대해 살펴볼 필요가 있다. 3장에서 가치에 대해 더 자세히 알아보고, 이를 스포츠 분야에서 선수들과 함께 상담작업을 하면서 어떻게 적용할 수 있는지 살펴볼 것이다.

전념 행동은 선수의 가치와 일치된 방향으로 선수가 의식적으로 선택한 행동이다. 이러한 행동은 단기적 및 장기적 결과를 모두 고려하며, 개인이 가치 있는 방향에 더 가까워질 수 있도록 노력할 때 이를 성공으로 간주한다는 측면에서 실용적이다. 스포츠 성과에서 이러한 행동은 의사 결정, 운동 노력에 중요하다고 간주되는 것에 대한 지속적으로 고수하기나 경쟁 상황에서 운동 접근 방식을 특징 지어야 하는 자질에서 나타날 수 있다. 또한 특정 경기 종목에 대해 설정된 '경기 계획'(전술적 지시)에 따라 전념 행동, 목표 및 단계를 조정해야 할 수도 있다. 여기에는 신체 훈련 일정 또는 준비 전략을 소화하거나, 훈련 세션에 임하는 자세, 식단 및 수면 권장 사항 준수 등이 포함될 수 있다. 선수와 함께 가치를 명확히 하기 위해 노력할 때는 경기 계획이 아닌 가치에만 집중하는 것이 가치 작업에 대한 이해를 더 쉽게 할 수 있기 때문에 이를 분리하는 것이 좋겠다. 전념 행동에는 전술적, 기술적 측면이 포함되어 있기 때문에 선수 주변의 다른 코치들도 당연히 경기 계획 수립에 참여한다. 그러나 경기 계획과 가치 작업은 동일하지 않으며, 가치 방향은 여전히 운동선수의 경기 계획과 양립할 수 있어야 한다. 행동 분석적 관점에 따르면 목표 지향적 행동은 언어적 행동의 영향을 받으며 목표 진술로 설명할 수 있다. 이러한 목표 진술은 특정 행동과 그 결과를 명시하는 선행 조건인 언어적 규칙으로 기능한다(Ramnerö & Törneke, 2015). "잘 먹고 잘 자면 운동 능력을 최적으로 발휘할 수 있다", "훈련에서 열심히 하면 실제 경기에서도 도움이 될 것이다", "공을 잃은 후 즉시 상대방을 압박하면 우리 팀이 공을 되찾을 확률이 높아진다"는 것이 이러한 언어적 규칙의 예이다. 이러한 규칙은 되도록 운동선수의 가치와 일치하는 것이 바람직하다.

축구 선수의 가치가 팀원에게 도움이 되는 것과 경기장에서 용기 있게 행동하는 것이라면, 특정 행동이 다른 상황보다 가치 있는 방향으로 더 쉽게 인식될 수 있는 상황이 생긴다. 예를 들어, 선수가 벤치에 있는 경우, 전자의 가치는 선수가 자신이 경기에 나서지 못하는 실망감에도 불구하고 다른 팀원들을 격려하고 지원하도록 이끌어야 하는 것이다. 후자의 가치인 경기장에서의 용기있게 행동하는 것은 선수가 경기장에서 일대일 공격 상황에서 성공이 불확실하다고 느낄 때 공을 뒤로 패스하는 대신 상대 수비수에 도전하도록 유도할 수 있다. 이러한 행동은 가치 있는 방향에 전념하는 것으로 더 쉽게 인식할 수 있다. 그러나 일부 선수들은 경기장에서의 가장 단순한 전술적 결정(잘 먹고, 잘 자고, 스트레칭 운동을 무시하지 않는 것)도 가치 있는 방향에 전념하는 행동이며, 장기적으로 바람직한 결과를 가져올 수 있다는 점을 인식하도록 도울 필요가 있다.

성과에 방해가 되는 장애물과 회피 중심 경로

감정과 생각은 우리의 삶뿐만 아니라 스포츠에서도 중요한 부분이다. 인간의 내적 과정은 진화적으로 형성된 신호 체계의 일부로, 피부 내부와 주변 환경에서 혐오스러운 것과 유인적인 것을 인식하는 데 도움이 된다. 감정과 생각은 우리를 '좋은 것'으로 향하게 하고 '나쁜 것'으로부터 멀어지게 할 수 있다. 감정은 여러 가지 면에서 인간에게 도움이 되는 것은 분명하지만, 의사 결정 과정과 장기적인 목표 추구에도 동시에 부정적인 영향을 미칠 수 있다. 스포츠 생명선은 기능 분석의 기본 개념을 사용하여 스포츠에서 이러한 사적인 경험이 의사 결정에 어떤 역할을 하는지 판별하는 데 도움이 될 수 있다. 운동선수가 경기 중에 어려운 상황에 직면하면 혐오스러운 사적 사건(부정적인 생각과 감정)이 떠오를 수 있다. 모든 운동선수는 경기 중에 부정적인 생각이나 감정을 경험할 때가 있으며, 이러한 상황을 적절하게 처리하는 기술은 종종 성공하는 선수와 그렇지 않은 선수를 결정하는 데 결정적인 역할을 한다. 사적인 사건에 '휘말리게' 되면 이러한 내적 경험을 회피하거나 통제하려는 시도를 할 수 있는데, 이러한 과정을 경험적 회피라고 한다(Hayes & Gifford, 1997). ACT 프레임워크를 사용하여 변화해야 할 목표 행동을 평가할 때는 문제 행동을 유발하고 유지하는 맥락적 요인을 찾는다. ACT의 관점에서 이러한 맥락적 요인은 종종 사적인 사건을 회피(경험적 회피)하려는 시도를 강화하는 역할을 한다. 이는 행동의 경직성과 주변 환경에 대한 민감성 감소로 이어질 수 있으며, 이는 많은 상황에서 선수의 수행 능력에 치명적인 영향을 미친다. 선수가 경기 중에 자신의 내적 경험을 회피하거나 벗어나기 위한 방식으로 행동하기 시작하면 소위 회피 중심 경로에 들어선 것일 수 있다(그림 2.1 참조). 회피 중심 경로는 장기적으로 성과에 비효율적인 결과를 초래한다. 이러한 행동 패턴은 종종 부적으로 강화되는데, 그 기능은 무언가(혐오스러운 사적 사건)를 없애는 것이기 때문에 강화의 효과를 얻고, 앞으로 유사한 상황에서 선수가 이 방법을 사용할 가능성이 높아지기 때문에 강화된다. 이는 선수가 내면의 불편함에서 벗어날 방법을 찾는 일련의 문제 해결 행동에 비유할 수 있으며, 이러한 생각과 감정을 피하는 단기적인 안도감에 의해 강화된다. 여기에는 명백한 외현적 행동과 은밀한 내적 행동(예: 반추행동)이 모두 포함될 수 있으며, 문제 해결 의제가 생각과 감정에 거의 성공적으로 작용하지 않기 때문에 선수는 이를 종종 절망적인 '투쟁'으로 보고한다. ACT에서는 내담자가 통제 의제의 실행 가능성을 인식하고 의식적으로 행동을 선택하도록 돕는다. 회피가 인생에서 당신을 어디로 데려가며, 장기적인 욕구와 어떻게 부합하는가? 선수로서의 삶과 경기력에 어떤 대가를 치르고 있나? 회피 전략이 효과가 없었다는 것을 이해하는 것을 창조적 절망감이라고 하는데, 이 부분은 내담자에게 좌절감을 줄 수 있으며, 체험적 연습으로 스포츠 생명선을 함께 작성하면서 체험적으로 이해해 볼 수 있다. 원래 의도는 정반대였음에도 불구하고 이 전략으로 인해 자신의 목표와 자신에게 중요한 것에서 멀어졌다는 사실을 깨닫는다면 어떤 기분이 들까? 이 작업의 목표는 회피 전략이 효과가 없다는 것을 이해하고 이를 제거하기 위해 혐오스러운 내적 경험(회피 기능)을 향한 '투쟁 모드'를 결국 내려놓는 것이다. 이러한 깨달음은 좌절감을 안겨주기도 하지만 희망으로 이어지기도 한다. 회피의 투쟁을 내려놓을 때 받게 되는 에너지와 그로부터 열리는 새로운 공간은 행동 변화의 전환점이 될 수 있다.

ACT 문헌에서 제시하는 경험적 회피에 대한 대안은 사적인 사건의 빈도나 형태를 바꾸려고 하지 않고 열린 마음으로 기꺼이 수용하는 것이다. 이는 내적 경험의 수용으로 설명되며 ACT 및 기타 현대 인지행동 심리치료에서 핵심적인 과정이다(Hayes, Villatte, Levin, & Hildebrandt, 2011). 이를 통해 선수들은 가치 있는 삶의 궤도를 유지하고, 경쟁에서 최선을 다하기 위해 이러한 불쾌한 내적 경험을 접하는 것을 받아들이고, 어려운 상황에 기꺼이 다가갈 필요가 있을 것이다.

이것은 스포츠 생명선 모델의 출발점인 어려운 상황으로 우리를 이끈다. 무엇이 어려운 상황으로 간주되는지는 일반화할 수 없으며, 선수 개인의 학습 이력과 주관적인 경험에 따라 달라질 것이다. 운동선수는 자신의 기량을 최대한 활용하기 위해 끈기 있게 노력해야 한다. 따라서 중요한 것은 그들이 도전과 그에 따른 심리적 고통에 직면할지 여부가 아니다. 고통에도 불구하고, 그들이 성공하고 더 발전하거나 그렇지 않기 위해 어려운 상황에서 어떻게 반응하는가 하는 것이다. 이것이 바로 스포츠 생명선이 운동선수들에게 명확히 도움을 줄 수 있는 부분이다.

올림픽 경기의 사례 예시

이제 스포츠 생명선과 기능 분석을 기반으로 한 올림픽 스포츠 심리상담가가 경험한 영감을 얻을 수 있는 사례를 소개한다. 이 사례는 그림 2.2에도 설명되어 있다. 이 모델은 선수가 자신의 가치에 따라 걸음을 내딛거나(가치 중심 경로), (피하거나 통제하고 싶은) 감정에 따라 물러나는 걸음을 내딛을 수 있는(회피 중심 경로) 교차로를 묘사하고 있다. 가치 중심 경로의 끝에는 등대가 있다. 등대는 선수의 가치를 상징하며, 선수로서 자신에게 중요한 것을 향해 행동하는 데 도움이 되고, 장기적으로 효율적인 결과를 가져오는 것을 의미한다. 등대는 거친 바다를 항해하는 데 도움이 되는 은유다(이 은유는 3장에서 보다 자세히 설명하겠다). 이 모델은 7단계 과정으로 구성되어 있으며, 평가과정에서는 특정 사항을 구체적이고 명확하게 기술하는 것이 중요하다.

- **1단계:** 선수의 가치와 경기 계획을 정의한다. 가치와 그 가치에 따른 구체적인 행동(전념 행동)은 선수가 선호하는 경로에 있는지 여부를 분석하는 출발점 역할을 한다.
- **2단계:** 어렵고 핵심적인 상황을 설명한다. 어려운 상황은 선수가 인간적인 자질 측면에서 자신이 원하는 방식에 어긋나는 행동을 하거나 장

기적으로 비효율적인 결과를 초래하는 경우이다.

- **3단계:** 운동선수가 어려운 상황에서 나타난 구체적인 생각과 감정을 분별하고 설명하도록 돕는다.
- **4단계:** 가치 있는 방향과 일치하지 않는 행동을 설명하고, 선수가 압박을 받거나 어려운 생각과 감정에 사로잡혔을 때 자주 선택하는 행동에 대해 설명한다
- **5단계:** 무엇이 그 행동을 강화시켰는지 설명한다(행동의 즉각적인 효과 또는 행동의 보상).
- **6단계:** 해당 행동의 장기적인 결과를 설명한다(장기적이라고 말하지만, 행동 이후 몇 분 이내일 수도 있다).
- **7단계:** 가치 있는 방향을 재검토하고 대안적인 행동을 선택하기. 선수는 가치 있는 방향을 선택했을 때 예상되는 단기 및 장기적인 결과를 설명한다.

이러한 단계를 거쳐 선수들이 왜 그렇게 행동하는지 행동의 기능을 더 잘 이해하고 어떻게 행동하고 싶은지 알게 되었다면, 이제 선수들이 자신의 가치를 향해 전념 행동의 발걸음을 내딛도록 도와야 한다. 이를 위해 선수에게 전에 하지 않았던 '새로운 행동 패턴'을 선택할 때 나타날 수 있는 장애물에 대해 물어보고, 수용하기, 기꺼이 하기, 탈융합, 문제 분석 등을 통해 설명한 장애물을 다루는 방법에 대해 이야기할 수 있다.

다음 단계는 선수가 '새로운' 방향으로 나아갈 수 있도록 지원하고, 장애물과 함께하면서 동시에 가치를 향해 나아갔던 결과를 평가하는 것이다(6장에서 전념 행동에 대해 자세히 설명함).

요트 선수 사례 소개

민아[2]는 올림픽 요트 선수이다. 민아는 요트선수 생활을 하는 여러 해 동안 스포츠 심리상담가와 함께 작업하며, 그 과정에서 다양한 기술과 문제를 목표로 삼았다. 민아는 수년 동안 국제적인 수준에서 요트를 탔으며, 특히 선수 생활 후반기에 접어들었다. 세계 정상급 성적을 거두기 시작한 후 그녀는 선수 경력의 실존적 측면에 매우 몰두했다. 그녀는 운동선수와 학생으로서 병행하는 선수경력을 어떻게 처리할 것인지, 특히 한 인간으로서 그리고 요트 선수

날짜: **7/8** 장소: **물 위에서** 상황: **고된 하루, 어려운 레이스 사이**

1
가치와 경기 계획
책임감 있게,
사람들이 나를
도울 수 있게, 이타적인
플레이를 하기
행동
코치와 미팅하기
나의 바램을 설명하기,
코치가 이해할 수 있도록,
코치의 도움을 구하기
가치 중심 경로
7
장기적 보상
더 나은 관계
더 나은 성과
단기 결과
"나는 할 필요가 없어야
한다"는 생각에서 벗어
날 수 없을 것이다.
회피 중심 경로
6 장기 결과
관계를 위태롭게
함. 내 가치에
충실하지 못함.
3 생각과 감정
그가 나를 신뢰하는 것
같지 않다. 슬픔, 화남.
그가 나를 초짜처럼
대하지 말아야 한다.
5 단기적 보상
내가 그를
바로잡는 것 같음.
코치를 만날
필요가 없음.
4 행동
코치를 피함.
코치에게 말하지
않고, 그냥
경기를 함.
2 어려운 상황
힘든 레이스 이후. 코치가
나를 하루 종일 수정하려고
지적하는 것 같았음.
코치가 화가 나 보임.

그림 2.2 부진한 경기 후 선수의 행동에 대한 기능 분석

로서 인생에서 무엇이 중요한지 등의 문제에 대해 논의하고 싶었다. 그녀는 경기 결과만으로는 엄청난 시간과 노력을 투자하면서 집을 떠나있는 수많은 날들을 정당화할 수 없다는 것을 깨달았다. 선수로서 어떤 사람이 되고 싶은지, 결과를 넘어 어떤 경력을 쌓고 싶은지에 대해 논의하는 것은 의미 있는 일이었다. 그녀는 경쟁(예: 용기와 지혜), 코칭 스태프와의 관계(예: 감사하는 마음과 책임감), 트레이닝 그룹과의 관계(예: 지지, 지식 공유, 기술 전수)와 관련된 가치를 정립했다. 요트에 대한 가치 기반 접근 방식은 민아가 과도한 긴장을 극복하는 데 도움이 되었다. 올림픽이 가까워지자 민아의 관점이 바뀌었다. 가장 큰 무대에서 좋은 성적을 내고 싶었던 그녀는 결과에 더 집중하기 시작했다. 훈련과 시합에서 긴장하고 때때로 집중력을 잃는 자신을 발견했다. 무엇보다도 최악이었던 점은 스스로 알아차리거나 이유를 이해하지 못한 채 자신에게 중요한 것에 어긋나는 행동을 하는 본인을 발견했을 때였다. 그것은 마치 가장 기본적인 것을 잊어버리는 것 같았고, 이는 종종 코치와 다툼으로 이어져 코치가 그녀가 잘 알고 있는 기본 사항을 반복적으로 지시하는 경우로 이어졌다. 예를 들면, 역풍이 불 때 뒤를 돌아보지 말라는 것이나, 약한 바람에도 보트를 너무 많이 흔들지 말라는 것, 팀 회의에서 자신의 관점을 공유하지 않는 것 등이었다. 그녀는 올림픽 개막을 10개월 앞두고, 스포츠 심리상담가에게 도움을 요청했다. 그녀는 스포츠 활동에서 자신에게 중요한 것이 무엇인지, 그리고 자신이 어떤 요트선수가 되고 싶은지 명확히 하는 데 초점을 맞춰 치료 작업을 다시 시작하고 싶다고 했다. 이후 10개월 동안 특정 상황을 평가하는 방법으로 스포츠 생명선을 자주 사용했는데, 그 두 가지 예가 아래에 소개되어 있다.

예시 1: 코치와의 관계

첫 번째 사례는 코치와의 협력을 중심으로 전개된다. 코치는 올림픽에 출전할 한 자리를 놓고 경쟁하는 여러 명의 선수를 관리해야 했다. 이른 봄, 민아는 국가대표 선발전에서 우승했다. 코치는 이제 민아에게 모든 관심을 집중할 수 있게 되었는데, 민아는 때때로 그것이 너무 과하다고 느꼈다. 민아는 요트 선수로서 자신의 가치를 명료화하면서 자신을 도와주는 스태프들에게 어떻게 다가가고 싶은지 고민했다. 그녀는 책임감을 갖고 싶었다. 그녀는 주변 사람들이 자신을 가장 잘 도울 수 있는 방법을 추측하기를 기다리는 대신, 능동적으로 대처하고 스태프가 자신의 필요를 이해하도록 도와 서로에게 유익한 협력이 이루어지길 원했다. 이를 위해 그녀는 코치 및 스태프들과 정기적인 미팅을 시작했는데, 이러한 미팅을 주도적으로 마련한 것은 책임감이라는 그녀의 가치를 실천하기 위해 그녀가 한 일 중 하나였다(1단계). 올림픽을 몇 달 앞두고 열린 레이스에서 그녀는 경기에서 어려운 상황에 처했다. 그녀는 코치가 하루 종일 자신의 기술과 특정 결정을 수정하려 하고 있다고 느꼈다. 레이스에서 좋지 않은 성적을 내고 결승선을 통과한 그녀는 코치가 실망한 표정을 짓는 것을 보았다(2단계). 그 순간 '코치는 더 이상 나를 믿지 않는다', '코치는 나를 신인처럼 대할 권리가 없다'와 같은 일련의 생각과 슬픔과 분노의 감정이 즉시 시작되었다(3단계). 그 상황에서 그녀가 한 행동은 코치가 있는 보트로 다가가지 않는 것이었다. 그녀는 결승선을 통과한 후 코치의 접근이 허용되지 않는 수상 구역에 머물렀다. 다음 레이스가 시작될 때까지 그곳에서 멍때리며 기다렸다(4단계). 처음에 민아는 이러한 행동에 대한 보상이나 강화가 보이지 않는다고 생각했지만, 이런 행동이 갖고 있는 가능한 보상에 대해 고민한 끝에, 몇 가지 강화가 있음을 깨달았다. 첫째, 그녀는 코치와 마주할 필요가 없었다. 둘째, 그녀는 자신이 코치를 이런 식으로 바로잡고 있다고 느꼈고("그렇게 하면 코치를 내 방식대로 가르칠 수 있을 것"), 이는 그녀에게 어떤 식으로든 보상을 주었다(5단계). 그녀는 자신이 취한 이 행동의 장기적인 결과를 잘 알아챘다. 첫째, 그녀는 그 행동을 통해 에너지를 재충전하기 위해 먹고 마실 것을 얻지 못했다. 둘째, 그녀는 자신이 코치와의 관계를 위태롭게 하고 있다는 것을 깨달았다. 그 후 그녀는 또한 자신이 지금까지 자신의 가치에 맞지 않게 행동했다는 사실에 스스로도 불만을 가지고 있었다는 사실을 깨달았다. 이것이 애초에 이 사례를 선택하게 된 이유이기도 하다(6단계). 다음 세션 후반에는 스포츠 생명선을 통한 책임감이라는 그녀의 가치를 다시 살펴보았다(7단계의 일부). 우리는 또한 그녀가 그러한 상황에서 어떻게 행동하고 싶었을지, 즉 코치에게 가서 그의 조언을 듣고 그날 늦게 미팅을 예약하고, 중압감을 느끼는 상황에서 그녀를 가장 잘 도울 수 있는 방법에 대해 논의할 수 있었다(7단계의 일부). 그녀는 이런 행동을 지속할 때 '코치에게 이렇게까지 해주면 안되는데', '코치가 나를 더 잘 알아야지'와 같은 부정적인 생각에 휘말려, 거기에 수반되는 슬픔과 분노의 감정에서 벗어날 수 없다는 것을 깨달았다. 그런 사적인 사건이 그녀의 행동에 영향을 미치도록 내버려두는 것은 요트선수로의 성과에도 혹독한 대가를 치르게 될 것이다. 대신에 그녀가 가치에 기반한 결정을 내렸다면 더 나은 성과를 내고 코치와의 좋은 관계를 유지하는 데 더 책임감을 가졌을 것이다. 이런 식으로 우리는 가치 있는 행동의 단기적 결과와 장기적 결과를 모두 탐색했다(7단계 끝). 다음날 민아, 코치, 스포츠 심리상담가는 한 자리에 앉아 건설적인 회의를 가졌다. 우리는 문제 상황을 살펴보고, 민아는 자신이 상황 속에서 느꼈던 힘든 경험을 표현했다. 코치는 이 회의에 무척 만족해하며 나에게 감사히 여겼고, 민아에 대한 접근 방식을 이해하고, 이 문제를 어느 정도 효율적으로 개선할 수 있었다. 코치와의 관계가 민아에게 어려운 상황이 된 것은 이번이 마지막은 아니었지만 이제 그녀는 이러한 상황을 더 잘 인식할 수 있었고 자신의 행동으로 인한 다양한 결과를 심층적으로 이해할 수 있었다. 시간이 지남에 따라 민아는 이러한 상황에 더 유연하게 대처할 수 있게 되었고, 자신이 원하는 방향으로 더 자주 나아갈 수 있게 되었으며, 장기적으로 요트 선수로서의 민아의 성과는 점점 향상되어갔다.

예시 2: 출발선에서 가장 좋은 자리를 선점하기 위한 경쟁

훈련과 올림픽 준비 과정에서 민아의 가치와 레이스에 대한 경기 계획에 서로 부합하지 않는 상황이 추가로 확인되었다. 브라질 리우데자네이루만은 항해하기 매우 어려운 곳이었기 때문에 경기 계획에 대한 정확한 평가가 매우 중요했다. 올림픽을 앞두고 몇 달 동안 우리는 모두가 어려운 조건으로 인해 힘들고 좌절스러운 레이스를 몇 번 경험하게 될 것이라는 사실을 깨닫고 이를 논의하기 시작했고, 이를 반영해서 "최종 우승자는 실수를 하지 않는 선수가 아니라 실수와 악천후가 생기더라도, 거기에 잘 대처하는 선수다"라는 말을 요트 대표팀의 모토로 삼았다.

레이스 첫날, 민아는 매우 답답한 상황을 경험했다. 그녀는 코치와 함께 첫 레이스에서 어디에서 출발할지 계획을 세웠다. 그녀는 붐비는 출발선에서 좋은 자리를 찾았다. 하지만 보트가 움직이면서 출발선 아래쪽 더 안 좋은 위치에 놓이게 되었다. 민아는 자신이 실수를 했다는 것을 알았지만 왜 그랬는지 이해하지 못했고, 경기가 끝난 후에야 그 이유를 알 수 있었다.

민아는 기술적으로 숙련된 스타터였고, 이는 요트 선수로서 그녀의 강점 중 하나였다. 민아에게 중요한 가치는 용기를 갖는 것이며, 출발 상황에서 용기를 갖는다는 것은 상황을 잘 분석한 다음 출발선에서 어디에서 출발할지 결정하고 선택한 지점을 향해 나아간다는 것을 의미했다(1단계). 대회 첫 번째 레이스에서 민아는 출발선 오른쪽 가장 바깥쪽에서 출발하는 것이 유리하다는 것을 파악했다. 하지만 안타깝게도 민아의 강력한 경쟁자들도 이를 파악한 것은 마찬가지였다. 민아는 같은 자리를 차지하기 위해 많은 선수들이 서로 고함을 지르며 싸우는 정신없는 상황에 처하게 되었고(2단계), 순간적으로 “안 돼! 내가 밀려나겠어, 쟤들이 나를 밀어내면 올림픽 출전 기회를 잃겠어”라는 생각이 들면서 극도의 긴장감을 느꼈다(3단계). 깊이 고민하지 않은 채, 그녀는 정신이 없는 상태에서 덜 붐비고, 덜 선호되는 장소로 자리를 옮겼다(4단계). 이 일화에 대해 이야기를 나누었을 때, 그녀는 자신이 왜 그런 행동을 했는지(무엇이 행동을 강화했는지) 쉽게 알 수 있었다. 압박감이 즉시 줄어들고 긴장감이 줄어들었으며 다시 한 번 자신의 출발을 통제할 수 있다고 느꼈다(5단계). 좋은 출발을 했지만, 불리한 위치는 이제 경쟁선수들 한가운데에 위치하게 되어 다시 싸워야 한다는 것을 의미했다. 또한 경쟁 선수들에게 긴장해서 추월당할 수 있다는 신호를 보냈다는 것도 알고 있었다(6단계). 그녀의 가치와 경기 계획을 다시 살펴본 결과, 그녀는 유리한 위치에 머물면서 출발선에서 자신의 자리를 차지하기 위해 싸웠어야 했다는 것을 깨달았다. 그렇다면 그녀는 용기라는 자신의 가치에 충실했을 것이다. 그렇게 했다면 긴장감과 의심이 여전히 계속 남아 있었을 것이고, 그 순간 안도감을 느끼지는 못했을 것이다. 하지만, 동시에, 그녀는 레이스에서 더 나은 기회를 얻었을 것이고 선수로서 자신에게 중요한 것에 충실할 수 있었을 것이다(7단계). 민아는 올림픽 레이스 첫날 스포츠 생명선을 사용하면서 자신이 쉬운 레이스를 원했던 것이 아니라는 사실을 깨달았다. 민아는 어려운 상황에서도 좋은 성적을 내고 싶었고, 그것은 자신에게 도전하고 그러한 도전이 가져오는 어려운 생각과 감정을 자연스럽게 받아들이는 것을 의미했다. 나중에 민아가 스스로 평가한 바에 따르면, 그녀는 대회가 끝난 후 며칠 동안 여러 가지 어려운 상황을 경험했다고 한다. 하지만 그녀는 공황의 징후를 조기에 알아차리고 어려운 상황에서도 자신의 가치에 따라 행동하기로 신중하게 결정했다. 그녀는 이것이 올림픽 최종 성적에 결정적인 영향을 미쳤다고 보고했다.

날짜: 10/8 장소: 출발선
상황: 올림픽 결승전 첫날, 중요한 스타트
가치와 경기 계획
용기
순조로운 스타트
믿음
❶
행동
출발선에 머무르기
좋은 위치를 선점하기
위한 경쟁
가치
중심
경로
장기적 보상
더 나은 기회
경기 계획에 충실하기
❼
단기 결과
긴장감과 의심과
함께 머무르기
회피 중심 경로
❻ 장기 결과
선단 한 가운데
무리하게 선두로
돌아서서 다시
헤쳐나가야 함
경기 계획에
충실하지 못해
불만족스러움
❸ 생각과 감정
긴장감
다른 선수들에 밀려서
탈락되는 것 아닐까?
올림픽에서 메달을 따지
못하면 어쩌지?
❺ 단기적 보상
긴장감이 줄어듦
순간 편안하고
통제감을 느낌
❹ 행동
다른 선수들도
선호하지 않는,
덜 붐비는 위치로
그냥 향하기
❷ 어려운 상황
정신없는 스타트
모두가 똑같이
좋은 위치를 선점하기 위해
열띤 경쟁에 돌입함

그림 2.3 올림픽에서 중요한 출발을 앞둔 요트선수의 행동에 대한 기능 분석

치료적 통찰력:
선수와 함께 스포츠 생명선을 사용할 때의 도움말과 유의사항

이 장의 마지막에는 선수들과 함께 작업을 할 때, 스포츠 생명선을 활용할 수 있는 몇 가지 조언을 제공한다. 이 조언을 염두에 두면 특정 부분에서 더 많은 것을 얻는 데 도움이 될 것이다.

- **내담자와 체험적으로 작업하기:** ACT는 은유와 체험적 연습에 중점을 두는 치료 또는 훈련 모델이다(Hayes et al., 1999). 상담 치료에서 내담자는 자신의 경험을 전달하는 방법으로 자신의 생각과 감정을 보고할 수 있다. ACT는 또한 내담자가 어려움을 겪고 있는 생각과 느낌에 직접 접촉하고, 이러한 사적인 사건을 구별하는 방법을 배우고, 이에 대응하는 더 기능적인 방법을 연습하도록 요청하는 체험적 연습을 강조한다. 은유와 체험적 연습을 사용하는 것은 내담자가 처한 맥락에 영향을 미칠 가능성을 높이고, 이를 통해 행동에 효과적으로 영향을 미치기 위함이다. 심리상담가는 내담자에게 새로운 행동을 시도하도록 요청함으로써 이러한 맥락적 요인이 문제 행동에 영향을 미치는 방식을 바꿀 수 있는 직접적인 접근방식에 대한 체험과 결과적으로 나아질 기회를 갖게 된다. 생명선(오리지널 버전과 스포츠에 맞게 조정된 버전 모두)은 전통적인 기능 분석에 기반한 체험적이고 은유적인 연습이다. 내담자가 실제 생활 조건에 해당하는 기능적 관계를 탐색함으로써 연습의 핵심 특징을 인식하고 수행 성과와 진정으로 소중한 것과 관련시킬 수 있다는 의미에서 은유적이다. 또한 내담자의 문제와 치료실에 '가져온' 어려운 상황에서 사용 가능한 다양한 행동 전략을 설명하는 방법이기도 한다. 생명선의 경험적 및 은유적 측면은 다음의 추천도서에서 더 깊게 이해할 수 있다(Törneke, 2016). 스포츠 생명선을 체험적으로 사용하려면 내담자와 함께 일어서서 치료실 앞 바닥에 있는 선을 이용해서 설명해 보는 것도 괜찮다. 다양한 의사 결정을 내담자가 선택할 수 있다는 것을 평가하며 회피 중심 경로와 가치 중심 경로를 걸어보고 다양한 행동의 장단기적 결과를 탐색한다. 회피 중심 경로를 선택하는 데 드는 비용은 얼마인가? 운동선수가 어렵고 특정 상황에서 일반적으로 경험하는 생각과 감정, 그리고 자신의 가치를 따르는 것이 그들에게 어떤

의미가 있는지 알아차리고 이를 내면의 소중한 것과 접촉하도록 격려한다. 볼펜이나 연필로도 할 수 있다. 하지만, 내담자와 함께 체험적으로 연습하는 것이 좋다.

- **역동적인 치료 도구:** 이 장에서는 스포츠 생명선을 단계별로 설명한다. 스포츠 생명선은 거의 매뉴얼화된 방식으로 설명되어 있으며 실제로 그렇게 사용할 수 있다. 새로운 인지 및 행동 치료 기술을 배울 때는 먼저 단계별로 매뉴얼에 따라 배우는 것이 전통적인 방식이며, 이는 스포츠 생명선으로 작업할 때도 마찬가지다. 나중에 치료자가 모델에 자신감이 생기면 필요하다고 판단될 때 매뉴얼에서 벗어나 창의적이고 임기응변적 단계를 수행할 수 있다. 또한 내담자의 상황에 따라 모델의 특정 부분에 더 집중할 수 있다는 것도 분명해질 것이다. ACT로 작업하면서 어느 정도 훈련과 경험을 쌓고 모델의 다양한 프로세스를 잘 알고 나면 점차적으로 스포츠 생명선을 유연하게 사용하고 다양한 내담자 시나리오에 맞게 선택하고, 조정하는 방법을 배우게 될 것이다.
- **회피 중심 경로:** 이 장에서는 회피 중심이라는 용어를 사용했다. 회피는 특정 사적 사건을 피하는 행동 전략을 설명하는 ACT 문헌에서 일반적으로 사용되는 경험적 회피라는 용어에서 파생된 것이다. 그러나 선수들은 회피가 아닌 다른 이유로 가치 중심 경로에서 벗어날 수 있다. 페널티 지역에서 더 나은 위치에 있는 팀 동료에게 공을 패스하는 대신 슛을 하기로 결정한 축구 공격수를 예로 들어 보겠다. 만약 이 공격수가 다른 팀원들을 지원하고 공동의 목표를 추구하는 것을 중요하게 여긴다면, 이러한 행동은 자신의 가치에서 벗어난 행동이다. 이러한 행동은 회피가 아니라 "나는 최고가 되고 싶다" 또는 "나는 골세러머니를 하며 축하받고 싶다"와 같이 혼자서 성공하고 싶은 생각과 감정에 이끌린 것일 수 있다. 이러한 경우 행동 패턴은 감정에 이끌린 것이라고 설명할 수 있다.
- **탐색의 중요성:** 스포츠 생명선을 따라 선수들을 지도할 때, 탐색적인 치료적 접근 방식을 취하는 것이 중요하다. 치료자가 무엇이 문제 행동을 유지했는지, 어떤 사적인 사건을 피하고 있는지, 어떤 결과가 초래될지에 대한 특정 가설을 가지고 있더라도 이는 선수에게 가르쳐야 할 부분이 아닌 아직 선수가 발견해야 할 부분이다. "이러한 걱정스러운 생각에 집착할 때, 당신의 수행에 어떤 영향을 미치겠나?", "현재 전략의 대

가는 무엇일까?" 연습하는 동안 탐색적인 질문으로 선수들을 안내하는 것이 좋다. 내담자가 이해해야 할 내용을 설명하며 어떤 모델이나 이해를 상담가가 강요하지 않도록 노력해야 한다. 행동 분석으로 작업할 때는 내담자가 현재 행동의 결과를 이해하도록 돕는 것이 핵심이며, 그 행동이 어떤 가치 있는 이유나 장기적인 결과를 위해 노력하는 것이 아니라면 어떤 대안이 있을 수 있는지를 이해하는 것이 중요하다. 치료적 연습은 문자 그대로의 삶의 진실을 주장하기 위해 수행되는 것이 아니기 때문이다. 스포츠 생명선은 선수 개개인의 수행 경험을 탐구하고 스포츠 활동에서 자신이 원하는 대로 유연하게 행동할 수 있는 심리적 기술을 연습할 수 있도록 돕기 위한 것이다. 우리는 이러한 관계에 대한 가설을 가볍게 여기고 유연성을 가지고 그 목표를 달성하는 데 최대한 도움을 주겠다는 자세로 임해야 한다.

참고 사항

1. 이 특정 스포츠 생명선 모델은 원래 '가치 나침반'(Henriksen & Hansen, 2016; Henriksen, 2019)으로 출판되었으며, 원저자의 허락을 받아 사용되었다.
2. 민아는 가상의 이름으로, 선수의 익명성을 보장하기 위해 일부 세부 사항을 의도적으로 변경하고 생략했다. 역자가 가독성과 사례 이해의 몰입도를 높이기 위해 원문의 실비아라 기재된 이름을 민아라는 한국어 이름으로 바꾸었다.

참고문헌

Dahl, J., Plumb, J., Stewart, I., & Lundgren,T. (2009). *The art and science of valuing in psycho–therapy*. Oakland, CA: New Harbinger Publications.

Hayes, S. C., & Gifford, E. V. (1997). The trouble with language: Experiential avoidance, rules, and the nature of verbal events. *Psychological Science*, *8*(3), 170 – 173. doi: 10.1111/ j.1467 – 9280.1997.tb00405.x

Hayes, S. C., Strosahl, K., & Wilson, K. G. (1999). *Acceptance and commitment therapy: An experiential approach to behavior change*: New York: Guilford.

Hayes, S. C.,Villatte, M., Levin, M., & Hildebrandt, M. (2011). Open, aware, and active: Contextual approaches as an emerging trend in the behavioral and cognitive therapies. *Annual Review of Clinical Psychology*, 7, 141 – 168. doi: 10.1146/annurev–clinpsy–032210 – 104449

Henriksen, K. (2019): The values compass: Helping athletes act in accordance with their values through functional analysis. *Journal of Sport Psychology in Action*, doi.org/10.1080/ 21520704.2018.1549637

Henriksen, K., & Hansen, J. (2016). Præster under pres: Guide til mental styrke i sport, kunst og erhvervsliv [Perform under pressure:Your guide to mental strenght in sport, arts and business]. Copenhagen: Danish Psychological Publishers.

Plumb, J. C., Stewart, I., Dahl, J., & Lundgren, T. (2009). In search of meaning: Values in modern clinical behavior analysis. *The Behavior Analyst*, 32(1), 85. doi: 10.1007/ BF03392177

Ramnerö, J., & Törneke, N. (2015). On having a goal: Goals as representations or behavior. *The Psychological Record*, *65*, 89 – 99. doi: 10.1007/s40732–014–0093–0

Törneke, N. (2016). *Metaforer—från vetenskap till psykoterapeutiska verktyg* (1:1 ed.). Lund:Studentlitteratur.

3

운동선수가 자신의 가치를 명확히 알고 스포츠 분야에서 확고한 기반을 다질 수 있도록 지원하기

카스텐 흐비드 라센, 구스타프 라이네보, 토비아스 룬드그렌

가치는 운동선수들이 선수 생활을 하는 동안 무엇을 중요하게 여기고 추구해야 하는지에 대한 방향을 제시한다. 그런 점에서 가치는 운동선수에게 중요한 것이 무엇인지 방향을 제시하는 내면의 나침반이라고 할 수 있다. 가치는 선수들이 앞으로 나아갈 길을 안내하고 동기를 부여한다. 선수가 경력을 쌓아가는 성장 과정은 종종 혼란스럽고, 어렵고 예상치 못한 많은 난관이 따르는 경우가 많다. 그런 이유로 가치는 운동 여정의 방향을 명확히 하고 역경에 맞서 싸우거나 도전에 직면했을 때 선수들을 안내할 수 있다. 이 장에서는 가치의 정의와 가치가 운동선수에게 어떻게 적용될 수 있는지에 대해 설명하고, 후반부에는 가치 연습의 세 가지 예시를 보여줄 것이다.

가치란 무엇인가?

가치는 우리 삶에서 중요하다고 생각하는 것에 대한 개인적인 진술이다. 가치는 선수의 스포츠 경력이나 인생에서 어떻게 되고 싶은지, 어떻게 행동해야 하는지에 대한 방향과 특정한 방법을 정의한다. 또한 가치는 자신이 선택한 스포츠 모험에 대한 동기 부여가 될 수 있으며, 운동에 임하는 이유, 하고 싶은 일, 훈련과 시합을 하는 동안 어떤 사람이 되고 싶은지를 반영할 수 있다. 운동선수가 가치를 명확히 하려면, 상담가는 다음과 같은 질문을 던져야 한다. "당신에게 중요한 것은 무엇인가? 당신의 삶에서 운동선수로서 무엇을 보여주고 싶은가? 한 사람으로서 어떤 자질을 키우고 싶은가? 다른 사람들과의 관계에서 어떤 사람이 되고 싶은가?"

가치는 인생과 운동 여정에서 우리가 나아갈 길을 제시하고 동기를 부여하는 길잡이가 되는 원칙이다. 운동선수와의 가치 대화에는 운동에 임하는 마음가짐뿐 아니라 친구, 팀원, 가족, 주변인, 코치 등에 대해 어떻게 행동하고 싶은 것 그 이상을 포함하는 경우가 많다. 또한 가치는 필연적으로 행동과 관련이 있으며, 행동의 특성 역시 다양할 수밖에 없다. 예를 들어, 축구 선수는 팀에 힘이 되어주고 싶다는 것을 가치로 삼을 수 있다. 그러나 힘이 되어주는 방법에는 여러 가지가 있으며, 선수마다 그것은 다양한 행동을 의미할 수 있다. 축구 선수의 가치를 명확히 하기 위해 "축구를 어떻게 하고 싶은가?", "경기를 하는 동안 어떤 개인적인 강점이나 자질을 내세우고 싶은가?" 또는 "경기 중에 팀원이나 상대 선수와 어떻게 관계를 맺고 싶은가?"라고 보다 구체적으로 질문할 수 있다. 이와 같은 질문은 집중력, 경쟁심, 배려심, 존중, 공정하게 행동하는 것의 의미와 특정 선수가 중요하게 여기는 가치에 대해 생각해 볼 수 있는 기회를 열어준다. 이처럼 가치는 행동과 밀접한 관련이 있다.

스포츠에서 은유적 의미의 가치란 무엇인가?

가치는 우리가 계속 나아가는 방향과 같고, 목표는 그 길을 따라 달성하고자 하는 것이다. 가치는 지속되는 동안에도 목표는 달성될 수 있다. 가치에 대한 은유적 설명은 서쪽을 향해 아무리 멀리 여행해도 결국 서쪽에 도달할 수 없다는 것이다(Harris, 2009). 예를 들어, 선수가 경기에서 이기고 싶거나 다른 클럽으로 이적하고 싶다면 이것은 목표로 볼 수 있다. 그러나 경력 내내 결단력을 갖고 자신이 하는 일에 몰두하고 싶다고 했을 때, 이는 가치 있는 방향이며, 이를 향해 계속 노력할 수 있을 뿐 어느 지점에 도달할 수는 없는 것이다. 다음 단락에서는 가치를 등대로 은유적으로 설명한다.

"가치는 인생의 길을 알려주는 등대와 같으며, 등대의 빛은 파도와 시간의 흐름에 관계없이 중요한 것을 향해 우리를 인도할 수 있다. 인생은 필연적으로 다양한 어려움과 문제들로 구성된다. 그럴 때에도 현재에 집중하고 인생에서 중요한 일을 향한 필요한 발걸음에 전념하도록 노력하라. 보트가 항로를 벗어난 것을 알아차렸다면, 바람이 잔잔해서 등대 쪽으로 쉽게 되돌아갈 수 있을 것이다. 하지만 바람이 거세지고 회색빛 먹구름이 빠르게 다가오면, 성난 폭풍우에 휩싸일 수 있으며, 당신은 거대한 파도와 폭풍우 속에서 항로를 벗어난 자신을 발견할 수 있을 것이다. 비록 등대가 보이지 않더라도 어딘가에 등대가 있다는 것을 알 수도 있다. 당신은 고군분투하고 스스로 물에 떠 있기 위해 모든 에너지를 소비한다. 인생의 어느 시점에서 이러한 어두운 시간을 경험하고 어려운 상황에서 벗어나는 길을 찾기가 어려웠을 수 있다. 어둠 속을 들여다볼 수 없다. 인생의 정상 궤도로 돌아가는 길을 찾을 수 없다. 만약 우리가 등대를 보지 못하면 우리는 표류하게 되고 폭풍의 파도에 휩쓸리게 되는데, 때로는 전혀 눈치채지 못한 채 길을 잃기도 한다."(Forsyth & Eifert, 2016에서 발췌)

마찬가지로 운동선수들도 때때로 인생의 폭풍을 만나 어려움을 겪는다. 선수들은 자신이 힘든 곳에 있다는 것을 발견하고, 자신의 가치에 집중하지 못하고 떠내려갈 수 있다. 이는 기분 변화, 좌절감 증가, 경기력 저하로 이어질 수 있다. 압박감이 가중되거나 높은 요구 사항에 직면하거나 학업과 운동을 겸업하는 것은 운동선수를 취약하게 만들 수 있는 몇 가지 요인이다. 비유적으로 말하자면, 운동선수가 이러한 폭풍우 속에서 인생의 길을 알려주는 등대를 바라보는 관점과 자신의 가치를 잃을 수도 있다. 가치를 잃은 정도는 아니지만, 현재 상황으로 인해 자신에게 중요한 것이 무엇인지 잊어버리거나 힘든 상황 속에서 소중한 것과의 접점을 잃게 될 수도 있다. 어려운 생각과 느낌이 바람직하지 않은 방향으로 행동에 영향을 미치기 시작할 때, 가치는 선수를 다시 정상궤도로 인도할 수 있는 효율적인 방법이 될 수 있다.

스포츠에서 가치는 어떤 역할을 하나?

운동선수가 훈련이나 경기에서 자신의 가치와 자신이 원하는 행동 방식과 일치하지 않는 방식으로 행동하면 종종 압박감을 완화하고 불안을 줄이거나 다른 단기적인 '이익'을 가져다 줄 수도 있다. 그러나, 우리의 경험에 의하면, 운동선수는 어려운 생각과 감정에 관계없이 자신의 가치에 따라 일관되게 행동하는 법을 배우는 것이 중요하다. 스포츠에서의 성공이란 선수가 격렬한 폭풍우(예: 부정적인 생각, 생리적 각성, 불안이나 분노와 같은 감정)의 존재를 있는 그대로 받아들이면서도 그 상황에서 자신에게 중요한 것에 따라 행동하면서 자신에게 주어진 과제에 주의를 기울일 수 있는 정도와 관련이 있다.

ACT적 관점에서, 상담가는 내부 상태를 통제하기 위한 시도로서 운동선수들이 훈련이나 경기 중에 회피적인 기능의 행동을 하는지를 알아야 하는데, 이것은 분명히 경기력에 득이 되지 않는 영향을 미칠 것이기 때문이다. 오히려, 부정적인 생각과 감정을 기꺼이 받아들이고, 그들의 가치 있는 목적을 추구할 수 있어야 한다(Hayes, Strosahl, Bunting, Twohig, & Wilson, 2004). 원치 않는 감정을 피하려고 직접적으로 시도하는 것은 분명 역효과를 가져올 것이다. 선수가 수행 상황에 가장 중요한 일을 하는 대신 생각과 감정을 없애려는 행동을 하면 시간이 지남에 따라 이러한 생각과 감정이 오히려 더 커질 수 있다(자세한 내용은 2장 참조). 목표는 생각과 감정의 내용을 바꾸는 것이 아니라, 선수가 가치 있는 행동에 전념하면서 경기 중에 이러한 사적인 경험과 어떻게 관계를 맺을 수 있는지, 그리고 사적인 경험이 중요한 행동에 부정적인 영향을 미칠 가능성을 줄이는 것이다. 선수들은 생각을 생각으로, 감정을 감정으로, 신체적 감각을 신체적 감각으로 보는 법을 배운다. 그 이상도 이하도 아니다. 이렇게 함으로써 운동선수들은 사적인 경험(생각, 감정, 감각 등)을 있는 그대로 보도록 훈련받게 되며, 사적경험이 수행 중의 행동에 대한 효과적인 지침이 거의 되지 않는다는 것을 알 수 있게 된다. 대신, 선수는 현재 수행에서 무엇이 중요한지에 대해 주로 반응하도록 멘탈을 훈련해야 한다. ACT 심리상담가가 운동선수를 돕는 세 가지 핵심 측면은 다음과 같다. (1) 엘리트 스포츠 경력을 추구하는 과정에서 자연스럽게 나타나는 다양한 생각과 감정을 마음을 열고 받아들이고 기꺼이 경험하도록 지도하는 것, (2) 과제에 집중하며 현재 순간에 주의 깊게 참여하도록 지도하는 것, (3) 선수가 자신의 삶을 어떻게 살고 싶고, 스포츠 선수경력을 관리하고 싶은지에 대한 가치를 공식화하고 이를 위해 전념 행동을 하도록 돕는 것이다. 이 장의 후반부에서는 운동선수들이 스포츠 활동을 할 때 지침이 될 수 있는 개인적 가치를 구성하는 방법에 대해 설명하겠다.

가치 작업 시 고려 사항

가치는 본질적으로 선수 개개인과 밀접한 관련이 있다. 가치를 명확히 할 때, 상담가는 개인에게 중요한 것에 초점을 맞추고 가치가 다른 사람들이 중시하는 이유로 선택되지 않도록 해야 한다(Hayes, Strosahl, & Wilson, 2012). 선택은 강압이나 '해야만 한다'는 강요가 없다는 의미에서 자유로워야 한다.

엘리트 스포츠 선수는 성장과 성과에 대한 요구와 압박 속에서 자신의 가치에 따라 일관되게 살아가며, 그 과정에서 필연적으로 어려운 생각과 감정에 직면하게 된다. 우리의 경험에 비추어 볼 때, 운동선수가 자신의 가치 있는 길에 무엇이 있는지, 운동선수로서 성장하면서 무엇을 보여주고 싶은 지 충분히 탐색하지 않거나 그런 것을 피하기 시작하면 결국 문제가 발생할 수 있다. 선수가 어려운 상황에 직면하고, 문제를 경험하고, 압박과 역경에 대처하는 것이야말로 엘리트 스포츠의 자연스러운 부분이며, 운동선수들은 가치 작업을 통해 자신의 성과와 스포츠 경력을 최대한 활용하기 위해 이러한 상황과 그에 따른 잠재적인 장애물에 도전하는 법을 성공적으로 배워야 한다.

가치를 명확히 하기 위한 연습

가치를 명확히 하는 방법에는 여러 가지가 있다. 한 가지 방법이 다른 방법보다 반드시 더 나은 것은 아니다. 그러나 우리의 경험에 비추어 볼 때, 심리상담가는 연령대별로 특정 가치를 명료화 하는 방법을 알고 있어야 한다. 이 장에서는 가치 카드 연습, 은퇴식 상상하기, 스포츠 과녁 워크시트 등의 연습에 대해 설명하겠다.

가치 카드 연습

이 연습의 형식은 간단한다. 표 3.1에 우리가 구성한 여러 가치가 나열되어 있다. 각 가치가 다른 카드에 적혀 있다. 몇 가지 가치를 나열했지만, 심리상담가는 필요한 만큼 자신만의 가치 카드 모음을 만들 수 있다. 선수와 상담하는 동안 모든 카드를 테이블 위에 펼쳐 놓는다. 카드가 나타내는 가치의 다양한 영역이 선수에게 영감을 줄 수 있다. 어린 선수에게 적용해 때에는 상담가는 먼저 상담가 자신의 가치 카드를 집어 들고 이 특정 가치가 중요한 이유를 설명하는 것으로 시작할 수 있다. 상담가가 먼저 시범을 보이면, 어린 선수가 무슨 말을 해야 할지 막막한 경우에 어떤 식으로 대답해야 할지 길잡이가 될 수 있다. 간략히 설명하자면, 운동선수가 카드를 뽑고, 상담가는 선수가 고른 가치가 자신에게 중요한 이유와 그 의미가 무엇인지에 대해 이야기하도록 탐색한다. 그 후 전념 행동을 위해 필요한 단계를 설명한다.

표 3.1 가치 카드 연습

책임감 있게	정직하게	대담하게	호기심 있게
자비롭게	모험심	공정하게	끈기있게
유연하게	겸손하게	격려하는	성장 지향적
통제력	결단력 있는	팀 선수	관대함
스스로 자각하는	도움주는	낙관적인	협동심
감사하는	배려하는	신뢰하는	부지런하게
용서하는	승부욕	기여하는	인내심 있게
자율적인	창의적인	친화적인	현재에 머무는

은퇴식 상상하기

은퇴식 상상하기 연습은 가치를 명확히 하는 또 다른 연습이다. 이 연습은 심리상담가가 안내하며 시각화 연습과 호흡 연습을 결합한 것으로 볼 수 있다. 하지만, 이 연습의 주된 목적은 무엇보다 선수의 가치를 명확히 하는 것에 있다. 연습은 보통 10분 정도 진행되며 언젠가 선수 생활이 끝날 때 자신의 삶을 되돌아보기 위해 다양한 자세를 취하면서 강한 감정과 생각을 끌어낼 수 있다. 연습하는 동안 선수는 편안하다면 앉거나 누워서 눈을 감아도 된다. 다음 단락에서는 상담가가 선수를 여러 단계로 안내하면서 이러한 연습을 구체적으로 설명한다. 연습의 각 단계가 끝난 후(또는 필요할 때), 선수가 다양한 관점과 연습에서 언급한 것을 생생하게 시각화하고 반영할 수 있도록 약간의 휴식 시간(10–30초)을 가질 수 있다. 이 연습은 베테랑 노장 운동선수에게 적합하다.

지금 여기에 집중하세요. 과거와 미래에 대한 생각을 버리세요. 앉아있는 의자, 의자와 등 사이의 연결에 주목하세요. 그런 다음 호흡에 주의를 집중하세요. 가슴이 움직이고, 숨을 들이쉬고 내쉴 때 배가 움직이는 것을 느낄 수 있을 겁니다.

지금부터 2년, 혹은 5년, 10년, 20년 또는 30년 후의 나이 든 자신의 모습을 상상해 보세요. 언젠가 여러분이 선수경력을 끝내기로 선택한 날이 왔습니다. 그 시기는 여러분이 선택하세요.

여러분이나 여러분의 선수경력에 특별한 의미가 있는 장소에서 열리는 축하 연회에 차를 타고 가는 중이라고 상상해 보세요. 회의실, 클럽 또는 다른 장소일 수 있습니다. 여러분이 결정하세요.

장소에 도착하여 차에서 내립니다. 환영연이 열릴 장소로 이동합니다.

환영연 장소로 걸어갈 때 노면을 주목하세요. 걷기 시작하면서 어떤 감정이 몸에 전해지나요? 머릿속에는 어떤 생각이 떠오르나요? 환영연이 열릴 장소에 도착하여 입장합니다.

환영연에는 선수 생활을 하면서 만나고 함께 일했던 중요한 사람들이 모두 모인 것을 볼 수 있습니다. 선수, 코치, 매니저, 감독, 협회나 클럽 관계자, 파트너, 자녀 등이 있을 수 있습니다. 어떤 사람들을 참석시키고 싶은지는 여러분이 결정합니다.

두 사람이 여러분을 대표해 연설하기로 되어 있습니다. 당신이 가장 연설을 하고 싶은 두 사람은 누구인가요?

첫 번째 발표자가 마이크 앞에 자리를 잡고 시작합니다. 그 사람이 당신에 대해 긍정적인 말을 한다면 어떤 부분에 대해 이야기하나요?(잠시 멈춤) 당신이 활기차고 의미 있는 경력을 쌓았다는 것을 알려준다는 점에서 어떤 점을 강조할까요?

이어서 다음 발표자가 말할 준비를 합니다. 상대방은 무엇을 강조하고 있나요? 첫 번째 발표자와 같을 수도 있고, 경력에 대한 이야기에서 차이가 있을 수 있습니다. 발표자가 당신이 활기차고 의미 있는 경력을 쌓았다는 것을 알려주는 어떤 말을 하고 있나요?

이제 행사가 끝났다고 상상해 보세요. 모든 참석자에게 감사를 표하고 당신은 정문으로 나가 차를 향해 이동하기 시작합니다. 저 멀리서 누군가가 자신의 길을 가고 있는 것을 발견합니다. 처음에는 누군지 알 수 없지만 가까이 다가가면 바로 젊은 시절의 자신이라는 것을 알 수 있습니다. 바로 지금 이 나이의 당신인 거죠. 현재의 자기자신에게 한 걸음 더 다가갔다가 잠시 멈춥니다. 예전의 자신의 눈을 들여다보면 무언가가 보일 수 있습니다. 잠시 서로를 응시한 다음, 젊은 시절의 자신에게 해주고 싶은 말이 있나요?

그런 자신을 바라보며, 고개를 끄덕이고 차를 향해 마지막 발걸음을 내딛고 차에 탑니다. 차의 좌석을 느끼고 자신의 호흡에 주의를 집중합니다.

이제 지금 여기에 앉아있는 의자에 주목하세요. 다리, 등, 의자가 닿는 촉감을 느껴보세요. 발바닥을 느껴보세요. 그런 다음 주위의 소리에 주의를 기울이세요. 모든 감각을 사용해 지금 이 방에 미리 들어가 보세요. 준비가 되면 눈을 뜨세요.

연습 후, 상담가는 연습에 대한 심층적인 질문을 사용하여 디브리핑을 할 수 있다. 이러한 질문은 운동선수에게 연습의 이미지, 생각, 느낌을 되돌아보게 하고, 운동선수로서 그리고 개인의 일반적인 삶에서 무엇이 중요하거나 의미 있는지에 대해 알려주기 위한 것으로, 다음과 같은 질문이 도움이 될 수 있다.

"이전 모습에서 현재 자신에게 중요한 것이 무엇인지 알려줄 수 있는 표현이 있었나요? 있었다면, 그것은 무엇인가요?"

"한 사람 또는 운동선수로서 당신에게 소중한 것은 무엇인가요? 인생에서 무엇을 상징하고 싶으신가요? 사람으로서 어떤 자질을 키우고 싶은가요?"

"선수로서, 그리고 사람으로서 여러분에게 중요한 가치에 대해 현재의 자아는 어떤 식으로 표현하고 있나요? 그것은 여러분이 되고 싶은 모습을 어떻게 표현하고 있나요?"

"현재 당신을 당신답게 특징짓는 중요한 세 가지 가치는 무엇인가요?"

스포츠 가치 과녁(Bull's eye)

'가치 과녁 설문지'는 원래 뇌전증 환자의 가치를 명확히 하고 행동에 전념하는 데 사용되는 임상 도구로 개발되었다(Lundgren, Luoma, Dahl, Strosahl, &Melin, 2012). 가치 지향적 행동에 대한 직관적인 접근 방식과 사용하기 쉬운 형식으로 인해 ACT 심리상담가들 중심으로 전 세계적으로 입소문을 타고 확산되었다. 스포츠 가치 과녁은 운동선수들이 스포츠 경기에서, 인간으로서 자신에게 의미 있는 것이 무엇인지 명확히 볼 수 있도록 변형된 버전이다. 이 도구는 상담가와 선수 모두에서 운동 능력 향상을 위한 의미, 가치, 장애물을 다룰 때 쓰는 평가 도구로서 보다 실용적으로 사용할 수 있다. 또한 스포츠 가치 과녁을 사용하면 상담가와 운동선수가 관심 영역을 쉽게 정의할 수 있다. 여기에 제시된 도구에 이미 설명된 영역을 그대로 사용할 필요는 없으며, 대신 다트판에 새겨진 시각적인 과녁을 사용하여 선수가 스스로 중요한 영역을 정의하도록 할 수 있다. 운동 가치를 명확히 정의한 후에는 선수가 가치 있는 행동에 참여도를 과녁 점수로 제시하는 것이 중요하다. 예를 들어, "지난 경기에서 창의성이라는 가치에 어느 정도 부합하는 행동을 했는가?"와 같이 스포츠 과녁은 과녁점수로 제시되는데, 자세한 것은 아이스하키의 사례 예시 형태로 뒷부분에서 제시될 것이다. 이 사례에서는 스포츠 과녁을 일반적인 형태로 제시하지만, 스포츠 종목에 따라 다양한 방식으로 창의적으로 사용할 수 있다. 이러한 적용 대안은 이 장 후반부에 '스포츠 가치 과녁 사용 시 실용적인 조언과 주의사항'에서 보다 자세히 논의할 것이다.

스포츠 가치 과녁 워크시트

가치 과녁 다트판은 시합, 훈련, 준비 및 회복, 스포츠 외 생활 등 운동에 중요한 네 가지 영역으로 나뉩니다. 다음의 지문을 잘 읽어보세요.

1. **시합:** 이 영역은 경기 중 자신의 수행에서 중요한 부분을 나타냅니다. 운동선수로서 순위경쟁하는 시합에 어떻게 접근하고 싶으신가요? 성공할 수 있는 최고의 기회를 제공하는 자신의 수행에서 중요한 특징은 무엇인가요? 자유롭게 선택할 수 있다면 선수로서 어떤 선수가 되고 싶은지 설명해 보세요.
2. **훈련:** 이 영역은 훈련에서 귀하에게 중요한 것이 무엇인지 나타냅니다. 훈련에서 자신의 수행에 어떤 마음가짐으로 임하고 싶나요? 훈련을 통해서 자신이 가장 발전할 수 있는 기회를 제공하려면 훈련이 어떤 특성이 있어야 하나요? 자유롭게 선택할 수 있다면 훈련에서 어떤 선수가 되고 싶은지 설명해 보세요.
3. **준비와 회복:** 이 영역에서는 훈련 준비와 회복에 있어 자신에게 중요한 것이 무엇인지 나타내고, 그러한 활동에 당신이 어떻게 참여하고 싶은지를 나타냅니다. 여기에는 수면/휴식, 식단, 특정 준비 활동(심리적, 신체적 또는 기타활동) 등이 포함될 수 있습니다. 또한 최고의 운동 수행능력을 발휘하고 지속적인 경력을 쌓기 위해 어떤 라이프스타일을 개발하고자 하는지도 포함될 수 있습니다.
4. **스포츠 이외의 삶:** 이 영역은 삶의 다른 측면에 대한 당신의 가치관, 즉 관계와 친밀감, 취미 또는 기타 관심 분야, 교육/직업 등을 즐기는 방식 등을 말합니다. 스포츠 이외의 삶에서 자신에게 중요한 것이 무엇인지 몇 가지 키워드로 설명해 보세요.

아이스하키 선수 현수의 사례

현수는 스웨덴 국가대표 아이스하키 리그에서 성인 하키 3년차 시즌을 보내고 있다. 주니어 리그에서 뛰던 시절에는 뛰어난 재능으로 인정받았지만, 성인 팀에서 처음 몇 년 동안은 원하는 만큼의 성장을 이루지 못했다. 드래프트 당시 지명을 받았던 팀에 여전히 소속되어 있지만 주로 3번이나 4번 라인업에서 뛰며 자신의 플레이를 즐기지 못했다. 특별히 그는 주전 선발로 발탁된 적이 거의 없었고, 상황이 그렇게 된 것에 대해 약간 실망했다. 그는 괜찮은 아이스하키를 하고 꽤 안정적인 수준을 유지했지만 막상 경기에 나가서는 자신의 기량을 최대한 활용하지 못했고 자신이 기대했던 것만큼 발전했다고 생각하지 못했다. 유소년 팀에서 더 두각을 나타냈던 시절의 자신을 떠올리거나 현재의 상태에 대해 진심으로 공감할 수 없었고, 성인 팀으로의 이적했을 처음에는 다소 힘들었다. 지금은 팀에서 자리를 지키고 비교적 적응은 그런대로 했지만, 그는 하키가 자신을 원하는 곳으로 데려다 주지 않는다고 생각했기 때문에 약간 지루함을 느끼기 시작했다. 한 달 후 새 시즌이 시작되고 현수는 처음으로 스포츠 심리 전문가를 만나게 되고, 심리상담을 시작했다.

상담가: 상담을 통해서 현수 선수 자신의 삶에서 무엇이 중요하고 의미 있는지, 아이스하키에서 당신에게 중요하고 의미 있는 것이 무엇인지 살

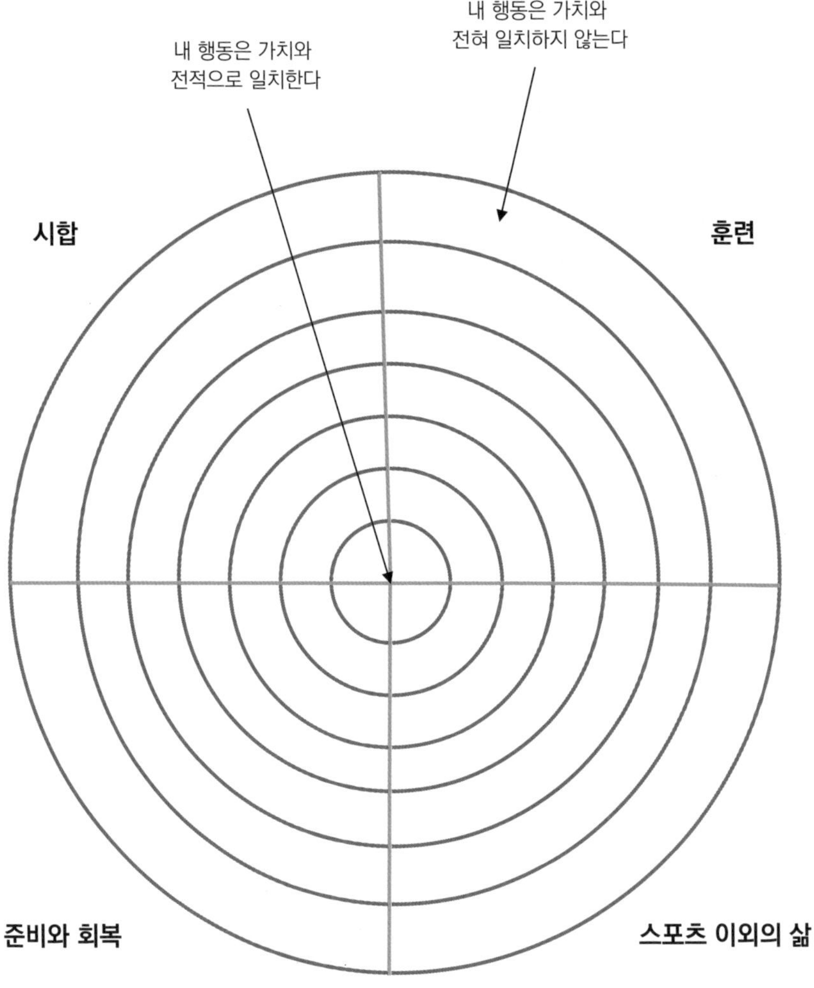

그림 3.1 스포츠 가치 과녁

펴보는 시간을 가질 겁니다.

현수: 의미 있다는 게 무슨 뜻인가요, 왜 재미있는지 같은 건가요?

상담가: 네, 그렇다고도 볼 수 있죠. 제 말은 최고의 기량을 발휘하고 모든 것이 원하는 대로 흘러갈 때 어떤 자질을 중요하게 생각하고, 강조점으로 삼고 있냐는 뜻이기도 합니다. 당신이 무언가를 자유롭게 선택할 수 있다면 어떤 아이스하키 선수가 되고 싶으신가요? 당신이 최고의 기량을 발휘할 때 빙판 위에서 하는 행동의 수준을 구체적으로 떠올려보고, 저에게 설명해 주세요.

현수: 글쎄요, 제가 열심히 노력하고 팀원들과 소통하면, 상황이 더 좋아지겠죠.

상담가: 그렇다면, 의사소통이 잘 될 때와 안 될 때를 구분해서 설명해 주시겠어요?

현수: 제 플레이가 만족스럽지 않을 때는 교체되고 나서 부스에 조용히 앉아 있거나 빙판 위에서도 말을 많이 하지 않는 등 약간 뒤로 물러나는 것 같아요.

상담가: 아이스하키 선수로서 소통하는 것이 중요한 자질이라고 생각하시나요?

현수: 네, 물론이죠. 팀원들이 서로 소통하고 서로를 지지해줄 때 아이스하키가 더 재미있어지고 저도 더 잘할 수 있으니까요. 그렇게 팀에 도움을 줄 수 있을 때는 제 자신에 대해 좋은 기분이 들지만, 팀이 이기지 못하고 플레이가 잘 안 될 때는 팀 분위기가 다운되는 것에 맞춰서 따라가게 돼요. 이러한 상황을 반전시키기에는, 제가 1선발 주장은 아니거든요.

상담 중에 현수는 하키 선수로서의 두 가지 핵심가치로 소통과 지원을 명확히 구분했다. 스포츠심리상담가는 스포츠 가치 과녁 연습을 사용하여 현수가 이틀 전 가장 최근 경기에서 이러한 가치에 부합하는 행동을 했다고 생각하는 정도를 평가하도록 했다. 스포츠 과녁은 7개의 동심원으로 구성되어 있다. 선수는 자신이 중요한 가치에 완전히 부합하는 행동을 했다고 생각하면 가운데(황소의 눈!)에 표시를 하고, 전혀 부합하지 않았다고 생각하면 다트판 과녁의 바깥쪽 공간에 표시를 한다. 점수는 나중에 1–7의 점진적인 평가 점수로 매길 수 있다.

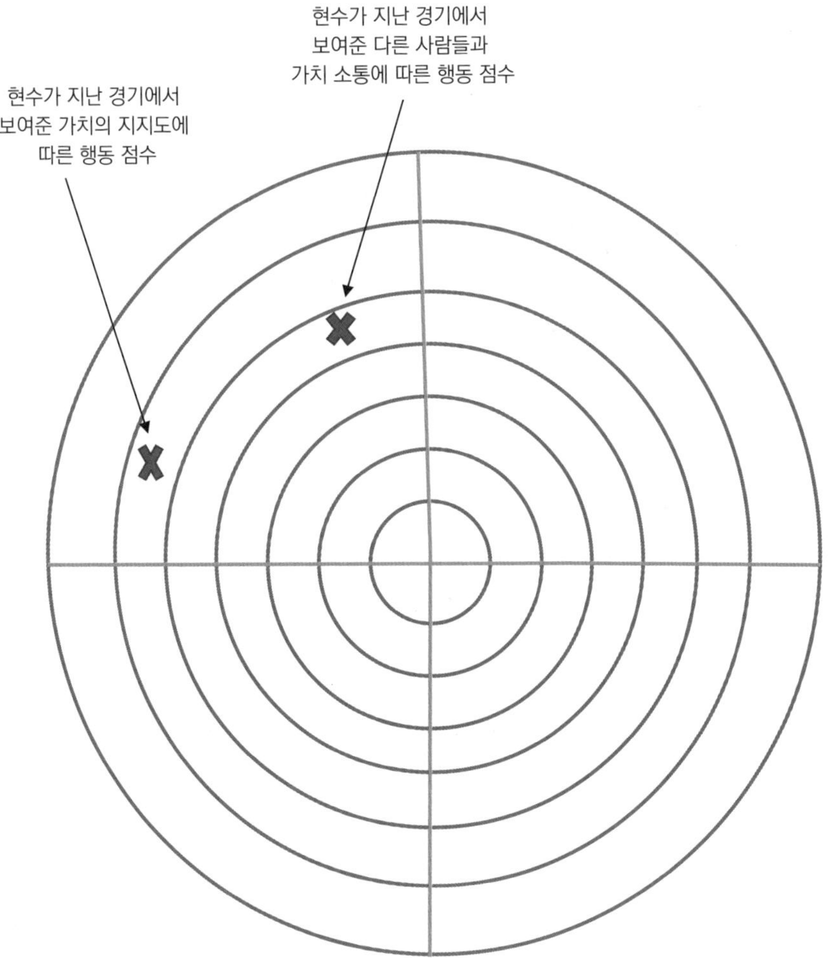

그림 3.2 **현수의 평가가 예시로 제시된 스포츠 가치 과녁**

보다시피, 현수는 지난 게임에서 가치 지지도에서 7점 만점에 2점, 의사소통 방식에서 7점 만점에 3점을 받았다. 다음 단계는 현수가 다트판의 중앙으로 진입하기 위해 잠재적인 장애물이 무엇이라고 생각하는지, 그리고 그가 중요하게 생각하는 방향이 무엇인지 명확히 하는 것을 보여주고 있다.

상담가: 현수 선수, 더 많은 성과를 내기 위해 소통을 강화하는 데 방해가 되는 요소가 무엇인지 궁금합니다. 아니면 무엇이 당신을 다트판의 바

깥쪽 원으로 밀어내거나 거기에 머무르도록 하나요? (스포츠 심리 상담가가 현수가 표시한 최근 소통 노력에 평가에 대해 언급한다).

현수: 팀 내에서는 훈련 시간이나 게임 중에 많은 이야기를 나누기가 어렵다고 생각합니다. 제가 팀원들과 소통이 잘 안 되는 것 같아서요. 제가 그럴 자격이 있다고 생각하지 않거든요… 저는 아직 어린 선수 중 한 명이고 팀 내 다른 선수들보다 출전 시간이 적어요. 청소년 대표팀에 있을 때처럼 팀을 이끌고 혼자서 경기를 풀어나갈 수 있다는 자신감이 있는 것도 아니고요. 팀에는 공식적인 리더와 비공식적인 리더가 있는데 나는 이 팀에서 그 리더 중 한 명에 끼는 것도 아니니까요. 제가 어떤 면에서 다른 행동을 보이기 시작하면 팀원들이 어떻게 반응할지 조금 불안한 것도 사실이거든요.

"내가 팀에서 이런 자리를 차지하면 다른 사람들이 나를 어떻게 생각할까?", "내가 만약 경기 중에 실수하거나 슈팅에서 실패하면 어떡하지?"와 같은 생각과 그런 상황에 처했을 때 수반되는 불안한 감정이 현수의 발목을 잡았다는 것을 알게 되었다. 이러한 사적인 일들은 그의 가치 있는 성과에 걸림돌이 되었다. 이로 인해 그는 경기력에서 최상의 결과를 얻을 가능성이 낮아졌고, 그런 회피 행동으로 인해 선수로서 성장하는 데 있어 한 걸음 더 나아가지 못하고 있었다. 스포츠 가치 과녁 연습의 마지막 단계는 선수가 운동 가치에 따라 전념 행동을 정의하고, 장기적으로 경기성과에 효율적인 결과를 가져올 수 있는 행동에 전념하도록 지원하는 것이다. 현수의 경우, 이 장에 제시되지 않은 다른 많은 것들 중에서도 의사소통 행동을 개선하기 위한 행동이 필요했다. 처음에 그는 경기 시간당 최소 5번 이상 부스 안이나 빙판 위에서 팀의 발전을 위해 무언가를 말해야 한다는 구체적인 목표가 담긴 숙제를 받았다. 팀의 경기 상황이나 다른 팀원들이 같은 행동을 하든 하지 않든 상관없이 이 목표를 달성하는 것이 중요했다. 이러한 행동 중 일부는 팀원들을 지원하는 동료가 되겠다는 그의 가치와도 일치했다. 매 경기 후, 그는 스포츠 가치 과녁 연습을 통해 자신이 중요하게 여기는 성과에 어느 정도 부합하는 행동을 했는지 스스로 평가했다. 경기 후, 현수는 자신의 심리상담가와 이에 대해 논의하고 자신의 성과를 더욱 발전시키기 위한 새로운 숙제를 부여받았다. 시즌 후반에 현수는 점차 더 많은 출전 시간을 얻게 되었고 더욱 두각을 나타내는 주축 선수로 성장했다. 그는 또한 이 과제가 경기 중에 어떤 의사결정을 내려야 할지 결정하는 데 도움이 되었다고 설명했다. 이를 통해 현재의 기분이나 생각, 감정보다는 선수로서, 인간으로서 자신에게 중요한 것이 무엇인지에 보다 집중하게 되면서, 아이스하키를 전보다 더 재미있고 느긋하게 즐길 수 있게 되었다고 했다.

스포츠 가치 과녁 사용 시 실용적인 조언과 주의 사항

1. **스포츠 가치 과녁은 여러 스포츠에서 다양한 방식으로 사용할 수 있다:** 우리는 다양한 스포츠에서 이 도구를 사용할 때 창의력을 발휘할 것을 권장한다. 이 지침은 특정 수행 행동이 시작되는 단서가 될 수 있으며, 상담가가 원하는 행동이 발생할 때 이를 강화할 수 있는 기회가 될 수 있다. 이 장의 제3저자인 룬드그렌은 스웨덴의 엘리트 아이스하키 팀과 함께 오랜 기간 일하면서 조직의 다양한 수행 상황에 맞게 네 가지 가치 과녁 워크시트를 사용했는데 선수들을 위한 세 가지(준비용, 각 피리어드 및 경기, 공격/수비용 각 하나) 및 코치들이 선수를 지도할 수 있는 한가지로 총 4가지를 준비했다. 이러한 방식으로 경기력 관련 부적절한 행동이 나타날 때 많은 상황을 적절하게 다룰 수 있다. 선수와 코치는 가치 과녁을 다양한 상황에서 자신이 진정으로 원하는 방식으로 행동했는지 평가하는 데 중요한 피드백의 자원으로 활용할 수 있다.
2. **모든 가치 영역에 동시에 초점을 맞출 필요는 없다:** 선수들의 이야기를 통해 현재 선수가 중시하는 가치의 초점이 어디에 맞춰져야 하는지 안내하기만 하면 된다. 중요한 것과 고통스러운 것은 동전의 양면과 같을 수 있으므로, 선수가 어떤 문제로 어려움을 겪고 있다면 그 안에는 분명 그 선수에게 중요한 것이 있을 것이다. 각 영역에 충분한 시간이 주어지지 않는 한, 스포츠 과녁의 너무 많은 가치 영역을 동시에 다루는 것은 권장하지 않는다. 가치 작업의 시작은 그 방향으로의 전념 행동이 시작되는 그런 변화로 이어지는 것이어야 한다. 상담회기 중에 표면적으로만 다루고 계획된 행동에 대해 이야기하지 않으면 실제 행동 변화가 일어나지 않을 가능성이 높다.

결론

가치를 명확히 하는 것은 ACT 작업의 핵심이다. 이 장에서는 운동선수들이 자신의 가치를 명확히 하고 스포츠에 대한 확고한 기반을 다질 수 있도록 지원하는 방법에 대한 전반적인 관점을 제공했다. 은유적으로 말하자면, 가치는 운동선수가 계속 나아갈 수 있는 방향과 같고, 목표는 그 길을 따라 달성하고자 하는 것이다. 가치는 스포츠 분야에서 동기부여 기능을 갖는 것을 목표로 한다. 가치 작업을 하면서, 우리는 운동선수가 자신에게 중요한 것이 무엇인지, 운동선수이자 인간으로서 어떻게 되고 싶은지에 대해 파악할 수 있는 좋은 기회가 되길 바란다. 또한 인간으로서 가치작업이 전념 행동을 통해 수행 행동에 어떻게 반영될 수 있는지 살펴볼 수 있는 안목이 생겼으면 좋겠다. 선수 생활을 하는 동안 어려운 상황에 직면하고 문제를 경험하는 것은 피할 수 없는 일이다. 압박과 역경에 대처하는 것은 엘리트 스포츠의 본질적인 일부이며, 가치 작업은 이러한 도전에 직면한 선수들을 돕는 데 사용될 수 있다.

참고 사항

역자가 가독성과 사례 이해의 몰입도를 높이기 위해 원문의 한스로 기재된 이름을 현수라는 한국어 이름으로 바꾸었다.

참고문헌

Forsyth, J. P. & Eifert, G. (2016). *The mindfulness and acceptance workbook for anxiety: A guide to breaking free from anxiety, phobias, and worry using acceptance and commitment therapy*. Oakland, CA: New Harbinger.

Harris, R. (2009). *ACT made simple: An easy-to-read primer on acceptance and commitment therapy*. Oakland, CA: New Harbinger Publications.

Hayes, S. C., Strosahl, K. D., Bunting, K., Twohig, M., & Wilson, K. G. (2004). What is acceptance and commitment therapy? In S. C. Hayes & K. D. Strosahl (Eds.), *A practical guide to acceptance and commitment therapy* (pp. 3 – 29). New York: Springer.

Hayes, S. C, Strosahl, K. D., & Wilson, K. G. (2012). *Acceptance and commitment therapy*:*The process and practice of mindful change* (2nd ed.). New York:The Guilford Press.

Lundgren, T., Luoma, J. B., Dahl, J., Strosahl, K., & Melin, L. (2012). The bulls–eye values survey: A psychometric evaluation. *Cognitive and Behavioral Practice*, 19, 518 – 526. doi: 10.1016/j.cbpra.2012.01.004

4

운동선수가 압박감 속에서 경쟁을 즐기며 현재 순간에 몰입할 수 있도록 지원하기

야콥 한센, 피터 하벌

시작하기

엘리트 운동선수들은 경기의 순간에 온전히 몰입하고, 당면한 과제에 집중하기 위해 노력하지만, 다른 우리들과 마찬가지로 영광스러운 결과나 끔찍한 패배에 방황하기 쉽고, 집중력을 잃기 쉬운 마음을 타고났다. 이렇게 방황하는 마음은 결과가 매우 불확실하지만 개인적으로 중요한 의미를 갖는 극심한 압박의 순간에 쉽게 드러난다. 엘리트 운동선수들은 잠재적으로 현재에 집중하는 능력을 훈련함으로써 상당한 도움을 얻을 수 있으며, 마음챙김은 이 중요한 능력을 훈련하는 데 도움이 되는 필수적인 도구라고 생각한다. 이 장에서는 마음챙김을 운동선수들이 압박감 속에서 경기를 할 때 사용할 수 있도록 연습해야 하는 기술로 보고, 마음챙김을 연습하는 공식적인 방법과 비공식적인 방법을 구분해서 알아볼 것이다. 또한 이러한 방법을 엘리트 운동선수들에게 어떻게 적용하고 실행할 수 있는지 논의할 것이다. 마음챙김과 같은 새로운 연습 기술을 엘리트 스포츠와 같이 빠르게 진행되는, 결과 중심적이며 즉각적인 성과가 필요한 환경에 도입하는 것은 스포츠 심리상담가에게 힘들고 어려운 도전이 될 수 있다. 이런 도전 과제에 대해 말하자면, 선수들이 올림픽에서 압박감을 느끼며 경기를 치르는 동안 마음이 어떻게 작용하는지에 대한 실제 사례를 살펴보는 것으로 시작하겠다. 이 사례는 올림픽이란 중요한 무대에서 압박감을 느끼며 경기에 임할 때 무엇이 선수들의 마음을 위태롭게 만들고, 그 순간 무엇을 할 수 있어야 하는지를 생생하게 보여준다는 측면에서 우리에게 중요한 영감을 불러 일으키는 사례라 생각된다.

집중의 터널

2012년 8월 9일, 런던, 기마대 퍼레이드. 15,000명의 관중이 올림픽 비치발리볼 남자 결승전을 보기 위해 모였다. 앨리슨 세루티와 에마누엘 레고의 브라질 대표팀과 율리우스 브링크와 요나스 레커만의 독일 대표팀이 맞붙는다. 브라질은 디펜딩 세계 챔피언이자 세계 랭킹 1위로 금메달을 획득할 강력한 우승 후보이다. 비치발리볼은 1996년 올림픽 정식 종목으로 채택된 이후 브라질과 미국만 올림픽에서 금메달을 획득했을 뿐, 유럽 팀은 단 한 번도 금메달을 획득한 적이 없다. 하지만 독일은 2009년 세계 선수권 대회와 두 번의 유럽 선수권 대회에서 우승한 경험이 있다. 결승전 첫 세트는 독일이 결코 만만치 않다는 것을 보여주었다. 독일은 치열한 접전이 펼쳐진 1세트를 23−21로 승리했다. 요나스 레커만은 경기 후 언론 인터뷰에서 올림픽 투어에 임하는 자신의 마음가짐에 대해 이렇게 설명했다. “토너먼트 초반부터 우리는 터널을 지나고 있었어요. 저는 다음 득점에만 집중했어요. 밖에서 무슨 일이 일어나고 있는지는 전혀 신경 쓰지 않았습니다(Hummel, 2012).” 올림픽 선수들과 함께 일하는 응용 스포츠 심리상담가인 우리에게는 집중의 터널에 들어가는 것이 최고의 목표이다. 왜냐하면 집중력은 성과로 직결되기 때문이다. 결정적인 순간에 더 많은 집중력을 발휘할수록 경기에서 승리할 확률이 높아진다. 첫 세트의 결과로 볼 때 독일은 분명히 집중의 터널에 있었다. 하지만 2세트에서는 브라질이 우위를 점하며 21−16으로 편안하게 세트를 따냈다. 독일이 오랫동안 유지했던 집중력의 터널(이번 대회에서 단 한 세트만 내줬을 뿐)에 균열이 보이기 시작한 순간이었을지 모른다. 독일의 브링크는 두 번째 세트에서 정신적으로 흔들리기 시작했고, 집중력이 흐트러지고 경기를 이길 수 있을지 의심이 들기 시작했다고 말하며 그런 추측이 사실임을 입증해 주었다. 그는 파트너인 레커만이 “냉정함을 유지하고, 계속 나아가면서, 한 점 한 점 따라붙자”고 말해준 덕분에 다시 현재에 집중할 수 있었다고 말했다. 현재에 집중하는 것은 3세트를 승리하기 위한 필수적인 요소였다. 올림픽에선 결정적인 순간에 선수들의 현재에 집중하는 능력을 시험해보는 기회가 찾아온다. 엎치락뒤치락하는 접전 끝에 독일은 3세트 후반 14−11에서 마침내 우위를 되찾았고, 세 번의 매치 포인트를 잡았다. 이제 유럽 대표팀의 첫 금메달은 아슬아슬하게 가까워졌다. 독일은 지금 이 순간 승리의 달콤함을 맛보고 있을지도 모른다. 브라질은 임박한 패배의 쓴맛을 즐기지 않으려 그 경기를 순순히 포기하지 않았다. 브라질의 세루티는 네트에서 날아오는 공을 레커만의 머리로 강하게 스파이크해서 그의 야구 모자와 선글라스를 벗겨냈다. 14-12. 매치 포인트 한 점이 남았다. 브링크의 서브 리시브가 빗나갔고 레커만은 네트 위로 공을 넘기지 못했다. 14-13이다. 이제 다시 금메달 포인트가 하나 남았다. 레고가 중앙에서 서브 에이스를 넣자 독일 선수들은 잠시 혼란에 빠졌고, 누가 서브를 넣어야 할지 결정하지 못했다. 이제 14-14 동점이 된 상황. 브라질은 세 번의 매치 포인트를 무력화시키면서 심리적 반격의 기세를 올렸다. 이 시점에서 부정적인 생각이 떠오르고 힘든 감정도 드러날 것이다. 강한 감정과 도움이 되지 않는 생각들이 종종 떠오르는 것을 우리는 피할 수 없다. 그것은 바로 가까운 미래에 닥칠 잠재적 위협을 분석하고 인지하여 도망가거나 얼어붙거나 또는 싸우는 반응으로 대응하도록 설계된 마음이 작동하기 때문이다. 몇 주 전, 두 명의 독일 선수는 모스크바에서 열린 세계선수권 결승전에서 똑같은 브라질 선수들을 상대로 14-11로 앞서며 똑같은 상황에 처했었다. 하지만, 브라질의 추격을 허용해 14대 14로 동점이 되었고, 브라질이 역전 우승하는 것을 허망하게 지켜봐야만 했었다. 다시 런던 올림픽의 결정적인 순간으로 빨리 돌아가보자. 레커만은 경기가 끝난 후 언론 인터뷰에서 그 순간 자신의 머릿속에 잠시 떠오른 생각이 다음과 같았다고 말하며 당시의 심경을 다음 단어로 요약했다. “빌어먹을!”

이 네 글자의 단어에는 절호의 기회가 방금 손가락 사이로 빠져나갔다는 그의 고통스러운 인식이 담겨 있었다. 모스크바에서의 고통스러운 기억, 당시 브라질이 경기를 뒤집었던 기억, 그리고 지금 역사가 왠지 반복되는 것 같은 그 불쾌한 기억이 되살아난 것일지도 모른다. 집중의 터널은 방황하는 마음에 의해 쉽게 깨질 수 있다. 이제 스포츠 심리학의 관점에서 중요한 질문을 던진다면 “선수들이 다시 터널로 돌아올 수 있을까? 다시 집중할 수 있을까?”라는 것이다. “빌어먹을”이라는 생각은 자동적인 반응이며, 저절로 떠오르는 의심과 고통스러운 기억도 마찬가지이다. 이제부터 선수들의 마음 속에 무엇이 있는지 알아차리는 것이 중요하다. 당신의 마음에 무엇이 있는지에 대한 인식, 어떤 생각, 감정 및 기억이 있는지에 대한 인식 다음으로 중요한 것은 다음 플레이에 완전히 집중하는 것이다. 사례의 독일팀의 경우 공을 받는 데 완전히 집중하고, 더 이상 금메달의 승패에 대한 집착에 주의가 산만해지지 않게 하기 위해 마음을 원하는 곳에 두는 능력일 것이다. 이것이 독일팀이 당면한 과제에 집중하는 집중의 터널에 대해 말할 때 정확히 의미하는 바다. 레커만 선수는 경기 후 언론 인터뷰에서 스포츠 심리상담가와 함께 '집중의 터널'로 돌아오는 순간을 위한 훈련을 했다고 말했다. 올림픽에서 가장 중요한 순간에 어떤 생각과 감정, 기억이 떠오르더라도 다시 돌아와 집중할 수 있는 능력은 올림픽 선수들에게 가장 중요한 스포츠 심리기술이다. 우리는 마음챙김을 통해 이 능력을 훈련할 수 있다고 믿는다. 원래 마음챙김은 고대 동양의 개념으로 지난 30년 동안 서양 심리학에서 많은 주목을 받아왔다. 서양 심리학의 관점에서 비숍 등(2004)은 마음챙김을 주의를 집중하고, 주의를 지속하며, 호기심과 개방적인 태도로 주의를 되찾는 자기 조절로 정의한다. 따라서 올림픽 스포츠 심리학의 맥락에서 마음챙김은 인식(호기심과 개방성)과 주의력(목표, 지속, 회복)에 관한 것이다. 주의력이 실제로 성과의 화폐라면, 지금 그 화폐를 현명하게 사용하는 것이 지금 이 순간 독일 선수들에게 중요한 스포츠 심리학적 당면과제인 셈이다. 그들은 자신의 마음에 무엇이 있는지 인식함으로써 이익을 얻을 것이며, 현재 순간 당면한 과제에 주의를 고정시키는 능력으로부터 이익을 얻을 것이다. 어쨌든 당면한 임무는 먼저 브라질 선수로부터 서브를 받고 스파이크를 날려 다음 점수를 득점하는 것이다. 독일이 15−14로 한점을 앞서 나가기 시작했다. 이어서 독일의 서브를 받은 브라질 선수의 스파이크가 라인을 살짝 벗어나는 것을 지켜보면서 16−14로 독일이 결국 올림픽 금메달을 획득했다.

독일이 14−11에서 세 번의 매치 포인트를 브라질에게 내준 후 집중의 터널에 다시 들어섰다고 보는 것은 우리의 추측일 뿐이다. 하지만 이 경기의 결과는 독일이 집중력을 되찾는 데 얼마나 성공했는지를 보여주는 단적인 예가 될 수 있다. 우리는 레커만의 언급을 통해 독일이 그런 순간을 '준비'했다는 것을 알 수 있지만, 그들이 공식적인 마음챙김을 연습했는지는 알 수 없다. 다만 브링크가 2세트에서 다시 집중하는 데 레커만이 자신에게 해준 말이 도움이 되었다는 브링크의 언급에서 알 수 있듯이, 독일 선수들은 마음에 무엇이 있는지 알아차리는 연습을 했고, 더 나아가 이러한 작업에서 서로를 돕는 방법을 연습한 것으로 보인다. 따라서 독일 선수들이 공식적인 마음챙김 연습을 했다고 단정할 수는 없겠지만, 비공식적으로 마음챙김 기술을 연습했다고 말할 수는 있을 것 같다.

공식적, 비공식적 마음챙김 수행연습

마음챙김은 공식적, 비공식적으로 연습할 수 있는 기술이다. Siegel(2010)은 마음챙김 연습의 다양성을 운동선수가 하는 체력 훈련의 다양성과 비교한다. 예를 들어, 체력을 키우고 싶다면 엘리베이터 대신 계단을 이용하거나 실제 위치에서 멀리 떨어진 곳에 차를 주차하고 그 위치까지 걸어가는 등 일상 활동에 더 많은 신체 활동을 늘리는 것부터 시작하여 '비공식적으로' 더 많은 신체 활동을 실천할 수 있을 것이다. 또한 체육관에 가거나 조깅을 하거나 산책을 하는 등 하루 중 특정 시간을 정해 '공식적으로' 신체 활동을 하는 것도 실천할 수 있다. 마음챙김은 하루 종일 다양한 활동을 하면서 비공식적으로 자유롭게 실천할 수도 있고, 매일 일정한 시간을 따로 내어 마음챙김을 실천함으로써 공식적으로 실천할 수도 있다는 점에서 체력 훈련과 비슷하다. 비공식적인 마음챙김 수행을 할 때는 보통 설거지나 책읽기와 같은 다른 일을 하는 것이지만, 공식적인 마음챙김 수행에서는 마음챙김 자체가 그 과제이다. 공식적인 마음챙김 수행과 그 효과는 지난 수십 년 동안 많은 과학적 관심을 받아왔다(Goleman & Davidson, 2017 참조 – 훌륭한 리뷰 연구). 체력 훈련과 마음챙김 훈련을 비교하면서 또 다른 도움이 되는 설명은 운동선수들이 종종 중요한 시합을 앞두고 참가하는 확장 훈련 캠프를 빗대어 소개하는 것이다. 마음챙김 수행은 며칠에서 몇 주까지 지속될 수 있는 확장된 마음챙김 수련과 매우 유사한 형태를 제공한다(Harris, 2014). 따라서 마음챙김 수행은 비공식적인 수행부터 공식적인 수행, 그리고 스포츠와 유사하게 수행의 양과 강도를 조절할 수 있는 장기간의 안거 수행에 이르기까지 일종의 연속선상으로 이해해 볼 수 있겠다.

스포츠에서의 공식적인 마음챙김 수행연습

콜로라도 스프링스에 위치한 미국 올림픽 트레이닝 센터의 스포츠 과학 층에는 의자, 테이블, 장비가 없는 방이 하나 있다. 25명을 수용할 수 있지만 의자와 테이블이 없기에 분명히 교실이 아님을 알 수 있다. 사용하지 않을 때는 다양한 첨단 장비가 있는 생리학 및 기술 공간과 극명한 대조를 이루는 빈 공간처럼 보인다. 하지만 빈 공간이라는 인식은 잘못된 것으로, 이곳은 마음을 수련하는 공간이자 제2 저자(피터 하벌)가 운동선수들에게 공식적인 마음챙김 수련을 가르치는 공간이기 때문이다. 공식적인 연습은 보통 몇 초 동안만 지속되는 짧은 연습으로 시작하는데, 선수들은 스톱워치를 손에 들고 시간을 재기 시작하면, 아무 생각도 하지 말고 머릿속에 첫 번째 생각이 떠오르는 순간 오른손을 들어야 한다. 몇 초 안에 시계 바늘이 멈추고, 다음 연습이 1분 동안 진행된다. 이제 선수들은 60초 동안 머릿속에 떠오르는 생각이 몇 개나 되는지 간단히 알아차려야 한다. 이 두 가지 연습의 목적은 선수들이 생각을 얼마나 잘 통제할 수 있는지, 그리고 어떤 것을 생각하지 않는 것이 얼마나 어려운지를 경험하게 하는 것이다. 공식적인 마음챙김 수련에서는 알아차림과 주의 집중이라는 기초적인 기술을 의도적으로 연습한다. 생각(과 감정)을 통제하는 것이 목표가 아니라, 특정 닻(보통 호흡이지만 소리, 신체 감각, 움직임, 생각과 감정 등)에 주의를 집중하고 마음이 이리저리 배회하는 순간을 알아차림으로써 주의와 인식을 통제하는 것이 목표이다. 마음이 배회할 때마다 선택한 주의 집중의 닻으로 돌아오면 다시 주의를 환기할 수 있는 기회를 얻는다. 연습 세션은 5분으로 시작하여 10분, 15분, 20분, 25분 등 최대 45분까지 확장할 수 있다. 운동선수들은 생리적 훈련 효과를 최적화하기 위해 훈련의 강도와 양을 조절하는데, 마음에도 공식적인 마음챙김 연습을 통해 동일한 효과를 낼 수 있다. 마음챙김은 누가 시키지도 않고 코치도 훈련 계획에 포함시키지 않고서 새로운 습관을 익히는 것이 쉽지 않기 때문에 공식적인 연습은 어렵기 마련이다. 하지만 마음챙김 연습은 충분히 가치 있는 투자이다. 예를 들어, 2014 소치 동계올림픽에서 1998년 여자 피겨 스케이팅 금메달리스트인 TV 해설자 타라 리핀스키는 금메달 결정전 프리 스케이팅 프로그램에서 남자 선수들(패트릭 챈과 하뉴 유즈루)의 고군분투를 다음과 같이 요약한 바 있다.

> 오늘 밤 아무도 이기고 싶어하는 표정이 아니었다. 그저 올림픽은 준비할 수 없는 대회라는 것을 보여줬다. 선수들이 받는 압박감은 정말 극심한 것 같다. 빙판을 누빌 때 다른 대회에서는 보통 느낄 수 없는 수많은 것들이 머릿속에 떠오르기 때문이다.

그렇다. 압박감이 극심하고 선수들의 머릿속에는 다른 어떤 대회와도 비교할 수 없을 정도로 많은 것들이 떠오를 것이다. 하지만 마음은 올림픽에서 받는 긴장과 압박감에 대비할 수 있다. 생각의 맹공격에 대비해 마음을 훈련하고, 알아차림을 훈련하며, 주의력을 조절하고, 집중의 터널로 다시 들어가는 법을 배울 수 있으면 그만이다. 공식적인 수행을 통해 이것이 가능하기 때문이다. 전설적인 서양 마음챙김의 선구자 존 카밧 진의 지혜가 이를 완벽하게 포착하고 있다.

> 그렇게 하고 싶은 유혹이 있지만, 마음챙김을 하는 방법을 이해했다고 생각하고, 큰 사건이 닥쳤을 때만 마음챙김을 사용하도록 아껴두면 안 된다. 마음챙김에는 평정심과 마음챙김 방법을 아는 것에 대한 모든 낭만적인 생각과 함께 당신을 즉시 압도할 수 있는 엄청난 힘이 포함되어 있다. 명상 수행은 참호를 파는 것 같은 느리고 절제된 작업이다.
>
> *(Kabat-Zinn, 1994, p. 111)*

Jha (Jha et al. 2015, 2016)와 그녀의 동료들의 연구에 따르면, 인지적 요구가 높은 시기에는 주의력을 유지하는 능력이 부정적인 영향을 받을 수 있으며, 마음챙김 훈련은 이러한 높은 요구 상황에서 주의력을 유지하는 능력을 지켜줄 수 있다고 한다. 하지만 이러한 보호 효과를 얻으려면 실제로 꾸준히 연습을 해야 한다. Jha의 연구에 따르면, 하루에 12분만 투자해도 주의 집중이 필요한 환경에서 주의력을 유지하는 능력이 측정 가능한 정도로 효과가 나타났다. 흥미롭게도, 세계적으로 유명한 테니스 챔피언인 노박 조코비치가 매일 얼마나 마음챙김을 실천하는지에 관한 일화도 있다. 그는 아름다운 공원이나 자연 속에서 마음챙김 명상으로 자신을 훈련한다고 한다(Djokovic, 2013).

스포츠에서 공식적인 마음챙김 수행에서 비공식적인 마음챙김 수행으로 전환하기

스포츠는 속도, 호기심, 용기를 가진 움직임과 행동에 관한 것이다. 따라서 마음챙김 훈련의 어느 시점에서는 특정 스포츠에 맞는 공식적인 마음챙김 수행에서 비공식적인 마음챙김 수행으로 전환하는 것이 좋다. 비공식적인 마음챙김 연습은 선수가 실제 스포츠 동작을 하고 경기하는 동안 마음챙김을 연습하는 과정이다. 마음챙김 프로토콜은 종종 공식적인 명상 세션으로 시작하여 실제 환경에 맞게 조정된 비공식적인 마음챙김 연습으로 진행된다. 이것은 매일 지속적인 훈련 일정이 있고 매주 점검할 수 있는 스포츠에 적합한 접근 방식이다. 우리가 함께 일하는 운동선수들은 세계적인 수준에서 경쟁하며, 그들의 경쟁 환경은 해외 출장이 많은 글로벌 환경이다. 선수로서 지내는 삶이 보통 한시적이기 때문에 접근 방식은 특정 스포츠 종목의 주기에 맞춰 보다 유연하게 조정된다.

우리는 항상 선수들이 공식적인 마음챙김 연습을 시작한 후, 보다 비공식적인 연습으로 자연스럽게 넘어가도록 동기부여하기 위해 노력한다. 새로운 프로그램을 도입하고 생소한 연습 방식을 시작할 때, 우리는 비공식적인 마음챙김 연습과 공식적인 마음챙김 연습 사이에 다리를 놓음으로써 스포츠 수행 능력에 대한 잠재적 이점을 보다 빨리 체험시키고자 한다. 이는 많은 선수들에게 공감을 불러일으켰던 부분이다. 그러나 일부 운동선수들은 여전히 공식적인 마음챙김 수행이 '무슨 도를 닦는 것 같다. 너무 불교적인 것 같다'고 생각하거나, 마음챙김 수행을 영적이거나 명상에만 국한된 것으로 인식하는 경우가 있다. 이런 경우 두 가지 방법으로 유도해 볼 수 있다. 선수들에게 계속 동기를 부여하고 그들의 저항에 대처하거나, 실제 스포츠와 특정 선수에게 적합한 창의적이고 새로운 마음챙김 수행 방법을 개발하는 것이다. 공식적인 수행에서 비공식적인 수행으로 넘어갈 때 어떤 식으로든 할 수 있지만, 일부 선수의 경우 호기심을 유발하고 공식적인 마음챙김에 대한 편견과 저항을 넘어서기 위해 처음부터 비공식적인 수행을 먼저 시작하는 것이 요구된다.

다음에서는 덴마크 국립 배드민턴 센터에서 2014년부터 2016년 단체전 세계 선수권 대회를 앞두고 비공식적인 마음챙김 연습을 어떻게 개발하고 통합했는지에 대한 사례가 도움이 될 것 같아 공유하고자 한다.

일상 훈련에서의 비공식적인 마음챙김 수행연습

1949년 남자 단체전 세계 선수권 대회가 시작된 이래로 유럽 국가팀이 배드민턴 단체전 세계 선수권 대회에서 우승한 적은 단 한 번도 없었다. 이 대회는 전통적으로 중국, 인도네시아, 말레이시아, 한국, 그리고 최근에는 일본과 같은 아시아 배드민턴 강국들이 주도해 왔다. 덴마크는 아시아 국가들에 도전장을 내민 유일한 유럽 국가인 셈이다. 2016년에 결국 덴마크가 우승을 차지한 것은 놀라운 이변이었다. 이 파트에서는 제1저자(야콥 한센)가 어떻게 일상적인 배드민턴 훈련에 비공식적인 마음챙김을 도입하고 통합하여 실천할 수 있었는지, 그리고 마음챙김 훈련이 강대국과의 경기에서 선수들에게 어떤 변화를 가져왔는지에 대한 이야기를 구체적으로 들려줄 것이다. 준준결승, 준결승, 결승에서 결정적인 경기를 치른 한스 크리스티안 비팅후스는 우승 후 이

점을 매우 명확하게 설명했다. 비팅후스는 준결승전에 대해 이렇게 설명했다.

> 분명히 많은 부담이 있었던 게 사실이에요. 제가 상당히 긴장했었는데 경기를 보면 알 수 있죠. 나는 1 m 밖으로 나가는 플릭 서브로 시작해서 초반에는 긴장을 잘 조절하지 못했어요. 하지만 전술에 대해 누구보다 잘 이해하고 있었기에, 제가 해야 할 일을 정확히 알고 있었어요. 그래서 실수를 해도 그냥 웃어 넘기려 했고, 코치와 합의한 전술과 경기 계획에 다시 집중하려고 노력했어요.

다시 말해, 비팅후스는 자신의 긴장된 생각과 감정을 멀리서도 알아차리고 자각할 수 있을 뿐만 아니라(웃는 모습), 현재에 집중하고 전술과 경기 계획에 다시 집중할 수 있는 방법을 보여주었다.

덴마크 국립 배드민턴 센터는 덴마크 최고의 선수들이 매일 훈련하는 곳이다. 선수들은 경쟁자이자 동시에 팀 동료이다. 큰 규모의 선수권 대회를 위해 어떻게든 국가대표 감독으로부터 발탁되기 위해 경쟁을 벌인다. 이것은 항상 쉬운 일은 아니며, 선수들은 경쟁자와 협력자 사이의 양가감정에 쉽게 휘말릴 수 있다. 선수들끼리 사용하는 특유의 용어는 대부분 장난스럽지만, 도발적이고 놀리기도 하므로 너무 약한 모습을 보이고 싶지 않은 마초적인 모습으로 가장 잘 묘사된다. 나아가, 개별 종목이기 때문에 자신만의 길을 찾아야 하며 한 선수에게 옳은 것이 다른 선수에게 반드시 옳은 것은 아니라는 반론도 자주 들을 수 있다. 이 때문에 마음챙김과 같은 새로운 개념을 팀 전체에 도입하기가 어렵다. 그래서 저자는 공식적인 마음챙김 훈련을 생략하고 기존 배드민턴 훈련의 일부로 비공식적인 마음챙김 훈련을 직접 도입했다. 매일 실시하는 훈련은 선수들을 하나로 묶어주는 역할을 하며, 선수들이 딱히 의문을 제기하지 않았던 유일한 훈련이었다.

비공식적인 마음챙김 훈련 소개

마음챙김 훈련은 2014년 초에 시작되었다. 이때 팀 선수들은 입문 워크숍에서 마음챙김의 개념과 그 이점에 대해 간단히 소개받았다. 나는 선수들에게 '마음챙김'에 대해 별로 설명하지는 않고 '현재에 집중하는 훈련', '생각을 등록하고 과제에 다시 집중하는 방법' 등 스포츠에 좀 더 친화적으로 소개했다.

스포츠 심리상담가로서 나는 비공식적인 마음챙김 연습을 가능한 한 교육적이고 쉽게 할 수 있도록 두 가지 도구를 소개했다. 첫 번째 도구는 포커스 원(그림 4.1)으로, 지금 여기에서의 알아차림을 높이고 생각, 감정, 신체감각에 이름을 붙이고 범주화하는 데 사용할 수 있는 도구이다.[1]

이 도구의 목적은 파란색 초점(임무 및 가치와 맞닿아 있는 과제와 경기 계획에 집중하고 있음), 노란색 초점(방해 요소에 집중하고 있음), 주황색 초점(수행 평가, 예상 성과와 실제 성과를 비교하고 있음), 빨간색 초점(결과와 결과에 따른 여파에 집중하고 있음), 회색 초점(지금 여기 수행 환경 외의 것(가족, 친구, 질병, 목적 등에 집중하고 있음) 중 어디에 초점을 맞추고 있는지 확인하고 결정하기 위함이다. 파란색 초점에서는 비판단적인 방식으로 지금 여기에 집중한다. 다른 색상에서는 판단적인 방식으로 과거나 미래에 집중한다.

두 번째 도구는 포커스 원과 함께 사용되는 3R 프로세스(등록하기, 놓아주기, 다시 집중하기)이다.

- 3R 프로세스의 첫 번째 단계는 생각, 감정, 신체 감각을 **등록하는 것**이다. **어떤 생각과 감정이 떠올랐나요?**
- 두 번째 단계는 생각과 감정으로부터 자신을 **놓아주는 것**이다. 감각을 사용하여 현재에 집중하거나 생각을 분류하고 이름을 붙이는 방법이라 할 수 있다. 선수들은 자신의 **초점(생각)**을 파란색, 노란색, 주황색, 빨간색 또는 회색으로 분류하도록 요청받고, 생각에 이름을 붙이기 시작하는 순간 생각과 떨어지는 거리가 생긴다.

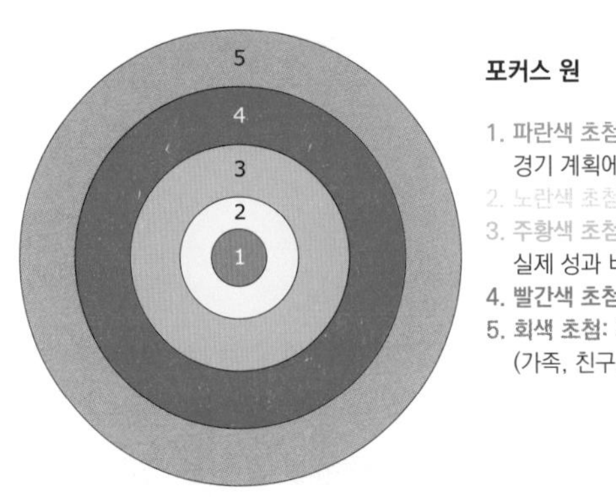

포커스 원

1. 파란색 초점: 임무 및 가치와 연계된 과제 및 경기 계획에 집중 } 비판단적
2. 노란색 초점: 방해 요소에 집중
3. 주황색 초점: 수행 평가, 예상 성과와 실제 성과 비교
4. 빨간색 초점: 결과 및 결과의 여파
5. 회색 초점: 지금 여기의 성과 환경 밖의 것들 (가족, 친구, 질병, 목적)

} 판단적 / 과거와 미래

그림 4.1 **포커스 원**

- 세 번째 단계는 가치와 접촉하면서, 파란색(경기 계획과 당면 과제)에 **다시 집중하는 것**이다(가치에 대한 자세한 내용은 3장 참조).

입문 워크숍에서 참가자들은 워크샵에 마련된 다양한 활동과 게임에서 포커스 원과 3R 프로세스를 사용하여 연습했다. 예를 들어, 1분 경쟁 스도쿠 게임을 6번 하면서 각 게임 사이에 이를 확인할 수 있는 '체크인' 연습을 했다.

워크숍이 끝난 후 스포츠 심리상담가가 배드민턴 경기장에서 훈련 세션에 참여했으며, 코치와 심리상담가는 다양한 배드민턴 운동에서 포커스 원과 3R 프로세스의 연습을 조율했다. 처음에는 연습 중 잠시 쉬는 시간이 있을 때마다 3R 프로세스를 사용했다. 초점이 어디에 있는지 등록하고, 불쾌한 생각에서 벗어나고, 작업에 다시 집중하는 연습이었는데, 훈련이 발전함에 따라 코치는 선수들이 3R 기술을 잘 적용할 수 있도록 어려운 생각과 감정을 유발할 수 있는 다양한 상황을 설정했다. 어려운 생각과 느낌을 유발하는 한 가지 방법은 인터벌 훈련으로 선수들에게 신체적인 압박감을 주는 것이다. 또 다른 방법은 선수가 시합에서 여러 다른 한계를 경험하고, 제한을 받는 다양한 상황을 설정하는 것이었다. 마지막 방법은 가장 강력한 경쟁자와의 연습 경기를 설정하는 것이었다. 선수들은 두 랠리의 중간마다 자신의 생각과 감정을 확인하고 이를 등록한 이후, 다음 랠리가 시작되기 전에 놓아주기 및 다시 집중하기 전략을 사용하는 능력을 연습했다.

이 훈련은 2년 동안 계속되었고, 2016년 세계 선수권 대회까지 이어졌다. 선수들은 마음챙김 기술을 향상시켰고 코치들은 선수들의 생각과 감정에 대해 묻고 다시 집중할 수 있도록 지원하는 능력을 키웠다. 2016년에는 실제 마음챙김을 잘하는 정신적으로 강한 팀이 우승을 차지했다. 지금도 전국 배드민턴 경기장에 가면 선수와 코치 사이에 "네 마음이 어디에 있느냐" 또는 "포커스 원의 어느 지점에 있느냐"에 대한 대화가 오가는 순간을 종종 발견할 수 있다.

위의 배드민턴 사례는 스포츠에 적합한 비공식적인 마음챙김 연습을 구축하는 한 가지 방법을 설명한다. 스포츠 심리상담가가 해당 스포츠에 적합한 접근 방식과 연습을 자체적으로 개발하기를 권장한다. 이러한 성찰을 시작하기 위한 질문은 다음과 같다.

- 일상적인 스포츠 환경에 처한 선수들이 주로 하는 반응성 행동은 무엇인가?

- 선수들이 '코트에서' 할 수 있는 마음챙김 연습법을 어떻게 만들 수 있을까?
- 3R 프로세스와 포커스 원을 사용해 선수들이 방황하는 마음을 인식하고 다시 집중하는 데 어떻게 도움이 되도록 활용해 볼 수 있을까?
- 선수들과 생각, 감정 및 신체감각, 그리고 집중에 대해 이야기하는 코치들을 어떻게 도울 수 있을까?

스포츠 환경에서 마음챙김을 실천하는 것에 대한 고찰과 조언

마음챙김은 연습해야 하는 하나의 기술이다(Baltzell & Summers, 2017). 공식적인 마음챙김 훈련은 마음챙김 명상이나 이와 유사한 활동에 참여하기 위해 특별히 시간을 할애하는 것을 말한다. 비공식적인 마음챙김 훈련은 일상적인 작업(씻기, 양치질 등) 또는 스포츠 관련 훈련이 아닌 다른 일상의 작업을 하는 동안 알아차림과 주의력을 훈련하는 것을 말한다.

마음챙김 훈련은 많은 운동선수에게 새롭고 도전적인 훈련이다. 일반적으로 워크숍이나 개별 회의를 통해 마음챙김을 소개하고, 선수들의 동기와 마음챙김을 어떻게 활용할 수 있는지 논의하는 것이 좋다. 우리의 경험상 마음챙김을 실천하는 다른 정상급 운동선수들의 스포츠 관련 사례, 일화, 마음챙김을 하는 방법과 이를 통해 얻을 수 있는 혜택과 장점에 대한 이야기를 통해 마음챙김의 개념을 소개하는 것이 효과적이었다.

스포츠의 정신과 빠르게 변화하고 결과 지향적인 스포츠 문화 때문에 마음챙김을 선수들의 스포츠 환경에 가급적 빨리 연관시키는 것을 추천한다. 이는 스포츠 심리상담가가 마음챙김에 대해 이야기하는 방식과 스포츠의 실제 사례를 마음챙김 연습과 연관시켜서 할 수 있다. 심리상담가는 또한 비공식적인 마음챙김 훈련을 연습과 경기에 통합하여 과정 초기에 스포츠에 도입해 볼 수도 있다.

최근에는 선수들과 함께 마음챙김 연습을 구성하는 데 도움이 될 수 있는 스포츠별 마음챙김 프로토콜이 개발되었다. 하지만 이동이 많은 운동선수들을 대상으로 마음챙김을 배우고 실천할 수 있는 유연한 방법이 필요하다. 이러한 경우 구조화된 프로토콜을 따르기 어렵기 때문에 마음챙김을 선수 생활 내내 지속적으로 실천할 수 있는 짧은 형식이 가장 이상적이며, 이를 반복적으로 적용해서 습관화하는 것이 좋다. 운동뿐만 아니라 삶의 전반에도 적용해서 마음챙김의 효과를 얻는 것이 중요하다. 더 강렬하고 편안한 연습 기간이 있을 것이다. 공식적이든 비공식적이든 매일 연습할 것을 권장한다. 하루에 5

분 정도의 짧은 공식적인 연습부터 시작하여 15–20분까지 늘려가는 것이 좋으며, 일부 프로토콜의 45분 또는 하루 종일 마음챙김을 위한 휴식을 취하는 것은 엘리트 스포츠에서는 어렵지만 올림픽 주기의 비교적 바쁘지 않은 기간에는 시간을 달리해서 적용해보는 것도 해볼 수 있다.

많은 선수들이 매우 개별화된 일과를 가지고 있기 때문에 대부분의 선수들은 혼자서 연습한다. 우리는 선수들을 위해 명상 사운드 음원을 직접 만들었지만, 마음챙김 앱 시장이 성장함에 따라 자신의 마음챙김 방식에 맞는 앱을 검색해서 찾을 수 있을 것이다.

그룹과 팀에 따라 경험은 다양할 수 있다. 가장 좋은 경우, 팀이나 스포츠 전반에 걸쳐 마음챙김을 실천하는 것은 매우 유익했다. 하지만 운동선수와 스포츠 심리학자들이 많이 이동해야 하는 스포츠 세계의 특성상, 이런 상황은 지속적인 실천에 커다란 장애물이 될 수 있다. 지속적인 연습을 장려하기 위해 매주 알림, 인용문, 이야기 등을 챙겨서 보내는 방법이 도움이 될 수 있다.

마음챙김은 내재적 동기에 의해 자발적으로 실천하는 것이 이상적이다. 하지만 팀의 특성상 사령탑의 선호도와 동의 여부에 따라 마음챙김에 참여하는 역동성이 다소 달라질 수 있다. 선수 측면에서는 선수의 3분의 1은 동참하고, 3분의 1은 회의적이며, 3분의 1은 흥미를 느끼지 못한다는 오래된 스포츠 심리학 격언이 현실적인 기대치를 갖고 저항과 동기를 탐색하는 데 도움이 될 수 있다. 공식적인 마음챙김 훈련에서 보다 비공식적인 연습으로 빠르게 전환하는 데 다양한 도구 모음과 유연성 및 창의성을 갖추는 것이 분명 도움이 된다.

당신이 마음챙김 훈련에 있어 당신의 선수들에게 갖는 기대치를 명확히 해야 한다. 마음챙김은 선수들에게 어려운 과정이다. 쉽게 되지 않는다고 포기하는 선수들이 분명 있을 것이다. 선수들에게 얼마나 많은 노력이 필요한지 알려주자. 선수들은 기술 향상에 시간과 에너지가 필요하다는 것을 이해하지만, 이마저도 모든 사람이 받아들일 수 있는 취향은 아닐 수 있기 때문이다. 그래서 마음챙김이 여전히 중요하다.

참고 사항

1. 포커스 원은 2008년 코펜하겐에서 열린 워크숍에서 네덜란드의 스포츠 심리상담가인 리코 슈이저스가 처음 소개한 개념이다. 덴마크의 스포츠 심리학 팀이 마음챙김 연습에 통합하기 위해 이를 더욱 발전시켰다.

참고문헌

Baltzell, A. L., & Summers, J. (2017). *The power of mindfulness. Mindfulness meditation training in sport (MMTS)*. New York: Springer.

Bishop, S. R., Lau, M., Shapiro, S., Carlson, L., Anderson, N. D., Carmody, J., Segal, Z.V., Abbey, S., Speca, M.,Veltling, D., & Devins, G. (2004). Mindfulness: A proposed operational definition. *Clinical Psychology—Science and Practice, 11* (3), 230 – 241.

Djokovic, N. (2013). *Serve to win*. New York: Random House.

Goleman, D., & Davidson, R. J. (2017). *Altered traits. Science reveals how meditation changes your mind, brain, and body*. New York: Random House.

Harris, D. (2014). 10% *Happier. How I tamed the voice in my head, reduced stress without losing my edge and found self–help that actually works*. New York: Harper–Collins.

Hummel,T. (2012). Das Herz aus der Hose geholt. Gold fuer Beachvolleyballer Reckerman und Brink. *Sueddeutsche Zeitung*, *10. August*, 2012. Retrieved from www.sueddeutsche. de/sport/gold–fuer–beachvolleyballer–reckermann–und–brink–das–herz–aus–der–hosegeholt–1.1437889

Jha,A. P., Morrison,A. B., Dainer–Best, J., Parker, S., & Rostrup, N. (2015). Minds "at attention": mindfulness training curbs attentional lapses in military cohorts. PLOS ONE 10, e0116889. https://doi.org/10.1371/journal.pone.0116889

Jha, A. P., Morrison, A. B., Parker, S. C., & Stanley, E. A. (2016). Practice is protective: mindfulness training promotes cognitive resilience in high–stress cohorts. *Mindfulness*, February 2017, 8(1), 46 – 58.

Kabat–Zinn, J. (1994). *Wherever you go, there you are. Mindfulness meditation for everyday life*. New York: Hyperion.

Siegel, D. (2010). *The mindful therapist: A clinician's guide to mindsight and neural integration*. New York: W.W. Norton & Company.

5

운동선수가 탈융합하고 수용할 수 있도록 지원하기

생각과 감정은 적이 아니다

다니엘 비러, 그렉 디멘트, 올리비에 슈미드

엘리트 스포츠에서 경기력의 역동성은 종종 감정의 롤러코스터에 비유되곤 한다. 선수들은 가벼운 만족감과 사소한 불편함부터 흥분과 극심한 스트레스에 이르기까지 다양한 감정에 대한 반복적인 생각을 경험하게 된다. 선수들에게 있어 긍정적인 사고, 침착함, 자신감은 일반적으로 탁월한 경기력을 달성하는 데 필수적인 요소로 간주된다. 반대로, 부정적이고 불쾌한 생각과 감정은 그것들이 필연적으로 행동 장애를 초래해 경기력 저하로 이어지는 것처럼 보이기 때문에 부적절하고 피해야 할 것으로 간주된다. 특히 성공이 무엇보다 중요한 시기에 선수들은 종종 자신은 "생각이 너무 많다", "의심에 휩싸인다", "좋은 생각을 하려 해도 잘 안된다"고 털어놓거나 왜 그랬지를 나름 분석하다가 더 혼돈상태에 빠진다. 마찬가지로 코치들은 때때로 선수들이 부정적인 생각 대신 자신이 가장 잘할 수 있는 것을 할 수 있기를 바란다. 인지행동치료 위주의 기존의 전통적인 접근법에서는 소위 부정적인 생각과 감정을 다루는 철저한 해결책은 운동선수가 바람직하지 않은 결과를 피하기 위해 이를 억제하거나 긍정적인 생각으로 인지를 수정하고, 이를 통제하려고 시도하는 것이었다. 그러나 기능 분석적 관점에서 보면, 모든 생각과 감정은 인지된 위협을 처리하는 데 필요한 자원과 행동을 채널화 하는 목적에 부합한다(4장 참조). 그래서 마음챙김 접근법에서 생각은 적이 아니며, 생각의 내용과 강도는 문제로 간주되지 않는다. 대신, 운동선수들이 자신의 내적 경험과 관계맺는 상호작용 방식에서, 너무 얽매이게 되는 융합적이고 통제적인 방식이 핵심적인 문제라고 여긴다(Hayes, Strosahl, & Wilson, 2012). 불쾌한 생각과 감정에 사로잡히거나 이를 피하려고 시도하는 동안, 주의력은 특정 시점에 집중해야 할 곳에서 분산되고, 결국 선수가 달성해야 하는 가치 있는 수행 노력을 방해할 수 있다. 이런 내면의 경험을 바꾸기 위해 치르는 대가는 훨씬 크다. 결과적으로 실효성이 없는 헛된 시도를 하는 대신, 생각과 탈융합하고 감정을 수용할 수 있도록 하는 것이 마음챙김 접근법의 핵심 과정이다.

운동선수들이 내적 경험과 다르게 관계맺을 수 있는 것을 지원하는 맥락에서 이 장의 목적은 세 가지이다. (1) 내적 경험 과정(예: 생각과 감정)의 기능 및 관련된 도전에 대해 논의하고, (2) 가치 지향적 행동을 위한 자기 인식의 역할과 탈융합과 수용의 두 가지 필수 과정에 대해 논의한다. 마지막으로 (3) 체험 전략, 활동 및 사례 연구 삽화를 통해 탈융합과 수용을 어떤 식으로 적용할 수 있는지를 확실히 전달하는 것이다.

생각의 본질

인간의 뇌는 정보를 받고 처리하고 생산하고 전달하는 데 특화된 생각과 감정을 포함한 독립적인 시스템의 집합체이다. 누구나 생각의 의미를 이해하고 그것에 대해 이야기할 수 있는 것처럼 보이지만, 사실상 생각의 정확한 정의에 대한 명확한 합의는 존재하지 않는다. 어떤 생각을 경험하는 것은 의식 수준에 따라 다양한 뇌 프로세스에 의해 생성될 수 있다(Metzinger, 2009). 어떤 생각은 디폴트 또는 자동화된 프로세스의 결과인 반면, 다른 생각은 일반적으로 노력, 의도 및 인식을 수반하는 의식적으로 통제된 인지 과정의 산물이다(Latinjak, 2018). 목표 지향적 사고(Christoff, Gordon, & Smith, 2011) 또는 문제 해결을 위한 과정과 그 노력을 추구하면서 의도적으로 생성되는 생각은 일반적으로 지시적이고 재구성하는 자기 대화(예: "전혀 긴장할 필요 없어, 지난 몇 달 동안 제대로 훈련했으니까. 그냥 통제할 수 있는 것에만 집중하자.")라고 할 때, 스포츠 심리학 문헌(Van Raalte, Vincent, & Brewer, 2016)에도 이런 자기 암시가 자주 등장하는 것을 알 수 있다.

반면에 자동적 사고는 자발적 사고, 자극에 독립적인 사고, 방황하는 사고의 세 가지 범주로 더 세분화할 수 있다(Fox, Spreng, Ellamil, Andrews-Hanna, & Christoff, 2015). 자발적 사고는 노력하지 않고도 특정 과제 및 상황의 관련 단서가 떠오르는 것과 관련되어 있다. 예를 들어, 막상막하의 아슬

아슬한 경기상황에서 "이거 흥미진진하네!"라는 생각이 떠오를 수 있다. 자극에 독립적인 사고는 활동의 맥락과 관련된 자동적 과정이지만, 특정 작업 관련 단서에 의존하지 않는다. 예를 들어 테니스 선수가 상대방의 서브가 들어오기 직전에 이런 생각을 할 수 있다. "이번 경기에서 이기면 토너먼트에서 세 번 연속으로 우승하게 되는거야." 마지막으로, 방황하는 사고에는 현재 진행 중인 활동이나 상황과 무관한 생각이 포함된다. 예를 들어, "내일은 아이들과 동물원에 갈 거야"라는 생각이 서브를 리턴하려는 테니스 선수의 머릿속을 스쳐 지나갈 수 있다.

목표 지향적 사고와 자동적 사고의 맥락적 관련성 외에도 시간적 관점(즉, 과거, 현재, 미래 시간)과 특성적 관점(즉, 긍정적, 부정적, 중립적)도 중요한 특징이다(Latinjak, Zourbanos, López- Ros, & Hatzigeorgiadis, 2014). 생각이 가지고 있는 이런 특성의 장점은 현재의 도전에 직면했을 때 과거의 행동을 되돌아봄으로써 미래의 행동을 계획할 수 있다는 것이다. 예를 들어 골프 선수는 전날의 특정 티샷이 마음에 들지 않았을 때 그것을 반성하고 적절한 샷의 궤적을 시각화 하며, 페어웨이에 안착율을 높이는 티샷을 머릿속으로 계획할 수 있다.

생각과 감정의 기능

생각의 핵심 기능은 인간이 기본적인 생리적, 심리적 욕구를 충족하기 위해 행동을 취할 때 이를 지원하는 것이다(Grawe, 2007). 이성적 행동의 관점에서 볼 때, 생각은 감정을 생성하여 스포츠에서 행동과 수행 관련 행동에 영향을 미친다(Hardy & Oliver, 2014). 자신의 욕구를 충족시키기 위해 취한 행동이 적응적인 경우, 기저에 깔린 생각은 기억에 저장되어 학습 과정의 일부로서 후속 행동과 동기를 유발할 수 있다(Grawe, 2007). 그러나 이성적인 사고 과정도 부적응 행동을 조장할 수 있다(예: 결정된 행동 방침에 대한 적응을 방해하는 반추적 사고). 즉시 행동을 시작해야 하는 상황(예: 공을 패스하거나 득점포를 시도하는 경우)에서는 이성적인 인지 과정에 지나치게 많은 시간이 소요되고 감정적인 과정이 뒤따를 수 있다. 본질적으로 감정은 특정 상황에 대한 갑작스러운 반응이며, 감정의 기능은 상황에 대한 인지적 평가에 반응하여 즉각적이고 열정적으로 행동을 시작하는 것이다(Russell, 2009). 스포츠에서 감정은 항상 선수가 중요한 목표가 위협받고 있거나(불쾌한 정서적 특성) 곧 달성될 것(즐거운 정서적 특성)이라고 인식할 때 발생한다(Grawe, 2007). 인간은 편안하고 즐거운 경험을 추구하고, 고통과 불편함을 피하려는 경향이 있기 때문에 감정은 쾌락을 극대화하고 피해와 불쾌감을 최소화하기 위해 즉각적인 행동을 유발하는 기능을 갖는다.

다음 예는 생각과 감정의 역할과 그 결과를 보여준다. 유도 선수 안나는 자신이 반드시 이길 수 있다고 믿는 상대에게 지고 있다. 안나가 아무리 노력해도 경기를 자신에게 유리하게 바꿀 수 없을 것 같다(평가). 그녀는 승리라는 목표에 이르는 길이 암담하게 막힌 것처럼 느낀다(평가). 결과적으로 그녀의 전반적인 각성 수준이 증가하고 매우 불쾌한 감정을 경험한다. 이 기능은 즉각적이고 단호한 행동을 유발하는 것이다. 만약 안나가 자신이 상대방보다 낫다고 생각하면(평가) 분노를 경험하고 격렬하게 공격할 것이다. 그녀는 또한 자신이 경기의 판세를 뒤집을 수 없다고 믿고(평가) 두려움을 경험하고 포기할 수도 있다. 생명을 위협하는 상황에서 두려움은 자동으로 주의를 집중시키고, 신체에 빠르게 활력을 불어넣고, 상황에서 살아남기 위한 행동(예: 도주하기)을 촉진함으로써 위험을 식별하고 위험을 피하는 데 도움이 되므로 기능적인 반응이다. 그러나 생명을 위협하는 상황과 관련되어 기본적인 욕구 충족과 관련된 과정과 생존을 추구하는 행동은 전형적으로 뛰어난 성과를 요구하는 본질적으로 불쾌한 특성과는 부합하지 않는다. 성공하려면 운동선수는 안도감과 편안함을 위해 고통을 피하기보다는 고통과 역경을 감내할 필요가 있다.

생각과 감정의 가능한 단점

인간은 두뇌의 활동 과정에서 자동적으로 생겨나는 신체의 감각, 기억, 이미지, 욕구, 충동 등을 생각하고 느끼고 경험하는 것을 결코 멈추지 않는다. 다만 개인은 자신의 생각과 감정이 일어나는 과정에서 가끔 인지하게 될 뿐이다. 대신, 인간은 내면의 경험의 흐름과 내용에 융합되거나 얽혀서 자신의 생각과 감정이 그것들과 동일시되는 경향이 있다(Hayes et al., 2012). 수용전념치료(ACT)의 관점에서 인지적 융합은 언어, 단어, 상징, 그리고 정신적 과정을 더 이끌어내는 능력과 밀접한 관련이 있다.

인지 융합은 단기적으로는 기본적인 심리적 욕구를 충족하기 위해 불쾌한 경험을 피하거나 예상하기 위한 자동 반응과 행동을 강화한다. 그러나 장기적으로 인지 융합은 중요한 개인적 목표와 가치 있는 목적을 저해할 수 있으며, 감정 세분화의 어려움, 심리적 기능 저하, 반추, 부적응적인 자기 참조적 사고와 관련이 있을 수 있다(Badra et al., 2017; Plonsker, Gavish Biran, Zvielli, & Bernstein, 2017; Rochat, Billieux, & Van der Linden, 2012).

인지 융합이 지나치게 확장되면 해로울 수 있다. 예를 들어, 피겨 스케이팅 선수가 자신의 연기를 통해 코치와 부모를 기쁘게 하는 결과에 너무 집착하면 내적 과정의 유연하고 기능적인 조절을 극도로 어렵게 만들 수 있다. 연기를 앞두고 무엇이 잘못될지 생각하고, 걱정하기 시작하면 최적의 연기를 펼치기 위해 집중해야 할 부분에 주의를 기울이지 못하게 된다. 심지어 "아, 걱정하지 말아야 하는데 걱정하고 있고, 이렇게 걱정하게 되면…"이라고 걱정하기 시작하는 운동선수들도 종종 볼 수 있다. 이러한 유형의 자기 초점적 주의는 과제와 관련된 자극에 집중하는 데 필요한 주의 자원을 사용하지 못하게 한다. 대신, 주의 자원은 자기 자신과 불쾌한 내적 경험을 억제하려는 시도(즉, 경험적 회피)에 집중된다. 생각이나 감정을 억누르는 것은 역기능적이고 부적응적인 정신적 대처 전략으로, 침습적 생각에 대한 집중을 더 증가시키도록 만들기 때문이다(Koster, Soetens, Braet, & De Raedt, 2008).

생각과 감정을 통제하려는 역기능적 시도 극복하기

마음챙김은 즐겁고 불쾌한 생각과 감정을 조절하기 위한 적응적이고 기능적인 접근법으로 제안되어 왔다(Hayes et al., 2012). 내적 및 외적 경험에 대한 마음챙김은 무의식적으로 반응하는 것과는 대조적으로 탈융합과 수용이라는 두 가지 핵심적인 마음챙김 수행을 포함한다. 이 두 가지 과정은 모두 자기 인식에 의해 시작되는데, 먼저 이에 대해 설명하겠다.

자기 인식을 갖추기

의식의 경험적 내용은 외적 인식(감각을 통해 지각되는 것)과 내적 인식(특정 외부 자극과 독립적인 생각)으로 나눌 수 있다. 자기 인식은 현재 순간에 자신의 내적 및 외적 경험을 의도적으로 인식하고 이를 관찰하며 명명화할 수 있는 능력을 갖추는 과정을 말한다.

자기 인식은 자기 자신이나 생각의 내용에 주의를 기울이는 자기 참조적 사고(예: 반추, 자기 비난, 파국화)와는 다르다. 운동선수들은 자신의 정서적, 인지적 반응을 명확하게 관찰하고, 내적 경험의 기능을 관찰하고, 자신이 취하는 행동에 대해 더 잘 인식하고, 자신이 취하고 싶은 행동을 자유롭게 선택할 수 있도록 격려 받을 수 있다.

인지적 탈융합

인지적 탈융합이란 생각에서 심리적으로 한 발 물러나 생각을 절대적인 진리가 아닌 정신적 과정으로 보는 능력이다(즉, 메타인지 인식 또는 인지 탈융합). 즉, 생각이 떠오를 때 이를 알아차리고 제삼자의 관점에서 관찰할 수 있는 내적 사건, 즉 생각이 자신의 두뇌가 만들어낸 구성물로 간주하는 데 중점을 둔다. 탈융합 과정은 추론하는 마음에 이름(예: 내 컴퓨터)을 부여하고, 애써주는 마음에 감사를 표현하며, 불쾌한 생각을 소리만 남고 의미가 바뀔 때까지 큰 소리로 표현하고 반복하는 등의 기법을 통해 도움을 받을 수 있다. 운동선수에게는 사고 과정에 꼬리표를 붙이는 연습을 권할 수 있다(예: "나는 완전한 실패자다"에서 "나는 완전한 실패자라는 생각을 가진 운동선수다"로). 또 다른 유용한 기법은 "나는 방을 가로질러 걸을 수 없어"라고 말하면서 방을 가로질러 걷는 것과 같이 생각과 행동에 직접적으로 모순을 갖게 하는 경험이다. 융합은 회피 또는 도피 규칙과 밀접하게 연관될 수 있으므로 이런 규칙에 의문을 제기할 수 있도록 만드는 것이 유용한 탈융합 기법이다.

수용

수용이란 불쾌하더라도 의식에 떠오르는 생각과 감정을 개방적이고 판단하지 않으며 회피하지 않는 방식으로 받아들이는 연습을 말한다. 여기에는 자신의 내적 경험에 대한 통제적이고 판단적인 자세에서 연민 어린 입장으로 전환하는 것이 포함된다. 수용은 체념이 아니라 목표 지향적 행동에 자유롭게 참여하기 위해 불쾌한 내적 경험을 기꺼이 견디는 것이다. 운동선수들은 수용을 힘이 없고 나약한 것으로 생각할 수 있지만 실제로 수용에는 용기와 인내가 필요하다. 부정적인 내용을 의도적으로 수정하려는 시도가 역설적으로 원치 않는 내면 경험의 부적응적 영향력을 증가시킬 수 있다는 경험적 증거를 제시하고, 부정적인 내면 경험에 기꺼이 머물 수 있는 것의 이점을 체험하기 위해 은유와 심리 교육적 방법을 활용하는 것이 도움이 된다.

자기 인식, 탈융합, 수용의 세 가지 과정은 모두 밀접하게 관련되어 있으며 심리적 기능과 연계된다(Birrer & Röth-lin, 2017). 스포츠 수행의 맥락에서 이 세 가지 과정은 모두 선수들이 경기 전의 경험을 바꾸기 위해 자원을 투자하며 내면의 경험에 갇히지 않고 필요한 곳에 주의를 집중할 수 있게 해준다.

은유는 종종 수용과 탈융합을 포함한 ACT 원칙에 대한 강력한 영향력이 있는 경험적 삽화로 제안되어 왔다(Hayes et al., 2012). 우리의 경험에 따르면, '괴물과의 줄다리기' 은유는 경기 중 불쾌한 생각과 감정과 싸우는 엘리트 운동선수에게 ACT를 소개할 때 특히 공감을 불러일으키며, 마음이 어떻게 작동하는지 이해하는 데도 도움이 된다. 이 은유를 사용하기로 결정할 때 세션 중에 실제 밧줄을 사용하면 은유를 더욱 생생하게 경험할 수 있다. 먼저 선수에게 자신과 괴물 사이의 줄다리기를 상상하면서 밧줄의 양쪽 끝을 잡아당기고 가운데에 어떤 상황에서도 떨어지고 싶지 않은 어둡고 깊은 심연이 있다고 상상해 볼 것을 요청한다. 그런 다음 선수에게 이 괴물은 경기 전이나 경기 중에 경험하고 싶지 않은 모든 생각과 감정을 상징한다고 설명한다. 그런 다음 선수에게 자신의 괴물이 어떤 모습이고, 어떤 느낌이고, 어떤 행동을 하는지 자세히 설명하도록 요청한다. 그런 다음 어둡고 깊은 심연이 자신에게 무엇을 상징하는지 설명하도록 요청하고, 그곳이 심연에 빠지고 싶지 않은 위험한 공간인지를 확인시킨다. 밧줄을 최대한 세게 잡아당겨 괴물을 물리치는 것, 즉 원치 않는 모든 특징을 가진 괴물을 심연 속으로 없애는 것이 요점임을 분명히 한다. 스포츠 심리상담가가 괴물이 되는 것을 피하기 위해 선수에게 우리가 일시적으로만 그 역할을 할 것임을 분명히 한다(그리고 상담가가 힘이 강한 선수와 상대하는 자신의 능력을 인식하고 팽팽하게 힘의 균형이 유지될 수 있을 정도로 현실적으로 적당한 강도로 잡아당길 것을 권장한다). 여의치 않다면, 밧줄을 고정되어 있고 단단한 실내 요소에 부착하는 것도 유용한 대안이 될 수 있다.

선수가 밧줄을 놓아준다면, 우리는 다시 한번 그를 낚아채기 위해 밧줄을 잡도록 유도할 것이다. 우리는 그의 싸움에 대한 노력과 헌신을 인정하면서, 싸움이 오래 지속될수록 진을 빼는 경기가 된다는 것을 강조한다. 싸움이 너무 힘들어져 결국 포기한다는 것은 운동선수가 신체적, 정신적 고통을 겪을 때 마음이 어떤 식으로 작용하는지를 반영한다고 설명한다. 우리는 선수가 아무리 힘껏 당겨도 괴물은 항상 자신보다 강할 것이라는 점을 분명히 하고, 선수에게 밧줄을 당길 때 자원과 주의를 어디에 투자했는지, 동시에 경쟁을 하면서 마음의 괴물과 싸울 때 일반적으로 자신의 마음이 어떻게 작동하는지 물어본다. 괴물과 싸우는 것 외의 다른 대안이 있는지 물어보고, 필요한 곳에 주의를 집중할 수 있도록 한다. 만약 선수가 괴물의 존재를 받아들이고 그에 상관없이 경기할 수 있는 전략을 생각해내지 못한다면, 우리는 선수가 밧줄을 내려놓고 괴물과의 씨름을 그만두었을 때 어떻게 될지 상상하도록 도울 것이다. 원치 않는 생각, 감정, 감각 등 괴물이 사라지지는 않겠지만, 괴물의 존재가 가치 있는 목표에 자원과 주의를 집중할 수 있는 자유와 반드시 상충되는 것은 아니라는 점을 강조한다.

사례 예시

다음에 소개되는 탈융합 및 수용 전략에 대한 사례는 스포츠 심리학자로서 엘리트 선수들과 함께 일한 저자의 경험을 바탕으로 작성되었으며, 비밀 유지라는 최고 수준의 윤리 규정을 준수하기 위해 선수의 신원을 알 수 있는 모든 민감한 개인정보는 각색되었음을 밝힌다.

자신감이 낮은 리아의 사례

리아는 24세의 엘리트 카누 선수로 최근 프로 선수가 되기 위해 훈련량을 늘리기로 결심했다. 다음은 스포츠 심리상담가와의 첫 번째 상담세션이며, 이 상담 녹취록은 세션 시작 몇 분 만에 이루어진 것이다.

상담가: 만나서 반가워요, 리아. 여긴 무슨 일로 오셨죠? 어떻게 도와드릴까요?

리아: 네, 제가 여기에 온 것은… 카누 연맹의 많은 국가대표 코치들이 제가 키가 작아서 카누 국제 대회에서 좋은 성적을 거두지 못한다고 수년 동안 말해왔어요. 그럴 때마다 정신적으로 흔들릴 수밖에 없었어요. 그래서 저는 정신적으로 더 강해지고 싶어서 이 자리에 왔어요. 제가 가진 신체적 단점을 보완하고 싶어요. 제 목표는 다음 올림픽에 출전하는 것이지만, 동시에 제 능력에 대한 의구심도 많이 있어요. '나는 이것도 못 하고 저것도 못 해'라고 말하고 있는

제 자신을 자주 발견하곤 합니다. 그런 의구심을 솔직히 떨치고 싶어요.

상담가: 오랫동안 그런 생각을 해온 것 같으니, 이것이 자신의 능력을 평가하는 방식에 영향을 미친 것은 당연한 일입니다.

리아: 네, 저는 항상 자신감이 부족했던 것 같아요. 그리고 그것이 제 경기에 방해가 되고 있다고 생각해요. 좀 더 자신감을 가졌으면 좋겠어요. 그게 정말 도움이 될 것 같아요.

상담가: 자신감이 부족한 상황에서 어떤 일이 일어나는지 자세히 말씀해 주시겠어요?

리아: 저는 잘하고 싶지 않다는 생각이 문득 들곤 하는데, 그런 생각 때문에 내 능력을 잘 발휘하지 못하는 것 같아 정말 걱정이 돼요. 스트레스도 많이 받아요. 훈련을 잘해도 마음이 편하지 않아요. 가끔은 제가 이겼어야 할 경기인데도 이기지 못할 때도 있어요.

상담가: 그런 상황에 처했을 때 또 어떤 생각이 드나요?

리아: 제가 실패자처럼 느껴지고 역시나 그 사람들이 틀렸다는 것을 증명할 수 없겠다는 생각이 들어요. 그리고 그 생각을 지울 수가 없어서 힘들어요.

상담가: 리아, 자신감이 있어야 된다는 것이 너무 중요해진 것 같아요. 과대평가된 셈이죠. 자신감은 통제하기 어려운 부분이기 때문에 많은 선수들이 자신감의 문제로 어려움을 겪고 있어요. 사실 그런 감정은 그냥 왔다가 사라지죠. 하지만 최고의 성과를 내기 위해서는 반드시 자신감이 선결되어야 하는 것은 아니에요. 자신감 여부와 상관없이 주어진 시간에 해야 할 일을 실행할 수 있는 능력이 필요해요.

여기까지 심리상담가는 낮은 자신감과 관련된 리아의 신념과 경험을 간략하게 살펴보고 그녀가 자기의심을 정상화하고 수용하도록 도왔다. 그는 그녀가 더 자신감을 갖도록 돕기 위해 그녀의 의심과 불안감에 대해 이의를 제기하거나 자신감을 갖도록 변화시키는 데 집중하지 않았다. 리아는 '충분하지 않다'는 생각과 '실패자'라는 생각에 사로잡혀 있는 것 같았다.

리아: [흥미로워하는 듯이 보임] 하지만 모두들 경기에 임할 때, 최선을

다할 수 있다는 자신감을 갖는 것이 중요하다고 말하잖아요.

상담가: 네, 알아요. 그리고(의도적으로 '하지만'이라고 표현하지 않고 '그리고'라는 단어를 사용했다. 'yessing예싱'이라는 기법) 제 생각에 자신감은 좋은 느낌이지만, 그것은 반드시 있어야 되는 필수적인 것은 아니에요. 리아 선수는 탁월한 성과를 내기 위해 가장 필수적인 요소는 무엇이라고 생각하시나요?

리아: [대답하길 망설이며] 잘 모르겠어요.

상담가: 좋아요, 작은 실험을 해볼까요?

리아: 네, 물론이죠[호기심 가득한 표정].

마음챙김과 현재 순간 인식에 대해 소개하기 위해 리아에게 2분간 마음챙김 호흡 연습(떠오르는 생각을 알아차리고 호흡에 다시 집중하는 것)을 하도록 초대했다. 이 활동의 목적은 의식이 한 생각에서 다음 생각으로, 과거에서 미래로, 현재로 매우 빠르게 이동할 수 있다는 것을 경험적으로 보여주기 위한 것이었다. 그녀의 경험을 처리한 후에 탈융합 과정을 도입할 수 있다.

상담가: 무엇을 알아차렸나요?

리아: 흥미진진했어요… 저는 숨소리에 집중하는 것이 잘 되었어요. 그러다 커피 머신 같은 소음이 들렸어요. 그러다 문득 오늘 밤 할 일이 생각났어요. 오늘 밤 사촌을 만나기로 했는데, 사촌이 멋진 커피 머신을 가지고 있거든요. 저도 그걸 하나 갖고 싶어요. 이번 시즌 마지막 대회에서 우승했다면 상금으로 직접 커피 머신을 샀을 거예요[웃음].

상담가: [웃음] 멋지네요. 우리의 의식이 어떻게 작동하는지 경험할 수 있는 기회를 가진 것 같네요. 의식은 지금 여기에 있을 수도 있고, 지금 일어나고 있는 일들을 처리할 수도 있습니다. [상담가가 종이에 가운데에 '의식'과 '지금 여기'라는 단어를 적고 그 왼쪽과 오른쪽에 '과거'와 '미래'라는 단어를 적는다] 그러나 의식은 미래로 ['지금 여기'에서 '미래'로 화살표 그리기] 또는 과거로 ['과거'로 화살표 그리기] 순식간에 배회할 수도 있습니다. 예를 들어, 나쁜 스트로크를 한 후 목표를 달성할 수 없을 것 같다고 생각하는 경우를 생각해 보세요. 그런 상황을 알 것 같아요? [리아가 고개를 끄덕인다] 그

렇다면 최선을 다하려면 어디에 집중해야 한다고 생각하시나요?

리아: 물론 레가타 경기에서는요. 제 스트로크, 리듬, 어떻게 하면 카누를 빠르게 움직일지에 대해 집중해야 해요.

상담가: 그렇군요. 그렇다면 주의력이 집중되어야 할 곳에 있지 않다는 것을 깨닫게 되면 어떻게 해야 하나요?

리아: 다시 지금 여기로 가져올 수 있어야겠죠.

상담가: 맞아요, 주의를 지금 여기[각각 '과거'와 '미래'라는 단어에서 '지금 여기'로 화살표 그리기]로 되돌릴 수 있어요. 그러기 위해서는 먼저 주의가 어디에 있는지 인식해야 해요. 이를 위해서는 현재 순간에 주의를 집중하고, 자신의 생각과 감정을 알아차리고, 판단 없이 받아들이고 환영하며[시트에 '수용'이라고 쓰기], 현재로 주의를 다시 가져오는 마음챙김 연습을 해야 합니다. 이제 자신감이 과대평가되었다는 제 말이 무슨 뜻인지 더 잘 이해하셨을 겁니다.

리아: 네, 저한테는 정말 생각지도 못한 새로운 방법이에요.

상담가: 자신감 부족의 문제는 해야 할 일에 주의를 집중하지 않고 걱정거리에 주의를 집중하고 있음을 보여줄 뿐이에요.

리아: 많은 의미가 있는 것 같고, 흥미 있고, 재미있어요. 앞으로 이런 연습을 많이 해야 할 것 같아요.

상담가: 네, 연습은 필수입니다. 이 연습의 좋은 점은 언제 어디서나 연습할 수 있다는 것이죠.

심리상담가는 구체적인 질문에 답하고 리아가 언제 어떻게 연습해야 하는지 명확하게 이해할 수 있도록 도와준다.

상담가: 괜찮으시다면, 지금 경험하고 계신 '나는 그럴 수 없어'라는 생각에 대해 얘기를 나눠볼까요? [리아가 고개를 끄덕임] 이런 생각이 들었던 구체적인 상황을 기억하실 수 있나요?

리아: 네, 어제 근력 운동 중이었어요. 말하자니 조금 부끄러워요. 프로그램에 턱걸이가 있었는데, 저는 스스로에게 '나는 할 수 없다'고 말했고, 솔직히 말해서 저는 턱걸이를 하나도 할 수 없었어요.

상담가: 그래서 그 생각을 하며 무엇을 했나요?

리아: 제 자신이 안쓰러워서 그 생각을 지우려고 노력했어요.

상담가: 그렇군요. 하나만 물어볼게요. 바로 여기, 우리 옆에 분홍색 코끼리가 있다고 상상해 볼 수 있나요?

리아: [웃음] 음. 좋아요, 보여요.

상담가: 좋아요, 이제 그만 생각해보세요!

리아: 네?? [몇 초간 멈춤] 글쎄요, 못하겠어요[웃음].

상담가: 왜요?

리아: 분명한 것은, 생각하지 않으려고 노력할수록 그 분홍색 코끼리 생각이 더 많이 떠올랐어요. 그래서 더 갇히게 되죠.

상담가: 원래 하던 이야기로 돌아가 보죠. 결국 턱걸이를 시도해 보셨나요?

리아: 아니요, 전혀 시도를 안 했어요.

상담가는 생각과 경험 사이의 역설을 강조함으로써 인지 부조화를 일으킨다는 것을 더 자세히 설명한다.

상담가: 다른 간단한 활동을 더 해 봐도 될까요?

리아: 네[호기심 가득한 표정].

상담가: 좋아요, 같이 해볼게요. 손바닥으로 머리를 1분 동안 부드럽게 반복해서 두드리면서 [1초의 속도로 시연한다] 동시에 큰 소리로 '나는 머리를 두드릴 수 없다', '나는 머리를 두드릴 수 없다'라고 반복해서 말해 주세요. [상담가와 리아 모두 무슨 일이 있었는지 알아차리기 전에 활동을 마친다] 그래서 어땠나요?

리아: 한 가지를 말하면서 동시에 제가 말한 것과 반대되는 행동을 하는 것이 이상하게 느껴졌어요.

상담가: 생각과 경험 중 무엇을 가장 신뢰할 수 있나요?

리아: 제 경험이죠.

상담가: 흥미롭군요. 그럼 이것을 턱걸이와 다시 연결해보면, 어떻게 그렇게 확신할 수 있죠?

리아: 좋은 지적이네요.

상담가: 생각은 단지 생각일 뿐이고 당신은 당신의 생각이 아니라는 것을 깨달아야 합니다. 생각은 우리의 뇌가 끊임없이 자동적으로 만들어내는 말, 소리, 이야기입니다. 뇌는 지각하는 모든 것에 반응하는 반사 기관과 같아요. 우리는 생각의 내용이나 흐름을 통제할 수

없어요. 따라서 어떤 생각을 한다는 것은 실제로 우리 자신이나 우리의 능력에 대해 아무 의미도 갖지 않아요. 우리가 우리 생각과 너무 융합되어 있을 때는 생각으로부터 거리를 두는 것이 정말 어렵거든요. 많은 선수들이 [이전과 같은 종이를 사용하여] 자신의 생각을 얼굴 바로 앞에 [종이를 들고] 놓는 것이 도움이 된다고 하는데, 어떨 것 같나요?

리아: 글쎄요, 아무것도 안 보여요. 눈앞에 너무 가까워요.

상담가: 맞아요, 바로 그 점이에요. 하지만 일단 눈에서 멀어지기 시작하면 [양팔로 잡고 있는 종이를 천천히 밀면서] 이것이 생각이고, 내가 생각이 아니라는 것을 깨달을 수 있어요.

현우의 사례

마음챙김 접근법의 또 다른 핵심 가정은 모든 내적 경험(예: 생각과 감정)이 때때로 부적절해 보일지라도 맥락적인 관점에서 보면 기능을 수행한다는 것이다. 현우는 25세 자유형 수영 선수이고, 과거 23세 이하의 자유형 계영 선수권 대회에 출전한 경력이 있다.

상담가: 안녕하세요, 현우 선수. 만나서 반가워요. 어떻게 지내셨나요?

현우: 어디서부터 말해야 할지 모르겠어요. 이번 시즌은 재앙이었어요. 제 목표는 자유형 계영에서 세계 선수권 대회에 출전하는 것이었죠. 시즌은 기분 좋게 시작했지만 거기서부터 모든 것이 무너졌어요. 코치님은 시합에서 뭔가를 잃었다고 말씀하셨어요.

상담가: 왜 그런 말씀을 하셨다고 생각하시나요?

현우: 부정 출발로 실격 처리되었고 지금은 엉망진창이 되었어요. 이번 시즌에 저는 정말 잘 훈련했어요. 준비가 되어 있었어요. 지금은 의심이 너무 많이 들고, 제 자신에게 화가 나요. 다음 대회에 선발되지 못할까 봐 두려워요.

상담가: 힘든 시기이자 나쁜 경험이었을 것 같네요. 어떻게 도와드릴까요?

현우: 다음 주말에는 작은 대회가 있고, 3주 후에는 전국 선수권 대회가 다가옵니다. 또 다시 부정 출발을 할까 봐 두려워요. 그리고 막막해요. 두려움을 떨쳐낼 수 있도록 도와주셨으면 좋겠어요. 이 불편

함을 견딜 수 없을 정도예요.

상담가: 현우 선수. 아무리 그러고 싶어도 그 두려움을 없앨 수는 없어요. [현우가 혼란스러운 표정을 짓는다]

상담가는 인간의 뇌가 어떻게 작동하는지, 유쾌하고 덜 유쾌한 생각과 감정의 기능과 그것의 장점, 단점을 소개한다. 생각과 감정을 단순히 제거할 수 없음을 현우가 이해하도록 돕는 것은 수용 및 탈융합 전략에 대해 배우는 통로 역할을 한다.

상담가: 우리의 생각과 감정이 때때로 비합리적으로 느껴질 수 있지만, 인간의 뇌는 생각과 감정이 기능을 하는 만큼 잘 조직화되어 있어요. 인간이 왜 감정을 가지고 있는지 그 이유를 알고 있나요?

현우: 두려움, 분노 같은 거요? 아니, 그건 좀 저에게는 별로인데요.

상담가: 감정은 중요한 목표가 위험에 처했거나 달성하려고 할 때 생기는 겁니다. 감정은 무언가 중요한 것이 위태롭고 즉각적인 조치가 필요하다는 신호와 같습니다. 예를 들어 두려움은 자동적으로 주의력을 높이고 신체를 즉각적으로 활성화하여 도망칠 수 있도록 함으로써 위험에 대처하는 데 도움이 됩니다. 여기서 문제는 경쟁적인 상황에서는 도피라는 자동 반응이 거의 도움이 되지 않는다는 것이죠, 그렇죠?

현우: [웃음] 그다지 도움이 되진 않죠. 제가 라커룸으로 도망쳐서 집에 간다고 상상해 보세요.

상담가: 부정 출발을 두려워할 때 어떤 위협이 있나요?

현우: 세계 선수권 대회 출전이라는 목표를 달성하지 못할 것 같아요.

상담가: 맞아요. 이 목표를 달성하지 못할 가능성도 있나요?

현우: 네, 그럴 수도 있죠.

상담가: 역대 최고의 운동선수들도 실패에 대한 두려움을 경험할까요?

현우: 사실 저도 항상 궁금했어요. 그들이 두려움을 경험한다면 어떻게 그렇게 잘할 수 있을까요?

상담가: 로저 페더러를 아시나요? [현우가 그런 질문은 던진 나를 의아하게 바라보며 고개를 끄덕인다] 로저 페더러는 '나는 지는 것이 두려웠어요'라고 말한 적이 있어요. 역사상 가장 위대한 테니스 선수도

두려움을 느꼈죠. 두려움은 정상인 거예요. 문제는 두려움을 경험하는 것이 아닙니다. 두려움에 어떻게 반응하고 대처하는지에 관한 것이죠. 두려움이 여러분에게 보내는 신호는 무엇이라고 생각하시나요?

현우: 흠… 저에게 중요한 일이고 가장 중요한 순간에 부정 출발하지 않도록 조심해야 한다고 말하는 것 같아요.

상담가: 좋아요, 그럼 다음에 또 한 번 부정 출발하면 얼마나 안 좋을지, 심지어 창피할지도 모른다는 생각이 들 때 어떻게 하실 건가요?

현우: 저는 저에게 주어진 과제에 집중하려고 노력하겠어요.

운동선수들은 불안하거나 긴장해도 괜찮다는 것을 깨닫고 나면 안도감을 느끼는 경우가 많다. 수용은 분홍색 코끼리를 생각하지 않는 예시와 같이 아이러니한 정신적 과정을 예방하는 데 도움이 된다(Koster et al., 2008). 궁극적으로, 탈융합과 수용을 연습하고 활용하면 내면의 경험을 다룰 때 더 큰 유연성을 기를 수 있다. 또한 회피를 통해 자동적으로 반응하기보다는 가치 있는 목표를 향해 의도를 가지고 행동함으로써 상황에 대응할 수 있는 선택지를 제공한다. 이를 위해서는 자신의 내적 경험에 대한 현재의 자기 인식과 불쾌한 생각과 감정을 기꺼이 감내하려는 의지가 필요하다.

요약

이 장의 목적은 ACT와 마음챙김 접근법의 두 가지 핵심 요소인 탈융합과 수용을 정의하고 논의하는 것이었다. 수용과 탈융합이 무엇인지, 왜 수용과 탈융합을 배워야 하는지 설명하고, 마지막으로 선수들에게 수용과 탈융합을 적용하는 방법을 설명하는 사례를 제시하는 것이 목표였다. 주요 요점은 다음과 같다.

- 인간은 끊임없이 생각하고, 느끼고, 신체 감각을 경험한다.
- 생각에 얽매이고(융합) 감정에 휘둘리면 감정이 행동을 지배할 수 있다. 엘리트 스포츠에서는 이러한 현상이 경기력에 해가 될 수 있다.
- 탈융합이란 심리적으로 한 발 물러나 3인칭 시점으로 생각을 관찰하고 생각을 있는 그대로, 즉 활동적인 마음의 산물로 볼 수 있는 능력이다.

- 수용은 자신의 내적 경험에 대한 통제적이고 판단적인 태도에서 개방적이고 비판단적인 태도로 전환하는 것으로, 불쾌한 내적 경험에 기꺼이 함께하려는 것을 의미한다.
- 효과적인 탈융합 및 수용 전략은 심리적 유연성을 높여 목표 지향적인 행동을 할 수 있도록 도와준다.
- 여러 가지 기법을 사용하여 운동선수들의 탈융합과 수용을 촉진할 수 있다. 여기에는 심리 교육, 정상화 사고, 부정적 사고 명명화 또는 꼬리표 달기, 규칙에 의문을 제기하기, 은유 사용 등이 포함된다.

참고 사항

역자가 가독성과 사례 이해의 몰입도를 높이기 위해 원문의 발레리로 기재된 이름을 리아로, 프레드를 현우라는 한국어 이름으로 바꾸었다.

참고문헌

Badra, M., Schulze, L., Becker, E. S.,Vrijsen, J. N., Renneberg, B., & Zetsche, U. (2017).The association between ruminative thinking and negative interpretation bias in social anxiety. *Cognition and Emotion, 31*(6), 1234 - 1242. doi: 10.1080/02699931.2016.1193477

Birrer, D., & Röthlin, P. (2017). Riding the third wave: CBT and mindfulness-based interventions in sport psychology. In S. J. Zizzi & M. B.Andersen (Eds.), *Being mindful in sport and exercise psychology* (pp. 101 - 122). Morgantown,WV: Fitness Information Technology.

Christoff, K., Gordon, A., & Smith, R. (2011).The role of spontaneous thought in human cognition. In O. Vartanian & R. Mandel (Eds.), *Neuroscience of decision making* (vol. 1, pp. 259 - 284). New York: Psychological Press.

Fox, K. C. R., Spreng, R. N., Ellamil, M.,Andrews-Hanna, J. R., & Christoff, K. (2015).The wandering brain: Meta-analysis of functional neuroimaging studies of mind-wandering and related spontaneous thought processes. *NeuroImage, 111*, 611 - 621. doi: https://doi. org/10.1016/j.neuroimage.2015.02.039

Grawe, K. (2007). *Neuropsychotherapy: How the neurosciences inform effective psychotherapy.* Mahwah, NJ: Lawrence Erlbaum.

Hardy, J., & Oliver, E. J. (2014). Self-talk, positive thinking, and thought stopping. In R. C. Eklund & G.Tenenbaum (Eds.), *Encyclopaedia of Sport and Exercise Psychology* (pp. 659 – 662).Thousand Oaks, CA: Sage.

Hayes, S. C., Strosahl, K. D., & Wilson, K. G. (2012). *Acceptance and commitment therapy:The process and practice of mindful change*. New York:The Guilford Press.

Koster, E. H. W., Soetens, B., Braet, C., & De Raedt, R. (2008). How to control a white bear? Individual differences involved in self–perceived and actual thought–suppression ability. *Cognition & Emotion, 22*(6), 1068 – 1080. doi: 10.1080/02699930701616591

Latinjak, A. T. (2018). Goal–directed, spontaneous, and stimulus–independent thoughts and mindwandering in a competitive context. *The Sport Psychologist, 32*(1), 51 – 59. doi: dx.doi.org/10.1123/tsp.2016 – 0044

Latinjak, A. T., Zourbanos, N., López–Ros, V., & Hatzigeorgiadis, A. (2014). Goaldirected and undirected self–talk: Exploring a new perspective for the study of athletes' self–talk. *Psychology of Sport and Exercise, 15*(5), 548 – 558. doi: doi.org/10.1016/j. psychsport.2014.05.007

Metzinger, T. (2009). *The ego tunnel: The science of mind and the myth of the self*. New York:Basic Books.

Plonsker, R., Gavish Biran, D., Zvielli, A., & Bernstein, A. (2017). Cognitive fusion and emotion differentiation: does getting entangled with our thoughts dysregulate the generation, experience and regulation of emotion? *Cognition and Emotion, 31*(6), 1286 – 1293. doi: 10.1080/02699931.2016.1211993

Rochat, L., Billieux, J., & Van der Linden, M. (2012). Difficulties in disengaging attentional resources from self–generated thoughts moderate the link between dysphoria and maladaptive self–referential thinking. *Cognition & Emotion, 26*(4), 748 – 757. doi: 10.1080/02699931.2011.613917

Russell, J. A. (2009). Emotion, core affect, and psychological construction. *Cognition and Emotion, 23*(7), 1259 – 1283. doi: 10.1080/02699930902809375

Van Raalte, J. L.,Vincent, A., & Brewer, B. W. (2016). Self-talk: Review and sport-specific model. *Psychology of Sport and Exercise, 22*, 139–148.

6

운동선수들이 전념 행동을 할 수 있도록 지원하기

차가운 발, 우는 아기, 새벽 훈련

마크 W. 아오야기, 제시카 D. 바틀리

엘리트 운동선수를 떠올릴 때 가장 먼저 떠오르는 단어는 헌신, 근성, 결단력, 추진력, 한결같음, 끈기, 끈질김이다. 이들은 모두 전념하는 태도와 관련된 것이다. 그렇기에 전념 행동은 엘리트 운동선수에게 쉽게 찾아오거나 모든 삶의 노력에 있어 그들이 지니고 있는 만연한 특성이라고 착각할 수 있다. 이 장에서는 수용전념치료(ACT; Hayes, Strosahl, & Wilson, 1999, 2012)에서 전념 행동의 과학적, 이론적 토대를 살펴보고 엘리트 운동선수가 전념에 어떻게 접근할 수 있는지 그 방법에 대해 논의할 것이다. 물론 엘리트 운동선수들이 거의 정의에 따른 전념 행동을 보인다는 것은 사실이지만, 엘리트 운동선수들도 일반 사람들이 겪는 것과 동일한 어려움을 경험한다는 것도 알고 있다. 우리는 운동선수들이 전념 행동을 잘하게 되는 경향이 있는 상황과 그러지 못해 고군분투하는 상황을 모두 살펴볼 것이다. 이 장 전반에 걸쳐 일화와 사례 예시를 통해 전념 행동의 개념을 짚어주고, 전념 행동을 어떻게 구체적으로 적용할 수 있는지 설명하려 한다.

전념 행동의 이론적 토대

ACT에서 전념 행동의 역할

ACT에서 전념 행동은 '특정 순간에 발생하는 가치 기반 행동으로, 가치에 부합하는 행동 패턴을 만드는 데 의도적으로 연결된 행동'이다(Hayes et al., 2012, p.328). 위 정의의 시간적 측면에서 특정 순간에 주목하는 것이 중요하다. 구체적으로, 특정 순간은 현재이다. 이는 전념 행동을 목표(즉, 미래에 대한 계획)나 지나간 일(즉, 과거 사건)과 구별하고, 현재에 초점을 맞추게 한다. 정의에서 강조되는 또 다른 중요한 요소는 가치이므로, 전념 행동은 가치가 명확해질 때까지 상담에서 뚜렷하게 다루지 않는다. 따라서 상담가는 일반적으로 융합, 회피, 과거/미래 지향성, 내용으로서의 자기에 대한 이해는 물론, 회기 내내 전념 행동이 일어나는 동안에도 전념 행동에 집중하기 전에 탈융합, 수용, 현재 순간과의 접촉, 맥락으로서의 자기에 대한 마음챙김 기술을 먼저 습득해야 한다.

스포츠에서 전념 행동의 역할

운동선수가 전념 행동에 참여할 수 있는 방법은 여러 가지가 있다. Harris (2009)에 따르면 전념 행동에는 네 단계가 있는데, 우선적으로 변화가 필요한 영역을 선택하고, 이 영역에서 추구할 가치를 선택하고, 그 가치에 따라 목표를 세우고, 마지막으로 행동을 취하는 단계다. 예를 들어, 운동선수가 가족관계에 집중하고 가족을 더 많이 지지하는 것을 중요하게 여긴다면, 상담가는 이 가치를 실천할 수 있는 구체적인 방법에 대해 질문할 수 있다. 그런 다음 선수가 해당 가치를 향해 나아가는 데 도움이 되는 행동(예: 부모님과의 한달에 한 번 저녁 식사하기, 여동생과의 매주 전화 통화하기)을 정의할 수 있다. 가치를 명료화하고 가치에 따른 행동이 정립되면 상담가와 선수는 가치와 행동 사이의 관계를 모니터링해야 한다. 실용적으로, 거의 모든 전통적인 행동 개입(예: 목표 설정, 노출훈련, 기술 훈련)은 전념 행동의 일부로 사용될 수 있다. 또한 수면, 영양, 운동, 시간관리, 스트레스 관리, 목표 관리 및 자기 관리 등 가치 있는 삶을 위한 것이라면 삶을 향상시키고 풍요롭게 하는 모든 행동은 경험 회피가 아닌 심리유연성의 6각형의 전념 행동 부분과 연결될 수 있다(그림 1.1).

점진적으로 다루는 영역의 크기와 폭을 늘림으로써 더 큰 전념 행동 패턴을 구축할 수 있다. 전념 행동의 더 큰 패턴이 구축되면, 선수는 그 결과로 나타나는 행동 패턴에 대해 책임을 지도록 독려 받을 수 있다. 목표 자체는 선수에게 해가 되는 행동 패턴이 아니라 선수를 위해 효과적으로 작동하기 시작하는 행동 패턴을 구축하는 것이다. 가치를 전념 행동으로 전환하는 더 큰 목표는 마음 깊은 곳에 있는 가치들에 의해 인도되는 목적 있고, 의도적인 삶을 사는 것이다(Harris, 2009). 우리가 삶에서 균형을 잃거나 삶의 방향이 없다고 느낄 때, 그 감정은 가치와 일치하지 않거나 가치에 따라 행동하지 않은 결과일 가능성이 크다. 일단 이런 불일치가 의식적으로 인식되면 이를 인정하고 가치를 전념 행동으로 전환하기 위한 발걸음을 내딛을 수 있다(Harris, 2009).

전념 행동은 또한 '자신의 가치 있는 길을 따라 특정 영역의 목표를 정의한 후 이 목표에 따라 행동하면서 이 목표를 예측하고 심리적 장벽을 위한 공간을 마련하는 것'을 포함하기도 한다(Hayes & Strosahl, 2010, p. 11). Harris (2009)에 따르면 전념 행동은 '그것이 고통과 불편함을 초래하더라도 우리의 가치에 따라 사는 데 필요한 일을 하는 것'을 의미하기도 한다(p.11). ACT에서는 가치에 따라 행동하지 않을 이유(예: 심리적 장벽)가 항상 존재하지만, 운동선수는 이러한 이유에도 불구하고 자신의 가치에 부합하는 행동을 일관되게 선택할 수 있다. 대표적인 예로 자신이 할 수 있는 최선을 다하고 자신의 상한선의 한계를 찾는 것을 중요하게 생각하는 운동선수를 들 수 있다. 그들은 최고와 경쟁해야 한다는 것을 알고 있지만, 동시에 최고와 경쟁하는 불확실성이 두려워 낮은 수준의 경쟁에 안주하거나 가장 어려운 경쟁에서 '부상'을 당하는 것이 훨씬 더 쉽다는 것을 알고 있다.

전념 행동의 정의에 따라 행동에 전념하거나 가치에 따라 생활하는 것에 대한 심리적 장애물은 예측되고 계획되어야 한다. Hayes와 Strosahl(2010)에 따르면, 장애물이 발생하는 것이 문제가 아니라 장애물을 어떻게 관리하느냐가 문제이다. 효과적인 목표 설정이나 실행을 위해서는 선수의 행동을 방해할 수 있는 장애물에 대한 솔직하고 면밀한 분석이 필요하다. 보통 장애물은 외부적 장벽도 존재할 수 있지만, 원하지 않고 괴롭히고 사적인 사건(즉, 심리적 장벽)을 촉발하기 때문에 장애물로 기능한다. 또한 한 가치가 다른 가치와 충돌할 수도 있다. 예를 들어, 운동선수가 선수로서의 성공과 가족에 대한 더 많은 관심과 지원을 중요하게 여길 수 있지만, 운동선수로서의 성공을 위한 전념 행동(예: 운동/훈련에 대한 전념)이 일면으로는 가족을 위한 전념 행동(예: 가족 휴가)을 방해할 수 있다. 마지막으로 목표와 관련하여 운동선수가 높은 성취 지향성으로 인해 결과를 매우 중시하는 것은 잘 알려진 사실이며, 그렇기 때문에 "목표는 과정이 목표가 되는 과정이다"(Hayes et al., 2012, p.331)라는 ACT에서 흔히 말하는 역설적인 표현은 선수의 목표를 성취의 결과보다는 성장과 발전의 과정에 초점을 맞추는 데 길잡이 역할을 할 수 있다.

전념 행동과 심리유연성의 6각형 활용 방법

전념 행동은 심리유연성의 6각형의 다른 측면만큼 많은 도구와 연습이 있는 것은 아니지만, ACT를 강력하게 만드는 심리적 유연성과 실용주의의 결정체라고도 할 수 있다. 전념 행동은 실효성에 관한 모든 것으로, 삶을 풍요롭고 충만하며 의미 있게 만드는 행동으로 정의된다(Harris, 2009). 엘리트 운동선수는 일반적으로 행동 지향적이기 때문에 전념 행동에 내재적으로 끌릴 수 있다. 그렇긴 하지만, 엘리트 운동선수들은 우리들만큼 불편한 생각/감정에 회피/굴복하고 가치주도적인 경로보다는 감정주도적인 경로를 따르기 쉽다. 따라서, 엘리트 운동선수들의 이 두 가지 특성(행동지향과 회피)은 전념 행동의 두 가지 일반적인 방법으로 귀결된다. 행동 지향성의 경우, 실행 계획(예: 훈련 계획, 시합 계획, 회복 계획)을 주기적으로 재검토하여 그것이 실행 가능하고, 느슨하게 유지되며, 경직되거나 비효율적이거나 실행 불가능한 규칙이 되지 않도록 하는 것이 유용하다. 회피가 발생할 경우, 심리유연성의 6각형의 구성 요소 중 어느 하나에 참여하는 것이 전념 행동이 되고, 결과적으로 앞으로 나아가는 데 효과적인 방법이라는 것을 기억하는 것이 중요하다.

탈융합, 수용, 가치, 전념 행동의 과정은 운동선수가 행동 변화에 대한 책임을 받아들이고 필요한 경우 적응하고 지속하는 데 도움이 된다. 따라서 ACT는 쉽게 변화할 수 있는 영역(예: 외현화된 행동)에 초점을 맞추고, 변화가 불가능하거나 도움이 되지 않는 영역에서는 수용/마음챙김에 초점을 맞추는 전략의 균형을 맞춘다. 전념 행동을 가로막는 장애물은 ACT의 다른 다섯 가지 핵심 과정을 활용하여 극복할 수 있다. 특히, 현재 순간과 접촉한다는 것은 심리적으로 현재에 존재한다는 것을 의미한다. 우리는 생각에 사로잡히거나 자동 조종 장치를 가동한 채 살기 쉽다. 운동선수가 목표(즉, 미래에 대한 다짐)와 전념 행동(즉, 현재의 행동)을 혼동할 때 현재 순간에 접촉하기 어려워진다. 예를 들어, 운동선수가 홈 개막전에서 먼저 이겨야 하는 상황인데도, 나중에 있을 전국 선수권 대회에 너무 몰두할 수 있다. 또한 선수가 과거(예: 패배에 대한 반추)에 매몰되어 결과적으로 현재의 기회를 놓칠 수 있겠다. 맥락으로서의 자기는 개념으로서의 자기와는 대조적으로 관찰자로서의 자기 또는 순수한 인식을 강조한다. 생각과 느낌, 정서는 변하지만 그것들을 관찰하는 것은 결코 변하지 않는다. 개념화된 자기와 융합되면 전념 행동에 장애물이 될 수도 있다. 예를 들어, 어떤 선수가 "나는 누구만큼 재능이 없는 것 같다"는 생각에 사로잡히면 "어차피 재능도 없는데, 괜한 노력을 할 필요가 없다"는 생각이 이어지며, 그 선수가 당장 해야 할 성공적인 훈련을 방해할 수 있다. 반대로, "나는 누구만큼 재능이 없다"는 생각은 단지 내 생각 속의 하나의 이야기일 뿐이라는 것을 인식할 수 있는 운동선수라면, 지속적인 훈련과정이 고통스러울 때에도 마음속으로(다시) 전념 행동에 참여할 수 있는 훨씬 더 나은 위치에 있을 것이다.

동기 부여와 전념

동기 부여는 스포츠 심리학 문헌에서 인기있는 주제이며 동기 부여와 전념을 구별하는 것은 중요하다. 이론적 관점에서 볼 때 동기는 특정 활동에 참여하는 이유와 관련이 있는 반면, 전념은 활동에 참여하는 것과 직접적으로 관련이 있다. 따라서 동기는 전념의 기초가 되지만, 전념의 행위 버전(즉, 전념 행동)에서는 동기가 가치에 뿌리를 둔 경우에만 전념 행동이 될 수 있다. 따라서 전념 행동 작업에 앞서 일반적으로 가치 식별, 개발 및 가치 명료화 작업이 선행되어야 한다.

가치가 확인되면 가치 있는 삶과 일치하는 모든 움직임이나 행동이 전념 행동으로 간주된다. 운동선수들이 동기를 설명할 때 일반적으로 그 동기가 어떻게 느껴지는지에 초점을 맞추는데, 이렇게 동기가 감정과 동일시되면 동기는 감정여부에 따라 있다가도 사라질 수밖에 없는 것으로 인식될 수 있다. 반면에 전념은 행동에 기반을 두고 있으며, 운동선수는 ACT의 기술을 활용하여 특정 느낌(또는 생각)에 관계없이 생산적인 행동에 참여할 수 있다. 전념은 운동선수가 앞으로 나아가는 길이 항상 쉽거나 즐겁거나 생산적이지는 않다는 것을 의미한다. 만약 그런 긍정적인 감정 상태가 보장된다면 전념은 필요 없을 것이다. 오히려 전념은 그 여정이 어느 순간은 지저분하고 고통스럽고 어려울 것임을 인정하는 것이므로 가치 있는 삶을 살기 위해 전념은 반드시 필요하다고 하겠다. 이해를 돕기 위해서 예를 들어보겠다.

차가운 발

경민[1]은 첫 프로팀에 입단하자마자 즉각적인 성공을 경험했다. 드래프트 후반 라운드에 지명되었음에도 불구하고 그는 트레이닝 캠프의 스타 중 한 명이었으며 팀에서 중요한 역할을 맡았다. 그는 시즌 첫 경기에서 활약한 단 두 명의 신인 중 한 명이었다. 그는 몇 가지 플레이를 자신의 방식대로 할 수 있었고 자신감이 치솟았다. 그러던 중 시즌 초반에 그는 경기의 전환점이 되는 결정적 실책을 저질렀고, 결국 그 날 경기는 패배로 끝났다. 경민은 흔들렸지만 겉으로는 여전히 자신감이 넘쳤다. 다음 경기에서도 같은 실수가 나왔기 때문에 내면은 또 다른 어려움을 보이기 시작했다. 경기 후 실수가 발생했을 당시의 자신의 플레이에 대해 이야기하면서 경민은 자신의 앞에 있는 선수가 수비 위치를 벗어난 것을 발견하기 직전까지는 괜찮았다고 말했다. 그 순간 그는 갑자기 팔다리가 마비되고 머릿속이 하얘지는 것을 느꼈다고 했다. 희한하게도 팔과 손이 전혀 반응하지 않았고, 그 결과 공을 잡을 수 없게 된 것이 결정적 실책으로 이어진 것이다. 경민의 이야기를 듣던 중 차가운 발이라는 이미지가 떠올랐고 그는 이 은유를 쉽게 받아들였다. 그는 자신이 플레이에 흥분했다고 생각했지만, 그 선수가 제자리에서 벗어난 것을 발견하자 갑자기 잘못될 수 있는 모든 상황이 떠올랐고 팔다리를 제어할 수 없게 되었다. 우리는 그 상황을 겪은 우리의 내면에서 무슨 일이 있었는지 살펴보고 ACT 심리 유연성의 6각형 내에서 해결해야 할 몇 가지 영역을 확인했다. 그는 현재 순간과의 접촉을 잃었고(플레이가 일어나기 전에 잘못될 수 있는 모든 것을 떠올렸음), 여러 생각(예: “내가 또 실수하면 명단에서 배제되거나, 팀에서 내 자리를 잃을 거야”)에 융합되었으며, 경기 전 일주일 동안 그는 지난 주에 있었던 모든 상처받은 감정(예: 실망, 불안)을 회피하고 있었다. 우리는 주로 경민의 발을 땅에 대고 손가락 끝을 비비면서 현재 순간에 대한 접촉, 수용 및 탈융합을 위해 노력했다. 경민은 높은 자신감을 가지고 있었기 때문에 불안을 느끼면서 수행을 할 수 있다는 생각은 그에게 전환점이 된 큰 변화였다. 실제로 그는 발과 손가락 끝에 주의를 기울이고 땅과 손가락을 느끼는 것이 시각적 신호에 집중하고 마음을 비우는 데 도움이 된다는 것을 알게 되었고, 연습 경기에서 어느 정도 성공을 거두자 자신의 생각/감정을 받아들이고 성공에 도움이 되는 행동(즉, 발을 땅에 대고 손가락을 느슨하게 하고 공에 집중하는 것)을 할 수 있게 되었다. 이후 다음 경기에서 경민은 자신이 선발 출전할 지도 모른다는 불안감이 커지는 것을 인지하게 되었고, 자신이 배우고 있는 인식 및 수용 기술을 활용하여 자신의 발을 땅에 대고 손가락 끝을 문지르는 루틴에 (다시) 전념할 수 있었다. 경민은 이를 통해 현재 순간과 접촉하면서, 플레이의 전략과 전술은 물론 경기를 성공시키는 과제 관련 신호(예: 자신을 향해 날아오는 공의 궤적)에 보다 집중할 수 있게 되었다.

우는 아기

정호는 경민과 같은 클래스 출신의 또 다른 신인 야구선수였다. 그는 드래프트 1라운드에 지명되어 더 많은 기대를 받았지만 경민과 비슷한 행보를 보였다. 정호 역시 트레이닝 캠프 초반에 선발로 지명되었다. 그는 성실함과 노력, 따뜻한 마음씨를 가진 선수로 빠르게 유명해졌다. 또한 그는 어린 아들의 아버지이기도 해서 가족과 부성애를 중심으로 팀내에서 유대감을 형성했다. 정호는 기복이 많았지만 자신의 자리를 대신할 사람이 없었기 때문에 시즌 내내 시련이 될 것이라는 것을 알았고, 이는 그의 승부근성과 경기에 대한 열정에 잘 맞았다. 그는 성장통을 극복하고 리그 최고의 선수로 자리매김하는 것 이외에는 아무것도 원하지 않았다. 젊은 선수들은 대학 시즌이 끝나고 드래프트 준비, 미니 캠프, 새로운 도시로 이사, 트레이닝 캠프 시작까지 오프시즌이 짧거나 아예 없는 경우가 많기 때문에 트레이닝 캠프에서 '벽에 부딪히는' 경우가 흔하다. 정호의 에너지가 그를 끝까지 이끌었고, 그는 비교적 활기찬 모습으로 캠프를 마쳤다. 시즌 중반을 지나면서 정호는 끊임없이 자신을 몰아붙이고 밀어붙이는 훈련에 지쳐갔다. 그는 더 이상 예전과 같은 에너지와 흥분, 열정을 지속적으로 만들어낼 수 없었다. 정호는 지쳐 있었고 자신의 트레이드마크인 열정이 사라지면 자신은 성공할 수 없을 것이라고 믿었다. 그와 이 문제를 논의하면서 동기 부여와 전념의 차이에 대해 이야기했다. 정호는 자신이 동기를 잃었고, 동기가 없으면 성과가 저조할 것이라는 생각에 사로잡혀 있었다. 앞의 사례인 경민과 마찬가지로 그도 생각과 감정과 싸우는 동시에 미래와 팀에서의 자신의 자리에 대해 걱정하는 통제 의제에 빠져 있었다. 정호가 가족을 얼마나 소중히 여기는지, 아버지로서 자신의 어린 아들이 새벽 3시에 울었을 때 얼마나 의욕이 넘쳤는지 물어봤는데, 언어적인 부분은 지면에 싣기에 적합하지 않지만 비언어적인 답변에서 귀중한 것을 볼 수 있었다. 그에게 아기를 돌보러 갈 동기는 따지자면 없는 것이나 다름없었지만, 힘들어도 아이를 돌보는 행동에 참여한 것이다. 다행히도 그는 프로 운동선수에게 휴식과 회복이 필요하다는 것을 이해하는 매우 지지적인 파트너가 있었다. 시즌이 시작되기 전에도 의욕이 없었어도 한밤중에 아기를 도와주던 때가 있었음을 떠올릴 수 있었다. 다시 말하지만, 정호는 탈융합, 수용, 현재 순간과의 접촉 연습을 통해 동기 부여 여부와 상관없이 자신이 가치 있게 여기는 길(최대한 노력과 열정을 다해 경기에 임하는 것)에 도달할 수 있다는 것을 깨달았다. 항상 자신의 동기 부여에 자부심을 가지고 있던 정호에게 이는 상당히 낯선 영역이었으며, 특정 날에 80%만 동기부여가 제공되어도 그 80%에서 100%를 발휘할 수 있다는 것을 이해하기 위해 상당한 수준의 인지적 유연성이 필요했다. 정호에게 더 어려웠던 것은 신체적, 정서적으로 더 많은 것을 가지고 시합에 임할 수 있도록 연습에 대한 노력을 조금은 줄여야 한다는 사실을 받아들이는 것이었다. 정호가 파악한 핵심 행동은 기운이 없을 때 연습/경기가 끝날 때까지 얼마나 남았는지를 카운트다운을 시작하는 것인데, 이로 인해 현재의 순간에서 벗어나 집중력을 잃는다는 것이었다. 그는 현재에 집중하기 위해 '이 플레이'라는 특정 문구(만트라)를 개발했고, 새로운 플레이로 전환할 때마다 이 루틴을 실천하기 위해 노력했다. 정호는 탈융합 훈련을 활용하고, 자신의 가치를 굳건히 지키며, 루틴에 충실함으로써 남은 시즌 동안 상당한 발전을 이룰 수 있었다.

새벽 훈련

앞서 살펴본 바와 같이, 결혼식이나 기타 중요한 약속을 앞두고 불안해하고 걱정하는 일상적인 경험은 현재 순간과의 접촉 단절(너무 먼 미래를 생각함), 회피(두려움과 불안이 일어날 것 같음), 융합("나는 자격이 없다", "나에 대한 감정이 변하면 어쩌지?", "내 진짜 모습을 알면 어떻게 하지?")의 예로 보일 수 있다. 어린 자녀를 둔 부모인 우리는 '우는 아기' 은유에 부분적으로 공감하지만, 많은 엘리트 운동선수들은 이에 직접적으로 공감하지 못할 수도 있다. 하지만 대부분의 사람들은 새벽 3시에 일어나 우는 아기를 도와줄 동기가 별로 없다고 생각하기 쉽지만, 사랑하는 부모가 되고자 하는 우리의 전념은 아기를 확인하기 위해 침대에서 튀어나올 수 있게 해준다(물론, 배우자가 먼저 일어나는지 기다렸다가 비틀거리며 침대에서 나올 수도 있다). 모든 엘리트 육상 선수들이 공감할 수 있는 것은 새벽(또는 춥거나, 비가 오거나, 눈이 오거나, 덥거나, 습하거나, 지루한 등을 경험하게 되는) 훈련이다. 다시 말하지만, 선수들은 종종 훈련에 갈 동기를 느끼지 못하지만 자신의 핵심 가치가 자신을 인도하도록 허용하면 거의 항상 훈련에 참여하게 될 것이다. 무엇보다 가장 전념할 수 있는 선수는 훈련에 참여할 뿐만 아니라 신체적, 정신적으로 훈련에 몰입할 것이다.

전념작업을 수행할 때의 조언, 일반적인 도전과제 및 함정

타이밍에 대한 조언

Harris(2009)는 심리적으로 유연한 운동선수는 심리유연성의 6각형의 다른 핵심 프로세스에 대한 작업 없이도 가치와 전념 행동으로 작업을 시작할 수 있다고 제안했다. 이는 분명 엘리트 운동선수와 함께 일할 때 흥미로운 (그리고 유혹적인) 옵션이며, 모든 엘리트 운동선수가 심리적으로 유연한 것은 아니기 때문에 선수들에 대해서 철저한 정보 수집 및 평가를 하는 것이 중요하다(예: Aoyagi, Poczwardowski, Statler, Shapiro, & Cohen, 2017). 궁극적으로 전념 행동을 언제, 어떻게 시작할지는 상담가와 운동선수가 함께 결정해야 한다.

전념은 두려움을 불러 일으킨다

전념 행동의 핵심 과제는 '가치 있는 행동에 참여하는 것은 항상 어떤 식으로든 심리적 내용을 자극한다는 것'(Hayes et al., 2012, p.336)이다. 따라서 전념 행동 작업은 일반적으로 심리유연성의 6각형의 다른 측면 중 많은 부분 또는 전부를 순환하게 되므로 행위 과정에 대한 참여가 반복되는 것을 알 수 있다. 다르게 말하면, 전념 행동은 FEAR라는 두려움(융합, 과도한 목표, 불편함을 회피, '가치로부터의 멀어짐'의 앞글자)을 불러 일으키며, 이는 DARE 전념(탈융합, 불편함 수용하기, 현실적인 목표갖기, '가치를 포용하기'의 앞글자)으로 극복될 수 있다(Harris, 2009). 모두 FEAR에 기반을 두고 있지만 엘리트 운동선수의 추가적인 구체적인 도전은 실패에 대한 두려움과 가치가 서로 충돌하는 것으로 이루어져 있으며, 일부 함정은 전념이 엄격한 규칙이 되어 나타나는 결과이다(예를 들어, 결과를 기준으로 과정을 평가하는 것. 즉, 경기에서 이겼으니 우리는 분명히 잘했을 것이다.).

엘리트 운동선수는 공개적인 무대에서 수행하기 때문에 실패에 대한 두려움은 거의 항상 경험할 수 있는 요소이다. 때때로 실패에 대한 두려움은 유용한 동기 부여가 될 수 있기도 하지만, 동시에 극심한 불안으로 이어져 경기력을 저해시킬 수 있다. ACT의 관점에서 볼 때 실패에 대한 두려움은 운동선수가 자신의 생각과 감정을 얼마나 주의 깊게 관찰할 수 있는지에 따라 결과가 달라진다. 운동선수에게 실패는 기량 향상에 있어 피할 수 없는 부분이기 때문에 모든 엘리트 운동선수는 경력에서 어떤 형태로든 실패를 경험하게 될 수밖에 없다. 그렇기는 하지만, 엘리트 운동선수에게 과거의 일로 여겨질 수 있으며, 따라서 실패는 패배자를 위한 것이라는 생각에 융합되기 쉽다. 이러한 생각에 융합될 때 엘리트 운동선수는 위험을 감수하지 않으려 한 채로 '안전한 플레이'를 중시하기 시작할 수 있으며, 이는 종종 훈련, 기량의 성장을 방해하며, 궁극적으로 경기력의 저하를 초래할 수 있다. 이러한 유형의 실패에 대한 두려움에 대한 해독제는 기꺼이 나빠 보이거나 실패하는 것을 허용하는 것이다. 기꺼이 행동하는 것이 탈융합 및 수용과 결합되면 엘리트 운동선수는 지속적인 엘리트 경기수행에 필요한 위험과 도전을 감수할 수 있도록 한다.

가치가 서로 충돌할 때

전념 행동에 대한 또 다른 일반적인 도전은 다음 사례에서 볼 수 있듯이 한 가지 가치가 다른 가치와 충돌하거나 간섭하는 경우이다.

지희는 원반던지기 종목에 출전하는 30세의 미국 육상 선수이다. 그녀는 현재 해당 종목의 미국 신기록 보유자이며 미국 육상 선수권 대회에서 꾸준히 메달을 획득하고 있다. 2008년과 2012년에 올림픽에 출전했지만 아쉽게도 2016년 올림픽 출전권을 놓쳤다. 지난 올림픽 이후, 그녀는 동료 육상 선수와 결혼하여 캘리포니아주 출라비스타에 거주하며 두 사람 모두 훈련을 계속하고 있다. 남편은 최근 육상 선수에서 은퇴했지만 지희는 2020년 도쿄 올림픽에 다시 출전하기로 결심했다. 지희는 선수로서의 야망도 중요하지만 결혼 생활도 소중히 여기고 있으며, 훈련 일정과 계속되는 여행으로 인해 남편과 함께 시간을 보내는 것이 점점 더 어려워지고 있다는 사실을 깨닫기 시작했다. 지희에게 이 두 가지 가치가 모두 매우 중요하기 때문에 그녀는 결혼 생활을 우선시하면서 선수경력의 야망을 추구할 수 있는 방법을 찾고 있다. 다음 세션에서 지희는 훈련 일정에 변경할 수 있는 몇 가지 사항(예: 남편이 일하는 동안 훈련할 수 있는 시간 예약잡기)을 파악하고 집에 더 많이 머물 수 있도록 여행 일정을 재조정할 수 있었다. 또한 남편이 참여할 수 있는 몇 가지 훈련(예: 달리기, 수영, 하이킹, 자전거)을 파악할 수 있었다. 지희는 매일 우선순위를 정하고 자신의 가치에 더 많이 맞추기 위해 노력하고 있다는 것을 받아들여야 했다. 남편이 일하는 동안 훈련을 할 수 있고 남편과 함께 하이킹을 할 수 있을 때마다 자신의 가치에 맞는 삶을 사는 데 더 가까워지고 있다는 사실을 인식할 수 있었다. 또한 지희는 자신이 한 번에 한 가지 가치에 따라 행동하고 있으며, 그 순간에 가능한 가치에 전념할 수 있다는 것을 인정할 필요가 있다는 것을 깨닫는 것도 중요했다. 앞서 설명한 것처럼 일반적으로 갈등은 극복될 수 있지만, 거기에 도달하기 위해서 수행되어야 할 전형적으로 많은 탈융합과 수용 작업이 필요하다.

전념 행동의 규칙: 가치에 대한 전념은 결코 규칙에 따라 살지 않는다.

엘리트 운동선수들이 전념 행동을 할 때 주의해야 할 가장 큰 함정은 가치와 전념이 유연한 이정표가 아니라 경직된 규칙이 될 가능성이 있다는 점이다. 예를 들어, 많은 운동선수들이 '엘리트가 된다는 것은 일주일에 항상 X시간의 훈련을 해야 한다는 것을 의미한다'는 규칙(가치라고 생각하는)에 따라 생활한다. 이는 열심히 노력한다는 가치에 대한 융통성 없는 관점(가치 이상의 규칙)으로, 운동선수가 지치거나 부상 직전에 처했을 때 독이 될 수 있다. 일반적으로 운동선수의 전념 행동에 대한 설명에 '항상', '절대', '해야 한다/요구된다'와 같은 단어가 포함되기 시작하면, 이는 종종 운동선수가 너무 경직되어 가치에서 규칙으로 전환되었다는 신호이다.

이러한 함정은 완벽주의적 성향, 다소 꼼꼼하고 집요하며, 강박적인 사고와 행동, 자기애 등 운동선수가 최정상급 선수가 될 수 있는 여러 가지 특성과 맞닿아 있다. 이러한 특성은 직업 윤리, 목표 지향적 행동, 성취 지향성으로 나타나며, 이는 모두 전념 행동으로 나타난다. 실제로 전념 행동으로 이어질 수 있다. 그러나 우리의 경험에 따르면 엘리트 선수들의 행동은 엄격한 규칙과 심리적 유연성이 없는 통제 의제에 의해 주도되는 경우가 더 많다. 즉, "행복하고 만족하기 위해서는 ________(반드시 우승, 세계 랭킹 1위, 세계 신기록 달성 등)을 해야 한다"라고 말하는데, (아쉽게도 '가치있는worthy' 단어가 여기에 잘 어울린다) 이러한 행동은 융합과 회피에 의해 주도되며, 현재 순간은 현재 자신이 원하는 성취를 이루지 못했다는 것을 상기시키기 때문에 실제로 회피 대상이 될 수 있다. 미래에 대한 성과에 기대와 만족을 지연시키는 탁월한 능력이 엘리트 운동선수들에게 어쩌면 가치를 따르지 않고 규칙에 따르게 되는 이미 취약한 함정임이 분명하다.

결과보다는 과정에 전념하기

함정을 피하거나 함정에서 벗어나려면 스포츠 심리학 전문가들이 사용하는 도구 중 가장 지루하고 진부한 도구인 과정에 집중해야 한다. 운동선수가 과정에 집중할 수 있도록 돕고 지속적인 탈융합 작업을 병행하면 운동선수가 현재에 더 머무르고 목표, 신념, 행동에 덜 경직될 수 있다. 효과적인 것으로 밝혀진 한 가지 방법은 운동선수들이 결과/완벽함보다는 과정에 집중하도록 돕는 것이다. 개선에 초점을 맞추면 엘리트 운동선수들의 경쟁적이고 성취 지향적인 욕구를 충족시키는 동시에 현재의 순간을 더 많이 경험하고 수용적이고 유연한 사고방식을 가질 수 있다.

이와 관련하여 스포츠에서는 행동이 가치에 기반했는지 여부보다는 승패에 미치는 영향에 따라 판단되는 경우가 많기 때문에 전념 행동에서 우회하게 되는 현상인 결과주의(Duke, 2018)가 발생한다. 결과주의는 과정의 질이 결과의 질과 너무 밀접하게 연관되어 있거나 심지어 완전히 같은 것으로 착각하는 경우로, 스포츠에서 흔히 "이기기만 하면 모든 병이 낫는다"라고 표현되는 방식이다. 즉, 원하는 결과를 얻으면 그 과정을 너무 세심하게 살피지 않을 가능성이 높다. 더 큰 문제는 패배가 수반되면 특정 날에 결과로 보상을 받지 못했을 뿐이지 효과적인 과정이었음에도 불구하고 그 과정이 자동으로 무가치한 것으로 변질된다는 것이다. 이러한 시나리오에서 가치 중심 행동의 부재는 항상 '현재 진행 중'이라는 핵심 단어가 빠진 것으로 파악할 수 있다. ACT 관점에서 볼 때, 가치는 지속적으로 행동하고자 하는 방식이다. 다시 말해서, 그 행동이 가져올 수 있는 승패나 특정한 결과에 관계없이, 가치에 대한 전념의 수준이 존재한다는 것이다. 물론 앞의 예에서처럼 가치는 경직되지 않고 가볍게 여겨져야 하지만, 가치가 너무 느슨하게 유지되거나 승패에 따라 바뀐다면, 진정한 가치가 아니다. 진정한 가치는 지속적이고 보편적인 특성이며, 적절하게 식별되고 공식화된다면, 그 가치는 전념 행동을 유도하고, 전념에 내재된 고유한 도전과제를 포용할 수 있게 한다.

결론

가치와 전념의 순환적 특성을 언급하며 이 장을 순조롭게 마무리하면 좋을 것 같다. 종종 역설적인 ACT의 특성에 따라, 전념 행동이 ACT의 종착점이자 시작점으로 쉽게 간주될 수 있다. ACT 상담은 운동선수가 상담에 참석하겠다고 의사를 보이는 전념 행동을 취하는 것으로 시작되며, 보통 상담은 운동선수가 상담 과정의 결과뿐 아니라 더 중요하게는 운동과 삶에서 취한 전념 행동의 결과로 종결되는 경우가 많다.

참고 사항

1. 경민, 정호, 지희는 실제 운동선수이지만 이름과 기타 세부 사항은 신원 보호를 위해 각색하였다. 역자가 가독성을 높이고 사례 이해의 몰입도를 높이기 위해 원문의 아이작, 게리, 라일리를 각각 경민, 정호, 지희라는 한국어 이름으로 바꾸었다.

참고문헌

Aoyagi, M.W., Poczwardowski,A., Statler,T., Shapiro, J. L., & Cohen,A. B. (2017).The performance interview guide: Recommendations for initial consultations in sport and performance psychology. *Professional Psychology: Research and Practice, 48*, 352–360. http:// dx.doi.org/10.1037/pro0000121

Duke, A. (2018). *Thinking in bets: Making smarter decisions when you don't have all the facts*.New York: Portfolio/Penguin.

Harris, R. (2009). *ACT made simple*. Oakland, CA: New Harbinger Publications, Inc. Hayes, S. C., & Strosahl, K. D. (Eds.). (2010). *A practical guide to Acceptance and Commitment Therapy*. New York: Springer.

Hayes, S. C., Strosahl, K. D., & Wilson, K. G. (1999). *Acceptance and Commitment Therapy:An experiential approach to behavioral change*. New York:The Guilford Press.

Hayes, S. C., Strosahl, K. D., & Wilson, K. G. (2012). *Acceptance and Commitment Therapy:The process and practice of mindful change*. New York:The Guilford Press.

2부

적용 사례와 훌륭한 사례들, 그리고 심리상담가로서 마주치는 어려움

7

동기 상실, 경력 단절, 재기, 그리고 올림픽 메달까지

올림픽을 앞둔 수영 선수와 함께 일한다는 것

카스텐 흐비드 라센, 크리스토퍼 헨릭센

프롤로그

마침내 그녀가 거기에 있었다. 얼마 지나지 않아 그녀의 이름이 호명되고 리우데자네이루 올림픽 시상대에 가장 높은 자리에 올랐다. 시상대 위에서 그녀는 여러 복잡한 감정이 떠올랐다. 기쁨과 열정, 그리고 무엇보다도 지난 경험에 대한 감사함이었다. 절망감이 들었던 순간이 교차하며 올림픽 이후 일어날 일에 대한 생각도 스쳐지나갔다. 18년 동안 선수생활을 하면서 수영은 그녀의 삶에서 가장 중요한 요소였다. 그녀는 4살 때부터 수영을 시작했고, 2010년, 첫 국제 대회에 참가했다. 하지만 국제 대회에서 메달을 많이 딴 것은 아니었다. 아주 어렸을 때부터 대회에 출전했지만 메달리스트가 되는 그 길은 결코 순탄치 않았다. 올림픽이 열리기 직전 해에는 고비가 너무 많았고, 그 고비도 그녀가 감당하기에는 너무 컸다. 그녀는 더 이상 행복하지 않았고, 상당히 지쳐 있었다. 한동안 비틀거리며 삶을 이어가던 그녀는 어느 날 그냥 거기서 멈추어 버렸다. 그리고 그녀는 자신만의 길을 찾기 위해 수영을 그만두겠다고 결심했다. 그녀는 자신이 왜 수영을 했었는지 다시금 깨닫고 수영을 다시 시작할 수도 있고, 다시는 수영을 하지 않을 수도 있다는 것을 알고 있었다. 수영을 그만두기로 결심한 날을 되돌아보면, 그녀는 그 순간을 선수생활의 전환점이라고 표현한다. 마침내 그녀는 스스로 대표팀에 전화를 걸었다. 그것은 그녀의 선택이었고, 스스로를 위해 한 일이었다. 그녀는 항상 자신의 기량을 의심하는 운동선수였다. 그녀는 자신의 선수경력을

> 탁월함과 경쟁에 대한 열정을 바탕으로 정상에 오르기 위한 험난한 여정이라고 설명한다. 선수 생활을 중단한 후, 그녀는 수영을 하지 않아도 행복할 수 있다는 것을 깨달았다. 평생 수영을 위해 달려왔지만, 수영과 무관한 인생의 가치가 있다는 것을, 그리고 그것을 추구하는 것이 의미가 있다는 것을 깨달았다. 수영을 하지 않던 어느 날, 불현듯 그녀는 다시 수영을 시작하기로 결심했지만, 자신만의 방식으로 시작하기로 했다. 전보다 운동 이외의 삶에서 일어나는 일들에 더 집중하고, 삶의 균형을 더 추구하기로 한 것이다. 휴식은 수영 선수로서의 선수경력과 열정을 되살리게 하는 계기가 되었고, '훈련-식사-회복-반복훈련의 기계'에 갇혀 있을 때는 불가능하다고 생각했던 자신의 생활을 다시 돌아볼 수 있는 중요한 시간이었다. 지금도 그녀는 휴식 없이 올림픽의 스트레스와 압박을 이겨낼 수 없었을 거라고 생각하고 있다. 그녀 자신의 말을 빌리자면, 운동선수로서 자기 자신을 찾아 그 순간이란 현재의 선물을 받는 법을 배워야 했다.

이 장은 리우데자네이루 올림픽 이전과 올림픽 기간 동안 한 올림픽 수영선수를 도운 제1저자(카스텐 흐비드 라센)의 작업을 통해 엘리트 수준의 선수들과 함께 일하는 과정을 실제로 보여주려고 한다. 이 사례 자체는 선수의 성공담이지만 수영 선수로서의 정체성에 어려움을 겪고 동기를 잃고 최악의 시기에 휴식을 취하고 새롭게 마음을 다잡고 올림픽에서 최고의 성과를 거둔 한 수영 선수에 관한 이야기이기도 하다. 먼저, 맥락과 전문적인 철학을 설명하고 탁월한 수행 환경에 진입하기 위해 그동안 몇 가지 깨달음을 독자들과 공유하려고 한다. 이어서, 올림픽을 향한 험난한 여정, 올림픽 경기, 올림픽 이후의 세 단계로 나누어 사례에 대한 설명을 전개해 나가겠다.

맥락과 직업 철학

우리는 덴마크 엘리트 스포츠 연구소인 팀 덴마크에서 일하고 있으며, 둘다 스포츠 심리학 박사 학위를 취득하고 10년 이상 스포츠 심리학 전문가로 활동한 경력을 가지고 있다. 우리는 여러 팀과 개인 종목 선수들과 함께 일해왔다. 우리가 제공하는 주요 업무는 선수들이 주요 대회(세계 선수권, 유럽 선수권 대회, 올림픽 등)에서 좋은 성적을 거둘 수 있도록 준비하는 것이며, 임상 심리학, 조직 심리학, 수용전념치료(ACT)를 전공한 심리학자들의 지속적인 지도감독을 받고 있다. 팀 덴마크는 엘리트 스포츠 활동(훈련, 캠프, 대회 등)에 대한 재정 지원은 물론 전문가(예: 영양사, 경기력 분석가, 물리치료사, 체력 및 컨디셔닝 상담가, 스포츠 심리학자 등)을 파견하여 선수들과 함께 일할 수 있도록 지원하고 있다. 2008년 팀 덴마크는 덴마크 엘리트 선수들에게 제공되는 응용 스포츠 심리학 서비스의 품질과 일관성을 향상시키기 위해 스포츠 심리학 팀을 설립했다. 최적의 스포츠 심리학 개입을 위해서는 일관성 있는 서비스 전달 모델이 필요하다고 제안되고 있다(Poczwardowski, Sherman, & Ravizza, 2004). 따라서 팀의 첫 번째 과제는 직업 철학을 수립하는 것이었으며, 이 철학은 다섯 가지 수준 간의 일관성을 기반으로 한다(Henriksen, Diment, & Hansen, 2011). 첫 번째 수준은 스포츠 심리학의 비전을 공유하는 것이다. 즉 엘리트 선수들이 선수경력 내내 스트레스를 줄여주고, 선수들이 소진되어 나가떨어질 위험을 감소시키고, 도움이 되는 수행 기술을 습득함으로써 삶의 의미와 가치를 경험한다는 것으로 정의한다. 두 번째 수준은 팀의 기본 신념과 가치를 제시하며 선수, 코치 및 엘리트 스포츠의 본질에 대한 기본 신념과 가치에 대한 철학을 포함한다. 현재 사례와 관련하여, 기본적인 신념은 선수들이 갖게 되는 의심과 걱정은 엘리트 스포츠에서 자연스럽고 불가피한 부분이라는 것이다. 따라서 우리는 정신력을 어려운 생각과 감정에 직면했을 때라도 동기와 가치에 따라 행동하는 능력으로 정의한다. 세 번째 수준에서는 어떻게 개입할지에 대한 심리 이론을 설명한다. 이러한 이론은 덴마크 엘리트 선수들이 엘리트 선수로서 삶의 의미와 가치를 경험하면서 세계 최고 수준의 기량을 발휘할 수 있는 적절한 정신력을 갖추도록 하는 전반적인 목표와 연결되며, 실존적, 생태학적, ACT 접근법을 모두 포함한다. 네 번째 수준은 팀 덴마크의 스포츠 심리 모델을 제시하며 팀 덴마크의 작업 내용과 중요시되는 초점을 설명한다. 이 모델은 피라미드 모양을 하고 있으며, 세 가지 수준의 주의력을 강조한다. 가장 근본적인 수준은 선수 개인의 가치와 스포츠에 대한 동기이다. 다음 단계는 엘리트 선수로서의 삶을 설명하고 회복 및 시간 관리와 같은 기술로 구성된다. 피라미드의 맨 꼭대기에는 집중력 및 감정적 대처와 같이 경기 상황에서 직접적으로 해볼 만한 기술이 제시된다. 다섯 번째 수준은 제공되는 서비스를 설명하며 챔피언십을 위한 심리 지원뿐 아니라 개인 및 팀 상담세션을 포함한다. 좋은 개입이란 이 다섯 가지 수준 모두에서 일관성을 충족하는 것이다(Henriksen, Hansen, Diment, & Larsen, 2016).

탁월한 성과를 내는 환경으로 진입하기

팀 덴마크에서는 심리상담가가 하나 이상의 스포츠 종목을 담당한다. 우리는 해당 경기 종목에서 장기적인 관계를 유지하는 것을 목표로 하지만(적어도 올림픽 주기 동안, 종종 그 이상), 때때로 조직을 재정비해야 할 때도 있다. 심리상담가가 새로운 스포츠 종목을 맡을 때 가장 중요한 것은 단순히 좋은 출발을 하는 것이다. 이는 선수, 코치, 관리자(상담가의 역할에 대해 서로 다른 생각을 가질 수 있는)와 동시에 신뢰 관계를 구축하고, 진정한 관심과 배려를 보여주면서 동시에 팀 성과에 변화를 가져올 수 있음을 보여주는 것을 포함한다. 또한 팀 문화를 이해하려는 호기심을 가지고 인내심을 발휘하고 팀 문화를 존중하는 동시에 최적화 가능성을 볼 수 있는 분석 능력을 발휘하는 등 다양한 도전과제를 수행할 수 있음을 의미한다.

코펜하겐에 위치한 수영 국가대표 트레이닝 센터(NTC)에는 16명의 국가대표 수영 선수들이 훈련을 하고 있었다. 두 명의 코치가 풀타임으로 근무하고 있었고, 영양사, 생리학자, 피지컬 트레이너 등 관련 전문가들이 있었다. 2015년 5월, 올림픽을 1년 반 정도 앞둔 시점에 나(카스텐 흐비드 라센)는 NTC에 합류했는데, 처음 몇 달 동안은 관찰하기와 비공식적인 대화를 통해 팀 내 관계를 맺고, 소통을 하면서 주요 핵심 인물들을 파악하는 데 집중했다. 팀의 일원이 되면 대회에 참가하고, 훈련 캠프에 참가할 수 있으며, NTC의 일상 생활과 훈련 세션에 정기적으로 참여해야 한다. 이 기간 동안 나는 선수 및 코치들과 개별 인터뷰 및 상담 세션을 진행했다. 이 세션에서 나는 선수 개개인의 강점과 약점, 그리고 긴장감 넘치는 경기 상황에서 좋은 성적을 거둘 때와 역경이 닥쳤을 때 어떻게 대처해야 하는지에 대한 통찰력을 얻었다. 또한 프랑스 남부에서 열린 세계 수영 선수권 대회에 참가했을 때, 수영 선수들이 실제로 압박감과 역경을 경험하는 모습을 목격했다. 그 경기에서 팀의 역동성, 의사소통, 선수들이 압박과 역경에 어떤 수준에서 대처하고 있는지 가까이서 관찰할 수 있었다. 처음에 나의 목표는 선수들과 코치와의 관계를 구축하고 신뢰를 얻는 것이었다. 선수들이 NTC에서 나의 역할에 더 익숙해지면서 개별 상담을 예약하는 선수들의 수가 늘어났다. 나는 선수들을 존중했고, 개방적이고 건설적인 의사소통을 유지했으며, 선수들과의 세션에서 상담내용에 대한 철저한 비밀을 보장했다. 나는 선수들이 세션에서 무엇을 기대할 수 있는지 설명했다. 선수들과 유대감과 친밀감이 높아진 것은 NTC에서 보낸 시간뿐만 아니라 수영 선수들과 코치들간의 의사소통을 높이기 위한 나의 일관된 행동이 실제로 도움이 된 것 같았다.

올림픽을 향한 험난한 여정

예나(가명)는 개인 상담을 요청한 첫 번째 수영 선수는 아니었다. 그녀는 상담 중에 자신의 생각과 감정을 털어놓을 필요성을 느끼지 못했다. 국내에서는 항상 같은 연령대 최고 선수 중 한 명이었다. 국제적으로는 여자 계영에서 좋은 성적을 거뒀지만, 올림픽 전까지만 해도 개인 종목에서는 국제대회 메달이 전혀 없었다. 그녀는 2015년 11월 말부터 동기 부여 문제를 겪기 시작했다. 그녀는 나에게 다가와 수영을 할 때 겪게 되는 자신의 어려움을 호소하기 시작했다. 처음에 우리의 상담은 피상적으로 진행되었다. 당시 내 생각에 그녀는 자기 인식 수준이 높지 않았고 아직 자신의 이야기를 솔직히 드러내며 자기 자신을 이해하는 상담에 완전히 참여할 준비가 되지 않았다. 하지만 그녀는 점차 마음을 열고 동기 상실에 대한 생각과 수영에서 의미를 찾기 위한 고민을 나누기 시작했다. 2015년 12월, 나는 감독으로부터 한 통의 전화를 받았다. 예나가 수영을 그만두기로 결정했다는 것이었다. 감독은 갑작스러운 그녀의 통보에 적잖이 놀랐지만, 그냥 조금 쉬다 다시 복귀해도 괜찮다고 말했다. 예나를 잃는다면 대표팀 계영에 큰 손실이 될 수 있기 때문이다. 나는 카페에서 그녀와 감독을 만났다. 비공식적인 자리에서 그녀의 생각과 그렇게 하기로 한 선택에 대해 들어보고, 일단 혼자만의 시간을 갖고 스스로 결정을 내릴 필요가 있다는 얘기를 나눴다. 나는 예나와의 관계에 충실하고 싶었고, 그녀의 결정에 대한 숨겨진 이유를 충분히 이해하고 그녀가 현재 상황에서 가장 잘 할 수 있다고 생각하는 바에 대해서 지지하고 싶었다. 예나는 앞으로 일정 기간 동안 수영을 전혀 하지 않기로 결정했다. 어쩌면 영원히. 그 후로 그녀는 나, 감독 또는 수영과 관련된 다른 어떤 사람과도 일체 접촉하지 않았고, 이것 역시 그녀의 선택이었다. 감독은 내가 그녀에게 적극적으로 다가가기를 원했지만 우리는 그녀에게 적어도 한동안 숨을 쉴 공간을 주기로 동의했다. 한 달 후, 감독으로부터 예나가 돌아왔다는 연락을 받았고, 혼자만의 시간을 가지면서 예나는 활력을 되찾았다. 예나는 수영장에 들어가 올림픽에 출전할 준비가 되어 있었지만, 그녀의 새로운 훈련 일정은 다른 선수들만큼 빡빡하지는 않게 시작되었다. 예나의 공백 기간으로 과연 올림픽 준비가 제대로 될 수 있을지 의구심이 들만 했다. 나는 이 의심을 그럴 수 있다고 정상화했고 올림픽에 심리적으로 만반의 대비를 할 수 있는 계획을 세우기 시작했다.

예나는 다시 수영을 하기로 결심했지만 개인적인 위기는 완전히 해결되지 않았다. 그녀는 여전히 수영선수로서의 실존적인 질문들에 시달렸고 자신의 선수경력과 삶의 방향에 대해 의구심을 품었다. 우리는 정기적으로 만나 수영선수로서의 삶, 스스로 결정할 수 있는 능력, 선수경력의 의미에 대해 이야기를 나누기 시작했다. 예나가 대화의 대부분을 주도하며, 이야기를 나눴지만, ACT 접근법에 따라 성과를 내고, 앞으로도 진정으로 잘 살기 위한 번영의 핵심 측면에 초점을 맞췄다. 먼저, 기능 분석을 통해 그녀의 휴식의 원인과 결과, 그리고 그녀를 둘러싼 현재 상황의 맥락을 조사했다. 둘째, 그녀의 가치와 그 가치에 기반을 둔 행동이 무엇을 의미하는지 논의했다. 셋째, 3R 프로세스를 기반으로 코치와 협력하여 스트레스가 많은 경기 상황에서 그녀를 지원하는 심리적 경기 계획을 설계했다. 우리는 또한 현재 순간에 머무르며 회복력을 향상시키는 도구로 마음챙김을 활용했다. 이 단계의 상담은 보통 NTC에서 일대일 세션으로 진행되었으며 세션 회기마다 구체적인 목표를 언급했다. 각 세션에는 심리 치료와 교육적 상호 작용을 통합하고 시너지 효과를 내는 스포츠 심리학에서 전문적인 치료 양식으로 확립된 심리 교육의 요소가 포함되었으며, 이런 심리 교육은 임상뿐만 아니라 다른 환경에서도 폭넓게 적용될 수 있는 것으로 제안된 바 있다(Lukens & McFarlane, 2004).

기능 분석

선수들에게 진정한 효용성을 제공하기 위해서, 기능 분석, 가치 명료화 및 의구심의 탈융합 과정들이 순환적이고, 자기 교정적인 과정이어야 한다(Follette & Batten, 2000). 이러한 방법은 회기가 끝난 이후에도 계속 진행되어야 하며, 선수와 오랜 기간 함께 일할 때 상담가는 항상 일정 주기 마다 평가를 하는 시기를 가져야 한다. 리우 올림픽이 얼마 남지 않았기 때문에 우리는 그녀의 개인적 성장보다 경기력 멘탈에 더 집중하기로 결정했다. 그녀는 조금 힘들어했지만 여전히 수행 기술에 집중하고 싶어 했다. 그녀의 세 가지 핵심 측면을 돕는 것이 나의 임무였다. 즉 (1) 경기 전과 경기 중 모든 생각과 감정을 개방하고 그것을 받아들이며 기꺼이 경험하도록 가르치는 것, (2) 과제에 집중하는 주의력을 포함하여 현재 순간에 주의 깊게 참여하도록 가르치는 것, (3) 운동선수로서 자신이 원하는 개인적 가치에 따라 행동하도록 돕는 것이었다. 우리는 기능 분석(2장 참조)을 사용하여 그녀의 행동의 원인과 결과를 분석했다. 특정 행동이 경기 중은 물론 스포츠 안팎의 그녀의 삶에서 그녀의 불쾌감을 줄이거나 그녀가 가치 있게 여기는 방향에 더 다가가도록 하는 데 도움이 되는가? 기능 분석의 한 가지 가정은 행동은 맥락적이라는 것이다. 즉, 선수를 둘러싼 환경이 행동에 영향을 미친다는 전제가 들어가 있다. 행동에는 그 행동의 강화자 또는 처벌자 역할을 하는 결과가 있어 미래에 그 행동이 발생할 가능성을 어느 정도 높이거나 줄일 수 있다. 우리는 수많은 경기 관련 행동을 분석하여 선행 요인, 행동 및 결과에 대한 통찰력을 얻었다. 예를 들어, 그녀는 경쟁에서 빠르게 속도를 높이면 불안감은 줄어들지만 용기 있는 사람이 되는 것과 과정에 충실한 사람이 되는 가치에 더 가까워지지 않는다는 것을 깨달았다. 이후 단계에서는 같은 날 발생한 특정 행동에 대한 분석을 약 10분 만에 할 수 있었다. 우리는 스포츠 생명선 모델의 핵심 개념(2장 참조)을 사용하여, 기로에 서는 경험, 감정에 휘둘리는 경험, 어려운 가치 기반 결정을 내리는 용기를 내는 상황에 대해 통찰력을 얻을 수 있었다. 기능 분석은 전체적으로 상담 전반에 걸쳐 좋은 도구이지만 초기 심층 분석은 심리상담가와 선수 모두에게 참고할 수 있는 기준점으로 필요하다는 것을 발견했다.

가치명료화 작업하기

예나는 수영에 대한 자신의 관점을 재평가하는 기간을 거쳤기 때문에 세션에서 좀 더 실존적인 주제에 대해 논의하기 시작했고, 세션은 30분 정도로 더 길어졌다. 그녀는 평생 동안 무엇을 해야 하는지, 어떻게 해야 하는지, 얼마나 오래 해야 하는지에 대한 구체적인 지시를 받으면서 살았다. 그것이 그녀를 심리적으로 지치게 만들었다. 그녀는 자신이 더 많이 참여하고 책임감을 가져야 하며, 훈련이 어떻게 구성되는지에 대해 자기 주도적으로 발언권을 가져야 한다는 점을 깨달았다. "한 인간으로서, 그리고 수영 선수로서 당신의 삶에서 중요한 것은 무엇인가요? 당신의 인생에서 무엇을 위해 살고 싶나요? 한 사람으로서, 그리고 수영 선수로서 어떤 자질을 키우고 싶으신가요? 다른 사람들과의 관계에서 어떤 사람이 되고 싶으신가요?" 일부 상담가는 탈융합, 수용, 현재 순간과의 접촉, 맥락으로서의 자기를 세션에서 다뤄질 때까지 가치를 가지고 작업하지 않는다. 하지만 나는 그녀의 이야기와 수영에서 겪은 어려움을 바탕으로 그녀에게 심리적 유연성의 탄탄한 기초를 마련해주고 싶었기 때문에 올림픽을 향한 과정의 초기 단계부터 가치 명료화 작업을 하기 시작했다. 한 세션에서는 가치를 명확히 하기 위한 도구로 가치 카드 연습(3장 참조)을 사용했다. 우리는 각각의 가치가 적힌 가치 카드 목록을 가지고 있었다. 이 연습에서 내가 먼저 한 장의 카드를 골라 (1) 특정 가치가 나에게 중요한 이유, (2) 이 가치가 행동으로 나타나는 모습을 설명했고 (3) 어떤 상황에서 그 가치에 따라 살기 위해 노력했는지에 대해 이야기했다. 예나도 카드를 골라 같은 질문에 대해 답을 해보도록 하게 했다. 가치에 대해 논의한 후, 우리는 이를 수영과 스포츠 외의 삶에서 전념 행동과 연결하기 시작했다. 이 세션은 몇 가지 가치와 그녀의 삶 전체에 대한 의미를 다룰 필요가 있었기 때문에 두 시간 동안 진행되었다. 예나는 우정, 자기계발, 스포츠 안팎에서의 용기와 성실성, 모험심을 중요한 가치로 여겼다.

3R 프로세스

선수가 압박감이 높은 경기 종목에서 성공한다는 것은 부정적인 생각, 생리적 각성, 불안이나 분노와 같은 감정을 받아들이면서도 자신의 가치에 따라 행동하며 과제에 계속 몰입할 수 있는 정도와 관련이 있다(Henriksen et al., 2016). 압박감을 느끼는 수영 선수는 역기능적인 생각과 감정에 의해 현재 순간을 '이탈'할 위험에 지속적으로 노출되어 있으며(Hayes, Strosahl, Bunting, Twohig, & Wilson, 2004), 이는 종종 집중력 상실로 이어져 경기 결과에 상당한 영향을 미치게 된다. 우리는 3R 프로세스를 통해 이런 상황을 대비하는 훈련을 했다(마음챙김 훈련은 4장 참조). 세션에서 나는 예나에게 자신의 생각과 감정에 영향을 줄 수 있는 상황을 인식하고, 등록한 다음 과제나 가치에 다

시 집중할 수 있는 능력을 훈련시켰다. 이 과정에는 세 가지 기술인 3R이 포함되었다:

1. 등록하기: 당면한 작업이나 자신이 원하는 유형의 사람으로부터 주의를 돌리게 하는 생각, 감정 및 신체 반응을 알아차리기.
2. 놓아주기: 불편하거나 주의를 산만하게 하는 요소에 맞서 싸우려고 하지 말고 받아들이기(자세한 설명은 4장 참조).
3. 다시 집중하기: 당면한 업무에 주의를 다시 집중하고 가치관을 다시 확립하기.

예나는 경쟁에서 용기와 성실함을 중요한 가치로 떠올렸지만, 압박감을 느낄 때면 자신이 최고 수준에서 경쟁할 수 있을 만큼 강하고 좋은 사람인지에 대한 의구심과 걱정이 들면서 집중력이 흐트러지곤 했다. 그녀는 이러한 정신의 산만함을 알아차리고 다시 용기를 내어 자신의 레이스 계획을 충실히 따르는 법을 배웠다.

우리는 그녀가 미디어, 팀 동료, 관중 또는 대기실에서 자신을 '심리적으로' 괴롭히는 상대방에 의해 주의가 산만해질 때와 같이 역기능적인 생각, 감정 및 다양한 고압적인 상황에서 자신의 마음을 헤아려 등록하고 놓아주도록 상상하고 다시 집중하는 마음챙김 연습을 수행했다. 그 후 예나는 수영 경기와 일상 생활에서 3R을 반복적으로 연습하며 이 기술을 숙달할 수 있었다.

올림픽 경기

예나의 가치에 대해 올림픽 기간 내내 가장 신경을 썼다. 우리는 매일 예나의 가치를 재검토하고 올림픽의 관심과 소란에 의해 가치가 흔들리지 않았는지, 예나가 자신의 가치에 기반을 두고 있는지, 용기를 갖고 성장 과정에 집중하고 있는지 확인하는 '체크인' 연습을 진행했다. 예나에게 여가 시간이 많다는 것은 마음이 방황할 시간도 많다는 것을 의미했다. 올림픽 기간 동안 우리의 세션은 올림픽 전만큼 길지는 않았지만 짧게 자주 이뤄졌다. 이러한 체크인 연습은 기대치를 높게 잡고, 결과를 추측하려는 미디어의 관심에 압도되지 않도록 하는 데 중요한 역할을 했다. 코치와도 협력하여 레이스에 대한 경기 계획을 만들었다. 그녀가 과제에 다시 집중하기 위해서는 과제에 대한 명확한 이미지가 필요했기 때문에 우리는 기술적 세부 사항에서 보이는 것처럼 그녀가 통제할 수 있는 범위 내에서 초점을 맞췄고, 이 계획에는 아침부터 하루 일정이 끝날 때까지의 주의력 과제가 포함되었다. 이 단계의 구체적인 질문은 다음과 같다. 오늘의 과제는 무엇이며 과제를 성공적으로 수행하기 위한 핵심 초점은 무엇인가? 중요한 것에 집중을 방해하는 요소는 무엇인가? 어떻게 다시 집중할 수 있는가? 예를 들어, 워밍업 중에 레이스 결과에 대한 걱정(미래에 대한 생각)이 들기 시작하면 그녀는 이를 알아차리고 과제와 현재 순간에 다시 집중해야 하는 계획을 세웠다. 이 계획을 통해 그녀는 무엇에 다시 집중해야 하는지 알 수 있었다. 올림픽 출전으로 인한 산만함, 기대, 생각, 걱정, 의심이 많았기 때문에 우리는 예나가 마음을 내려놓고 다시 집중하는 능력을 키우기 위해 열심히 노력해야 했고, 이를 훈련하기 위해 여러 가지 마음챙김 연습을 꾸준히 했다. 예나가 마음챙김 연습을 알게 된 후, 우리는 이를 대회 장소에 맞게 변경해 보려고 했다. 내용 변경 외에도 수영 센터의 워밍업 풀에서 마음챙김을 할 수 있도록 준비하기 위해 호텔 방에서 수영장 데크로 장소를 옮겼다. 시끄러운 수영장 데크에서 예나가 마음챙김에 어떻게 반응할지 걱정이 되었다. 장소 변경에 적응하려면 몇 번의 세션이 필요할 것이라고 예상했지만 그녀는 빠르게 적응했다. 첫 번째 세션의 질은 좋지 않았지만 그녀는 점차 마음을 가라앉히는 법을 배웠다. 마음챙김 연습은 순간에 닻을 내리는 호흡을 연습하고 판단하지 않는 태도를 기르고, 주의를 집중하는 데 중점을 두었다. 시끄러운 환경에서 마음챙김을 배우면서 그녀는 실제 경기장에서 레이스 전에 마음챙김을 할 수 있도록 준비했다. 시끄럽고 다양한 환경에서 자주 연습한 것이 결국 올림픽 수영장에 도착한 후에도 도움이 되었다.

결승전

결승전을 앞두고 예나에게 주어진 과제는 압도적인 양의 정보와 산만함 속에서도 자신의 가치를 고수하고 집중력을 잃지 않는 것이었다. 기자들의 지속적인 연락, 소셜 미디어(페이스북, 트위터, 인스타그램, 스냅챗), 전화, 문자는 경기 전후에 집중력과 회복에 방해 요소였다. 중요한 경기를 위해 해야 할 올바른 일을 언제, 어떻게 해야 하는지 아는 것이 중요했다. 이 경우 예나는 언제 휴대폰을 치워야 하는지, 언제 낮잠을 자고, 언제 사교 활동을 해야 하는지, 언제 영화나 드라마를 시청해야 하는지 등을 알아야 했다. 예나는 일관성을 유지하고 자신의 가치를 자주 되새기며 3R 프로세스를 계속 적용했다. 매일 여러 차례 대화를 나눌 때마다 예나의 경기 계획, 잠재적인 방해 요소, 다시 집중하는 방법에 대해 이야기했고, 우리는 예나의 머릿속을 스치는 생각, 몸에서 느껴지는 감정, 자연스러운 감정으로서의 긴장감, 경기결과에 대한 걱정 등에 대해 이야기했다.

결승전 전날 아침에는 그녀가 수영선수가 되기로 결심하게 된 계기와 결승전에 임하는 자세에 대해 자랑스러워할 만한 점을 되새기는 데 초점을 맞춘 마음챙김 명상을 안내해 주었다. 그녀는 운동이 끝난 후, 결과가 아닌 과정에 집중하고 그 순간에 집중하는 자기 자신에 대해 이야기했다. 대기실에서 올림픽 결승무대의 수영장으로 향하는 그녀의 계획은 계속 웃고, 감각을 사용해 순간에 집중하고, 관중석에 있는 다른 덴마크 수영 선수들을 알아차리며, 관중석에서 흔들리는 깃발과 관중들을 알아차리는 것이었다. 대기실에서 나오면서 앞으로 무슨 일이 일어날지 불안한 마음이 들기도 했다. 이러한 감정은 계획의 일부로 받아들일 수 있고 사전에 미리 예상한 것이었다. 생각과 감정을 알아차린 후, 그녀는 워밍업 옷을 벗고 좌석에 있는 바구니에 넣는 것으로 주의를 돌렸고, 레이스에 대한 심리적 경기 계획을 마음 속으로 검토하기 시작했다. 그리고 순조로운 출발에 초점을 두고, 그 이후에는 레이스 중 기술적인 신호를 다시 살펴보기 시작했다. 그 이상은 없었다. 국제 대회에서 큰 성공을 거둔 적은 없었지만, 예나는 자신의 경기 계획과 가치를 따라 올림픽 결승전에서 개인 최고 기록을 세웠다. 그리고 꿈에 그리던 올림픽 메달을 획득했다.

경기가 끝난 후 그녀는 결승전에서 긴장했지만 동시에 집중력을 유지할 수 있었다고 말했다. 순간에 집중하고 작업에 집중하기 위해서는 코치와의 긴밀한 협력이 필요했고, 이 작업은 예나가 메달을 획득하는 데에 큰 도움이 되었다. 첫째, 코치는 예나가 경기 계획을 설계하는 데 도움을 주었고, 둘째, 훈련 세션과 예선 기간 동안 예나의 경기 계획과 가치를 상기시켜 주었다.

올림픽 이후

올림픽 기간 동안 코치 중 한 명이 "올림픽은 재미있는 일을 해준다"라고 말한 것이 기억난다. 어떤 수영 선수는 세계선수권 챔피언으로 올림픽에 출전했지만 8위에 그쳤다. 국제 대회에서 한 번도 메달을 딴 적이 없는 선수가 메달을 딴 경우도 있었고, 예나처럼 세계 선수권 대회에서 한 번도 우승한 적이 없는 선수가 올림픽에서 자신은 물론 주변 사람들의 놀라움을 자아내며 시상대에 오른 경우도 있었다. 최고의 기량을 발휘하는 선수와 압박감 속에서 고군분투하는 선수의 차이는 무엇일까? 실제로 예나는 자신의 개인 최고 기록을 조금씩 향상시킨 반면, 다른 선수들은 올림픽이 중요한 경기임에도 불구하고 자신의 개인 최고 기록보다 느리게 수영했다. 이 사례는 자신의 가치에 기반을 두고 심리적으로 유연한 선수가 실제 경기력에도 우위를 점할 수 있다는 일화적인 증거를 제시한다. 예나의 경우, 올림픽을 얼마 앞두고 수영을 잠시 쉬는 것은 코치와 전문가들이 결코 권장하지 않는 일이었다. 하지만 수영을 쉬면서 예나는 자신의 선수경력을 재평가하고, 자신이 왜 수영을 좋아하는지 다시 생각하게 되었으며, 바쁜 성과 위주의 삶 속에서 잊고 지냈던 가치를 다시 명료화하는 데 분명한 도움을 받았다. 그녀는 새롭게 되찾은 또렷한 의식 속에서 압박감 속에서도 자신의 가치를 고수할 수 있었다. 그녀는 이 모든 과정을 통해 자부심과 용기, 자율성을 느낄 수 있었다고 말했다.

다가올 실전 경기를 위한 성찰과 전망

이 장에서는 올림픽에서 거둔 예나의 승리에 대한 고찰뿐만 아니라 수영 선수로서의 정체성에 대해 고민하고 의욕을 잃고 선수 생활을 중단했다가 다른 사람으로 돌아와 자아 발견의 여정을 거쳐 올림픽에서 최고의 성적을 거둔 한 수영 선수의 이야기를 소개했다. 그녀는 자신의 가치를 명확히 하고, 그 가치에 부합하는 행동을 하기 위해 열심히 노력했으며, 어려운 생각과 감정을 알아차리고 받아들인 후 현재 순간으로 돌아가는 능력을 훈련했다.

관찰하는 자기 자신과 연결할 수 있는 능력(침 없는 벌처럼 생각과 감정을 알아차리는 능력)은 예나가 현재에 집중하는 데 도움이 되었으며, 이는 올림픽의 고압적인 분위기에서 쉬운 일이 아니며, 리우 올림픽에 참가한 다른 수영 선수 B의 이야기에서도 분명히 확인할 수 있는 대목이다. B는 예선에서 완벽한 수영을 펼쳤는데, 이로 인해 B의 마음 속에 다음과 같은 일련의 생각을 촉발시켰다. "내가 이기면 어떨까? 정말 대단할 것 같은데. 나는 축하를 받고 부자가 되겠지. 하지만 지면 어떡하지? 모든 것이 헛된 일이겠지." B의 마음은 지금 이 순간과 자신의 가치를 떠나서 온통 다른 곳에 있었다. 결국 B는 결승전에서 경기 계획과 과제에 집중할 수 없었고 결국 시상대 밖으로 아쉽게 탈락하고 말았다. 이 시점에서 중요한 차이점은 개입의 방식이 한 번에 한 가지 요소를 선형적으로 훈련하는 것이 아니라 주기적으로 이루어졌다는 점이다. 가치에서 시작하여 여러 번 원을 그리며 되돌아갔다. 그런 과정에서 전체적으로 마음챙김이 반복적으로 사용되었다. 등록하고 받아들이는 능력은 힘든 상황이 다가오고 생각의 내용과 강도가 달라짐에 따라 여러 번 재검토되었다. ACT 접근법의 프로세스가 서로 연결되어 있기 때문에 이러한 주기적 특성을 반복하는 것이 성과를 내는 데에 핵심이라고 생각한다.

참고 사항

역자가 가독성을 높이고, 사례에 대한 이해와 몰입도를 높이기 위해 원문의 마리를 예나라는 한국어 이름으로 바꾸었다.

참고문헌

Follette, V. M., & Batten, S.V. (2000). The role of emotion in psychotherapy supervision: A contextual behavioral analysis. *Cognitive and Behavioral Practice*, 7(3), 306 – 312.

Hayes, S. C., Strosahl, K. D., Bunting, K., Twohig, M., & Wilson, K. G. (2004). What is acceptance and commitment therapy? In S. C. Hayes & K. D. Strosahl (Eds.), *A practical guide to acceptance and commitment therapy* (pp. 3 – 29). New York: Springer.

Henriksen, K., Diment, & G., Hansen, J. (2011). Professional philosophy: Inside the delivery of sport psychology service at team Denmark. *Sport Science Review*, *20*, 5 – 21. doi: https://doi.org/10.2478/v10237–011–0043–6

Henriksen, K., Hansen, J., Diment, G., & Larsen, C. H. (2016). Using Acceptance Commitment Training in a team sport leading up to, during and following the 2014 Winter Olympic Games. In J. G. Cremades & L. S. Tashman (Eds.). *Global*

Practices and Training in Applied, Sport, Exercise, and Performance Psychology: A Case Study Approach (pp. 69–78). London: Routledge.

Lukens, E. P., & McFarlane, W. R. (2004). Psychoeducation as evidence–based practice: considerations for practice, research, and policy. *Brief treatment and Crisis Intervention, 4*, 205–225. doi: http://dx.doi.org/10.1093/brief–treatment/mhh019

Poczwardowski, A., Sherman, C. P., & Ravizza, K. (2004). Professional philosophy in the sport psychology service delivery: Building on theory and practice. *Sport Psychologist, 18*(4). doi: 10.1123/tsp.18.4.445.

8

새로운 역할에 대한 마음가짐

코치를 위한 수용전념치료 기반 스포츠 심리학 과정

쇠렌 스베인 호이어, 아스트리드 베커-라르센, 야콥 한센, 크리스토퍼 헨릭센

경험이 부족한 젊은 오리엔티어링 선수가 힘겨운 레이스를 앞두고 출발선에 서 있다. 눈이 살짝 깜빡이는 것을 코치가 알아챘다. 그녀의 몸짓에서 긴장한 기색이 역력하다. 코치가 그녀에게 다가가서 심호흡을 세 번 해보라고 한다. 그리고 주위를 둘러보면서 방금 전까지 눈치채지 못했던 세 가지를 알아차리라고 요청한다. 그녀는 알겠다고 하고, 이내 평온함을 되찾은 것을 알 수 있다. 코치는 선수에게 수평선 너머 보이는 산에 아직 눈이 쌓여 있는 것을 봤는지 묻는다. 그녀는 웃으며 고개를 들어 산을 올려다본다. "코치님 말이 맞네요." 천천히 그녀는 현재 순간으로 돌아오고, 레이스가 시작된다. 코치는 혼자 미소를 지었다. 반년 전만해도 무엇을 해야할지 몰랐던 그로서는 그저 난감해하며 등을 돌렸거나 그녀에게 단지 걱정하지 말라고 다그쳤을 것이다.

이 이야기에 등장하는 일은 매일 일어나는 일이 아니다. 대부분의 코치는 스포츠의 기술 및 전술적 측면에 대해 선수를 도울 수 있는 능력에 자신감을 느끼지만, 선수가 겪게 되는 불안, 스트레스 및 집중력 저하와 같은 스포츠의 정신적 측면을 다루는 데 능숙하지 않는 경우가 많다.

코치는 스포츠 심리학 전문가가 아니다. 코치가 스포츠 심리학자의 역할을 대신할 수 있는 지식과 기술을 갖추는 것은 상당히 어렵다. 하지만, 적어도 세 가지 이유에서 코치들은 스포츠 심리학에 대한 지식과 기술을 어느 정도는 갖줘야 한다고 생각한다. 첫째, 스포츠 심리학 훈련이 효과를 발휘하려면 다른 모든 기술과 마찬가지로 정기적으로 훈련을 받아야 하는데, 스포츠 심리 전문가가 팀에서 요구하는 만큼 정기적으로 팀과 함께할 수 없는 경우가 대부분이기 때문이다. 따라서 코치는 일상적인 훈련에서 심리적인 부분에 집중할 수 있어야 한다. 둘째, 스포츠 심리 문제는 압박감을 느끼는 순간에 가장 분명하게 나타나며, 코치는 대개 그 순간에 선수와 함께 있기 때문에 코치는 선수가 불편한 상황에서 자신감을 갖고 행동할 수 있어야 한다. 셋째, 마지막으로 코치 자신도 경기에 참가하는 팀의 일원이며 그 역시 압박감을 받고 있고, 그 속에서 잠재력을 발휘할 것으로 기대되므로 탁월한 성과 심리에 대한 이해가 반드시 필요하다. 그렇기는 하지만 스포츠 심리학을 선수들의 일상적인 훈련과 경기에 통합하는 것은 대부분의 코치들이 자신감을 갖고 편안하게 할 수 있는 일이 아니다(Barker & Winter, 2014).

이 장의 목적은 멘탈 코칭이라는 코치 교육 과정을 소개하고, 세계적인 스포츠 심리전문가들이 코치들에게 ACT와 마음챙김 훈련 방법을 가르칠 수 있도록 영감을 불어넣는 것에 있다. 이 과정은 코치들이 스포츠 심리 관련 업무를 수행하고, 훈련과 경기력의 심리적 측면에 대해 선수들과 대화하고 소통하는 데 도움이 되도록 설계되었다.

이 장의 학습자료는 다음과 같다. (1) 코스 프로그램 및 설명 (2) 최근 이 과정에 참여한 5명의 코치와의 비공식 인터뷰 연구, (3) 이 장의 세 번째와 네 번째 저자인 두 강사의 소감을 담았다.

코스: 체험형 교육 설계

덴마크 스포츠 연맹(DIF)은 덴마크의 엘리트 및 생활 스포츠를 통합하는 조직이다. 덴마크의 인재 육성과 엘리트 선수들의 경기력을 최적화하기 위한 노력의 일환으로 덴마크 스포츠 연맹은 여러 코치 교육을 제공하고 있으며, 멘탈 코칭 과정은 2015년부터 코치들의 요청에 따라 도입되었다. 현장에 있는 코치들은 스포츠 심리학에 더 많은 시간을 할애하고, 스포츠 심리학 적용 방법과 도구를 활용하는 데 중점을 둔 교육과정을 개설해주기를 연맹에 공식적으로 요청했다. 코치들이 이전에 코치 교육 과정에서 접한 스포츠 심리학은 매우 이론적인 성격이 강했던 반면에 이 과정은 1년에 한 번, 최대 16명의 코치들과 함께 진행되며, 경험이 풍부한 2명의 스포츠 심리상담가가 맡았다.

이 과정의 목적은 코치들이 (1) 훈련과 경기에서 스포츠의 정신적 측면에 대해 선수들과 지속적으로 대화할 수 있는 능력과 자신감을 기르고, (2) 선수들의 일상 훈련에 정신 훈련을 통합하는 방법을 배우며, (3) 코치로서 선수들의 행동과 업무를 지도할 가치를 포함하여 기존의 선수 지도방식과 철학에 대해 더 현명해지도록 배울 수 있고, 마지막으로 (4) 압박감 속에서 수행 능력을 최적화하는 멘탈을 기르는 데에 있다.

팀 덴마크의 스포츠 심리학 팀의 소속된 2명의 전문강사는 일관된 전문 철학(Diment, Henriksen & Hansen, 2014)을 공유하고 있으며, 이 철학은 코스 교육 과정에 반영되어 직접적인 영향을 주었다. 팀 덴마크의 핵심 목표는 전문가, 코치, 선수들 사이에서 스포츠의 심리적 측면에 대한 공통된 언어를 만드는 것이다. 이 철학은 또한 이들 사이의 업무를 안내하기 위해 고안된 일련의 기본 신념을 포함한다. 이러한 신념에는 다음이 포함된다. "지름길은 없다. 효과적인 스포츠 심리학은 선수의 일상적인 훈련의 자연스러운 일부인 일관된 훈련을 요구한다", "코치는 스포츠 심리학 작업이 일상적인 훈련과 경기에 통합되도록 하는 데 중심적인 역할을 해야 한다" 등이다. 이러한 신념은 가치, 동기, 기술을 가진 선수가 스포츠 안팎의 더 큰 맥락안에 포함된다는 총체적인 관점에서 출발한다. 이 철학은 또한 팀이 어떤 심리학 이론을 바탕으로 작업하는지 설명하며, 여기서는 수용전념치료(ACT)와 마음챙김에 중점을 둔다. 본 코치교육 과정은 이 철학을 출발점으로 삼았다.

코치 교육 과정 구조

이 과정은 이틀간 진행되는 두 번의 세미나와 코치들이 각자의 스포츠 환경에서 습득한 기술을 연습하는 여러 숙제, 3–4명의 코치와 한 명의 강사가 만나 경험과 훈련 과제를 논의하는 세 번의 3시간짜리 슈퍼비전으로 구성되었다(그림 8.1).

이 과정에는 3명이 한 조가 되어 여러 가지 코칭 실습을 해볼 수 있게 설계되었다. 이 연습에서 한 명은 대상자(선수), 다른 한 명은 코치(특정 훈련을 연습시키는 역할), 세 번째 사람은 외부 참관인(휴식 시간과 운동 후 코치에게 피드백과 도움을 제공하는 역할)을 맡았다.

코치 교육 과정 철학

다음의 5가지 핵심 아이디어가 코스 설계의 기반이 되었다.

- 수영장에 첨벙 뛰어들기. 수영을 배우려면 물밖에서는 결코 배울 수 없고 물속으로 뛰어들어야 한다. ACT는 어떤 치료보다 체험적인 방식이 녹아든 치료이다. 이 세미나는 때로는 강의실에서, 때로는 인접한 체육관에서 실제 연습과 기술 활용에 중점을 두었다.
- 새로운 기술을 배우려면 연습이 필요하다. 이 과정은 이론과 실습 사이의 긴밀한 연결을 목표로한다. 코치들은 세미나에서 기본 이론, 연습 및 모델에 대해 설명을 듣는다. 모든 연습 후에는 토론 과정이 이어지며, 강사는 코치들이 연습에서 얻은 새로운 통찰력을 자신의 상황에 어떻게 적용할 수 있는지 토론하도록 자극한다.
- 새로운 기술을 배우는 데는 시간이 걸린다. 이 과정은 6개월에 걸쳐 진행된다. 따라서 코치들은 세미나와 슈퍼비전 사이에 각자의 공간에서 새로운 기술을 연습할 수 있는 시간을 가질 수 있다.
- 그룹 환경 설정이 도움이 된다. 각자의 공간에서 훈련하는 기간 동안 코치들은 소그룹으로 모인다. 여기서 코치들은 무엇이 효과가 있었고 무엇이 어려운지 나눌 수 있다. 그룹 심리치료에 대한 연구에 따르면 구성원들이 각자의 목표를 가지고 있는 소그룹에서 결속력이 높아지면 동질감, 높은 출석률, 상호 지원 등의 이점이 있는 것으로 나타났다(예: Yalom, 1995).
- 유능한 슈퍼비전으로 학습효과를 높일 수 있다. 전문 강사는 그룹 회의에 슈퍼바이저로 참여하여 피드백과 아이디어를 제공한다. 과제는 본질적으로 실용적인 경우가 많기 때문에 과정 철학의 핵심 기반은 강사가 일반적인 방법을 상황에 맞게 적용하는 방법에 대한 실전 경험과 융통성의 감각을 가지고 있어야 한다는 것이다.

교육 과정의 주요 내용

이 교육 과정의 내용은 ACT의 세 가지 핵심 측면인 (1) 가치, (2) 마음챙김/집중, (3) 전념 행동에 중점을 두었다. 이러한 주제는 세 가지 주제에 대한

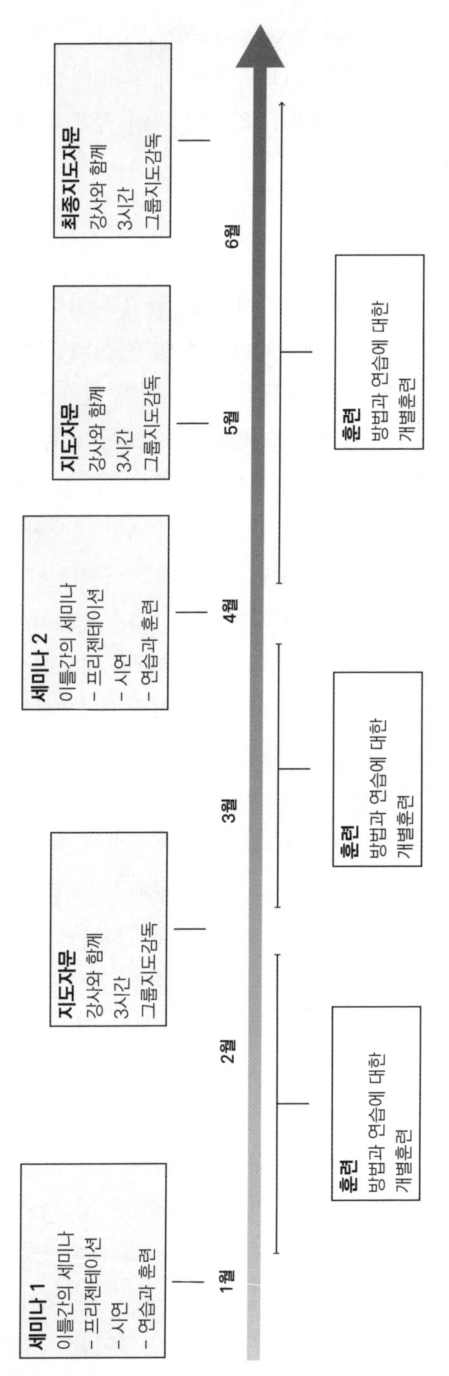

그림 8.1 멘탈 코칭 과정의 개요

짧은 소개, 참가자 간의 토론과 실습, 마음챙김 세션, 숙제 등 다양한 작업 방식을 통해 접근했다. 모든 내용은 (1) 코치로서 코치 자신의 역할 수행, (2) 선수들과 함께 하는 코치들의 실제적인 업무와 관련 있게 진행되었다.

가치

이 과정의 첫 번째 핵심 초점은 가치였다. 가치에 따라 행동하는 것은 의미와 행동의 일관성을 제공하기 때문에 코치들이 자신의 가치를 확인하고 그에 따라 살도록 돕는 것이 첫 번째 목표였다. 두 번째 목표는 코치들이 선수들과 함께 가치 작업을 할 수 있는 기술을 배울 수 있도록 교육하는 것이었다. ACT에는 가치에 접근하는 몇 가지 연습과 방법이 있으며, 코치들은 이러한 일반적인 연습방법 중 일부를 교육받았다(가치 작업에 대한 자세한 설명은 3장 참조).

한 가지 예로 가치 카드를 사용했다. 세 명으로 구성된 그룹에서 한 번에 한 명의 코치가 다른 코치에게 50장의 가치 카드 더미 중에서 5장의 카드를 선택하도록 하게 한 후(각 카드에는 가치에 대한 간단한 설명이 적혀 있음), 코치는 선택한 각 가치에 대해 선택한 가치가 왜 중요한지, 그 사람에게 어떤 의미가 있는지, 주요 코칭 상황에서 그 가치가 어떻게 행동을 유도할 수 있는지 등 이야기를 나누고, 세 번째 사람은 외부 관찰자 역할을 하며 피드백을 제공했다.

두 번째 예로, 코치들은 '은퇴식 상상하기' 연습을 교육받았다(스크립트는 3장 참조). 이 시각화 연습은 코치들이 편안하게 눈을 감고 앉아 자신의 미래에 있을 은퇴식을 상상하는 것으로, 두 사람이 코치들이 가장 하고싶은 말을 정확하게 연설하는 모습을 시각화했다. 시각화가 끝난 후, 그룹에 속한 코치들은 돌아가면서 자신이 경험한 것, 연설에서 들은 것, 연설에서 강조한 핵심 가치, 이 연습을 통해 코치가 자신의 코칭 행동을 변화시키도록 자극할 수 있는지 등에 대해 이야기를 나눴다.

마지막 예는 가치 배구 연습이었다. 이 게임에서 코치들은 두 팀으로 나뉘어 실제로 배구 경기를 펼쳤다. 각 팀은 짧은 배구 경기를 몇 차례 치르는 동안 세 가지 가치를 선택하고, 선택한 가치에 따라 행동하도록 요청받았다. 선수들이 자신의 가치를 행동으로 옮길 수 있도록 돕는 호기심 많은 코치를 모델로 삼아, 강사들은 정기적으로 경기를 멈추고 "이전 경기에서 (ㅇㅇ가치)이 어떻게 보였나요?", "당신의 결정과 경기 스타일에서 (ㅇㅇ가치)을 더 잘 보이게 하려면 어떻게 하면 좋을까요?", "어떤 상황에서 (ㅇㅇ가치)대로 행동하기 어려웠나요?" 등의 질문을 던지며 훈련의 몰입도를 높였다.

마음챙김과 집중

현재 순간에 마음챙김을 한다는 것은 과제에 집중하고 생각과 감정과 같은 내면에서 일어나는 일에 대한 알아차림을 포함한다(자세한 설명은 4장 참조). 강사는 이 작업에 실질적으로 참여하기 위해 마음챙김 연습, 모델 및 도구를 다수 도입했다.

마음챙김과 집중 과정에서 사용된 두 가지 모델은 포커스 원과 3R 프로세스다(각각 4장 및 7장 참조). 포커스 원은 집중하는 데 도움이 되는 도구이며, 주어진 순간에 당신의 초점이 어디에 있는지를 알려준다. 양궁의 과녁처럼 다섯 개의 동심원으로 구성되어 있으며 각 동심원마다 다른 초점을 나타내는 색상이 있다. 과녁은 파란색이며 과제에 집중하는 주의력, 존재감, 내면의 삶에 대한 비판적 인식을 나타낸다. 주변 고리는 특정 집중 방해 요소(노란색), 결과와 승패의 결과에 대한 생각(빨간색), 숙제나 저녁 식사(회색)와 같이 과제와 상관없는 것 등 다양한 유형의 주의 산만함을 나타낸다. 이 모델을 도입한 후 강사들은 코치들이 주의를 분산시키고 경쟁적인 분위기를 조성하며 시간 제한을 제시하는 과제를 완료해야 하는 여러 가지 까다로운 상황에 대한 연습을 설정했다. 과제를 수행하는 동안 코치들은 본인들의 집중력이 어디에 있는지 등록하는 능력을 연습했고(코치들은 이를 색상으로 구분했음), 집중력이 떨어졌을 때 다시 집중하는 방법으로 3R 프로세스를 도입하여 등록하기, 놓아주기 및 다시 집중하는 연습을 반복했다(4장 및 7장 참조). 교실 과제에서 두 가지 모델의 사용법을 훈련한 후 코치들은 농구 경기를 통해 이를 훈련했는데, 일부 코치는 선수 역할(모델 사용 훈련)로, 다른 코치는 코치(선수에게 모델을 소개하고 사용하는 능력 훈련)역할을 분담하여 훈련했다.

마지막으로 일련의 마음챙김 연습을 통해 집중력을 키웠다. 예를 들어, 새로운 주제를 시작할 때 코치들은 짧은 마음챙김 연습을 통해 코치들이 교육 중에 자신이 원하는 가치와 연결될 수 있도록 돕고, 두 번째 세미나에서는 코치들이 번갈아 가며 이러한 마음챙김 훈련을 연습하는 방식으로 안내했다.

전념 행동 및 훈련 과제

가치에서 전념 행동으로 나아가는 데 도움을 주기 위해 코치들은 스포츠 생명선(SLL)과 기능 분석(2장 참조)에 대해 교육받았다. 이 모델은 교차로 은유를 사용한다. 가치 중심 경로의 끝에는 코치들이 내비게이션으로 사용할 수 있는 등대가 있고, 다른 반대편 길에는 감정과 단기적인 보상 또는 안도감에 의해 안내되는 회피 중심 경로가 놓여 있다. 코치들은 교차로란 기로에 서서 이 두 가지 경로 중 하나를 선택해야 한다. 이 모델을 사용하여 강사들은 코치들이 (1) 가치 중심 경로와 이 경로와 관련된 특정 행동, (2) 가치를 선택하는 압력이 가해지는 상황(기로), (3) 회피 중심 경로를 선택하고 가치에 따라 행동하지 않을 때 일어나는 일(단기 보상과 장기적인 결과 포함)을 보다 잘 이해할 수 있도록 설명했다. 코치들은 이 모델을 사용하여 코칭 실무에서 특별히 어려운 상황을 분석하고 궁극적으로 무엇이 행동에 영향을 미치는지 변수를 더 잘 인식할 수 있었다. 이 모델은 바닥에 두 갈래 길과 교차로를 나타내는 테이프 선으로 디자인된 대형 모형으로 처음 도입되었다. 한 명의 코치가 코치들 앞에서 모형의 단계를 안내하고 바닥에 놓인 두 길을 실제로 걸어보면서 떠오르는 생각과 감정을 알아차리도록 유도했다. 그 후 강사들은 특정 상황을 분석하기 위해 스포츠 생명선을 사용했으며, 이 연습모델을 더욱 적극적으로 활용하기 위해 코치들은 세 명으로 구성된 그룹에서 번갈아 가며 서로를 안내하며 스포츠 생명선 분석을 진행했다.

이 과정의 교육 목표는 코치들이 훈련과 경기력의 심리적 측면에 대해 선수들과 대화할 수 있도록 돕는 것이다. 따라서 전념 행동 작업의 핵심 부분은 각자의 연습 환경에서 돌아가 할 수 있는 훈련 과제로 구성되었으며, 코치들이 습득한 기술을 선수들과 함께 테스트하고 연습하는 것이 주요 중점사항이었다. 코치들은 두 가지 맥락에서 이를 수행했다. 코치들은 선수들과의 대화와 회의에서 가치 카드와 스포츠 생명선을 사용하여 훈련했다. 코치들은 4–6명의 선수를 선정하여 함께 앉아서 가치 모델을 사용하여 스포츠에 대한 가치 중심 접근 방식과 압박감 속에서도 가치에 전념하는 것에 대해 대화를 나누었다. 경기장에서는 선수들의 집중력을 훈련하기 위해 포커스 원과 3R 프로세스를 사용하여 경기 종목별 연습을 설계하도록 하고, 그것을 해보도록 실습을 진행했다. 마지막으로, 코치들은 선수들에게 일대일 또는 팀과 함께 마음챙김

훈련에 참여하도록 선수들을 독려해보게 했으며, 이때 느꼈던 경험과 교훈을 바탕으로 그룹 슈퍼비전의 논의 주제로 삼았다.

코치들의 프로그램 경험담

코치들이 이 과정을 어떻게 경험했는지와 그 핵심 요소에 대한 통찰력을 제공하기 위해 제1저자(쇠렌 스베인 호이어)는 참가 경험이 있는 코치 5명과 인터뷰를 진행했다. 코치들의 명단은 다음과 같다. 안데르스(덴마크 대학 핸드볼 코치, 재능 있는 남녀 선수들과 함께 일함), 토르비욘(덴마크 오리엔티어링 국가대표팀 감독), 토미(국제 레이싱 자동차 경주 코치), 베니(덴마크 대형 클럽의 육상 코치, 주로 재능 있는 어린 선수들과 일함), 헨릭(덴마크 대형 클럽의 U17 축구팀 감독). 이 코치들은 모두 압박감 속에서 선수들을 잘 지도하는 것이 자신의 업무를 성공적으로 완수하는 데 있어 핵심적인 역량이라고 인식했다.

과정 중: 세 가지 요소가 필수적이었다

코치들에게 훈련 기간 동안의 시간이 어땠는지 되돌아보라고 소감을 얘기해달라고 했을때, 코치들 각자가 (1) 실습, (2) 그룹 측면, (3) 지도감독 등 세 가지 요소가 학습 결과를 향상시키는 데 필수적이었다고 밝혔다. 이 교육 철학에 맞게, ACT는 행동을 통해 제시되고 학습되었으며, 신체가 학습 과정에서 적극적으로 이용되었다(Gardner & Moore, 2007; Harris, 2009). 두 세미나는 모든 코치들이 매우 열광했던 실습 위주의 연습으로 구성되었다. 토르비욘 코치는 실습을 직접 해보는 것이 ACT 접근법을 이해하는 데 얼마나 중요했는지 다음과 같이 설명했다.

> "세미나 중 하나에서 '은퇴식 상상하기' 연습을 해본 기억이 납니다. 선수들에게 물어보는 것과 같은 질문을 직접 제가 받았을 때, 제 자신의 가치를 명확하게 표현하는 것이 얼마나 어려운 일인지 깨달았습니다. 하지만 저는 선수들에게 그렇게 해달라고 요청했고, 모든 연습이 코치로서 저에 대한 개인적인 것이었기 때문에 분명히 매우 의미 있는 시간이었어요."

코치들은 모든 연습과정이 끝난 후 선수들에게 배운 것을 어떻게 적용할 수 있는지에 대한 토론이 바로 이어진다는 것의 장점을 강조했는데, 선수들은 이 과정이 처음에는 어려웠지만 나중에는 유익하게 다가왔다고 말했다.

이 과정에 참가한 코치들은 다양한 스포츠와 경험 수준을 대표했다. 교육과정 중에는 이러한 다양성을 반영하여 많은 연습이 소규모(주로 3인) 그룹으로 진행되었다. 모든 코치들은 그룹활동을 통해 영감을 받고, 동료에 대한 신뢰, 전념 환경을 조성했다고 강조했다. 토미 코치의 말이다.

> "서로 다른 종목의 코치들이 모였다는 사실이 동기 부여에 상당한 도움이 되었어요. 다른 코치들의 연습 방식이 정말 궁금했거든요. 그들에게 중요한 것은 무엇일까? 어떤 도전에 직면하나? 그럴 때는 어떻게 해결하나? 다른 코치들의 가치와 철학을 듣는 것은 고무적이었고, 매우 흥미로웠어요. 어떤 면에서는 다른 코치들에게서 제 자신을 비춰볼 수 있었던 것이 좋았던 것 같아요."

슈퍼비전 그룹은 첫 번째 세미나에서 구성되었고 전체 과정 내내 동일하게 유지되었다. 오랜 기간 동안 한 그룹에 속해 있으면서 함께한다는 느낌을 자극받았다. 코치들과 좋은 점과 어려운 점을 공유하면서 심리적 안정감을 느꼈고, 각자의 훈련 환경으로 돌아가 훈련하는 기간 동안 배운 연습을 시도하려는 동기와 용기를 내보이는 것에도 긍정적인 영향을 미쳤다.

코치들은 강사가 주도하는 슈퍼비전이 학습에 필수적이라고 생각했다. 코치들은 강사의 존재가 반성과 토론의 질을 상당히 향상시켰다는 점을 강조했다. 앤더스 코치는 이렇게 말했다.

> "교육 과정 중에 종종 숙제검사를 하는 것처럼 모여서 토론을 시작했지만, 강사님들 없이 우리끼리 하는 것은 막막했고, 조금 어려웠던 점도 없지 않았습니다. 그럴 때마다 강사님들이 적절히 개입해서, 문제를 해결하고 피드백을 주고, 체계화인 토론으로 이끌어 주시는 데 도움을 많이 주셨어요."

코치들은 강사들이 후속 조치를 취해준다는 것을 알았기 때문에 세미나의 교육 과제와 그룹 세션에 더욱 집중할 수 있었다고 강조했다. 일부 코치들은 장기적으로 학습 과정을 개선하기 위해 한두 번의 슈퍼비전 세션이 더 있었으면 좋겠다는 의견을 제시하기도 했다.

과정 수료이후: 각자의 훈련 환경으로 돌아간 코치

다음 섹션에서는 코치들이 과정을 마친 후 각자의 환경으로 돌아가 어떻게 활동했는지, 그리고 어떤 코치들은 선호하는 연습과 훈련 모델을 특정 맥락에 맞게 어떻게 개발했는지에 대해 설명한다.

가치를 가치 있게 만들기

코치들은 가치 작업이 매우 관련성이 높고 직접적으로 적용할 수 있는 부분이라고 응답했다. 과정 중에 여러 가지 연습을 시도한 후 가치를 식별하고 표현하는 것이 얼마나 어려운지 직접 경험했기 때문에 인내심을 가지고 가치 작업을 실천했다. 코치들은 가치 카드와 팀별 가치 연습(가치 배구 연습)은 이를 보다 가시화할 수 있는 방법으로 활용했다. 또한, 가치배구연습을 할 때 가치를 종이 위의 멋진 단어가 아닌 구체적인 행동으로 옮기는 것이 중요하다는 점을 강조했다. 앤더스 코치는 선수들과 함께 작업하면서 가치를 구현하기 시작한 후 선수들과 더 잘 어울릴 수 있게 되었다고 설명했다. "용기에 대해 선수들과 함께 해보면서, 선수들의 몸짓, 코트에서의 위치 등을 살펴볼 수 있었어요. 용기의 가치를 몸으로 표현하면 이것이 어떤 의미인지 이해하기가 더 쉬웠어요." 가치에 기반한 작업을 통해 그는 구체적인 피드백과 지속적인 후속 조치로 선수들을 지원할 수 있었다. 베니 코치는 가치 카드를 사용함으로써 선수들과의 개인적인 관계가 어떻게 개선되었는지 다음과 같이 설명했다. "가치 카드 작업을 통해 선수들을 더 잘 이해하고 알아갈 수 있는 기회를 얻었습니다. 또한 선수들과 가치 카드에 대해 토론할 때 제 자신도 무엇을 가장 중요시하고, 어떤 가치를 지지하는지 더 잘 알게 되더라고요."

마음챙김과 집중: 현재 순간에 집중하기

코치들은 매일 훈련 전에 선수들과 함께 마음챙김 연습을 했다. 예를 들어, 앤더스 코치는 선수들이 학교에서 스트레스를 받고 바로 훈련에 임할 때 마음챙김 시각화 가이드를 정신적 워밍업으로 사용했다. "집중력이 흐트러지는 것을 발견하면 선수들을 가끔 작은 체육관으로 데려가 눈을 감고 매트 위에 누워 마음챙김 운동을 하도록 했어요. 어린 선수들이 집중하는 데 도움이 많이 되었어요." 또한 포커스 원은 집중력 훈련을 위해 자주 사용하는 도구였다. 토미 코치는 포커스 원을 인쇄해 차량 운전석 핸들에 붙였다. 토르비욘과 베니 코치 역시 선수들에게 평소 훈련 중에 동그라미 안에 자신을 위치시켜보도록 반복적으로 연습을 시켰다. 앤더스 코치는 핸드볼 코트의 미드필드 라인을 사용하여 선수들이 공격과 수비에서 각각 다른 임무(파란색 초점)를 가지고 있음을 상징화했다. 모든 코치들은 포커스 원이 단순하고 직관적이기 때문에 각기 다른 상황에서 매우 유용하게 사용할 수 있었다고 말했다.

전념 행동: 어려운 감정에 직면했을 때 적극적인 선택하기

전념 행동 교육과정에선 코치들은 스포츠 생명선을 통해 기능 분석에 대해 교육받았고, 선수들과 함께 스포츠 생명선을 작업하고 나서 이것이 매우 의미 있는 도구였다고 밝혔다. 일부 코치들은 이제 훈련 세션 중에 선수들과 스포츠 생명선을 여러 번 확인하는데, 토르비욘 코치는 교차로 은유를 직접 사용한 예를 다음과 같이 설명했다.

> "훈련이 끝나면 선수들에게 두 가지 길 중 하나를 선택해야 하는 두 가지 어려운 상황을 등록해 달라고 말합니다. 그 다음에는 자신이 어떤 행동을 했는지, 어떻게 행동했으면 좋았을지 반성해 보도록 요청합니다. 이런 식으로 훈련이 구체화되고 이런 연습이 정식 훈련으로 통합된 일부가 됩니다. 훈련의 질은 일상적인 훈련 상황에서의 가치 있는 작은 선택에 달려 있다고 봐야 합니다."

스포츠 생명선 작업에 대해 어느 정도 코치진의 이해가 높아지면서, 가치가 무엇이며, 우리가 힘든 상황에서 왜 그렇게 행동하는지, 압박감을 받는다는 것이 무엇을 의미하는지에 대해 분석하고 건설적으로 토론하는 토대가 되었다.

성찰

코치들에게 일상적인 훈련에 멘탈 트레이닝을 통합하고 훈련과 시합에서 스포츠의 정신적 측면에 대해 선수들과 지속적으로 대화하도록 가르치는 것은 쉽지 않은 일이다. 코치들은 기술 훈련과 신체 훈련 측면에 비해 선수들의 멘탈을 다루는 데 있어 훨씬 자신없어 하는 경우가 많았다. 다음 하위 섹션에서는 심리적 지원 작업을 성공적으로 관리하기 위한 세 가지 핵심 측면을 제시하고자 한다.

실행에는 연습과 성찰이 필요하다

코치들이 새로운 방법을 실행하는 데 자신감을 갖도록 하는 핵심적인 특징은 맥락에 맞게 어떤 방법이 좋을지에 대한 성찰을 유도하도록 촉진하는 것이었다. 모든 코치들은 자신의 실전 환경에 맞게 연습을 수정하고 방법을 조정하는 데 시간을 할애하는 것이 상당한 도움이 되었다고 보고했다. 코치들은 특정 스포츠, 선수들의 연령대 및 훈련 설정에 맞게 배운 것을 적용하는 방법에 대해 논의했다. 코치들은 이러한 조율과정이 성공적인 실행을 위해 중요할 뿐만 아니라 감히 시도해 볼 수 있는 기회라고 설명하였다. 코치들이 다른 코치를 '선수'로 삼아 특정 연습을 미리 실행할 수 있는 기회를 체험해 본 것도 과감하게 시도를 해보는 데에 중요하게 작용했다.

다른 코치들이 어떻게 하는지를 보면서, 문제점을 논의하고, 해결책을 도출하는 슈퍼비전 세션도 실행에 도움이 되었다. 그러나 코치들은 슈퍼비전에 관해 다소 아쉬웠던 것은 훈련 상황에서 코치를 관찰하는 내용이 포함되었다면 더 좋았을 것이라고 언급하기도 했다 "그룹원과 코치가 내가 일하고 있는 현재 코칭 환경에서 나를 직접 관찰하듯이 접근하는 방식이 있었다면, 아마도 잠재력과 문제점을 발견하는 데 좋았을 것 같다." 이렇게 하면 강사가 상황에 맞는 피드백을 더 많이 줄 수 있게 해주겠지만, 이를 위해선 강사에게 더 많은 자원이 필요할 것이다.

스포츠 심리학은 경기장에 있어야 한다

엘리트 훈련 환경은 일상적인 훈련에서 정신적인 측면에 집중하는 데 몇 가지 장애물이 있을 수 있다. 코치들이 강조하는 이러한 장애물 중 하나는 스포츠 심리학 측면에 대한 공통 언어가 부족하다는 것이다. 많은 코치들은 이전에는 스포츠 심리학을 위기에 처한 특정 선수를 구해내기 위한 목적으로 인식했었던 측면이 있었다. 그야말로 훈련된 전문가를 모셔와 위기 개입에 국한하여 사용했다. 따라서 일상적인 훈련에 스포츠 심리학을 적용하는 것은 코치들에게 큰 도전처럼 보였고, 동료 코치들과 선수들의 반대에 부딪힐 것으로 예상했다. 토르비욘 코치는 이렇게 말했다. "선수들이 어떻게 반응할지, 저를 믿고 함께 일할 수 있을지 걱정이 되었습니다." 그러나 한정된 연습 모델과 연습을 통한 지속적인 작업은 일상환경에서 이를 적용해보는 것에 대한 수용성과 정당성을 제공할 수 있었다. 특히 코치들은 전체 환경에서 사용되는 새로운 언어를 선수들과 어떻게 만들었는지 강조했다. 코치들 또한 선수들과의 관계가 개선되는 것을 경험하고 있다. "더 이상 전과 같은 방식으로 선수들에게 실망하지 않게 되었어요. 이제 선수들이 집중하지 않거나 제대로 행동하지 않을 때 문제에 대해 이야기할 수 있는 새로운 언어가 생겼거든요." 신뢰 관계가 형성되자 경기력 전반의 기술적, 전술적, 물리적 요소에 대한 작업에도 개선이 있었다.

이러한 고무적인 성과가 말해주는 것은 코치들을 위한 스포츠 심리과정이 성공적인 실행으로 이어지려면 강사가 현장의 맥락을 진정으로 이해하고, 언어, 연습, 실행모델을 조정하도록 적극적으로 도와야 한다는 것이다. 또한 강사들은 코치들이 스포츠 심리학을 실행하려고 할 때 조직적이고 구조적인 문제에 직면하는 것을 인식하고, 이를 직접 해결할 용기를 가져야 한다. 헨릭 코치는 실행을 하기전에, 축구 클럽의 경영진과 이야기를 나누라는 조언을 들었으며, 경영진의 지원이 얼마나 중요한지 다음과 같이 설명했다. "경영진은 제가 강의에서 제시한 내용에 대해 매우 긍정적인 반응을 보여주었고, 이는 동료 코치들의 긍정적인 태도로 이어졌어요. 스포츠 심리학이 '이벤트'가 아닌 일상적인 훈련의 자연스러운 일부로 스며들기 위해서는 경영진의 조직적인 지원도 매우 중요한 것 같아요."

용기가 핵심이다

마음챙김과 수용전념에 기반한 접근 방식으로 선수들과 스포츠 심리학을 적용할 때, 우리는 선수들에게 어려운 감정에 강인하게 맞서기를 강조한다. 우리는 선수들에게 걱정을 받아들이고 자신의 가치에 접촉하며, 경기 계획을 계속 떠올리도록 요청한다. 우리는 선수들에게 용기를 내라고 당부한다. 이것은 스포츠 심리학 과정의 강사들에게도 중요하다. 또한 선수들에게 새로운 기술을 적용하기 시작하는 코치들에게도 마찬가지이다. ACT 강사들은 종종 다른 사람들에게 영감을 주고, 용기를 내며, 솔선수범하는 것을 가치로 삼을 것이다. 강습이 효과적이려면 자신이 롤모델이 되어야 한다는 것을 알고 있을 것이다. 그러나 강사들도 종종 어려운 상황에 직면하게 된다. 예를 들어, 잘 이해하지 못했거나 막상 진행할 때 자신감 없어 하는 연습이 있을 수 있다. 강사들은 교육에 참가하고 있는 코치는 평소 스포츠 분야에서 운동을 진행하고 설명하는 전문가라는 사실을 예리하게 인식하고 있다. 강사들 역시 마음챙김을 하지 않는다면, 시간이 부족할 때까지 대화와 설명만 늘어놓다가, 코치에게 현장에서 직접 연습을 해보라고 권유하는 등 회피적인 경로로 빠질 수 있다. 이는 ACT를 모델링하는 것이 아니다. 강사는 불편한 영역에 발을 들여놓을 수 있어야 한다. 우리는 이에 대해 명확하게 말하는 것이 도움이 된다고 생각한다. 강사가 다음과 같이 말할 수 있다. “강사인 제가 다음 연습을 제시하는 데 자신이 없습니다. 그냥 건너뛰고 싶은 마음도 있습니다. 하지만 용기를 내서 해보려고 노력해 보겠습니다. 코치 여러분에게 도움이 될 것 같으니 같이 해보려고 합니다”라고 말할 수 있다. 강사가 이런 취약성을 보여주는 것은 코치들이 자신의 가치와 도전에 대해 성찰하는 더 큰 용기를 내보도록 촉진할 수 있다.

이는 코치들에게도 다르지 않다. 스포츠 심리학과 같은 새로운 분야에 뛰어들면 어려운 상황과 생각, 감정을 마주하게 될 가능성이 높다. 이 과정에 참여한 코치들은 그 중요성을 잘 알고 있었다. 그들은 개방성과 호기심이라는 가치를 가지고 있었지만 그들은 종종 어떻게 어려운 생각을 하게 되었는지 설명했다. 베니 코치는 다음과 같이 솔직하게 토로했다.

> "문제는 저에게는 처음 접하는 내용이라는 거였죠. 너무 생소한 내용들이라서 제가 적절한 역할을 하지 못하면 어쩌나? 긴장도 되고 잘 해낼 수 있을지 확신이 서지 않아요. 정말 막막해요. 연습 도중에 누군가 웃기 시작하면 어떻게 하나요? 그러면 다 망할 것 같은데."

이런 판단적이고 평가하는 생각은 코치들이 선수들과 함께 운동에 참여하려는 의지를 억제하고 자신이 잘하는 것만 고집하게 만들 수 있다. 코치들은 자신의 가치를 명확히 하는 데 시간을 할애하고, 스포츠 생명선과 함께 작업했던 것이 미지의 영역으로 한 발짝 더 나아가는 데 큰 도움이 되었다고 말했다.

이 장의 서두에서 언급했던 것처럼, 코치는 스포츠 심리 전문가가 아니며, 스포츠 심리전문가의 역할을 대신할 수 있는 지식과 기술을 가지고 있지 않다는 점을 강조하고 싶다. 경기 현장에서 스포츠 심리전문가를 활용하는 데에는 여러 문제들이 산적해 있다. 스포츠 심리학은 많은 코치들에게 생소한 분야이며, 코치와 스포츠 심리 전문가의 역할 사이의 경계는 지속적으로 논의되어야 한다. 하지만 코치가 자신의 심리 문제를 해결하면 선수와 더 긍정적인 관계를 맺을 수 있는 것처럼, 코치도 마음챙김과 수용전념 접근법의 몇 가지 기본 원칙을 일상 업무에 적용할 수 있다면, 선수와 더 만족스러운 관계를 맺을 수 있다고 믿는다. 이런 실질적 결실을 맺기 위한 대안으로 코치 교육과 스포츠 심리학 전문가와의 협력이 지금보다 확대되기를 제안한다.

참고문헌

Barker, S., & Winter, S. (2014).The practice of sport psychology:A youth coaches' perspective. *International Journal of Sports Science & Coaching, 9*, 379 - 392.

Diment, G., Henriksen, K., & Hansen, J. (2014). Sport psychology service delivery to Danish elite athletes: From professional philosophy to successful cases. In J. G. Cremades & L. S.Tashman (red), *Becoming a sport, exercise and performance psychology professional:A global perspective* (pp. 69 - 76). New York: Psychology Press.

Gardner, F. L., & Moore, Z. E. (2007). *The psychology of enhancing human performance: The Mindfulness-Acceptance-Commitment (MAC) Approach*. New York: Springer.

Harris, R. (2009). *ACT made simple: An easy-to-read primer on acceptance and commitment therapy*. Oakland, CA: New Harbinger Publications.

Yalom, I. D. (1995). *The theory and practice of group psychotherapy* (4th ed.). New York, NY:Basic Books.

9

눈을 감고 공에 집중하기

미국 프로 스포츠와 마음챙김

마크 W. 아오야기, 조나단 페이더

맥락

우리는 스포츠 심리학 전문가로서 주로 미국 메이저리그 야구(MLB), 미식 축구 리그(NFL), 미국 농구협회(NBA) 등 프로 스포츠 분야에서 15년 이상 컨설팅을 해왔다. 미국에는 네 가지 주요 프로 스포츠(미식 축구, 농구, 야구, 하키)가 있으며, 리그는 각각 NFL, NBA, MLB, NHL(내셔널 하키리그)라 부르며, 각 리그마다 고유한 문화가 있다. 이 외에도 많은 프로 스포츠리그와 선수가 있다. 간단하게 설명하기 위해 이 장에서는 NFL, NBA, MLB(이하 프로 스포츠라고 함)에서의 경험과 이러한 프로 스포츠 간에 공유되는 공통점에 초점을 맞추려고 한다. 다만 '프로 스포츠'에 대한 포괄적인 설명은 각각의 고유성으로 인해 다소 오해의 소지가 있을 수 있음을 알려 드린다. 두 명의 저자 모두 각 주에서 면허가 있는 심리학자이고, 미국 응용 스포츠 심리학 협회에서 공인된 멘탈 퍼포먼스 상담가(Mental Performance Consultant, MPC) 자격을 보유하고 있다. 프로 스포츠 외에도 다양한 프로리그, 올림픽팀, 대학팀, 촉망받는 유소년 선수/팀과 함께 일해 왔다. 이 장에서는 프로 스포츠의 고유한 맥락을 이해하고, 프로 스포츠에서 심리상담가가 하는 일에 대해 설명하며, 이를 생생하게 이해할 수 있는 이야기와 실제 사례를 제공하고자 한다.

프로 스포츠의 맥락

표면적으로 프로 스포츠와 아마추어에서 프로로 전환하는 선수들을 구분하는 경계선은 수익과 돈의 투입 여부에 있다. 물론 이것이 핵심적인 요소이긴 하지만 프로 스포츠로 전환하는 과정에서 일어나는 다른 많은 변화가 있다. 아마추어에서 프로로 전향할 때는 대략 다음과 같은 순서를 따른다. 먼저 선수가 에이전트와 계약을 맺는다. 그리고 선수는 드래프트(선수들이 프로 스포츠 리그에 진출하는 주요 방법)를 준비하고, 드래프트 전 컴바인 행사에 참석한 후 드래프트에 참가하게 된다(때로는 그렇지 않은 경우도 있는데, 이 경우 '프리 드래프트' 선수로 참가하게 되며, 일반적으로 선수의 선수경력 내내 이 꼬리표가 붙게 됨). 에이전트는 계약 및 보증 거래 협상부터 재정 관리, 선수의 경기장 내(때로는 경기장 밖) 움직임 조율에 이르기까지 다양한 역할을 수행한다. 유능한 에이전트는 선수를 위한 자원이자 조력자이지만, 그렇지 않은 에이전트는 선수에게 오히려 스트레스와 긴장감의 원인 제공자가 될 수 있다.

드래프트 준비는 그 자체로 큰 일이 되었으며, 일반적으로 선수들의 대학 시즌이 끝나고 몇 달 후에 드래프트가 열리기 때문에 선수들에게 대학 시즌에서 회복하는 동시에 많은 비용이 드는 인터뷰/쇼케이스를 준비해야 하기에 아무래도 스트레스가 상당한 시기이다. 일부에게는 이 시기가 자신의 '브랜드'를 개발하고 팀과 기업 모두에게 자신을 마케팅하는 긍정적인 과정이 될 수 있다. 하지만 대다수에게는 자신의 가치를 인치, 파운드, 초 단위로 측정해서 돈으로 가치가 매겨지는 비인간적인 과정이 될 수 있다. 사전 드래프트 과정은 선수들의 몸무게를 측정하고 다양한 신체적 기술/훈련을 테스트하는 드래프트컴바인 행사에서 절정에 이른다. 또한 선수들은 정신/심리 및 성격 평가와 팀별 인터뷰를 받기도 한다. 마지막으로 드래프트는 프로 스포츠로의 전환의 정점이다. 거대한 볼거리인 드래프트는 선수들의 초기 연봉(드래프트 순위가 높을수록 연봉이 높음)을 결정하고 때로는 계약 기간도 결정한다(대부분의 상위권 선수들은 자유계약과 큰 연봉을 더 빨리 받기 위해 짧은 계약을 원하지만, 많은 경계선 선수들은 [상대적] 안정감을 위해 긴 계약을 선호한다).

드래프트 이후, 새로 보상을 받은(종종 벼락부자가 된) 선수들은 이제 프로 스포츠의 세계를 탐색해야 한다. 선수들의 나이가 20대 초반이고 재정적, 사회적, 교육적, 기타 이유로 불우한 배경을 가진 경우가 많다는 점을 염두에 두면, 이 과정에서 상당한 시간이 소요될 수 있다. 리그에 따라 보장되는 연봉 금액은 상당히 다양하다. 다시 말해, 연봉이 신고되고 연봉이 널리 알려지거나 공개될 때, 선수들은 실제로 그 금액을 받을 수도 있고 그렇지 않을 수도 있다. 또한 선수들은 대중의 소비와 판단을 위해 자신의 움직임의 대부분이 (자신 또는 다른 사람에 의해) 기록되는 연예인이자 공인의 세계로 진입하게 된다. 다시 말해, 어떤 선수들은 이러한 사실을 받아들이고 기쁨의 원천으로 삼는 반면, 어떤 선수들은 불특정 다수에게 노출되는 것을 두려워하고 사생활과 익명성을 보장받는 삶을 원하기도 한다.

보편적이지는 않지만 많은 운동선수에게 팀/라커룸은 스포츠 경험에서 가장 재미있고 만족스러운 부분 중 하나이다. 스포츠는 모든 연령, 다양한 인종, 종교, 정치, 출신 배경을 가진 사람들을 하나로 모으는 장소로 선전되고 있다. 팀과 팀원들과의 관계는 종종 더 큰 사회에서 종종 장벽이 되는 표면적인 차이를 초월한다는 것은 의심할 여지가 없다. 하지만 항상 그런 것은 아니며 파벌과 사회의 모든 '이념과 사상'은 라커룸에서도 발생한다.

겉으로 보기에는 화려하고 많은 돈을 받는 것처럼 보이지만 현실은 프로 스포츠의 환경은 의도적으로 선수들을 불안하고 불편하게 만들며 선수들을 기계의 부속품처럼 취급하는 것이 현실이다. 일부 최고의 선수들은 전성기 시절에 안정감을 느끼기도 하지만, 이들에게도 선수경력의 시작과 끝은 종종 스트레스와 압박감으로 얼룩진다. 대다수의 프로 운동선수들은 팀에서 얼마나 오래 뛸 수 있을지, 언제 트레이드되거나 잘릴지, 부상을 입어 선수경력이 중단되거나 끝날지 걱정하며 선수경력을 이어간다. 예를 들어, 표면적으로는 팀 동료이지만 실제로는 현재 자신이 맡고 있는 포지션을 놓고 경쟁하는 선수가 항상 한 명 이상, 때로는 여러 명 존재한다. 이러한 끊임없는 경쟁은 많은 선수가 거의 경험하는 불안감과 전반적인 불안감의 원인이 된다. 로스터 '버블'(대부분의 프로 스포츠에서 로스터의 하위 3분의 1에 해당)에 속한 선수의 경우 부상, 다른 선수로의 교체(성적, 코치 또는 팀 운영철학의 변화, 단순히 팀이 변화를 원하기 때문일 수 있음) 또는 선수가 통제할 수 없는 기타 여러 요인으로 인해 시즌과 선수경력이 즉시 중단될 수 있다.

시즌의 리듬과 일정은 스트레스와 도전의 또 다른 원인이다. 팬들은 선수들에게 '비시즌'이 있는 것처럼 보이지만, 실제로 선수들은 거의 일 년 내내 시즌 중이거나 아니면 훈련 중이다. 선수들의 장거리 여행은 피곤하고 시차

적응이 되지 않은 동안 경기력을 발휘해야 한다는 부담과 함께 여행의 정상적인 스트레스를 가져오는 많은 늦은 밤/새벽 도착과 출발이 있기 때문에 추가적으로 고려해야 하는 요인이다. 또한 많은 프로 운동선수들은 고국에 가족을 두고 있어 스트레스가 되기도, 그것이 지지의 원천이 되기도 한다.

프로 스포츠에 종사하는 스포츠 심리 전문가에게도 방금 설명한 것과 동일한 요인이 많이 적용된다. 예를 들어, 팀과의 여행은 많은 시간과 에너지를 투자해야 하므로 어떻게 접근하고 싶은지 고려할 필요가 있다. 프로 스포츠에서 다소 독특한 또 다른 고려 사항은 자신이 '누구의 사람'으로 여겨지는 것이다. 즉, 감독, 단장, 스포츠 의학 담당자 또는 기타 이해관계자의 추천을 받고 영입이 되었는지 이러한 각 영입 경로에 따라 자신이 누구이며 무엇을 하는 사람인지에 대한 인식이 달라진다. 프로 스포츠에서 유일한 상수는 변화라는 말이 있듯이, 변동성은 당연하고, 각 경로에 따라 안정적 고용의 정도도 달라지기 마련이다. 코치에게 영입되는 경우 코치의 재임기간은 보통 3–5년 정도이다. 코치가 해고되거나 이직할 경우 스포츠 심리상담가의 거취가 어떻게 되는지에 대한 문제도 고려해 볼 만하다.

그렇다면 어떻게 해야 할까?

앞서 설명한 맥락을 고려하면 프로 선수들이 받는 스트레스와 압박의 원인이 예상보다 훨씬 많다는 것이 분명하다. 게다가 비록 대부분의 삶에서 프로 선수라는 꼬리표를 달고 그 렌즈를 통해서만 바라보게 되므로 그들은 다른 모든 직업인이 처리하는 것과 동일한 '일'을 처리하는 동시에 프로 선수라는 독특한 압박과 스트레스 요인을 이중으로 겪게 되지만, 프로 선수는 무엇보다도 사람이다. 경기장 안팎에서 이러한 모든 압박과 스트레스를 관리하여 가장 중요한 순간에 최고의 기량을 발휘할 수 있도록 돕는 것이 우리의 임무이다. McCann(2008)이 정확하게 말했듯이, '모든 것이 퍼포먼스 문제'(p.267)이다.

일반적으로 상담의 '형식과 느낌'은 프로 스포츠에서 다른 높은 수준의 환경(예: 올림픽, 대학 스포츠)과 크게 다르지 않다. 상담가는 팀이 원하는 바에 따라 팀 프레젠테이션과 개별 상담을 진행하고, 코치 및 경영진과 협력하며, 스포츠 심리 상담과 관련된 일반적인 주제와 기술을 능숙하게 다룬다. 또한 팀과 개인 모두와 정기적으로 마음챙김 작업을 수행하며 '일반적인' 윤리적 딜레마에 직면하기도 한다(예: Aoyagi & Portenga, 2010; 2014). 상담 경험에는 질적인 차이가 많지 않지만 프로 스포츠 환경의 강도(더 높음)와 속도(더 빠르고, 더 긴급함)에는 약간의 양적 차이가 존재한다.

첫인상이 중요하다: 그건 마음챙김을 소개하는 방식에 달려 있다

프로 스포츠에서 새로운 활동이나 프로그램을 소개할 때 선수들에게 효과적인 방식으로 메시지를 처음 전달하는 것이 매우 중요하다는 사실을 발견하곤 한다. 마음챙김을 소개하는 데 사용하는 언어는 프로그램이나 팀 내에서 마음챙김이 수용되는 속도와 정도에 영향을 미치므로, 우리는 선수들이 향상시키고자 하는 신체적, 기술적, 전술적 기술과 일치하는 기술로서의 마음챙김에 대해 논의하고자 한다. 이 마음챙김의 언어가 선수들에게 주입되기 위해서는 정기적인 훈련이 필요하다. 마음챙김이 선수/팀과 연결되지 않을 수 있는 상황에서는 받아들이기 수월한 멘탈 트레이닝이란 용어로 대체할 수 있다(예: Slagter, Davidson, & Lutz, 2011). 마음챙김을 문화적으로 더 적절하게 팀에 도입할수록 마음챙김이 팀 문화의 일부가 될 가능성이 높아진다. 예를 들어, 마음챙김 대신 멘탈 트레이닝, 명상, 집중력에 대해 이야기하면 팀원들의 이해를 이끌어내거나 경험에 대한 더 많은 정보를 얻는 데 도움이 될 수 있다. 또한 마음챙김에 대한 선수들의 선입견이나 거부감의 유형을 미리 파악하는 것도 중요하다. 팀원들이 마음챙김에 대한 경험이 도움이 되지 않거나 부정적인 경험이 있었다면 그것을 이해하는 것이 마음챙김 프로그램이나 연습을 성공적으로 실행하는 데 매우 중요하다는 사실을 발견했다. 동기 부여 강화 및 동기 부여 인터뷰에 관한 문헌에 따르면 선수, 팀 또는 특정 직원이 마음챙김에 관심이 없는 이유를 파악하고 공감하도록 돕는다면 마음챙김이 경기력 향상에 도움이 될 수 있는 이유에 대해 더 잘 받아들이고 이야기하는 데 도움이 될 것이라고 한다(Miller & Rollnick, 2012). 거부감에 대한 질문으로 시작하여 부정적인 경험이나 정보를 검증하는 것은 마음챙김이 가진 가능한 이점에 대해 긍정적인 대화를 나누는 데 도움이 된다.

우리가 마음챙김에 대해 논의할 때 마음챙김을 소개하는 방법 중 하나는 '마음챙김은 현재의 순간을 있는 그대로 받아들이는 것이다.'라는 카밧-진(1994)의 말을 의역해서 들려주는 것이다. 마음챙김은 알아차림의 연습이며,

순간을 더 잘 알아차림으로써 경기장 안팎에서 행복한 시간, 슬픈 시간, 스트레스를 받는 시간, 스트레스를 받지 않는 시간 동안 그것을 알아차리고 그 순간을 받아들이는 데 도움이 될 수 있다고 설명한다.

팀과 함께 이러한 깨달음을 이끌어내고 마음챙김을 도입하기 위해 할 수 있는 한 가지 연습은 그룹원에게 1분 동안 마음을 고요하게 해달라고 요청하는 것이다. 이 활동을 소개할 때 하는 말은 다음과 같다.

> "마음챙김이 이미 여러분의 일부임을 보여줄 수 있는 연습을 해보겠습니다. 1분 동안 원하는 방식으로 마음을 고요하게 하는 시간을 가져보세요. 어떤 방법을 선택하든 여러분에게 달려 있습니다. 1분 동안 마음을 가라앉히기만 하는 것에 집중해 보세요. 시간이 다 되면 알려드리겠습니다."

1분이 지나면 방에 있는 사람들에게 마음을 진정시키기 위해 무엇을 했는지 물어볼 수 있다. 대부분의 사람들은 눈을 감거나 호흡에 집중하는 등 자연스럽게 마음챙김 전략에 대해 이야기할 것이다. 방에 있는 거의 모든 사람이 눈을 감았다고 말할 수도 있다. 왜 그럴까? 눈을 감는다는 것은 마음을 이완시키고 시스템을 재충전하기 위한 본능적인 몸짓이기 때문이다.

마지막으로, 그룹 환경에서 사용할 수 있는 연습은 팀원들이 자신의 호흡에 집중함으로써 긴장을 풀도록 한 다음, 에어컨 소리와 같이 인식하지 못했던 방 안의 소리에 주의를 기울이거나 집중하도록 요청하는 것이다. 그런 다음, 자신의 숨소리나 목소리와 같이 자신의 몸에서 나는 소리로 주의를 돌리도록 요청하며 주의를 전환하는 연습을 할 수 있으며, 이는 운동에서 집중력을 높이는 부분에서 선수들에게 도움이 될 수 있음을 보여준다.

토론을 이끌어내는 이야기

마음챙김을 소개하기 위해 프로 스포츠 선수들에게 들려주는 두 가지 이야기가 있다. 이 이야기는 선수와 코치들이 마음챙김을 이해하고 마음챙김에 대해 더 호의적인 태도를 갖도록 도와주었다. 두 전사의 이야기다.

옛날 옛적에 한 젊은 전사가 있었다. 이 전사는 마음챙김과 명상이 전장에서 성공하는 데 도움이 될 수 있다는 사실을 어렴풋이 알게 됐다. 그는 이 기술을 빨리 습득하고자, 이 분야 최고의 고수를 멀리까지 수소문하여 산꼭대기에 사는 고수를 찾게 되었다. 이 고수는 마음챙김 명상 리더 중 가장 영험하며 특별하며 강력하다는 소문이 자자한다. 젊은 전사는 하루 동안 눈 덮인 산을 오르는 길을 찾아 툰드라를 트레킹하여 이 전사 승려가 살고 있는 정상에 마침내 도달한다. 명상을 하며 앉아 있는 노인을 발견한 그는 외양에서 품기는 신비한 분위기와 그의 지혜와 경험에 즉시 경외감을 느낀다. 고수는 명상을 멈추고 젊은 전사에게 이름을 묻는다. 고수에게 자신을 소개한 후 젊은 전사는 자신에게 명상하는 법을 가르쳐 줄 수 있는지 묻는다. 고수는 요청을 흔쾌히 수락하고 호흡에 집중하는 명상법을 가르쳐 준다.

방법을 배운 젊은 전사는 산 아래까지 걸어 내려와 눈밭에 앉아 마음챙김을 연습한다. 그는 몇 초 이상 호흡에 집중하지 못하는 자신을 보며 좌절감을 느낀 것을 발견한다. 그는 또한 생각이 방황하고 신체적으로 불편함을 느끼고 있는 자신을 발견한다. 짜증과 좌절, 추위에 시달리던 그는 산 정상까지 올라가 고수를 찾아 마음챙김 수행 중에 경험하고 있는 불편한 상황에 대해 불평하며 불만을 토로한다. 그는 지루하고, 피곤함을 느꼈으며, 배가 고프고, 딴 생각이 나서 집중을 할 수 없다고 불평한다. 고수가 수행을 멈추고 신중한 태도로 그를 바라보며 "이것은 지나갈 것이다"라고 말한다. 젊은 전사는 스승의 피드백을 생각하고 산을 내려와 눈 속 같은 자리에 앉아 이 답답한 감정과 감각이 어떻게 지나갈지 생각하며 명상을 시작한다. 놀랍게도 그는 명상하는 동안 과거에 대한 생각이나 미래에 대한 걱정 없이 그 순간에 자신과 하나가 되어 평화롭고 행복한 순간에 빠져들었다. 10분간 숨을 고르며 명상에 집중한 그는 재충전된 느낌으로 세상에 대한 자각에서 깨어난다. 그는 산 정상에 올라 스승에게 자신이 깨달은 새로운 진전사항을 설명한다. 그는 자신의 부활과 회복, 평화로운 생각과 느낌을 이야기하며 기뻐하고, 스승은 그를 미소를 지으며 바라보며 "이것도 지나갈 것이다"라고 말한다.

두 번째 이야기를 들려주고자 한다. 또 다른 젊은 전사가 마음챙김과 명상의 가치를 배우려고 한다. 전장에서 성공하고 싶은 열망에 사로잡힌 그는 세계에서 가장 경험이 많은 마음챙김 대가를 찾기로 결심한다. 이 젊은 전사는 자신의 멘토를 찾기 위해 전 세계 곳곳을 찾아다녔다. 많은 마음챙김 전문가들과 이야기를 나눈 후, 그들은 숲 한가운데 산꼭대기에 살고 있는 대가를 추천해 주었다. 젊은 전사가 산 정상에 도착했을 때, 그는 명상을 하고 있는 스승을 발견한다.

"당신이 세상에서 현존하고 있는 가장 현명한 명상의 대가라고 들었습니다." 전사가 구루에게 말을 건넨다.

"명상을 제게 가르쳐 주실 수 있나요? 그리고 제가 배우는 데는 혹시 얼마나 걸리나요?"

구루는 젊은 전사에게 "이런 종류의 명상을 배우려면 최소 1년은 걸릴 수도 있다"고 답한다.

전사가 대답한다. "안타깝게도 저에게는 그럴만한 시간이 없습니다. 만일 제가 정말 매일 끊임없이 명상에 정진한다면 얼마나 걸릴까요? 좀 더 단축될 수 있을까요?"

구루는 잠시 멈추고 생각한 후 "그렇다면 10년이 걸릴 수도 있겠군요"라고 대답하자, 전사는 낙담하고야 만다.

NBA 농구선수 준호의 사례 예시

"아, 당신이군요." 준호[1]는 약간의 불안감이 몸에서 사라진 듯 말하며 내 맞은편 의자에 미끄러지듯이 앉았다. 선수들과의 많은 비슷한 '첫 만남'과 마찬가지로, 나는 우리 팀과 내가 시간을 투자하여 연습에 참석하고 선수들을 한 사람으로 알아가는 것에 대해 감사했다. 준호와 나는 이미 서로를 알고 있었지만, 준호는 분명히 나와 그가 만나기로 한 스포츠 심리학 전문가 사이의 연결고리를 아직 이해하지 못했다. 나는 NBA 팀에 고용된 직후 트레이닝 캠프에서 준호를 처음 만났는데, 상의를 탈의한 준호가 내가 서 있던 곳 근처의 트레이닝 테이블로 뛰어올랐었다. 나는 그의 가슴에 내가 이전에 살았던 주의 문신이 새겨져 있는 것을 알아보고, 대화를 시작했다. 우리는 그가 테이프를 감는 동안 몇 분 동안 대화를 나눴고, 이러한 일반적인 패턴은 준호와의 만남이 있기까지 몇 주 동안 준호(다른 많은 선수와 스태프들의 만남도 위와 비슷하다)와 계속 이어졌다.

따라서 준호가 회의실에 들어오기 전에 나는 이미 그가 팀 동료들에게 호감을 받고 있으며, 열심히 일하는 베테랑으로 곧 선수경력 중반에 접어들고 장기 계약을 체결하여 가장 큰 연봉을 받을 수 있기를 희망한다는 것을 짐작하고 있었다. 준호는 드래프트 2라운드 후반에 지명되었기 때문에(NBA 드래프트는 2라운드만 진행), (상대적으로) 적은 돈으로 1년 비보장 계약을 맺고 지금까지 선수경력을 이어올 수 있었다. 이는 팀이 언제든 그를 잘라내고 계약 잔여금을 지급하지 않을 수 있음을 의미했다. 준호는 더 많은 금액이 보장되는 장기 계약으로 이어져 가족에게 안정감을 줄 수 있기를 바라며 괜찮은 한 해를 보내고 있었다. 그는 벤치에서 나와 리바운드를 위해 박스아웃하고, 다른 선수를 자유롭게 하기 위해 스크린을 설정하고, 루즈볼을 위해 바닥으로 다이빙 캐치 도 마다하지 않는 등 다른 선수들이 부상 위험 때문에 꺼리는 궂은 일을 도맡아 하는 역할을 하는 선수로 리그에서 성공했다. 준호는 더 많은 득점 기회를 얻을 자격이 있다고 생각했고, 이는 더 큰 계약과 후원으로 이어질 수 있었다.

준호가 나에게 의뢰된 것은 갑작스러운 분노 폭발이 점점 더 빈번해지고 팀에 방해가 되는 것에서 비롯되었다. 그가 받고 있던 스트레스와 압박감은 그의 직업 윤리 및 위대해지려는 열망과 결합되었고, 팀의 기대에 비해 실망스러운 수준의 성과가 나오는 것이 누적되어 급기야 분노조절의 어려움으로 이어졌다. 그의 행동은 다른 선수들에게 영향을 미칠 정도로 지장이 있었고, 코치들은 더 이상 그의 행동을 용납하지 않았다. 준호에게 나를 만나라는 초대/요청/권유(프로 스포츠 세계에서는 이를 명령으로 읽고, 명령은 '하지 않으면 사라진다'로 이해한다)를 들은 그는 상당한 원망과 분노, 고집과 앞서 언급한 불안감을 보이고, 상담실로 들어왔다.

대부분의 의무적인 상담에서와 마찬가지로, 나는 준호와의 관계를 (재)구축하려고 노력하는 것으로 시작했고, 동기 부여에 기반한 접근 방식을 활용하여 내가 그의 편에 서 있다는 것을 전달했다. 이 대화에는 내가 팀에 고용되었다는 사실을 우리 둘 다 알고 있었기 때문에 나는 준호가 나를 어느 정도까지 신뢰할 수 있는지, 그리고 대화에서 무엇을 공개해야 하는지(그리고 공개하지 말아야 하는지) 결정할 것이라는 점을 예민하게 인식하고 있었다. 팀에서 나의 역할은 선수들을 지원하고 필요한 자원을 제공하는 것이며, 대화 내용은 (일반적인 법적인 예외를 제외하고) 기밀로 유지될 것이라고 준호에게 미리 알려주었다. 하지만 나는 행동이 말보다 더 큰 힘을 발휘한다는 것을 알고 있었고, 그 시점에서 내가 할 수 있는 어떤 말로도 준호의 신뢰를 얻기에 충분하지 않을 것이라는 것을 알고 있었기 때문에 첫 만남은 상당히 짧게 진행되었다. 첫 만남에서 그는 부모님 모두 분노 조절에 어려움을 겪고 있으며, 자신의 표현대로 '피가 끓어오르는 집안'이라고 말하면서 가족 중에도 분노 문제가 있는 사람이 있다고 말했다. 주변의 모든 상황을 고려할 때 나는 그의 언급을 좋은 징조이자 희망적인 출발로 받아들였다.

두 번째 만남에서 준호는 훨씬 더 편안해졌고 기꺼이 대화에 참여했다. 그는 자신의 화난 표정을 이해하고 바꾸고 싶다는 열망을 표명했다. 특히 집에 아내와 어린 아들이 있었기 때문에 가족과의 관계가 중요했는데, 준호는 집에서 매일 밤 마리화나를 피우며 긴장을 풀고 불안과 기분을 조절한다고 말했다. 마리화나는 NBA에서 금지된 약물이기 때문에 이는 큰 위험이기는 했지만, 나와의 사이를 신뢰한다는 표현이기도 했다. 그의 경험과 대처 양식에 대해 이야기를 나누던 중 나는 마음챙김을 소개했다. 준호는 정식으로 마음챙김을 실천하지는 않았지만 마음챙김에 대해 알고 있었고 시도해 볼 의향이 있었다. 이런 상황에서 나는 일반적으로 마음챙김이 무엇인지 많은 설명이나 토론을 하지는 않는다. 불필요한 철학적 논쟁을 피하고 프로 운동선수들이 익숙한 코칭, 연습 및 기술 훈련 방식과도 일치하기 때문에 직접 경험하고 훈련의 초점을 경험에 두는 것이 가장 좋다고 생각한다. 그래서 나는 준호에게 의자에 앉아서 눈을 감고 호흡에 주의를 기울이고 알아차리도록 요청했다. 5분 정도 호흡에 대한 기본적인 마음챙김을 안내한 다음(마음챙김연습에 참여하면서 그의 노력, 참여도, 과정을 모니터링했다), 그 후 어떤 경험을 했는지 나누었다. 준호는 마리화나를 피울 때의 느낌에 비유하며 자신이 마리화나 없이도 이렇게 편안해질 수 있다는 것에 놀라워했다. 그는 약물의 영향을 받지 않고는 그런 기분을 느껴본 적이 없다고 말했다. 그는 매일 잠자리에 들기 전에 '헤드스페이스' 명상 앱을 사용하여 명상을 연습해 보겠노라고 말했다.

다음 세션에서 준호는 매일 밤 5분간 명상 앱을 사용했다고 보고했다. 이는 그가 매일 할 수 있는 가장 많은 시간이었다(습관을 형성하고 효과를 극대화하기 위해 나는 선수들에게 더 자주, 더 긴 세션보다는 매일 할 수 있는 가장 긴 시간 동안 연습할 것을 제안하는 편이다). 그는 연습에 참여하기 전에 매일 밤 마리화나를 피웠다고 말했다. 나는 그가 해온 훌륭한 노력과 연습을 계속하는 것에 대해 칭찬하는 한편, 명상을 마리화나를 피우지 않을 때 시도해 보라고 권유했다. 세션을 마무리하면서 준호는 최근에 들었던 음악과 노래에 대한 이야기를 꺼냈다. 우리는 공통된 음악적 관심사를 중심으로 대화를 나누었다. 나는 준호에게 음악듣기를 마음챙김 연습의 일부로 사용할 수 있다고 제안했다. 그는 음악의 한 측면(예: 베이스 라인)에 주의를 집중해보자는 나의 아이디어를 마음에 들어 했다.

다음 세션은 시즌이 끝나고 불과 몇 주 뒤였는데, 이 시점에서 팀은 포스트 시즌 경쟁에서 탈락했다. 라커룸에서 느끼는 준호의 긴장감은 우승에 대한 압박감에서 실패한 시즌이 끝나면 변화가 있을 것이라는 것을 알고 일자리를 유지하려는 자기 보호로 바뀌었다. 이러한 전환은 준호에게 실제로 도움이 되었다. 그는 자신을 밀어붙이는 것이 편하고 자신의 직업을 위해 싸울 것이라는 것을 알았으며, 포스트 시즌이 끝난 후엔 더 이상 팀원들을 밀어붙일 필요가 없다고 느꼈기 때문이다. 준호는 또한 음악을 통한 마음챙김 연습을 정말 즐겼고, 더 오랜 시간 동안 할 수 있으며 심지어 높은 각성 상태가 아닐 때도 연습할 수 있다는 것을 알게 되었다. 그는 여전히 약에 취한 상태에서 하는 것을 더 선호한다고 말했지만, 이러한 시도는 준호가 마음챙김 수행에 몰입하고 있다는 증거였다. 준호는 지난 3주 동안 분노나 화를 내는 일이 전혀 없었기 때문에 이제 자신의 성질이 통제되고 있다고 단호하게 말했다. 그는 이런 성과는 나와 함께 한 노력과 팀을 '포기'하고 자신을 위해 뛰는 것 모두에 기인한다고 말했다. 이 세션은 시즌의 마지막 공식 세션이 되었고, 남은 몇 주 동안 연습 중에 계속 그의 상태를 확인하며, 부수적인 대화를 나누었다. 준호는 빈도와 지속 시간이 모두 줄어들었지만 여전히 마음챙김을 연습하고 있다고 보고했다. 나는 그가 더 많은 대화를 나누고 싶다면 오프시즌 동안에도 연락할 수 있도록 조치를 했다.

의외로 준호는 오프시즌 동안 나에게 연락하지 않았다. 1년 계약으로 돌아온 그는 장기 계약을 맺지 못한 것에 실망했고 이번이 자신의 가치를 보여줄 수 있는 마지막 기회라고 생각했다. 트레이닝 캠프가 시작되고, 준호를 만났을 때 그는 나의 노력에 감사를 표했다. 자신의 일이 잘 진행되고 있으며 공식적으로 만날 필요가 없다고 생각한다는 뜻을 분명히 했다. 나는 그가 해온 일에 대해 칭찬을 아끼지 않았고, 그가 대화를 원할 때 언제든 곁에 있겠다고 말했다.

시즌은 팀과 준호 모두에게 기이할 정도로 익숙한 곡선을 그렸다. 순조로운 출발을 보였던 팀은 연패의 늪에 빠졌고, 준호의 성질도 불같이 드러나기 시작했다. 시즌 중반 즈음에 공식적인 세션을 시작했지만, 다시 한 번 팀의

'격려'가 필요했다. 준호가 마음챙김 연습을 다시 시작할 의향이 있다는 것이 분명했고, 나는 그의 가치에 초점을 맞춰 대화를 나누었다. 우리는 그의 가족과 직계 가족뿐만 아니라 대가족을 위해 자신을 어떻게 생각하는지에 대해 이야기했다. 준호는 자신이 불안한 아이는 아니었지만 대가족을 부양하는 역할을 맡으면서 불안감을 느끼기 시작했다고 말했다.

우리는 정기적으로 만나기 시작했다. 그 후 몇 주 동안 준호는 마음챙김 연습을 꾸준히 했고, 실수에 대해 자신을 괴롭히는 특정 코치와 같은 주제에 대해서도 털어놓았다. 인정하고 싶지 않았지만, 그 코치는 준호 선수를 정말 괴롭혔고 코트에서 자신을 의심하고 망설이게 만들었다. 이 무렵 나는 융합/탈융합과 회피/수용의 개념을 소개했다. 이미 확립된 마음챙김 연습을 프레임워크로 삼아 생각에 이름을 붙이는 연습을 하고, 코치의 반복되는 도전적인 말을 재미있는 음악에 맞춰 부르며, 현재 순간에 자신을 고정하기 위해 발바닥을 느끼는 연습을 하면서 준호는 이러한 개념들을 쉽게 받아들였다. 준호와 정말 잘 통했던 또 다른 은유는 두 번째 화살 은유였다. 나는 고통에 관한 불교 문헌에서 이 은유를 접한 적이 있다. 간단히 말해, 우리에게 어떤 나쁜 일이 일어나든 그것은 우리가 맞닥뜨리는 첫 번째 화살이라는 생각이다. 우리는 언제나 이 첫 번째 화살을 맞을 수 있다. 그러나 첫 번째 화살로 일어난 일에 대해 우리 자신을 판단하고 비난하거나 정죄하면 곧바로 두 번째 화살(그리고 세 번째, 네 번째 화살 등)로 우리 자신을 때리게 된다. 이는 ACT 문헌에서 논의된 깨끗한 감정, 더러운 감정과 비슷한 개념이지만, 나는 화살 은유가 운동선수에게 더 공감을 일으킬 수 있다는 것을 알았다. 준호는 자신을 괴롭힌다는 특정 코치에게 이 패러다임을 쉽게 적용했으며 어떤 화살로도 자신을 쏘지 않기로 결심했다.

또 다른 가슴 아픈 순간은 준호가 소셜 미디어에 대해 이야기할 때였다. 나는 자꾸만 떠오르는 부정적인 생각이 항상 배경에서 흘러나오는 라디오 방송국 같다는 '라디오 둠 앤 글룸'의 일반적인 ACT 은유로 설명했다. 나는 이 은유가 준호의 공감을 얻지 못했다는 것을 알 수 있었지만 그는 반발하지 않고 시도해 보겠다고 말했다. 다음 주에 준호는 이제 소셜 미디어의 수다를 '그렘린'으로 표현했는데, 이런 방식이 자신이 심리적 거리를 두고 거기에 얽매이지 않는 데 도움이 된다고 흥분하며 말했다. 우리는 즐거운 대화를 나누었고 나는 준호의 창의성과 참여 의지를 보완하고 강화했다.

마지막으로 우리 작업의 정점을 찍었던 순간은 한 팀원이 연습에서 이성을 잃었을 때였다. 훈련 도중 두 명의 팀원이 플레이가 끝난 후 욕설을 하며 주먹을 주고받은 상황이었다. 두 선수가 분리된 후에도 한 선수는 여전히 통제 불능 상태가 되었다. 이때 준호는 그 선수에게 다가가 팀에서 잠시 떨어져 있게 했다. 무슨 말을 하는지 알아들을 수는 없었지만 준호는 그 선수를 팔로 감싸 안고 몇 분 동안 걸어 다녔다. 연습이 끝나고 준호가 훈련실을 빠져나갈 때 나는 그를 힐끗 쳐다보았다. 그는 웃으며 다가왔다. 그는 선수가 분노에 휩싸여 얼마나 통제 불능 상태인지, 그리고 그것이 팀에 얼마나 방해가 되는지 관찰할 수 있어서 자신에게 중요한 순간이라고 말했다. 이 사건을 계기로 준호는 자신의 성질을 자제해야겠다는 다짐을 더욱 굳혔다. 이 사건이 있은 직후 시즌이 막을 내렸고, 준호와 나는 오프시즌 동안 다시 한 번 모든 가능성을 열어두었다. 이 글을 쓰는 지금 현재 프로 스포츠계를 대표하는 준호 선수의 팀 복귀 여부는 아직 알려지지 않았으며, 아쉽게도 그가 팀에 복귀하지 않을 것이라는 추측이 지배적이다.

소감

준호 선수는 내가 함께 일할 수 있었던 가장 도전적이고 재미있는 선수 중 한 명이었다. 이 사례에서 나는 스포츠심리상담의 결정적인 순간뿐만 아니라 ACT와 마음챙김이 가장 잘 드러난 영역을 강조하려고 노력했다. 하지만 심리상담이 사례 연구처럼 단순하거나 흥미진진하지 않다는 것은 우리 모두 잘 알고 있다. 상담관계의 여러 지점에서 도전, 스트레스, 불안, 좌절, 지루함의 순간이 많았다. 돌이켜보면 심리상담의 성공에 기여한 주요 요인을 나열하자면, 연습에 함께 참여하고, 선수들을 알아가는 과정을 통해 '정상적인' 관계를 먼저 구축한 것, 의제를 강요하지 않고 인내심을 가지고 준호의 욕구를 존중한 것, 동기 부여 상담을 활용한 것, 그의 마리화나 사용을 판단하거나 폭로하거나 바꾸려고 시도하지 않은 것, 음악을 중심으로 먼저 관계를 맺은 후 가족이라는 가치를 중심으로 연결한 것, 마음챙김 연습에 참여하려는 준호의 의지, 두 번째 화살 은유, 생각에 이름 붙이기 등이라고 생각한다.

내가 조금 다르게 접근한 것이 있다면, 일에 대해서는 지시적이지 않았다는 것과 내담자가 이끄는 대로 따라가는 잘못을 범했다는 것이다. 이 경우에는 인내심이 미덕이라고 생각하며, 동시에 내 업무 전반과 이곳에서 특히 코치와 같은 접근 방식이 더 도움이 될 것이라고 생각한다. 나는 종종 함께 일하는 사람들에게 멘탈 트레이닝이 나만큼 중요하거나 삶의 일부가 아니라는 사실을 인식하거나 그것을 받아들이지 못하는 것을 본다. 내 목표는 멘탈 트레이닝과 마음챙김 연습에 대한 자신만의 접근 방식과 방향을 개발하도록 돕는 것이지만, 때로는 이 목표가 현실적이지 않거나 프로 스포츠에 적합하지 않을 때도 있다. 나는 멘탈 기술을 가르치고 개발하는 데 코치와 같이 지금보다 좀 더 지시적인 접근 방식을 취하는 것이 모든 것을 배우려 하는 프로 선수들에게 더 효과적일 수 있다고 생각한다.

프로 스포츠에 종사하면서 내가 배운 가장 중요한 교훈은 선수들이 마음챙김에 개방적일 것이라는 확신이다. 내가 함께 일했던 대다수의 프로 운동선수들은 마음챙김에 개방적이었고, 많은 선수들이 마음챙김을 완전히 받아들였다. 그래서 나는 마음챙김을 잠정적으로 어설프게 설명하는 것이 아니라 '실용적으로' 설명하는 법을 배웠다. 나는 업무에서 관계의 중요성을 끊임없이 상기하고 있으며, 신뢰와 효과적인 업무 관계를 구축하는 데 있어 취약성의 힘에 점점 더 많은 영향을 받고 있다. 앞으로의 연구와 더 나은 실습을 위해 취약성이 지배적으로 나타나는 높은 수행능력이 요구되는 환경에서 취약성의 효과와 영향에 대한 더 많은 연구가 이루어지기를 바란다.

참고 사항

1. 준호는 실제 활약했던 유명한 운동선수였지만 신원 보호를 위해 준호란 가명으로 바꾼 것이다. 역자가 가독성과 사례 이해의 몰입도를 높이기 위해 원문의 밴스를 준호라는 한국어 이름으로 바꾸었다.

참고문헌

Aoyagi, M.W., & Portenga, S.T. (2010).The role of positive ethics and virtues in the context of sport & performance psychology service delivery. *Professional Psychology: Research and Practice*, 41, 253 – 259. doi: 10.1037/a0019483

Aoyagi, M.W., & Portenga, S.T. (2014). Five ring fever: Ethical considerations when consulting with Olympic athletes. In E. F. Etzel & J. C.Watson II (Eds.), *Ethical issues in sport, exercise, and performance psychology* (pp. 61 – 73).

Morgantown, WV: Fitness Information Technology.

Kabat–Zinn, J. (1994). *Wherever you go, there you are: Mindfulness meditation in everyday life*. New York: Hyperion.

McCann, S. (2008). At the Olympics, everything is a performance issue. *International Journal of Sport and Exercise Psychology, 6*, 267–276.

Miller, W. R., & Rollnick, S. (2012). *Motivational Interviewing: Helping people change* (3rd ed.). New York: The Guilford Press.

Slagter, H. A., Davidson, R. J., & Lutz, A. (2011). Mental training as a tool in the neuroscientific study of brain and cognitive plasticity. *Frontiers in Human Neuroscience*, *5*, 1–12. https://doi.org/10.3389/fnhum.2011.00017

10

청소년 운동선수를 위한 수용전념치료

어느 청소년 농구 선수의 사례 연구

크리스텔 키엔스, 카스텐 흐비드 라센

청소년기는 생리적, 인지적, 사회적 측면에서 많은 많은 변화가 일어나는 전환기이다. 청소년 운동선수들이 직면하는 어려움 중 일부는 관계 형성 및 사랑 찾기, 거절에 대한 두려움, 내면은 약해도 겉으로는 강해 보이는 것을 중시하는 태도와 관련이 있을 수 있다(Ciarrochi, Hayes, & Bailey, 2012). 청소년 운동선수들은 신체적, 심리적, 사회적으로 성인과 다르다. 이러한 차이로 인해 특별히 청소년들에게 맞춤화된 개입과 상담 접근 방식이 필요하다. 청소년 운동선수는 성인의 축소판이 아니기에 청소년 선수들과 함께 작업하는 스포츠 심리학 전문가들을 위한 좋은 상담 지침이 필요하다. 수용전념치료(ACT)의 관점에서 청소년 운동선수와 함께 작업할 때 특히 유념해야 할 점은 무엇일까? 이 장에서는 청소년 운동선수와 함께 작업하는 심리상담가가 알아야 할 몇 가지 문제를 다뤄보고자 한다. 먼저, 청소년 운동선수들이 경험하는 압박감과 어려움에 대해 구체적으로 설명하려고 한다. 둘째, 청소년에게 ACT를 어떻게 적용해 볼 수 있는지 다양한 관점을 소개하겠다. 셋째, 청소년 엘리트 농구 선수에게 적용한 탈융합 및 수용 작업을 구체적인 사례를 통해 논의해 보고자 한다. 마지막으로, 이 책을 읽는 스포츠 심리상담가들을 위해 저자들이 그동안 얻은 교훈과 전문적인 성찰에 대해 나누어보려고 한다.

청소년기는 변화와 기회의 시기이다

사춘기는 급격한 신체적 성장이 이뤄지며, 이차 성징의 발달, 심리사회적 기술이 성숙하는 시기로 정의할 수 있다. 사춘기의 시작과 진행 속도는 청소년마다 다르지만 사춘기 변화는 예측 가능한 단계적 방식으로 일어난다. 신체 및 심리사회적 발달의 개인차와 연령에 따른 발달 단계(초기, 중기, 후기), 그리고 사춘기 발달 속도 등의 요인이 모두 청소년이 스포츠에 참여하는 방식에 영향을 미칠 수 있다. 청소년기에는 성별 차이가 더욱 분명해지며, 스포츠 참여에 상당한 영향을 미칠 수 있다(Gould, & Nalepa, 2016). 발달 단계에 따라 청소년 운동선수에게 필요한 심리 지원도 세부적으로 달라진다. '일상적인 어려움'에 더해 학업과 운동 영역에서 목표를 달성해야 한다는 추가적인 압박감이 이 시기를 특히 어렵게 만든다. 연구에 따르면, 청소년 운동선수가 직면하는 압력은 신체적(예: 지속적인 피로와 영양 보충, 훈련 세션과 학교 수업 사이의 끊임없는 쫓기는 일정을 따르는 것), 사회적(예: 미루기, 개인적인 희생을 요구받는 것, 또래의 압력), 심리적(예: 집단 따돌림, 학교 측의 불평등한 대우, 시합에서 이겼을 때만 지원하는 문제), 교육적(예: 학습의 어려움, 시합으로 인한 수업 시간 결석과 그로 인한 일대일 과외의 필요성, 멘토의 중요성, 공감의 필요성), 경제적 압박(예: 시설 및 장비 부족) 등 다양한 요인으로 인해 운동선수들이 운동에 전념하지 못하는 것으로 나타났다(O'Neill, Allen, & Calder, 2013).

선수 개인을 넘어 스포츠 환경은 청소년 운동선수의 심리적 기술 개발을 위한 중대한 역할을 한다. 개인은 다른 환경에 따라 제각각 반응한다. 그러나 환경은 청소년 운동선수의 정신 건강에 자양분으로 작용하거나 악영향을 미칠 수 있다. 선수가 운동하는 환경이 집단 괴롭힘을 허용하거나 과도한 체중 조절을 묵인하거나 성적 학대를 예방하지 못하는 환경이라면, 선수의 정신 건강을 위험에 빠뜨릴 수 있다(Henriksen et al., 2019). 불안정한 환경에선 '강해져야 한다'는 필요성이 더욱 강화될 수 있으며, 이 때문에 청소년 운동선수들은 자신이 경험하는 힘든 것을 토로하면 약해보인다는 생각에 특히 자신의 감정적 불편함에 대해 솔직하게 말하기를 꺼려할 수 있다. 이러한 환경적인 요구와 체감되는 스트레스의 증가는 청소년 선수들이 도전에 대처하기 위한 추가적인 심리 지원을 필요로 한다. 따라서 청소년이 운동하는 환경은 운동선수 개인을 넘어선 장기적인 총체적인 기술 패키지를 개발할 수 있는 기회를 제공해야 한다(Henriksen, 2010).

청소년 운동선수를 위한 ACT 개입에 대한 관점

이 책 1장에서 설명한 것처럼 ACT는 스포츠 안팎의 삶의 배움과 성장을 위한 전인적인 기술을 강조한다. 선수가 유소년 시절을 거쳐 성인으로 성장하는 과정은 청소년 선수는 물론 부모와 형제자매에게도 매우 어려운 과정일 수 있다. 정서적 변화, 신체적 변화, 자신의 정체성 확립, 청소년기에 요구되는 다양한 과업을 완수하는 등 이 모든 것이 청소년에게 상당히 벅찬 스트레스가 될 수 있다. Ben Sedley(2015)는 청소년의 마음에 대한 통찰력을 공유하며 가치를 '중요한 것'으로, 자신의 감정과 감정에 대해 고민하는 것을 '짜증나는 것을 더 짜증나게 하는 것'(p.8)으로 이야기한다. 세들리는 감정을 정상화하여 슬픔, 좌절, 고통, 분노, 슬픔, 수치심, 상처(다른 어려운 감정들 중에서도)를 관점으로 바라보도록 하였으며, 그가 표현한 것처럼 우리 모두는 이러한 감정을 느끼지만 사회는 그런 부정적 감정을 느끼는 것을 용인하지 않는다고 말한다(Sedley, 2015). 그는 소셜 미디어를 하나의 관점으로 바라보라고 조언하고, 청소년들이 소셜 미디어의 영향으로 항상 행복하고 멋진 일을 하고 있는 것으로 보이는 일면을 중시하게 된다는 점을 강조한다. 그러나 우리가 보게 되는 대부분의 행복해 보이는 게시물은 운동선수 세계의 재미있는 일면을 살짝 엿볼 수 있는 것이지, 운동선수들이 처한 상황의 전부를 보여주는 것은 아니다. ACT 작업을 통해, 청소년 운동선수들은 그들이 직면한 개인적인 어려움을 극복하고 이 어려운 인생 단계에서 보다 효과적으로 대처할 수 있도록 돕는 기술을 갖추게 된다. 본질적으로 ACT는 경험하는 변화와 어려움을 이야기할 수 있는 안전한 공간을 제공하고, 청소년이 스포츠를 통해 건강하게 성장할 수 있도록 효과적으로 지원한다. 따라서 스포츠 심리상담가는 청소년 운동선수의 연령대별, 단계별 인지 발달을 고려하고 각 연령대에 맞는 특정 서비스를 맞춤화하는 방법을 고려해야 한다.

청소년을 위한 수용전념 접근법을 사용하는 심리상담가는 선수의 정체성 형성, 자율성 및 독립성 추구와 관련된 개인의 책임, 가치, 선택에 초점을 맞춰야 한다(Greco & Hayes, 2008). 개방성, 수용성 및 학습 준비와 관련된 초심자의 마음 태도를 채택하는 심리상담가는 청소년 역시 인생 여정의 초보자이기 때문에 청소년과 유독 잘 맞을 수 있다(Greco & Hayes, 2008). 또한 ACT의 활동은 청소년들이 말로 표현하는 것보다 더 쉽게 미술, 음악, 움직임을 통해 자신을 표현할 수 있도록 다양한 미디어와 같은 놀이기구 및 창작활동을 장려하기에 청소년과 더 잘 맞는다. 그런 출발점은 세션을 좀 더 활동적이고 매력적이며 흥미롭게 만드는 것이다. 체험을 하고, 탐구하는 것은 호기심 많은 태도를 향상시킬 뿐만 아니라 자율성을 북돋을 수 있다(Harris, 2019). 은유와 경험적 연습을 사용하면 제시되는 핵심 개념을 명확하게 하고, 학습효과를 높일 수 있다(Greco & Hayes, 2008). 이러한 원칙 중에서도 '숙제'를 부여하거나, 마음이 어떻게 작동하는지 설명하거나, 세션에서 연습 문제를 개발할 때 '청소년'의 언어와 스타일을 채택하는 것이 어쩌면 매우 중요할 수 있다. 생생한 정보, 흥미로운 연구, 재미있는 연습을 공유하면 청소년 선수들이 호기심을 자극하고 기술 연습을 시작하려는 의지를 높이는 데 유용할 수 있다. 청소년 스포츠 심리상담가가 할 수 있는 중요한 일은 무엇일까? 첫째, 스포츠 심리상담가는 비슷한 어려움을 겪고 있는 성인 엘리트 운동선수에 관한 이야기를 들려주거나 선배 엘리트 운동선수가 청소년이 겪었던 동일한 고민과 주제를 다룬 동영상을 보여줌으로써 청소년 운동선수에게 자신만이 이러한 문제를 겪고 있지 않다는 것을 느끼게 해줄 수 있다. 둘째, 심리상담가는 소규모 작업 그룹에서 회피/통제 행동을 분석할 때 청소년 운동선수를 포함시켜 장기적인 결과와 대조되는 단기적인 완화가 어떤 결과를 보여주는지 사례를 제시할 수 있다(2장 참조). 소규모 그룹으로 작업하면, 다른 선수들의 어려움, 그들의 산 경험, 스포츠 안팎에서의 성공 전략을 보다 생생하게 들을 수 있는 기회가 되기도 한다. 셋째, 가치 작업을 할 때, 청소년들은 개인 세션과 그룹 세션 모두에서 성인 선수들과는 달리, 더 유쾌한 방식으로 접근할 수 있다. 숙제를 내줄 때에도 심리상담가가 청소년에게 자신의 가치를 나타내는 사진을 스마트폰으로 찍도록 요청할 수 있으며, 자신이 존경하는 운동선수나 인물에 대한 뉴스 기사, 동영상 또는 이야기를 찾아서 그들의 자질이나 좋아하는 점을 공유하도록 요청할 수 있다(Harris, 2019). 대회에 출전한 다른 선수들의 동영상을 보면서 분석하는 것은 청소년 선수들이 가치가 행동에 어떻게 연결되는지 이해하는 데 도움이 될 수 있다. 마지막으로, 청소년들은 자신을 표현하는 데 적합한 단어를 사용하기 어려울 수 있으므로 청소년과 관련된 특성을 반영한 가치 카드를 사용하여 가치 명료화 작업을 해볼 수 있다(가치 카드의 예는 3장 참조).

청소년 운동선수를 위한 탈융합 및 수용 작업의 사례

작년에 나(크리스텔 키엔스)는 현준과 정기적으로 만나 심리상담을 시작했다. 13개월 동안 현준은 농구경기 중 무릎 부상을 입고 재활치료를 하고 있었다. 현준은 여름 방학이 끝나고 나와는 정기적으로 만나지 않다가 다시 경기에 복귀했다. 팀과의 훈련 세션에 앞서 현준을 만났을 때 그는 자신이 힘들어하던 몇 가지 문제를 털어놓았다. 현준은 부상 이후 복귀하는 데 어려움을 겪고 있었고, 좌절감으로 힘들어하고 있었다. 그가 실제로 하고 있던 생각 중 일부는 자기 비판, 팀 동료에 대한 비판 또는 미래에 대한 파국적 사고와 관련된 것이었다. 그가 연습 코트에 도착했을 때 했던 생각들은 "아무것도 나아지지 않는데 매일 연습에 나올 필요가 없다", "이 상황은 절대 나아지지 않을 것이다", "이런 고생을 한들 무슨 소용이 있을까? 나는 여전히 전과 똑같아", "에이, 이제 그만 두고 싶다. 나아지는 것이 없는데 이걸 할 필요가 없어" 등이었다. 경기 중에 떠올랐던 그의 몇 가지 생각은 다음과 같았다. "이번에 정규 선발 라인업에 들지 못하면 모자란 사람이 되는거야", "믿을 수 없어, 내가 여기서 도대체 뭐 하는 거야?" 이러한 사고 패턴은 '일어날 수 있는 최악의 상황을 예측'(행동하는 '고대 원시인'의 마음)하거나 역경을 겪을 때 '문제 해결 기계' 역할을 하는 현대인의 마음이 불편한 상황에서 만들어내는 부정적 자동사고와 유사했다(Ciarrochi et al, 2012). 운동선수가 이러한 생각과 융합되면 당장은 덜 부담스럽고, 단기적인 안도감과 후련함을 느끼지만, 개인적인 가치와 의미 있는 계획과 일치하지 않는 행동으로 이어진다.

나는 현준이 이러한 생각에 '귀 기울이면' 그의 행동에 어떤 영향이 생길지 논의했다. 현준은 이전에 자신의 상황을 분석한 결과, 자동적으로 떠오르는 부정적인 생각에 '귀를 기울일 때' 연습에 전력을 다하지 않게 되어, 고작 단기적인 안도감만 얻을 수 있다는 것을 인정했다. 현준의 코치는 현준이 경기가 잘 안 풀릴 때 좌절감에 감정적으로 반응하기 시작했다면서, 그가 코트에서 퇴장당했을 때 공개적으로 실망감을 드러내 팀 전체의 분위기에도 영향을 미쳤다고 언급했다. 처음에 나는 현준과 함께 '교차로 지점'에 대한 기능 분석을 수행했다(기능 분석은 2장 참조). 스포츠 생명선 연습은 성과와 관련된 그의 자동적인 역기능적인 행동 패턴의 영향을 분명히 인식하는 데 유용했다. 나는 그가 자동적인 생각에 '귀를 기울였을 때' 다음과 같은 결과로 이어졌다고 설명했다. (1) 불편한 상황에 처했을 때 포기하거나(성공하지 못하더라도 끈기 있게 다시 시도하는 대신), (2) 경기 중 자동 조종 장치에 따라 행동하거나(운동에 집중하는 대신), (3) 훈련에 늦게 도착하거나(일찍 연습에 와서 기술을 연마하는 대신) 그는 자동적 역기능적 반응을 통해 개인적으로 소중히 여기는 가치를 잃어버리고 있었다. 이전에 현준은 자신의 가치를 행동으로 옮길 때의 모습을 표현했던 적이 있었다. 그때 그는 열심히 운동하고, 공을 포기하지 않으며, 용기와 자신감을 가지고 행동하고, 자신과 타인에게 정직과 존중과 배려를 보여주고, 팀 동료를 지원하는 선수가 되는 것임을 확인했다. 앞서 말한 자동적 생각에 따른 행동이 불편한 상황에서 단기적인 안도감과 후련함을 느끼게 하지만, 벤치에 앉아 부정적인 감정을 드러내거나 코치가 비판적인 피드백을 줄 때, 등을 돌리는 것과 같은 비생산적이고 불필요한 행동 패턴이 강화되는 악순환의 방식에 대해 논의했다. 나는 현준에게 자신의 가치를 개선하거나 행동하는 데 도움이 되지 않는 다른 유사한 행동들의 기능을 스스로 행동 분석할 수 있도록 안내했다. 그는 좌절감을 느낄 때, 불같이 화를 내는 예를 들었는데, 이는 코트에서 부정적인 신체언어로 나타나거나 연습 경기에서 최선의 노력을 다하지 않는 것으로 드러났다. 우리는 이러한 행동이 훈련에 열심히 임하고, 당면한 과제에 집중하고, 훈련에 일찍 도착해, 개인 기량을 향상시키려는 그의 가치에서 '물러나는 움직임'인지 분석했다. 경기 중 그가 보여준 행동은 '팀에 기여하는 선수'라는 그의 가치와 분명히 상충되는 것이었다. 우리는 현준이 이전에 '비생산적인 기술'을 바꾸기 위해 어떻게 노력했는지에 대해 이야기하고 그런 변화의 노력이 어떤 긍정적인 결과를 초래할 지 생각해 보도록 했다.

그 후 몇 주 동안 나는 현준과 함께 부정적인 생각에서 벗어나고 그것을 받아들이는 연습을 했다. 현준에게는 '외계인 과학자의 관점' 연습이 도움이 되었는데, 이 연습의 목적은 생각에 대해 판단하지 않는 태도를 갖게 하는 것이다. 창의성과 기꺼이 참여하는 순간을 부각시키기 위해 청소년 선수에게 외계인의 관점과 과학자의 관점 중 하나를 선택하게 하고, 선택이 이루어지면 외계인의 관점이나 과학자의 관점을 채택한 근거를 설명하도록 한다. 또한, 선수에게 부정적인 생각과 감정을 피하는 대신 탐구 대상에 대해 그저 열린 호기심을 갖고 판단하지 않는 태도를 유지하며, 운동 중에 떠오르는 생각과 감정에 대해 가능한 한 자세한 정보를 얻는 것이 목표라고 설명했다. 호기심 많은 사고방식을 채택하면 청소년 선수가 불편한 상황에서 경험하는 생각을 좀 더 개방적으로 인식하는 데 도움이 된다. 생각에 이름을 붙이기 전에 고정관념에 사로잡힌 과학자나 외계인이 어떤 모습일지(예: "만화에 나오는 것처럼") 어떻게 이상하거나 우스운 행동을 하는지 설명하는 것이 유용하며, 이는 생각에 재미있거나 이상한 이름을 붙일 때 창의력을 발휘할 수 있는 여지를 제공하여 생각을 부정적이고 피해야 할 것으로 판단하는 대신 생각에서 벗어나고 놓아주는 상태를 더욱 강화시킬 수 있다. 심리상담가는 라디오 채널이나 영화나 이야기의 줄거리처럼 생각에 이름을 붙인 후, 청소년 운동선수들이 생각을 알아차리는 연습을 할 수 있는 일상적인 상황에 대해 충분히 논의할 수 있다. 이어서 제시된 사례는 현준이 참여한 세션에서 발췌한 것이다. 세션이 시작된다.

스포츠 심리상담가: 외계인 관점과 과학자 관점 중 어느 쪽을 선택할래?

현준: [처음에는 다소 혼란스러워 보였지만 호기심을 보이는 것 같다.]

상담가: 왜 그런 선택지가 있는지 알고 싶니? 이 두 가지에는 몇 가지 중요한 공통점이 있다. 둘 다 호기심을 가지고, 자세히 보려고 노력한다는 점이고, 처음 보는 것에 대해 그게 부정적인 것인지 긍정적인 것인지 전혀 알지 못한다는 거야.

현준: [미소] 좋아요, 그럼 외계인의 시각으로 살펴볼래요.

상담가: 좋아. 우리가 외계인이라고 상상해 보자. 아까 말한 이 좌절감은 무엇일까? 이에 대해 자세히 설명해 줄 수 있을까? 외계인이 생각을 읽는 능력이 있다고 상상해 보자. 외계인이 지켜보고 있다면 좌절감과 관련된 어떤 생각을 알아차릴 수 있을까?

현준: 네, 나쁜 생각들이 많이 있을 거예요.

상담가: 잠깐만. 외계인으로서 우리는 이게 나쁜 생각인지 좋은 생각인지 전혀 알 수는 없어. 외계인은 어떤 생각이 있는지 자세히 알고 싶을 뿐이라는 걸 기억하자. 외계인은 영화 자막처럼 생각을 읽을 수 있다는 걸 기억하자. 외계인은 무엇을 알아차릴까?

현준: 아. 알겠어요. "내가 왜 이걸 하고 있지?!"가 있어요. "내가 여기 오는 이유가 뭐지?"라는 생각이 나는 거예요. "나는 매일 코트에 오는데 여전히 항상 엉망이야. 이런 오합지졸 팀 같으니... 내가 이런 팀에 있다는 것을 믿을 수가 없다."[이런 말을 하는 동안 상담가는 종이에 이 생각을 적는다]

상담가: 음. 그래. 고맙다. 이제 외계인으로서 우리는 떠오르는 생각에 대해 훨씬 더 많은 정보를 가지고 있어. 외계인이 감정을 읽을 수도 있다면, 외계인이 몸에서 무엇을 알아 차릴까?

현준: 네, 나쁜 느낌이 있다는 거요.

상담가: 그건 외계인으로서 우리에게 아무 말도 하지 않고, 우리가 탐구하고 있는 새로운 것이기 때문에 그것이 좋은지 나쁜지 말할 수 없어. 어떤 느낌인지 설명해 줄 수 있어? 그 느낌이 어디에서 느껴지는지? 어떻게 생겼는지? 색깔이 있다면 무슨 색깔일지?

현준: 여기 가슴에서 느껴지고요. 색깔은 약간 무겁고 검은색이에요.

상담가: 이제 '좌절감'이라는 것이 무엇인지 좀 더 명확하게 알 것 같기도 하네. 이제 우리가 뭘 해야 하는지 알겠어? 외계인은 처음으로 지구란 행성에 왔고, 우리가 발견한 것을 그의 동료에게 이름을 붙여야 할 텐데, 외계인도 우리처럼 생각할까?

현준: [미소 지으며] 아니요.

상담가: 그럼 이 외계인이 이 생각과 감정의 이상한 조합을 외계인 친구들에게 설명하기 위해 기발하거나 창의적인 이름을 붙였다고 상상해 보자고. 뭐라고 부를까?

현준: [잠시 생각에 잠기다가] 광대의 소란.

상담가: 좋아, 이제 이름을 정했어. 그렇다면 우리가 발견한 이것이 재생을 시작하는 라디오 채널과 같을까, 아니면 계속 반복되는 이야기와 같을까? [현준은 이전 스포츠 심리학 연구에서 생각을 라디오 채널이나 이야기와 같은 것으로 비유하는 것을 들은 적이 있었다.]

현준: [잠시 생각에 잠긴 뒤] 아마도 이야기에 더 가까울 것 같은데요.

상담가: 이제 훈련이나 경기에서 감정과 생각이 떠오를 때 미소를 짓고, 판단하지 않는 접근 방식으로 생각을 알아차리고 생각에 이름을 붙이는 연습을 할 수 있겠다. 생각을 놓아주는 것은 다음과 같은 과

정으로 시작돼. 훈련이나 경기에 임할 때, 생각에 이름을 붙이기 시작하고, 그 다음에는 의미 있는 행동과 그 순간에 하고 있는 일에 다시 집중하게 되는데. 어떤 것 같아?

현준: 음. 좋은 생각 같네요.

상담가: 좋아. 어떤 상황에서 나타날 수 있는지 이미 알고 있는 것 같은데?

현준: 물론이죠! 아마 제가 연습에 일찍 도착하거나 코트에서 무언가를 망칠 때일 거예요. 그리고 코치님이 저를 혼내거나 경기에서 제외시킬 때도요.

상담가: 좋아, 그럼 그때는 이렇게 이름을 붙이는 연습을 할 수 있어. 이어서 그 상황이 일어나는 그 당시로 돌아가서 다시 집중할 수 있는 것을 상상해볼 수 있을까? 그 상황에서 잘 대처하는 모습은 어떤 모습으로 나타날까?

현준: 네. 그런 상황에서 제가 '광대의 소란'을 알아차리고도 훈련에 온전히 집중하고 코트에서 열심히 할 수 있고요. 또한 실수했을 때 자책만 하지 않고 어떻게 하면 더 잘할 수 있을지 생각할 수 있고요. 그리고 경기에서는 벤치에 있을 때 팀원들을 더 잘 응원할 수 있겠죠.

상담가: 멋지네! 그럼 그런 관점으로 앞으로 어떻게 진행되는지 같이 지켜보면 좋을 것 같아! 같이 해볼 수 있을까?

현준: 네, 그렇게 하죠! 기꺼이 동의해요!

청소년 운동선수에게 ACT를 적용할 때

이 장에서는 청소년 운동선수에게 ACT를 적용할 때 고려해야 할 몇 가지 도전 과제와 유념해야 할 사항에 대해 설명했으며, 한 청소년 농구 선수의 사례를 가지고 구체적인 탈융합 기법 및 수용 연습을 사용하는 방법에 대해 설명했다.

스포츠 심리상담가가 알아야 할 한 가지 중요한 것은 청소년 운동선수와 함께 작업하려면 연습 세션이나 일대일 상담에서 기본 개념을 설명하고 지속적으로 이해한 것을 강화할 수 있는 인내심과 준비가 요구된다는 점이다. 이는 특히 학교와 코치로부터 끊임없이 정보를 접하는 청소년 운동선수에게 더욱 중요하다. 청소년에게 탈융합 기술을 연습시킬 때, 재미있거나 그야말로 미친 듯이 연습할수록 더 좋다는 것을 배웠다. 예를 들어, 자신의 생각에 '외계인 또는 과학자'라는 관점을 취하고 이름을 붙인 후, 상담가가 선수에게 이야기꾼인 캐릭터를 종이에 그리도록 요청할 수 있다. 이런 접근 방식은 시간이 흐름에 따라 기본 지식, 발산적 사고 및 추상적 사고가 발전하기 때문에 청소년기 초기뿐만 아니라 후기에도 적합하다고 여겨진다(Gould & Nalepa, 2016).

창의적이고 기발한 기법을 도입하고 심리기술을 개발하는 연습을 통해 청소년은 일상적인 도전과 자기 이해에 새로운 방식으로 접근할 수 있다(Siegel, 2013). 청소년 운동선수들은 자신의 생각을 좀 더 정중한 방식으로 표현해야 한다고 느낄 수 있다. 앞서 언급했듯이 청소년은 성인의 축소판이 아니며, ACT는 운동선수의 특정 인지 및 발달 수준에 맞는 창의적인 방법을 제시하는 데 기여할 수 있다. 한 가지 예로 이름을 짓거나, 역할 연기를 하거나, 생각을 영화로 만들거나, 이와 유사한 색다른 접근 방식을 들 수 있다. 색다른 방식으로 연습을 진행하면 청소년이 생각 자체를 비정상적이거나 해서는 안 되는 것(예: 욕설이 들어 있거나 타인에 대해 비판적인 생각)으로 인식할 가능성을 줄일 수 있다. 청소년 운동선수에게 도움이 되는 또 다른 조언은 '이야기'나 '라디오 채널'의 줄거리를 종이에 적는 것(예: 물병에 적는 것)이 탈융합 및 수용 기술을 연습하는 데 도움이 될 수 있다. 따라서 외계인이나 과학자의 자세하고 호기심 어린 표정을 취하는 것은 청소년이 회피보다 생각을 상세하게 알아차리는 데 도움이 된다. 중요한 것은 외계인의 관점을 통해 청소년이 다른 불안정한 상황에서 어떤 다른 생각을 할 수 있는지, 그리고 이러한 상황에서 어떻게 유사한 탈융합 및 수용 기술을 연습할 수 있는지 자세히 설명하는 데 시간을 할애해야 한다는 것이다. 청소년이 다른 상황과 연결 지을 수 있도록 한다면, 청소년 선수들이 다양한 상황에서 새로운 기술을 습득할 가능성에 대한 인식을 높일 수 있다.

'외계인 과학자의 관점'은 다양한 연령대의 청소년에게 효과적인 창의적이고 재미있고 유쾌한 연습의 한 예시일 뿐이다. 또 다른 연습으로는 Ciarrochi 등(2012)에서 채택한 '현명한 관점' 연습을 들 수 있다. 현명한 관점은 훈련 중에 끊임없이 변화하는 생각과 감정의 흐름에 대한 인식을 높이는 데 목적이 있다(예: 특정 상황에서 어떤 생각이 떠오르는지 물어보는 것 등). 또한, 그 흐름을 지켜보고 있는 '나'라는 존재(예: 전체 훈련 시간 동안 변하지 않는 것이 무엇인지 물어봄)가 있다는 것을 설명함으로써 비생산적인 사고 패턴으로부터의 탈융합을 강화할 수 있다. 또한, 공식적인 탈융합 및 마음챙김 연습(예: '시냇물 위에 나뭇잎 연습'의 변형)을 통해 비판단적인 방식으로 자신의 생각을 알아차리는 능력을 향상시킬 수 있다(Hayes, Strosahl, & Wilson, 1999). 상담가가 마음챙김 연습을 숙제로 부여할 때는 청소년 선수의 시간 제약으로 인해 이를 정상적인 일상에 통합하는 데 모든 노력을 기울여야 한다(Moen & Firing, 2015). 예를 들어, 음악을 마음챙김하며 듣거나, 훈련 전에 마음챙김으로 준비운동을 하거나, 학교와 훈련장, 숙소 사이를 오갈 때 마음챙김하며 걷는 것 등을 들 수 있다. 청소년들은 태블릿과 스마트폰용 앱을 활용하여 마음챙김 훈련을 일상 생활에 쉽게 접목할 수도 있다(Ivarsson, Johnson, Andersen, Fallby, & Altemyr, 2015).

참고 사항

1. 현준은 실제 운동선수이지만 신원 보호를 위해 이름을 변경했다. 역자가 가독성과 사례 이해의 몰입도를 높이기 위해 원문의 벤을 현준이라는 한국어 이름으로 바꾸었다.

참고문헌

Ciarrochi, J., Hayes, L., & Bailey, A. (2012). *Get out of your mind and into your life for teens*.Oakland, CA: New Harbinger.

Gould, D., & Nalepa, J. (2016). Mental development in the young athlete. In A. C. Colvin &James N. Gladstone (Eds.), *The young tennis player* (pp. 37–55). Switzerland: Springer.

Greco, L. A., & Hayes, S. C. (2008). *Acceptance & mindfulness treatments for children and adolescents: A practitioner's guide*. Oakland, CA: New Harbinger and Context Press.

Harris, R. (2019). ACT for adolescents. Online course. Retrieved from https://psychwire.com/harris/act–adolescents

Hayes, S. C., Strosahl, K. D., & Wilson, K. G. (1999). *Acceptance and commitment therapy: An experiential approach to behavior change*. New York:The Gilford Press.

Henriksen, K. (2010). *The ecology of talent development in sport: A multiple case study of successful athletic talent development environments in Scandinavia*. (Doctoral thesis). Institute of Sport Science and Clinical Biomechanics, University of Southern Denmark. Retrieved from http://sportspsykologen.dk/pdf/Henriksen_The_ecology_of_talent_development_in_sport.pdf

Henriksen, K., Schinke, R., Moesch, K., McCann, S., Parham, W. D., Larsen, C. H., & Terry, P. (2019). Consensus statement on improving the mental health of high performance athletes. *International Journal of Sport and Exercise Psychology*. Advance online publication. doi: 10.1080/1612197X.2019.1570473

Ivarsson, A., Johnson, U., Andersen, M. B., Fallby, J., & Altemyr, M. (2015). It pays to pay attention:A mindfulness–based program for injury prevention with soccer players. *Journal of Applied Sport Psychology*, *27*, 319 – 334. doi: https://doi.org/10.1080/10413200.2 015.1008072

Moen, F., & Firing, K. (2015). How mindfulness training may mediate stress, performance and burnout. *The Sport Journal*. Retrieved from http://thesportjournal.org/article/ how–mindfulness–training–may–mediate–stress–performance–and–burnout/

O'Neill, M., Allen, B., & Calder, A. M. (2013). Pressures to perform: An interview study of Australian high performance school–age athletes' perceptions of balancing their school and sporting lives. *Performance Enhancement and Health*, *2*, 87 – 93. doi: https://doi. org/10.1016/j.peh.2013.06.001

Sedley, B. (2015). *Stuff that sucks: Accepting what you can't change and committing to what you can*. London: Robinson.

Siegel, D. J. (2013). *Brainstorm:The power and purpose of the teenage brain*. New York: PenguinGroup.

11

마음챙김을 통한 스포츠 성과 향상을 구현하기

엘리트 축구 아카데미 사례 연구

에이미 L. 스펜서, 키스 A. 카우프만, 캐롤 R. 글래스, 티모시 R. 피노

마음챙김 스포츠 성과 향상에 대한 소개

마음챙김 스포츠 성과 향상(MSPE)은 운동선수와 코치를 위한 멘탈 트레이닝 프로그램(Kaufman, Glass, & Pineau, 2018)으로, 모든 스포츠 종목에 맞게 조정할 수 있으며 엘리트 선수들뿐 아니라 다양한 수준의 스포츠 선수에게 적용할 수 있다. 이 장에서는 MSPE가 스포츠 과학자 중 한 명으로 인해 어떻게 16세 이하 엘리트 청소년 팀에 녹아들었는지 집중적으로 설명할 것이다. 이 프로그램이 어떻게 축구 문화에 적응되어 '사우샘프턴 방식'에 완전히 녹아들게 한 방법을 강조한다. 먼저 MSPE 프로토콜을 간략히 소개하며, 이 프로그램이 다양한 스포츠 환경에 맞춤화되어 적용할 수 있는 가능성을 소개한다.

마음챙김 스포츠 성과 향상(MSPE) 프로토콜

MSPE는 선수와 코치가 마음챙김을 인식하고, 수용 접근법을 사용하여 스포츠에 참여하도록 체계적으로 훈련하여 선수의 경기력과 즐거움을 극대화하는 것을 목표로 2005년에 개발되었다. 마음챙김에 기반한 스트레스 감소(MBSR, Kabat-Zinn, 1990)와 마음챙김에 기반한 인지 치료(MBCT, Segal, Williams, & Teasdale, 2002)의 전통에 뿌리를 둔 MSPE는 마음챙김을 경험한 것을 판단하지 않고 의도적으로 현재 순간에 주의를 두는 방법으로 정의한다. 90분으로 구성된 6회기의 각 세션은 각각 교육, 토론, 체험적 요소로 구성되어 있으며, 모든 연습에 오디오 녹음 파일로 제공되는 일일 권장 가정 학습이 포함되어 있다(www.mindfulsportperformance.org에서 이용가능).

MSPE에서 수행되는 공식적인 연습은 프로그램이 진행되는 동안 앉아서 하는 연습(예: 바디 스캔)에서 좀 더 동기를 부여하는 연습(예: 마음챙김 요가)으로 진행되며, 특정 스포츠의 핵심 기술(예: 축구 드리블)에 직접적으로 적용되는 스포츠별 특정 운동으로 마무리된다. 또한 운동선수들은 운동, 연습, 경기뿐만 아니라 스포츠 이외의 일상 생활에서도 마음챙김을 통합하기 위해 STOP 약어(stop, take a few breaths, observe, procced; 예: 멈추고, 숨을 몇 번 쉬고, 관찰하고, 전진하는) (Stahl & Goldstein, 2010)를 참고하는 등 보다 비공식적으로라도 마음챙김 연습에 익숙해지도록 권장한다. 이것이 바로 MSPE를 전인적 훈련으로 간주할 수 있는 이유 중 하나이다.

MSPE는 운동선수가 주의력과 감정을 조절하는 역량을 강화하고, 몰입을 경험할 수 있는 조건을 구축하며, 잠재적으로 최고의 성과를 달성할 수 있도록 마음챙김 수용 및/또는 인식을 구체적인 적용을 위한 5가지 핵심 수행 촉진요인을 개발하는 것을 목표로 삼고 있다. 이러한 수행 촉진요인에는 Kabat-Zinn, Beall, and Rippe(1985)의 연구를 바탕으로 집중하기(현재 순간의 경험에 주의 집중), 놓아주기(반응/산만함에서 벗어나 현재에 다시 집중), 이완하기(과도하거나 불필요한 긴장을 알아차리고 풀어주기), 조화로움과 리듬감 확립(경험의 전체성에 연결하여 행동에서 쉽게 동기화를 찾기), 핵심 연상 형성(유의미한 내부 및 외부 단서 생성) 등이 있다. MSPE에서는 참가자들이 이러한 미묘한 마음챙김 기반 개념을 정확하게 이해할 수 있도록 이러한 수행 촉진 요소를 정의하고 논의하는 데 시간을 할애한다. 예를 들어, 참가자들이 마음챙김 또는 MSPE의 목표가 이완이 아니라는 점을 인식하도록 돕는 것이 중요하지만, 이와 관련된 연습을 통해 수행에 영향을 미치는 불필요한 긴장이 있을 때 이를 인식하여 긴장을 풀 수 있도록 선택할 수 있다.

마음챙김 스포츠 성과 향상(MSPE)의 적응성

지난 10년 동안 MSPE는 생활체육 성인 운동선수(De Petrillo, Kaufman,

Glass, & Arnkoff, 2009; Kaufman, Glass, & Arnkoff, 2009; Thompson, Kaufman, De Petrillo, Glass, & Arnkoff, 2011 Arnkoff, 2011), 여러 종목을 대표하는 대학 운동선수 그룹(Glass, Spears, Perskaudas, & Kaufman, in press; Mistretta et al., 2017), 대학 코치, 고등학교 팀, 대학 팀(예: Pineau, Glass, Kaufman, & Minkler, 2018), 초등학생, 현재 엘리트 청소년 축구 선수를 포함한 다양한 인구 집단에 적용되었다. MSPE 프로토콜은 그룹 개입으로 제시되지만 (Kaufman et al., 2018) 선수 또는 코치와 함께 개별적으로 실행해 볼 수도 있다.

MSPE 교육 리더는 스포츠 심리학, 마음챙김, 팀 또는 조직 문화에 대한 지식을 활용하여 특정 요구 사항을 해결하기 위해 개입을 조정해야 한다. 예를 들어, 미국의 한 대학에서 여러 팀이 60분짜리 짧은 세션으로 MSPE를 받았을 때(예: Pineau et al., 2018), 이 리더는 코치들과 협력하여 기존 루틴에 쉽게 통합할 수 있는 새로운 공식 및 비공식 팀별 마음챙김 연습을 만들었다. 한 팀은 연습 전 워밍업을 위해 '조용한 한 바퀴'라 불리는 마음챙김 연습을 시작했고, 다른 팀은 경기 중 타임아웃을 할 때마다 마음챙김 호흡을 위한 시간을 가졌다. 또한 이 리더는 대학 운동부 감독과 협의하여 운동부의 더 넓은 문화 내에서 이러한 정신 훈련에 대한 개방적인 태도를 적극적으로 장려했다.

또한 팀 일정과 학사 일정에 맞춰 세션의 시간과 간격을 유연하게 조정했다. 예를 들어, 오전 또는 오후 세션에 대한 팀 연습 선호도를 최대한 반영했으며, 한 팀의 프리시즌 기간 내에 프로그램이 진행될 수 있도록 대학의 방학 기간에 걸쳐 세션이 진행되었다(이전 두 세션과 이후 네 세션 진행). 마지막 세션은 팀의 첫 프리시즌 연습경기가 끝난 다음 주에 잡을 수 있도록 해서 선수들이 마음챙김 훈련을 실제 경기에 적용할 수 있는 기회를 제공했다.

이 팀은 또한 향후 몇 년 동안 MSPE 리더와 지속적으로 협력하여 시즌의 중요한 시점에 코치와 협력하여 후속 세션을 예약했다. 사실, 이러한 형태의 지속적인 접촉은 MSPE의 적응이라기보다는 초기 6회의 세션이 지속적인 마음챙김 연습을 위한 토대를 마련하기 때문에 프로그램의 의도된 적용이라고 할 수 있다. 이 사례에서 강조하는 것은 후속 상담이 유연하고 협력적으로 이루어질 수 있다는 점이다.

MSPE는 가능한 한 사용자 친화적으로 설계되었기에 모든 참가자가 교육을 통해 마음챙김의 기본 사항과 적용 방법에 대한 지식을 쌓을 수 있다. 이 장의 나머지 부분에서는 MSPE의 가장 흥미로운 적용 사례 중 하나인 이 훈련을 잘

정립되고 존경받는 영국 엘리트 축구 아카데미의 문화에 어떤 식으로 이 교육을 통합했는지에 대해 자세히 살펴보겠다.

엘리트 축구 아카데미 사례 연구

사우샘프턴 FC 축구 클럽에 MSPE를 도입하는 아이디어는 이 장의 첫 번째와 두 번째 저자(에이미 L. 스펜서, 키스 A. 카우프만)가 모두 참석했던 엘리트 스포츠에서의 마음챙김 및 수용 접근법 적용에 관한 첫 번째 국제회의에서 시작되었다. MSPE의 개발자 중 한 명인 키스는 이 프로그램에 대해 발표하기 위해 참석했고, 사우샘프턴의 스포츠 과학자인 에이미는 클럽에 마음챙김 훈련을 도입하기 위해 이 분야에서 수행되고 있는 최첨단 연구를 배우기 위해 참석했다. 두 사람이 이야기를 나누기 시작하자 MSPE와 클럽이 찾고 있던 것 사이의 일치된 교감이 확연히 드러나게 되었다.

사우샘프턴FC의 관심사

축구를 참여하고 관람하기 더 없이 흥미로운 스포츠로 만드는 이유 중 하나는 축구가 '사실상 중단 시간이 거의 없는 지속적인 활동의 연속'이라는 독특한 방식 때문이다(Oberstone, 2009, p.2). 선수들은 경기에 집중하고 경기에 몰입해야 하며, 경기 중단은 부상 선수가 있거나 전반 45분이 끝날 때만 가능한다. 특정 경기에서 팀당 3번의 교체만 허용되기 때문에 선수들이 전술이나 세트 플레이 실행에 대해 논의하거나 단순히 숨을 돌릴 수 있는 기회를 갖는 것도 제한적이다. 특히 세계화와 상업화로 인해 전 세계 축구의 프리미어리그, 라리가, 분데스리가, 세리에A 등에 속한 엘리트 클럽들이 막대한 재정적 보상을 받을 수 있는 기회가 제공되고(Giulianotti, 2002), 팀의 지위와 수익성을 극대화하기 위해 최고 수준의 경기력을 유지해야 할 필요성이 커지면서 어떤 어려운 조건에서도 최적의 경기력을 발휘해야 한다는 압박이 커지고 있다(Solberg & Haugen, 2010).

그 결과, 경쟁팀보다 우위를 점할 수 있는 혁신적인 스포츠 과학 접근법에 대한 의존도가 높아졌다(Waddington & Smith, 2009). 성공에 대한 높은 압박감은 성인 팀부터 유소년 아카데미에 이르기까지 영국 클럽 곳곳에 스며들어 있다(Sagar, Busch, & Jowett, 2010). 촉망받는 영재 축구 선수의 성장과 성공은 타고난 능력, 심리적 기술, 환경 등 여러 요인에 의해 영향을 받을 수 있다(Reilly, Williams, & Richardson, 2003). 사우샘프턴의 아카데미 매니저인 매트 헤일은 다음과 같이 설명한다:

> 우리 클럽은 프리미어 리그의 새로운 엘리트 선수 성과 계획에서 카테고리 1 지위를 보유함으로써 [잉글랜드] 최고의 아카데미 중 하나로 인정받았다. 우리 선수들은 우리가 하는 모든 일의 중심에 있다. 우리의 초점은 선수들이 잠재력을 최대한 발휘할 수 있도록 돕는 것이다.

그런 의미에서 사우샘프턴 FC은 심리학을 선수 성장의 필수적인 부분으로 여긴다. 아카데미 선수들의 주간 스케줄에 심리학 수업이 명시되어 있으며, 선수들은 매주 한 시간씩 공식적인 그룹 심리학 수업을 받는다. 심리학 교육 책임자인 말콤 프레임은 감성 지능에 기반한 프레임워크를 만들었으며, 그가 제일 강조하는 기본 원칙은 마음챙김이다. 심리학 부서의 목표는 클럽 전체에 심리학을 통합하여 어린 선수들을 지도하는 모든 스태프가 함께 참여할 수 있도록 하는 것이다. 매트 헤일은 "[사우샘프턴 FC가] 아카데미 시스템에서 프리미어리그의 성인 축구로 진출하는 높은 생산성을 달성하는 데 성공할 수 있었던 데에는 이러한 총체적인 접근 방식이 바탕이 되었다"고 말했다.

몸과 마음의 관계는 심리학의 주요 초점이다. 그 근거로는 마음에 변화가 생기면 신체에도 그에 상응하는 변화가 생긴다는 것이다. 마음챙김은 선수가 자신의 몸과 마음을 보다 직접적으로 경험하고(Teasdale, Segal, & Williams, 1995), 고통이나 불편감, 불안과 같은 감정에 적응적으로 반응할 수 있게 해주기 때문에(Buckley &Cameron, 2011; De Petrillo et al., 2009), 선수의 수행 능력 향상에 도움을 줄 수 있다. 사우샘프턴은 이 프로그램이 몰입을 촉진하는 요인에 영향을 미치도록 설계되었기 때문에 MSPE를 통합하는 데 특별한 관심을 가졌다(Kaufman et al., 2018). 현재까지 MSPE에 대한 연구는 이 프로그램과 몰입 상태 달성 가능성 간의 관계를 일관되게 강조한다(예: Kaufman et al., 2009). 몰입 상태는 종종 '최고의 집중상태'와 동일시되어 왔으며 일반적으로 스포츠 선수들이 갖춰야할 바람직한 상태로 간주된다(Nicholls, Polman, & Holt, 2005).

사우샘프턴 아카데미의 마음챙김 스포츠 성과 향상(MSPE) 적용 사례

MSPE는 맞춤형으로 설계되었기 때문에 저자들인 에이미 L. 스펜서와 키스 A. 카우프만은 협업을 통해 Kaufman et al.(2018)에서 설명한 프로그램 프로토콜의 무결성을 유지하면서 아카데미 선수들의 구체적이고 세심한 생활 구조에 스며들게 하는 것 사이에서 적절한 균형을 찾을 수 있었다. 궁극적으로 프로토콜을 1시간짜리 10개의 세션으로 나누고, 심리 연구실에서 체육관으로, 그리고 궁극적으로 경기장으로 이동하는 현장에 녹아드는 방식으로 진행하기로 결정했다. 이는 개입 후반부에 소개되는 움직임 기반 연습을 연습할 수 있도록 유연성을 확보하면서 기존의 심리학 수업 시간대에 맞춰 효율적으로 전달하기 위한 것이었다.

MSPE는 원래 약 2.5시간 동안 진행되는 4회기 프로그램으로 설계되었다. 일반적으로 마음챙김 기반 스트레스 감소(MBSR)와 관련된 8개의 회기에 비해 더 짧고 집중적인 세션이 시간에 쫓기는 운동선수와 코치에게 더 적합할 수 있다는 취지에서였다. 그러나 초기 MSPE 연구에서 세션 시간이 길어지면 운동선수들이 적응하기 어려우며, 프로토콜을 늘리면 기술 습득과 지속 가능한 마음챙김 연습 루틴을 구축하는 데 도움이 될 수 있다고 제안되었다. 따라서 이 MSPE 프로그램은 90분짜리 6회기로 균등하게 연장되었다. Kaufman et al.(2018)이 논의한 바와 같이, 가용 시간과 양질의 마음챙김 훈련에 요구되는 시간을 정하는 데 관련 부서 간의 긴장감이 조성되는 분위기가 있었다. 그렇기에 사우샘프턴에서 프로토콜을 더 짧은 세션으로 하되 10회로 프로토콜을 연장하는 것이 향후 어떻게 영향을 미칠지가 큰 관심사였다.

이후 제1저자인 에이미는 사우샘프턴의 심리학부서, 체력 및 컨디셔닝(S&C), 의료, 코칭 및 분석 부서 간의 협업을 조율하여 10개의 세션을 만들었으며, 이들과 함께 교육 및 토론 구성 요소에 포함될 수 있는 특정 축구 용어와 사례를 파악했다. 공식적인 연습에는 Kaufman 등(2018)의 책에 수록된 스크립트와 해당 오디오 녹음이 사용되었다.

아카데미의 16세 이하 팀(15세와 16세 선수들로 구성)은 에이미가 이미 해당 팀과 쌓은 친밀감과 이전 시즌 동안 심리, 체력 및 컨디셔닝 세션(주로 회복 목적으로)에서 마음챙김에 대한 노출을 바탕으로 훈련을 받도록 선정되었다. 16세 이하 팀에는 총 11명의 선수가 있었지만, 그 중 4명의 선수는 축구 및/또는 학업 시간이 겹쳐서 MSPE 훈련에 참가할 수 없었다. 참가한 7명의 선수 중 6명이 10주간의 프로그램을 모두 마쳤다. 팀 스태프들이 선수들과 함께 세션에 참여하여 MSPE에 대한 본보기와 전념을 보여주고 이 교육을 팀 문화에 가장 효과적으로 정착시켰다.

MSPE 교육을 시작하기 앞서 전체 400명 정도의 클럽 직원이 마음챙김에 대한 소개와 함께 경기력, 건강, 웰빙에 대한 마음챙김의 잠재적 이점을 강조하는 교육을 받았다. 이는 클럽 전체에 이러한 유형의 훈련과 16세 이하 팀이 수행하게 될 훈련에 대한 긍정적인 인식을 심어주기 위한 의도에서였다. 처음에는 16세 이하 팀만 MSPE를 받겠지만, 클럽 전체가 마음챙김과 그것이 가져올 수 있는 영향을 받아들인다면 이것은 이러한 가치에 전념하는 클럽의 진정성을 보여줄 수 있을 것이라는 생각에서였다.

또한 16세 이하 선수들의 부모님들에게도 아들이 어떤 혜택을 받게 될지 알려드렸다. 부모들은 마음챙김이 무엇인지, 왜 사우샘프턴 FC가 MSPE를 선택했는지에 대한 대략적인 설명을 들었다. 또한 10주간의 프로토콜과 잠재적으로 미칠 영향에 대해 자세히 설명했으며, 부모들은 앞으로 자세히 설명하게 될 몰티져스 초코볼(Malteaser, 맥아 밀크볼)와 칠리 마음챙김 먹기 연습을 먼저 체험하는 시간을 가졌다. 부모들로부터 받은 일관된 피드백은 아들이 축구뿐만 아니라 더 넓은 삶(예: 시험, 계약, 선발 경쟁으로 인한 스트레스 관리)의 영역에서 이 프로그램이 도움이 될 것으로 기대한다는 것이었다. 16세 이하 팀이 받은 MSPE 프로토콜의 세션별 설명은 다음과 같다. 표 11.1에 프로토콜에 대한 요약이 있으니 참조하시기 바란다.

세션 1

우선 MSPE 적응을 위한 첫 번째 세션은 '마음챙김 소개 및 정신 훈련의 과학적 이해'라는 주제로 진행되었다. Kaufman et al.(2018)의 제안에 따라, 이 교육은 비밀 유지에 대한 논의로 시작되었으며, 앞으로 진행될 내용에 대한 설명이 제공되었다. 클럽이 MSPE 제작자와 맺은 협력 관계와 이 반복 훈련이 클럽과 선수들에게 어떻게 맞춤화되어 만들어졌는지에 대한 배경을 설명하였고, 세션의 구조와 훈련이 심리학 연구소에서 체육관으로 이동하고 경기장에서 마무리되는 방식으로 진행됨을 설명하였다.

또한 선수들에게 기술과 전술적 준비, 신체적 준비와 함께 멘탈 훈련에 투자해야 하는 이유에 대한 근거와 훈련에 대한 과학적 증거를 제시했다. 선수들이 주의를 기울이는 방법과 집중력이 경기력에 미치는 영향에 대한 교육과 토론이 활발히 진행되었다. 세션이 끝나고 난 후의 연습도 중요함을 강조되었으며, 팀 스태프들도 집에서도 할 수 있는 연습에 대해 의견을 제시하고 참여하도록 독려했다.

마지막으로 선수들은 FAME(몰입, 불안, 마음챙김, 감정 조절) 연구 프로파일 사전 측정을 완료했다. 사용된 설문지는 Kaufman 등(2018)의 권장 사항과 일치하며 다음의 척도가 포함되었다. 성향 몰입 척도–2(DFS–2; Jackson & Eklund, 2002, 2004), 스포츠 불안 척도–2(SAS–2; Smith, Smoll, Cumming, & Grossbard, 2006), 5 요인 마음챙김 척도(FFMQ; Baer, Smith, Hopkins, Krietemeyer, & Toney, 2006), 스포츠 마음챙김 인벤토리(MIS;Thienot et al, 2014), 필라델피아 마음챙김 척도(PHLMS; Cardaciotto, Herbert, Forman, Moitra, & Farrow, 2008), 감정 조절의 어려움 척도(DERS; Gratz & Roemer, 2004)였다. FAME 연구 프로파일은 적용 및 연구 목적으로 MSPE를 보완하는 유용한 도구로 사용된다. FAME 측정을 통해 MSPE 참가자와 리더 모두에게 측정 가능한 변화 지표를 제공하며, 시각적으로 매력적이고 이해하기 쉬운 막대 그래프로 사전–사후 점수를 제시한다. 많은 운동선수가 신체 훈련의 성과에 대한 피드백을 받는 데는 익숙할 수 있지만, 멘탈 훈련에 참여할 때는 참여 전후의 성과가 제시되는 경우는 드물었다. 우리가 경험한 바에 따르면 MSPE 참가자들은 측정 항목을 작성하하면서 시간이 지남에 따라 어떻게 변화했는지 궁금해했다. 16세 이하 선수들도 연구 참여가 클럽 생활의 한 부분이라는 것에 익숙해져 있었기 때문에 참여의사를 밝히고, 흔쾌히 설문지를 작성했다.

세션 2

이 세션은 '현재 순간 앵커와 횡격막 호흡'을 중심으로 진행되었다. 이 세션에서는 Kaufmann et al.(2018)의 사탕 음미하기 연습에서 영감을 얻은 몰티저스 초코볼과 칠리를 먹는 연습을 통해 공식적인 마음챙김 연습을 소개했다. 이 실습의 목적은 일반적으로 무의식적으로 먹게 되는 음식을 천천히 먹으면서 감각 경험에 집중적으로 주의를 기울이는 것을 체험하는 것이다. 실습을

표 11.1 사우샘프턴 축구 클럽에 적용한 마음챙김 스포츠 성과 향상(MSPE) 프로토콜 요약

세션 번호	세션 제목	주요 개념	마음챙김 활동
1	마음챙김에 대한 소개와 정신 훈련의 과학적 이해	MSPE의 이론적 근거와 프로토콜 개요	FAME 프로파일 측정
2	현재 순간 앵커와 횡격막 호흡	순간을 음미하기 알아차리기, 판단 내려놓기	마음챙김 식사 (몰티져스 초코볼과 칠리) 횡격막 호흡 호흡에 집중하는 앉아서 하는 명상
3	주의 집중 근육 강화하기	수행의 장애물 극복하기 MSPE와 경기력	MSPE 수행 촉진요인에 대해 토론하기 호흡에 집중하는 앉아서 하는 명상 검토하기
4	주의 집중 근육 강화하기, 2부	알아차리기 및 반응 놓아주기	바디 스캔
5	신체적 한계를 마음챙김 스트레칭으로 극복하기	마음과 몸의 연결 강화하기 신체적 한계 다루기	마음챙김 사전 활성화 (체력 및 컨디셔닝)
6	걸으면서 '있는 그대로' 수용하기	신체 움직임을 알아차리기	걷기 명상 스포츠 명상(달리기 및 론도)
7	마음챙김하는 축구선수 되기	마음챙김 주의집중 통합하기	개별화된 스포츠 명상 호흡에 집중하며 앉아서 하는 명상 검토하기
8	마음챙김하는 축구선수 되기, 2부	현재 순간 앵커 개인화하기	개별화된 스포츠 명상 검토하기
9	시작한 것을 마무리하기	MSPE 마무리하기 지속적인 연습 루틴 구축하기	스포츠 명상(축구를 넘어)
10	결론	교육마무리	FAME 프로파일 측정

하며 경기장에서의 경험과 유사점을 찾아보고, 선수들에게 즐거운 순간을 맛보았던 상황을 묘사하도록 요청했다. 처음 이런 실습을 접할 때 종종 그렇듯이 처음에는 이곳 저곳에서 킥킥 웃음이 터져 나왔다. 하지만 두 번째 실습에서 선수들과 스태프들은 몰티져스 초코볼을 주의를 기울이며 먹었고, "몰티져스 초코볼이 이렇게 맛있을 줄 몰랐다", "더 먹고 싶다"와 같은 언급을 통해 그들이 연습에 진지하게 참여하고 있음을 느낄 수 있었다.

칠리를 먹기 전에는 3분간 횡격막 호흡 연습이 소개되었으며, 참석한 체력 및 컨디셔닝 코치와 의료진은 이러한 유형의 호흡이 경기 중과 회복 중에 경기력 향상에 어떻게 도움이 되었는지 설명했다. 그런 다음 두 번째 마음챙김 식사 연습이 진행되었는데, 칠리먹기를 통해 선수와 스태프가 덜 유쾌한 순간을 경험하고 받아들일 수 있는 기회를 제공했다. 이 연습은 발생할 수 있는 판단에 대한 인식과 그 판단을 내려놓고 앞으로 나아가기 전에 그 존재를 있는 그대로 수용하는 방법을 향상시키기 위해 고안된 것이다.

이 세션은 선수들의 '주의력 근육'을 강화하기 위한 방법으로 호흡에 초점을 맞춘 9분간의 앉아서 하는 명상으로 마무리되었다. 선수들은 호흡 패턴을 바꿀 필요 없이 자신의 호흡 패턴과 떠오르는 생각과 감정을 단순히 관찰하도록 안내받았다. 각자 자신의 마음이 배회하는 것을 알아차리면, 이것을 판단하지 않고 주의를 다시 호흡 앵커로 유도하도록 요청했다.

세션 3

이 세션은 '집중력 근육 강화하기'라는 주제로 진행되었으며, MSPE는 몰입과 같은 경험을 촉진하고 최고의 성과를 낼 수 있는 과정이라는 점이 핵심 요점이었다. 이 세션에서는 몰입이 MSPE의 의도된 결과가 아니며, 최고의 성과로 가는 유일한 경로도 아니라는 점을 명확히 설명했다. 오히려 마음챙김과 몰입 사이에는 집중력 및 각성 조절과 같은 몰입 상태를 촉진하는 요인(Swann, Keegan, Piggot, & Crust, 2012)과 MSPE와 같은 마음챙김 훈련의 영향 메커니즘 사이의 연관성(Birrer, Röthlin, & Morgan, 2012)과 같은 요인들이 관련이 있는 것으로 보인다(예: Kee & Wang, 2008). 따라서 참가자는 MSPE가 반드시 몰입 경험을 창출하는 것이 아니라 몰입을 가능하게 하는 요인에 영향을 미친다는 점을 이해하는 것이 중요하다. 이러한 설명은 MSPE 전반에 걸쳐 필요하다(예: 수행 촉진요소 중 이완하기를 소개할 때) MSPE가 수행 능력 향상 개입인 동시에 '애쓰지 않음'(즉, 현재가 아닌 다른 곳으로 가려고 하지 않는 것)에 기반한 기술이라는 복잡한 양면성을 탐색하기 위해 필요하다.

이 시점부터 각 세션은 3분간 횡격막 호흡을 하는 것으로 시작하여 이전 세션의 주요 메시지와 세션 사이에 집에서 수행한 연습에 대한 성찰로 이어졌다. 그런 다음 이 세션은 Kaufmann 등(2018)에 의해 확인된 MSPE 수행 촉진

요인에 대한 논의로 이어졌다. 이 토론에서 스태프들은 촉진요소에 대한 실용적이고 관련성 있는 사례를 생성하는 데 중요한 도움을 주었으며, 세션은 호흡에 초점을 맞춘 앉아서 하는 명상을 다시 소개하는 것으로 마무리되었다.

세션 4

이 세션은 '주의 집중 근육 강화하기, 2부'라는 주제로 진행되었으며, 관찰된 반응을 놓아주는 능력과 자각을 더욱 강화하는 데 중점을 두었다. 이 세션에서는 바디 스캔을 중점적으로 소개했는데, 바디 스캔은 주의를 머리 정수리부터 발끝까지 몸에 대한 주의를 순차적으로 안내하고 각 부위에 몇 번씩 숨을 들이쉬고 내쉬면서 다음 부위로 주의를 옮기는 것을 포함한다. 샘 스콧(아카데미 체력 및 컨디셔닝 수석 코치)이 대부분의 체력 및 컨디셔닝 회복 세션에 바디 스캔을 도입하고 있었기 때문에 선수들은 바디 스캔을 전에 경험한 적이 있었다. 스콧은 마음챙김, 특히 바디 스캔을 통해 선수들이 부교감 신경계에 더 잘 적응할 수 있다고 믿는다.

참고로 세션 초반에는 심리 연구소 외부의 소음과 늦게 도착한 선수들로 인해 약간의 짜증섞인 반응이 나왔다. 하지만 MSPE와 같은 마음챙김 훈련에서 종종 그렇듯이 이러한 예상치 못한 방해 요소는 현재의 순간과 연결될 수 있는 좋은 기회를 제공한다. 이런 상황에서 관찰된 반응에 대한 토의가 진행되었고, 나중에 한 코칭 스태프는 이러한 상황에서 팀이 다시 집중할 수 있는 능력을 경험하는 것이 얼마나 강력한지에 대해 언급했다.

세션 5

이 세션은 '신체적 한계를 마음챙김으로 스트레칭하기'라는 주제로 심리학자와 체력 및 컨디셔닝 직원이 공동으로 진행했으며, 주요 목표는 심신의 연결 관계와 이것이 어떻게 발전하는지를 강조하는 것이었다. 마음챙김 요가에 대한 소개는 Kaufmann 등(2018)이 설명한 MSPE 요가 프로토콜을 사용하는 대신, 선수들의 사전 활성화 기간 동안 이루어졌으며, 여기에는 교정 운동 또는 본 활동 전에 목표 근육을 '활성화하기'위해 고안된 적극적인 워밍업이 포함되었다. 그러나 마음챙김 요가와 마찬가지로 신체적 한계(예: 피로)를 이해하고 이를 편견 없이 다룰 수 있는 방법에 중점을 두었다.

세션 6

“걸으면서 ‘있는 그대로’ 수용하기”라는 주제로 진행된 이 세션에서는 몸이 움직이는 동안 마음챙김에 집중하는 것을 바탕으로 체육관과 경기장에서 연습을 진행했다. MSPE 걷기 명상과 달리기 명상을 소개하고(그리고나서 체력 및 컨디셔닝 코치들이 지도했다), 각 단계, 움직임, 추진력, 그리고 움직이는 동안 느껴지는 조화로움과 몸의 리듬을 완전히 인식하는 데 초점을 맞추었다. 그런 다음 마음챙김 론도 활동을 실습했다. 론도는 한 그룹의 선수가 다른 그룹보다 압도적인 우위(예: 3대 1)상태에서 공을 가지고, 작은 그룹이 큰 그룹으로부터 공을 소유하기 위해 시도하는 축구 훈련이다. 이 마음챙김 론도 활동은 이 세션을 위해 미리 계획된 것은 아니었지만, 참석한 코치들이 MSPE 기술 연습을 훈련의 일상적인 부분으로 가져가고자 하는 바람에서 발전한 것으로, 선수들은 이 즉흥적인 연습을 즐기고 소중히 여기는 것 같았고, 한 선수는 이 연습에 대해 다음과 같은 언급을 했다.

> “저는 코치들이 사이드 라인에 서서 무엇을 해야 하는지 알려주는 대신 함께 참여하여 어떻게 하는지 보여주는 것이 좋았어요… 코치가 ‘잔디를 느껴라, 얼굴에 공기를 느껴라…’ 그런 다음 질주를 시작하면서 제 얼굴에 불어오는 바람을 느끼면서 ‘뭐지? 왜 이런 느낌이 드는 거지?’라는 걸 알아차릴 수 있었어요.”

세션 7

‘마음챙김하는 축구선수되기’라는 이름의 이 세션은 수비 포지션에서 플레이하는 데 중점을 두고 현재 순간 앵커를 사용하여 마음챙김을 축구에 완전히 통합하도록 설계되었다. 이 세션을 이끈 코치들은 의도적으로 “잔디를 느껴라”, “심장 박동을 들어라”, “움직임을 통해 호흡하라”와 같은 언어를 사용했으며, 상대의 움직임과 체형에 주목하고 크로스오버 시 자신의 무게 중심을 관찰하는 등의 앵커도 포함시켰다.

선수들은 이 세션에서 일대일 및 소그룹 지원을 받았으며, 경기장에서 각자의 고유한 역할 내에서 사용할 수 있는 특정 앵커를 강조했다. 앞서 언급했듯이 MSPE는 그룹 내지는 개인과 함께 사용할 수 있으며, 이 세션에서는 두 가지 형식으로 교육을 제공했다. 세션은 코치와 선수들이 모여 앉아서 명상을 하는 것으로 마무리했다.

세션 8

이전 세션과 마찬가지로 '마음챙김하는 축구선수되기, 2부'에서는 마음챙김 훈련을 경기장에 적용했다. 그룹 형식에서 완전히 벗어난 이 세션에서는 각자가 자신의 특정 역할과 관련된 마음챙김 앵커를 식별하고 실습해볼 수 있는 기회가 되었다. 코칭 스태프, 체력 및 컨디셔닝, 심리학과 스태프가 모두 참석하여 이전 세션에서 배운 언어와 개념을 통합하고 이를 능숙하게 하기 위한 조언을 제공했다. 한 선수는 이 세션에서 "[저는] 주변의 모든 것을 받아들이기 시작했어요… 여기서 배운 이 키트를 소유하고 있는데, 저는 이 팀에서 뛰고 있고, 제가 좋아하는 축구를 하고 있더라고요. 주변의 모든 것이 좋아요"라고 언급했다.

세션 9

이 마지막 훈련 세션은 '시작의 끝'이라는 제목으로 진행되었으며, Kaufman 등(2018)에서 설명한 6회기 MSPE 프로토콜의 마지막 세션과 마찬가지로 새로운 마음챙김 수행법을 소개하지 않았다. 대신, 참가자들의 이해를 강화하고 앞으로 지속적인 마음챙김 연습을 지속하는 데 중점을 두었다. 이번 세션은 궂은 날씨로 인해 체육관에서 진행되었으며, (심리학 연구실보다) 편안하고 넓은 환경에서 진행되었다. 세션 이후의 회의에는 MSPE에 대한 솔직한 반응을 공유할 수 있도록 심리학과 직원들만 참석했다.

토론 중에 선수들에게 세션 중 마음챙김을 다시 한 번 연습할 수 있는 간단한 과제, 즉 전체 경험을 요약할 수 있으면서도 재미있게 할 수 있는 과제를 요청했고, 선수들은 짝을 지어 테니스 공을 양동이에 최대한 빨리 던지는 레이스를 펼쳤다. 이 연습은 선수들의 요청에 따라 세 번 반복하였는데, 경쟁 압박 속에서 더 빨리, 더 집중하는 연습을 하고 싶다는 선수들의 요청에 따른 것이었다. 대부분의 선수들은 경기 중 호흡을 앵커로 사용했다고 보고했다.

세션 10

이 마지막 모임은 선수들이 훈련 후 FAME 프로파일을 측정하기 위해 예정되어 있었다. 안타깝게도 이번 회의는 시즌 중 특히 어수선한 시기와 맞물려 있었다. 학교 일정과 더 이상 계약이 남아 있지 않은 일부 MSPE 참가자들이 이미 팀을 떠나는 등의 요인으로 인해 16세 이하 팀에서는 단 세 명의 선수만이 참석하여 측정을 완료할 수 있었다. 따라서 FAME 프로파일 측정의 사전/사후 변화에 대한 실행 가능한 통계 분석은 수행할 수 없었다. 그러나 마음챙김(FFMQ 5요인 마음챙김 척도, MIS의 비판단적 태도 및 재집중 하위 척도, PHLMS의 인식 하위 척도), 스포츠 불안(SAS-2의 신체 및 걱정 하위 척도), 감정 조절의 어려움(DERS의 6개 하위 척도 중 전략을 제외한 5개) 등 여러 측정 항목의 평균 점수가 예상한 방향으로 변화의 추세를 보였다는 점은 주목할 만한 가치가 있다. DFS-2(몰입 척도)는 척도 개발자의 특별한 사용 승인이 필요한 유일한 척도였으며, 온라인으로만 할 수 있는 유일한 척도였다. 선수가 필요한 시간대에 예기치 않게 컴퓨터 시스템에 접속할 수 없어 평가 후 몰입 점수를 수집할 수 없었다.

선수 피드백

훈련 후 5명의 선수와 인터뷰를 통해 MSPE에 대한 선수들의 반응과 선수들의 경기력 및/또는 라이프스타일에 미치는 영향에 대한 인식을 측정할 수 있었다. 이 인터뷰는 훈련 후 FAME을 측정한 같은 주에 진행되었지만, 다른 날에 진행되었기 때문에 더 많은 선수들을 인터뷰할 수 있었다. (앞서 언급했듯이, 시즌 중에는 선수들을 만나기가 특히 어려웠다) 이 인터뷰에서는 선수들은 일관된 주제를 언급했는데, 예를 들어, 선수들에게 특히 유용하다고 강조된 기술 중 하나는 특히 경기 중 압박감을 관리하는 데 도움이 되는 호흡에 집중하는 것이었다. 또한, 선수들은 긴장된 근육을 인식하고 긴장을 내뱉기 위해 체력 및 컨디셔닝 및 회복 세션에서 호흡을 사용하는 것에 대해 이야기했다. 다른 유용했던 기술로는 주의력과 감정에 대한 인식과 자기관리 능력 향상도 언급되었다. 한 선수는 클럽 내에서 다음 연령대로 올라갈 때 겪을 수 있는 새롭고 잠재적으로 불편할 수 있는 도전에 직면했을 때 이러한 기술이 도움이 될 것 같다고 설명했다. 또한 일부 선수들은 MSPE 경험을 공유하고 서로의 반응을 더 잘 이해하게 되면서 팀원들끼리 더 가까워졌다고 말했다.

선수들은 집에서 하는 숙제에 대한 반응에 대해서도 추가로 논의했다. 선수들은 집에서 혼자 녹음을 듣는 것을 선호한다고 말하며, 혼자 있는 것이 마음챙김을 연습하는 동안 집중력과 편안함을 높이는 데 도움이 되었다고 말했다. 그러나 녹음에 사용된 일부 단어가 생소해 집중이 안되고, 축구와 과연 연관성이 있는지 잘 모르겠다는 지적도 있었다. 한 선수는 녹음파일에 선수들에게 익숙한 클럽 직원의 목소리를 사용했으면 좋았을 것이라고 말하며, 그렇게 했다면 클럽에서 가르치는 내용을 집에서 더 강화할 수 있었을 것이라고 언급했다.

참여자들 사이에서는 가장 효과적인 앵커 유형에 대해 의견이 분분했다. 일부 선수들은 호흡, 심장 박동 또는 근육과 같은 내적 앵커를 사용했다고 언급한 반면, 다른 선수들은 코치와 같은 외부 단서가 당면한 과제에 다시 주의를 집중하는 데 가장 도움이 되었다고 말했다. 코치들은 확실히 동의하는 것처럼 보였고, 루이스 캐리(16세 이하 코치)는 마음챙김의 열렬한 지지자가 되어 매일 마음챙김 연습을 유지하고 있다. 내부 앵커와 외부 앵커의 사용에 대한 이러한 구분은 이전 MSPE 교육에서도 제기된 바 있으며, 향후 프로그램 적용할 때 유의해서 살펴보는 것도 흥미로울 것이다.

결론 및 권장 사항

'사우샘프턴 방식'은 선수 육성에 대한 장기적인 투자를 통해 잠재력을 탁월한 성과로 바꾸는 것에 맞춰져 있다. 이는 선수들의 성취를 돕기 위해 가능한 모든 것을 기꺼이 시도하고, 틀에 박힌 사고에서 벗어나 기꺼이 전념하는 것을 이끌어낸다. 이러한 정신은 드웩(2017)이 성장 마인드라고 언급한 것과 유사하며, 이러한 철학은 경기장 안팎에서 선수들에게 도움이 될 수 있도록 MSPE를 축구 문화에 통합하여 새로운 형태의 멘탈 트레이닝을 시도하는 스태프와 선수들의 열린 자세를 통해 여실히 보여주었다.

16세 이하 팀에 MSPE를 적용한 사례에서 눈에 띄는 점은 유연성과 통합의 중요성, 그리고 MSPE의 무결성을 유지했다는 점이다. 프로토콜의 무결성을 유지하면서 기존 스포츠 문화 내에서 특정 그룹이나 팀에 마음챙김의 진수를 혁신적으로 제공했다는 점이다. 클럽의 철학은 특정하거나 규정된 방식으로 연습을 강요하는 것이 아니라 선수들이 자신의 언어(예: '몰입감 찾기', '존에 머물기')를 사용하여 자신만의 방식으로 연습과 연결되도록 돕는 것이었고, 현재도 마찬가지이다. 또한 여러 부서(심리학, 체력 및 컨디셔닝, 의료, 코치)의 직원들이 모두 해당 단어를 사용하는 데 한마음으로 참여하여 선수들이 클럽에서 하루 종일 그런 용어에 친숙해질 수 있었다.

예를 들어, 16세 이하 팀에 프로그램이 처음 도입된 이래로 체력 및 컨디셔닝 부서 직원은 체육관 세션에서 마음챙김 연습과 용어를 계속 사용하면서 이를 구단의 업무 구조로 구축했다. 이러한 총체적인 접근 방식은 엘리트 남성 선수들로 구성된 이 그룹이 이러한 유형의 환경에서 때때로 비웃음을 당하거나 무시하기 쉬운 마음챙김이라는 개념을 저항감없이 받아들이는 데 도움이 되었다. 이러한 접근 방식에 대한 개방성을 보여주는 한 가지 징후는 선수들이 실제로 추가적이고 정기적인 마음챙김 연습 세션을 자발적으로 요청했다는 점이다. 사우샘프턴이 추구하는 통합 수준은 MSPE 적용에 있어 진정한 진전이라고 할 수 있으며, 이 프로그램이 궁극적으로 얼마나 효과적인지 보여주는 강력한 리트머스 시험지가 될 수 있다. 한 선수는 이렇게 돌아보았다.

> "먼 길을 온 것 같아요. 유치하게 들릴지 모르겠지만, 작년에는 축구 안팎으로 모든 것이 잘못되고 있었는데 지금 저는 축구를 할 때 완전히 다른 사람처럼 느껴집니다. 저는 훨씬 더 행복합니다."

사우샘프턴에 MSPE를 이렇게 적용하는 데에서 모두가 유연한 적응력을 보였으며, 계획된 통계 분석을 하지 못해 아쉬웠지만, 클럽과 선수들의 발전에 분명한 이점이 있었다. 이러한 결과는 충분히 긍정적이었기 때문에 심리학 부서는 축구 아카데미 내의 다른 선수 및 팀과 함께 MSPE 기법을 도입하기 시작했다. 심리학 부서가 아닌 직원들도 이제 매주 두 번의 마음챙김 세션에 참가하며, 클럽의 모든 사람이 참석할 수 있도록 개방했다. 클럽은 더 효과적인 심리 데이터 수집 절차(빠르게 움직이고 시간에 쫓기는 축구 문화에서 이것은 주목할 만한 점이다.)에 더 높은 우선순위를 둘 필요성을 인식했다. 전략적으로 선택한 10회 세션의 타이밍은 일반적으로 프로그램 운영에 효과적이었지만, 선수들이 직면한 경쟁 우선 순위로 인해 적절한 훈련 후 데이터를 수집하는 것은 분명 어려움이 있었다. 선수와 코치의 복잡한 일정에 맞춰 세션과 데이터 수집 시기를 조율하는 것은 지속적인 과제일 것이다.

마음챙김이 사우샘프턴의 문화로 깊이 뿌리를 내리면서 심리학, 체력 및 컨디셔닝, 코칭, 의료 부서는 다학제간 팀으로 협력해 왔으며 앞으로도 계속 그럴 것으로 전망된다. Kaufmann et al.(2018)은 MSPE 세션이 시작에 불과하다고 설명했으며, 10회의 세션은 좋은 입문 과정이었지만 이 접근법이 충분히 클럽에 정착되기 위해서는 더 많은 시간이 필요하다는 공감대가 있었다. 선수들은 특히 배운 기술을 경기장에 적용하고 싶어하는 열의를 보였고, 많은 선수들이 실제로 속담에 나오는 '번쩍이는 결정적인' 순간을 경험한 곳은 경기장이었다. 따라서 향후에는 교실과 체육관을 더 일찍 벗어나 더 많은 공식적인 마음챙김 세션과 비공식적인 연습(예: 마음챙김 워밍업)을 자연스러운 경기 환경에서 실습을 진행해 보면 더욱 좋을 것 같다. 또한 코치들의 참여가 선수들에게 긍정적인 영향을 미치는 것으로 보였기 때문에 세션 진행에 코치들의 참여를 더욱 늘리는 방안을 강구하면 좋을 것 같다. 사우샘프턴 FC 클럽의 야심찬 비전은 유소년 선수들뿐 아니라 모든 연령대의 선수들이 매일 마음챙김을 연습하는 선수로 키우는 것이다.

전반적으로 이것은 엘리트 축구 아카데미 환경에 MSPE를 적용한 흥미롭고 유망한 사례였으며, Kaufmann et al.(2018)이 MSPE 책 출판 이후 박차를 가하기를 바랐던 혁신적 작업을 정확히 입증하는 사례로 여겨진다.

참고문헌

Baer, R. A., Smith, G.T., Hopkins, J., Krietemeyer, J., & Toney, L. (2006). Using self-report assessment methods to explore facets of mindfulness. *Assessment*, *13*, 27 – 45.

Birrer, D., Röthlin, P., & Morgan, G. (2012). Mindfulness to enhance athletic performance:

Theoretical considerations and possible impact mechanisms. *Mindfulness*, *3*, 235 – 246. *Buckley, J., & Cameron, L. D. (2011).* Automatic judgements of exercise self–efficacy and exercise disengagement in adults experienced and inexperienced in exercise self–regulation. *Psychology of Sport and Exercise*, *12*, 324 – 332.

Cardaciotto, L., Herbert, J. D., Forman, E. M., Moitra, E., & Farrow,V. (2008). The assessment of present–moment awareness and acceptance: The Philadelphia Mindfulness Scale. *Assessment*, *15*, 204 – 223.

De Petrillo, L. A., Kaufman, K. A., Glass, C. R., & Arnkoff, D. B. (2009). Mindfulness for long–distance runners: An open trial using Mindful Sport Performance Enhancement (MSPE). *Journal of Clinical Sport Psychology*, *3*, 357 – 376.

Dweck, C. S. (2017). *Mindset: Changing the way you think to fulfill your potential* (updated ed.).London: Constable & Robinson.

Giulianotti. R. (2002). Supporters, followers, fans and flaneurs: A taxonomy of spectator identities in football. *Journal of Sport & Social Issues*, *26*, 25 – 46.

Glass, C. R., Spears, C. A., Perskaudas, R., & Kaufman, K. A. (in press). Mindful sport performance enhancement: Randomized controlled trial of a mental training program with collegiate athletes. *Journal of Clinical Sport Psychology*.

Gratz, K. L., & Roemer, L. (2004). Multidimensional assessment of emotion regulation and dysregulation: Development, factor structure, and initial validation of the Difficulties in Emotion Regulation Scale. *Journal of Psychopathology and Behavioral Assessment*, *26*, 41 – 54.

Jackson, S. A., & Eklund, R. C. (2002). Assessing flow in physical activity: The Flow State Scale–2 and Dispositional Flow Scale–2. *Journal of Sport and Exercise Psychology*, *24*, 133 – 150.

Jackson, S. A., & Eklund, R. C. (2004). *The flow scales manual*. Morgantown, WV: Fitness Information Technology.

Kabat–Zinn, J. (1990). *Full catastrophe living: Using the wisdom of your body and mind to face stress, pain, and illness*. New York: Delta.

Kabat–Zinn, J., Beall, B., & Rippe, J. (1985, June). *A systematic mental training program based on mindfulness meditation to optimize performance in collegiate and Olympic rowers*. Poster presented at the World Congress in Sport Psychology, Copenhagen, Denmark.

Kaufman, K. A., Glass, C. R., & Arnkoff, D. B. (2009). Evaluation of mindful sport performance enhancement (MSPE): A new approach to promote flow in athletes. *Journal of Clinical Sport Psychology*, *3*, 334 – 356.

Kaufman, K. A., Glass, C. R., & Pineau, T. P. (2018). *Mindful sport performance enhancement: Mental training for athletes and coaches*. Washington, DC: American Psychological Association.

Kee,Y. H., & Wang, C. K. J. (2008). Relationships between mindfulness, flow dispositions and mental skills adoption:A cluster analytic approach. *Psychology of Sport and Exercise*, *9*, 393 – 411.

Mistretta, E. G., Glass, C. R., Spears, C. A., Perskaudas, R., Kaufman, K. A., & Hoyer, D.(2017). Collegiate athletes' expectations and experiences with mindful sport performance enhancement. *Journal of Clinical Sport Psychology*, 11, 201 – 221.

Nicholls,A. R., Polman, R. C. J., & Holt, N. L. (2005).The effects of individualized imagery interventions on golf performance flow states. *Athletic Insight*, *7*, 43 – 66.

Oberstone, J. (2009). Differentiating the top English Premier League football clubs from the rest of the pack: Identifying the keys to success. *Journal of Quantitative Analysis in Sports*, *5*, 1 – 29.

Pineau, T. R., Glass, C. R., Kaufman, K. A., & Minkler, T. O. (2018). *From losing record to championship season:A case study of mindful sport performance enhancement*. Manuscript submitted for publication.

Reilly, T., Williams, A. M., & Richardson, D. (2003). Identifying talented players. In T. Reilly & A. M. Williams (Eds.), *Science and Soccer* (2nd ed., pp. 307 – 326). London: Routledge.

Sagar, S. S., Busch, B. K., & Jowett, S. (2010). Success and failure, fear of failure, and coping responses of adolescent academy football players. *Journal of Applied Sport Psychology*, *22*, 213 – 230.

Segal, Z.V.,Williams, J. M. G., & Teasdale, J. D. (2002). *Mindfulness–based cognitive therapy for depression: A new approach to preventing relapse*. New York:The Guilford Press.

Smith, R. E., Smoll, F. L., Cumming, S. P., & Grossbard, J. R. (2006). Measurement of multidimensional sport performance anxiety in children and adults:The Sport Anxiety Scale–2. *Journal of Sport & Exercise Psychology*, *28*, 479 – 501.

Solberg, H. A., & Haugen, K. K. (2010). European club football:Why enormous revenues are not enough? *Sport in Society*, *13*, 329 – 343.

Stahl, B., & Goldstein, E. (2010). *A mindfulness–based stress reduction workbook*.

Oakland, CA: New Harbinger.

Swann, C., Keegan, R. J., Piggott, D., & Crust, L. (2012). A systematic review of the experience, occurrence, and controllability of flow states in elite sport. *Psychology of Sport and Exercise*, *13*, 807–819.

Teasdale, J. D., Segal, Z., & Williams, J. M. G. (1995). How does cognitive therapy prevent depressive relapse and why should attentional control (mindfulness) training help? *Behaviour Research and Therapy*, *33*, 25–39.

Thienot, E., Jackson, B., Dimmock, J., Grove, J. R., Bernier, M., & Fournier, J. F. (2014). Development and preliminary validation of the mindfulness inventory for sport. *Psychology of Sport and Exercise*, *15*, 72–80.

Thompson, R.W., Kaufman, K. A., De Petrillo, L. A., Glass, C. R., & Arnkoff, D. B. (2011). One year follow-up of mindful sport performance enhancement (MSPE) with archers, golfers, and runners. *Journal of Clinical Sport Psychology*, *5*, 99–116.

Waddington, I., & Smith, A. (2009). *An introduction to drugs in sport: Addicted to winning?* London: Routledge.

12

성공을 반복하려는 함정에 빠지게 될 때

리우데자네이루 올림픽 스웨덴 남자 핸드볼 대표팀에 대한 심리 지원활동

요한 에켄그렌

> 같은 강에 두 번 발을 들여놓는 사람은 없다. 그 강은 같은 강이 아니고, 그 사람은 같은 사람이 아니기 때문이다.
>
> – *헤라클레이토스, 기원전 535–475년(Heraclitus, 2013, p.82)*

이 명언은 사람뿐만 아니라 강, 엘리트 스포츠 등 모든 것이 끊임없이 변화하고 경험을 통해 발전한다는 것을 말해준다. 2012년 런던 올림픽에서 은메달을 획득한 스웨덴 핸드볼 대표팀은 4년 전의 올림픽 준비를 반복하며 리우데자네이루에서 더 큰 도약을 목표로 삼고 있었다. 런던 올림픽에 참가했던 코치, 주전 선수, 지원 스태프들은 대표팀에서 은퇴하기 전에 선수 경력의 정점을 찍고 싶었고, 같은 물에서 다시 한 번 물살을 멋지게 가르고 싶다는 희망에 부풀어 있었다. 하지만 리우 올림픽에서 대표팀은 패배와 예상치 못한 고난을 겪였다. 그러면서 놓쳤던 다른 무언가를 되새기는 것이 필요하다는 것을 깨달았다. 이 장에서는 리우 올림픽을 앞두고, 그리고 올림픽 기간 동안 스웨덴 남자 핸드볼 대표팀의 스포츠 심리학자로서 일했던 상황을 공유하고자 한다.

먼저 간단한 자기소개부터 하겠다. 나는 할름스타드 대학교와 스웨덴 스포츠 및 건강 과학 학교(GIH)에서 스포츠 심리학 학위를 받았다. 이후 스포츠 심리학 분야와 스웨덴 핸드볼 연맹에서 일했다. 이 직책을 맡기 전에는 야심찬(실력은 부족했지만) 선수였고, 그 다음에는 엘리트팀의 코치를 역임했다. 런던 올림픽 이후 나는 수용전념치료(ACT; Hayes, Strosahl & Wilson, 1999;

Hayes & Strosahl, 2004)를 접하고 ACT 교육을 받았으며, 이것은 나의 직업 철학[이전에는 전통적인 인지행동치료(CBT)에 기반한]을 다시 재정립하도록 자극한 놀라운 경험이었고, 실제 상담업무에 큰 영향을 주었다. 요즘 나는 통합적 접근 방식에서 ACT를 활용하고 있으며, 선수란 한 개인 전체와 선수 경력 전체를 통합적으로 다루는 것을 목표로 삼고 있다.

런던으로 향하는 길: 대표팀에게는 충격적인 패배였지만 스포츠 심리학에는 '승리'

2012년 6월, 보쉰에 위치한 스웨덴 스포츠 연맹 개발 센터

> 엄청난 실패… 음울한 성적… 그리고 스웨덴의 세계선수권 우승에 대한 안개 속 전망
>
> – *TT 통신, 2012년 6월 16일*

포드고리차에서 열린 예선전에서 남자 대표팀이 당시 핸드볼의 '블루베리 국가', 즉 떠오르는 국가로 여겨지던 몬테네그로를 상대로 사상 첫 패배를 당한 지 일주일이 조금 지났을 때였다. 스웨덴은 2013년 세계 선수권 대회에 출전하지 못했다. 스웨덴 신문들은 '기념비적인 실패', '최대 실망' 등의 자극적인 헤드라인을 뽑았다. 몇몇 스포츠 기자들은 선수들과 감독에게 '이 롤러코스터를 타는 일은 이제 끝나야 한다'며 팀실력에 의문을 제기했다. 이런 경험을 한 후 대표팀과 나는 두 달 앞으로 다가온 런던 올림픽을 앞두고 프리캠프를 시작했고, 가장 먼저 한 일은 대책회의를 주관하는 것이었다. 창문도 없는 작은 방에 들어선 모든 사람들은 어떤 적막감을 느끼고 있었다. 포드고리차 패배로 인한 긴장과 마지막 실망의 순간이 방 안에 고스란히 느껴졌다. 감독과 단장이 맨 앞에 서서 회의에서 자신의 생각을 말하기로 결정했다. 그들은 필터를 사용하지 않고 하고 싶은 말을 다 쏟아냈다. 이윽고 상황은 심각해졌고 코치들은 여전히 어리둥절해 보였다. 그들은 선수들에게 건설적인 개방형 질문을 던지려고 노력했지만 아무도 반응을 하지 않자 흥분하여 결국 선수들에게 이래라 저래라 훈계하는 것으로 끝났다.

> 할 수 있는 모든 것을 다했는지 스스로에게 물어봐야 한다. 그리고 다음과 같이 질문해보자. 자신을 위해서가 아니라 팀으로서 우리를 위해 무엇을 할 준비가 되어 있는지…? 승패가 중요한 것이 아니라 우리의 행동이 중요하다… 올바른 행동을 하는 것은 당신들의 의무란 말이다!
>
> *– 감독*

팀은 상심에 빠졌고 더 큰 추락으로 향할 수도 있었다. 회의 도중 부코치들은 "만족스럽지 않으신 것 같은데, 말씀만 하시면 즉시 전원 사퇴하겠다"는 입장을 대놓고 말했다. 이로 인해 긴장감이 고조되었다. 그 누구도 한마디도 대꾸하지 않았다. 예선 탈락부터 선수와 팀이 잠재력을 발휘하지 못하는 것까지 해결해야 할 문제가 산적했던 것이다. 당시 나는 청소년 대표팀과 주니어 대표팀에서 일하다가 성인 대표팀에서 스포츠심리 전문가로 일하게 된 지 얼마 되지 않아 코칭스태프와 선수들을 막 알게 된 신입이었다. 심리 지원은 내가 선수와 코치들을 개별적으로 만나는 반면에 코치들은 팀을 대상으로 말을 전달하는 방식으로 이루어졌다. 지금 생각해보면 코치들이 나를 회의에 포함시킬 계획이 없었는지, 아니면 구체적인 계획이 있었는지 모르겠다. 프리캠프를 계속 진행하면서 선수들에게 부진한 성적 이후에 일어날 수 있는 일에 대해 경각심을 일깨워주는 것 외에는 계획이 없었던 것 같다. 그 순간 나는 팀과 더 열심히 일할 수 있는 기회를 잡았다. 우리는 팀이 어떻게 나아갈지 생각하고 결정하기 위해 방에 남겨졌다. 아무도 발언하지 않았기 때문에 내가 주도권을 잡고 회의를 주재했다. 먼저 코치들을 지지하고 응원하기로 결정한 다음, 미래를 위해 무엇을 바꿔야 할지에 대해 생각해 보았다. 선수들의 주요 관심사는 역할에 대한 이해 부족, 제한된 의사소통, 그 결과 코트 안팎에서 서로를 잘 알지 못한다는 것이었다. 한동안 그룹 훈련 프로세스가 당연시되다 보니 개인을 챙기지 못해 팀 결속력이 떨어진 것이다. 나는 머릿속으로 '링 위의 황소'(Burke, 2005 참조)의 은유를 적용했다.

내 의도는 소통을 통해 우려의 공기를 없애는 것이었다. '투우사' 연습은 선수들의 생각을 공개적으로 드러내도록 하기 위한 것이었다. 나는 모두가 이미 알고 있는 사실, 즉 현재의 상황이 선수들의 경기력뿐만 아니라 선수들 간의 관계에도 악영향을 끼친다는 사실을 언급하는 것으로 시작했다. 선수들은 둥글게 둘러앉아 팀이 잘될 수 있게 하려면, 무엇을 할 수 있을지 자유롭고 솔직하게 이야기하도록 요청받았다. 나는 선수들에게 발언 내용을 너무 자세히 설명하지 말라고 요청하는 한편, 나중에 토론할 때 참고할 수 있도록 메모해 두었다. 나는 그들에게 열린 마음을 유지하고 팀원의 진술에 즉각적으로 반응하지 말라고 격려했다. 복도 밖에는 기자들이 기다리고 있었기 때문에 그 방에서 말한 내용은 그 방에 두고 나와야 한다는 것을 재확인시키는 것이 중요했다. 원을 시계 방향으로 돌면서 각 선수에게 팀에 대해 언급해 달라고 요청했다. 한 라운드가 끝나면 각 선수는 이전 라운드와 관련하여 팀원에게 의견을 말하거나 질문을 할 수 있었는데, 이러한 발언은 열정, 소통, 서로에 대한 존중, 행동으로 전환하는 방법 등 코치들이 이전에 이야기했던 내용을 여러 가지 측면에서 명확하게 해주었다.

연습의 두 번째 부분은 동일한 절차를 따랐지만 특정 선수가 차례로 주목을 받았으며 다른 선수들은 해당 선수의 역할과 성과에 대해 언급했다. 나는 모든 사람이 규칙을 준수하면 말하는지를 확인하면서 세션이 진행될 수 있도록 도왔다. 연습을 마친 후 선수들은 활동에 대해 토론하도록 요청받았다. 이 연습은 팀원들 간의 서먹함을 줄이기 위한 출발점이었다. 코치들은 이 실습을 통해 역할을 명확히 하고 소통을 강화할 수 있었다. 그 결과 팀은 조금 더 가까워질 수 있었다. 회의가 끝난 후 나는 메모한 내용을 문서로 요약하여 팀원 모두에게 보내 각 팀원이 개별적으로 후속 작업을 할 수 있도록 도왔다.

팀과의 다음 회의는 주로 그룹 프로세스, 그룹 결속력, 목표 설정에 중점을 두었다. 예를 들어, 나의 분석을 바탕으로 그룹 효과성(Steiner, 1972)과 팀의 실제 생산성, 잠재적 생산성, 프로세스 손실(즉, 링겔만 효과, 소셜 로핑; Carron & Eys, 2012)을 논의했다. 우리는 팀 내 다양한 역할에 따라 개인으로서 어떻게 대처할 것인지에 대한 전략을 개발했다. 예를 들어 스포츠 심리학의 전통적인 관점에서 경기력을 최적화하고 자신감을 키우며 루틴을 개선하는 방법 등에 대한 연구가 있었다. 여름 내내 나는 경기력 향상을 목표로 선수들과 개별적으로 논의하고 계획을 세웠다.

팀이 런던으로 떠날 때 나는 스웨덴에 머물면서 어떤 의미에서 두 손을 놓고 있었다. 나는 스포츠 심리학과 집단 역학을 테이블에 가져와 팀원들 간의 토론을 장려했지만, 이것은 퍼즐의 작은 조각에 불과했고 코치, 지원 스태프, 선수들은 이를 바탕으로 본연의 작업을 계속했으며, 결국 그들은 뛰어난 성과를 거두었다. 스웨덴 대표팀은 프랑스와의 결승전에서 접전 끝에 패하며 은메달을 획득했다. 갑자기 스웨덴이 다시 시상대에 올랐다. 내 자존감이 커졌고, 내가 적용했던 심리 기술이 통했다고 느꼈다. 적어도 내 마음은 그렇게 말하고 있었다.

리우로 향하는 길: 함정이 만들어지다

4년 후, 같은 장소, 보쉰, 2016년 6월

연맹의 계획은 런던 올림픽을 준비했을 때 했던 작업을 반복하여 성공을 재현하는 것이었다. 추가적인 지원과 향상된 컨디션을 통해 대표팀이 올림픽 대회에서 성공하고 시상대에 올라갈 수 있기를 원했다. 코치들과 몇몇 핵심 선수들은 여전히 팀에 남아 은퇴 전 마지막 대회를 준비 중이었다.

수용전념치료 교육을 받은 후 나는 ACT 접근법을 훈련에 도입하고 특히 심리적 유연성을 핵심 개념으로 팀에 녹여내게 할 계획이었다(Hayes et al., 1999). 이런 마음으로 코치들을 만났을 때 그들은 수용접근 방식을 좋아했지만 런던 이전에 사용했던 그룹 프로세스, 응집력 및 목표 설정에 대한 전에 했던 작업을 포함하기를 원했다. 과거에 효과가 있었고 지금도 유용하다는 생각에 일부분은 유지하면서 가용 시간을 고려해 훈련 계획을 세웠고, 그해 여름에 선수들에게 스포츠 심리학 강의를 진행했다.

프리 캠프에서 팀과 함께 올림픽에 갈 기회가 생겼는데, 경기 분석을 담당하던 스태프가 사정이 생겨서 올림픽에 합류하지 못했다. 전직 엘리트 코치이기도 했던 나는 경기분석을 수행할 수 있는 능력이 있었다. 나는 올림픽 선수촌 외부에 머물고 있었기 때문에 내가 두 명의 대체 선수를 책임져야 했다. 나는 그 역할을 하기로 수락했다. 한편으로 연맹과 나 자신 모두 역할 충돌의 위협을 줄이면서, 스포츠 심리학과 비디오 분석에 모두 능통한 멀티 툴이 되어서 기뻤다.

워크숍에서 나는 다양한 주제를 설명하기 위해 이야기와 은유를 자주 사용했다. 선수들은 특히 그리스 신화에 나오는 '에피메테우스의 실수와 프로메테우스의 과잉 보상'에 관한 이야기를 좋아했다(M. B. Andersen, 개인 대화, 2014년 11월 12일; Andersen & Ivarsson, 2016). 이 이야기는 인류를 상징하는 쌍둥이 형제 에피메테우스와 프로메테우스에 관한 이야기이다. 한 명은 어리

석고 다른 한 명은 기발하다. 나중에 생각한다는 뜻을 가진 에피메테우스는 변명의 달인이었다. 그의 형제 프로메테우스는 영리한 타이탄이다. 아마도 이 형제의 이야기는 인간의 가장 큰 진화적 장점은 과거를 기억하고 미래를 계획할 수 있게 해주는 두뇌이지만 때때로 우리를 산만하게 만들기도 한다는 것을 인간에게 알려주는 것일지도 모른다. 우리의 마음은 비합리적이고 실제 또는 잠재적 위협과 함께 이전의 결함을 인식하게 하기 때문에 축복인 동시에 저주이기도 한다. 선수들은 마음을 비우고 판단하지 않고 현재 순간에 머무르는 것이 얼마나 어려운지 경험했기 때문에 이러한 설명을 빠르게 이해했다.

개별 작업을 통해 각자의 가치에 따라 행동하는 것에 대해 논의를 했다. 예를 들어 '핸드볼에서 여러분에게 중요한 것은 무엇인가?', '가치에 따라 행동하지 못하게 하는 것은 무엇인가?'라고 물었다. 대부분의 선수들은 처음에는 아무 말도 하지 않았다. 선수들은 자신이 통제권을 쥐고 있다고 인식하고 코트에서 역경이 닥쳤을 때를 생각해보는데 어려움을 겪거나 그럴 가능성을 열어두지 않으려 했다. 이는 아마도 항상 긍정적으로 생각하고 부정적인 생각과 감정을 억누르는 데 익숙한 몇몇 선수들이 소속 클럽에서 가져온 문화 때문이었을 것이다. 이렇게 평온하고 자신감 넘치는 선수들에게 나는 컨트리 가수 돌리 파튼의 명언인 '엉덩이를 움직이면 마음도 따라온다'를 자주 사용했다. 이 명언은 마음이 그만두라고 말해도 매일 밤 무대에서 공연할 수 있도록 상기시켜주는 말이다. 나는 선수들이 경기에 집중하고 몰입할 수 있도록 돕기 위해 이 명언을 사용했다. 즉 행동 활성화의 측면에서 '그냥 네 일을 해. 복잡한 내면이 아닌 밖을 바라보면 올바른 방향으로 나아갈 수 있을 것이다'라는 점을 말했다.

스태프로서 우리는 해결해야 할 여러 가지 문제가 있었다. 핸드볼 경기의 새로운 규칙(예: 7대 6 게임, 패시브 플레이)은 올림픽이라는 대회의 명성을 고려할 때 큰 변화였다. 또한 선수촌에는 많은 매력적인 선수들과 그들과의 경쟁 등 잠재적인 방해 요소가 있었다. 선수촌 선배들은 선수촌에서의 일상생활에 대한 경험을 공유했는데, 공식 유니폼 착용 방법, 소셜 미디어에서의 올림픽 링 태그 사용방법, 예방 접종 일정, 개인 안전, 식품 안전, 도로 안전, 브라질 대통령 탄핵으로 인한 정국 위기, 금융 위기 등 다양한 정보가 있었다. 또한 의사들은 지카 바이러스를 옮기는 모기, 감염으로부터 안전하게 지내는 방법, 바이러스 확산을 피하는 방법에 대해 이야기했다. 동시에 지카 바이러스에 대한 두려움으로 인해 다른 선수들이 올림픽 출전을 포기했고 '리우에 오는 사람은 누구도 안전하지 않을 것'(Garcia, 2016)이라는 기사도 읽었다. 브라질의 리우 올림픽은 폭력, 절도, 지카의 위험으로 인해 특별하고 심지어 무서운 것으로 해석되기 쉬웠다.

준비에 전념하기 위해서는 넘쳐나는 정보와 그로 인한 스트레스에 대처할 수 있어야 했다. 우리는 생각을 붙잡아두기보다는 생각이 왔다 갔다 하게 하는 탈융합 기법을 사용하여 작업했고, 이를 통해 생각을 바라보는 관점을 얻었다. 탈융합 과정은 '알아차리기', 생각이 아닌 생각을 바라보기, 마음이 우리에게 말하는 것에 대한 알아차림의 강화로 발전했다. 그 다음에는 생각과 감정을 인정하기 위해 '이야기에 이름 붙이기', 즉 '이봐. 리우야'라고 말하며 스트레스를 새로운 맥락에 놓고 가치 중심적인 활동을 하는 데 도움이 되는 이름을 붙였다. '이봐. 리우야'는 생각과 감정의 악영향을 '중화'시켰고, 우리는 마음과 싸우려는 마음을 돌려 우리를 도우려는 마음에 오히려 감사할 수 있었다(Harris, 2012). '이봐. 리우야!'라는 따뜻한 말과 함께 생각과 감정을 가지고 놀면 모든 일이 리우에서 일어날 수 있고, 우리의 마음이 이야기를 만들어내고 스웨덴에서와는 다른 일이 일어날 수 있다는 것을 받아들이자는 취지였다. 다가오는 올림픽에서 우리는 감정, 특히 불안과 같은 원치 않는 감정을 받아들이는 것에 대해 이야기했고, 대신 감정을 어떻게 해석하는지에 집중하고 이를 통해 우리의 가치에 따라 행동하도록 스스로에게 상기시켰다. 돌이켜 생각해보면, 우리는 이전 계획을 모방하고 이성적인 방식으로 어떻게 행동해야 하는지에 대해 (너무 많이) 이야기함으로써 스스로를 가둘 수 있는 함정을 만들고 있었던 것이다. 나는 내부의 갈등을 해결하고 싶었지만 팀원들은 무조건 긍정적으로 생각하길 원했다. 그 와중에 정보가 너무 많고 선수들마다 클럽 환경에서 자라온 다른 문화로 스포츠 심리학에 대한 접근 방식이 달랐기 때문에 내가 배운 스포츠 심리학을 제대로 전달하지 못한 것 같아 아쉬웠다.

덫을 놓다

2016년 7월, 포르투갈 리우 마이오르

사전 캠프의 훈련은 높은 강도와 수준을 갖추고, 친근한 태도로 진행되었다. 어쩌면 너무 우호적이었을지도 모르겠다. 이전 캠프와 달리 갈등도 없었고 팀원들 간의 불협화음도 없었다. 기억을 더듬어 보면 당시 훈련에서는 스트레스가 많은 상황을 거의 시뮬레이션하지 않았고 코트에서 벌어질 역경에 대비하지 못했다. 물론 전술적 플레이를 고려한 시뮬레이션 훈련은 있었지만, 고전하는 경기에서 승리하기 위한 한 번의 플레이나 원치 않는 생각이나 감정과 같은 내적 어려움에 대처하는 것과 같은 추가적인 스트레스 요인은 다루지 않았다. 어쩌면 우리는 감내할 현실에 대한 준비가 부족했던 것일지도 모르겠다. 당시 팀은 자부심을 쌓아가고 있었고 선수들은 만족하고 있었다. 비록 일부 선수들은 운동량은 엄청났기에 근육통이 제때 완화될지 공통적으로 걱정하기도 했다. 내가 주로 했던 것은 통증을 수용하는 작업이었다. '물론 몸에 통증이 있긴 하지만, 그 외 또 다른 것이 있을까?'라는 질문에 피곤함을 오랜 친구처럼 받아들이려고 노력했고, '왜 쉬지 않느냐, 그래야 회복하고 더 잘할 수 있지 않느냐'고 묻는 '논리적인 뇌'와 논쟁하지 않으려고 노력했다. 선수들은 엄청난 운동량으로 인해 스트레스를 받았지만 아픔을 참아가며 훈련했다. 나는 운동량으로 인한 통증에 대한 질문인지, 아니면 원치 않는 감각을 느끼고 싶지 않은 질문인지 계속 궁금해했다. 브라질로 떠나기 전에 선수들과 평가를 했는데 준비는 완벽하다고 평가받았다. 나는 그 말에 이의를 제기하지 않았다.

함정 미끼

2016년 8월, 브라질 리우데자네이루

밤늦게 올림픽 선수촌에 도착한 우리 팀은 긴 여정으로 피곤한 상태였다. 선수촌에 도착하고 나서 우리가 배정받은 숙소가 가구가 부족한 하자투성이의 아파트임을 알게 됐다. 한 아파트에서는 위층 화장실의 배관이 새는 문제가 발생했다. 그 결과 일부 팀원들은 한밤중에 숙소를 옮겨야 했고, 엘리베이터는 복불복으로 마음대로 가는 엘리베이터를 타는 것은 마치 도박과도 같았다. 우리는 "이봐, 리오야"라고 말했고, 그 이름이 유용하다는 것이 증명되는 순간이었다. 그리고 우리는 우리의 가치에 따라 행동했다.

선수촌에서 코치들은 완벽한 승리를 위해 잠재적으로 방해가 될 수 있는 요소를 제한하고, 상호 작용을 줄여야 한다고 생각했다. 자유 시간을 제한하고 선수들에게 정해진 휴식 시간 동안 방에 있으라고 말했는데, 휴식은 선수들이 경기에만 집중할 수 있도록 하는 좋은 목적이 있었다. 지금 생각해보면 우리에게는 도움이 되지 않는 규칙이었던 것 같다. 그로 인해 선수촌을 더욱 유별나게 만들었고, 경기를 앞두고 선수들을 안절부절 못하게 만들었으며, 올림픽을 감사해야 하는 것이 아니라 통제하고 정복해야 하는 것으로 만들었기 때문이다. 우리는 모든 것이 어떻게 되어야 하는지, 무엇이 옳고 그른지에 대한 우리의 규칙에 융합되어 있었기 때문에 문제가 생겼다. 우리의 함정에는 완벽한 올림픽이라는 미끼로 가득 차 있었고, 우리는 현실을 직시하지 못했다.

완벽한 준비란 덫에 걸린 선수들

퓨처 아레나, 스웨덴과 아르헨티나의 친선 경기, 2016년 8월 4일

우리는 개막식 3일 전에 공식 경기장에서 친선경기를 치렀다. 여기까지는 모든 것이 순조롭게 진행되었다. 스웨덴의 공격적이고 역동적인 플레이에 아르헨티나 코치가 주전 선수교체를 요청하는 것을 우연히 들었다. 우리는 준비가 되어 있었다. 다시 한 번 모든 것이 제자리에 있었던 것 같았고, 거의 완벽한 조건을 확인하는 것 같았다. 이런 상태에서 그 누구도 변화를 원하거나 어려운 생각이나 감정과 같은 잠재적인 장애물 문제를 해결하고 싶어하지 않았다. 나조차도 잠자는 곰을 건드리고 싶지 않았기 때문에 그렇게 하지 않았다. 겨울 내내 잠자고 있던 곰처럼 역경에 대한 우려를 언급하면 불확실성과 걱정이란 곰이 깨어날 위험이 있었기 때문이다. 나는 팀에서 '다 잘 될 거야'라는 합창에 동참했다. 아마도 나는 이전 CBT 접근 방식에 익숙해져서 인지적 재구성을 원했던 것 같고, 팀원들은 '긍정적으로 생각하라'는 인지적 재구성에 익숙해져 있었기 때문이었을 것이다. 하지만 나는 '포르투갈에서 역경을 해결할 시간이 있었을 때 개입했어야 했다'고 생각했다. 그 생각이 너무 확고한 나머지 지금은 너무 늦었다는 생각이 들었고, 게다가 연맹에서 맡긴 경기 분석 작업도 해야 했다. 긍정적인 감정과 완벽한 조건이 지속되기를 바라는 것 외에는 할 수 있는 일이 없다고 생각했다.

두 명의 예비 교체 선수들과 나는 선수촌 밖에서 생활하고 있었다. 언젠가는 그 선수들을 대표팀에 포함시켜야 할지도 모르기 때문에 준비를 하고 컨디션을 유지해야 했다. 나는 스포츠 심리 심리상담가로서 팀에 내가 필요할지도 모르기 때문에 항상 준비된 상태를 유지해야 한다고 생각했다. 그때까지 늦은 저녁과 밤에는 경기 분석에 몰두했으며 낮에는 팀과 함께 있었다. 선수들과 함께 밥을 먹고, 훈련을 지켜보고, 복도에서 짧은 개별 대화를 나누기도 했다. 그러다 보니 교체 선수들과 함께 일해야 하지만 심리적인 측면에서는 그렇지 못했다는 것을 알게 되었다. 체력 및 컨디셔닝 훈련을 실시하기 위해 근처 공원에서 그들과 함께 인터벌 러닝까지 해야 했으니 말이다. 리우에서는 지금까지 분석과 훈련으로 바빴고 주업인 스포츠 심리학에 대해서는 덜 바빴던 셈이다.

선수촌 밖에서 생활하다 보니 마음대로 드나들 수 있는 자유가 부족했다. 매일 출입인가를 받았지만 매일 밤 9시이후로는 선수촌 밖으로 나가야만 했다. 그래서 늦은 저녁 토론에는 참석할 수 없었다. 매일 아침 자전거를 타고 20분 거리에 있는 선수촌까지 가서 인내심을 갖고 보안 통제소에 줄을 서서 여권을 제시하고 일일 출입 허가증을 발급받았다. 그런 다음 올림픽 광장에서 공식 자격증을 소지한 직원이 마중 나올 때까지 대기했다. 그 다음에는 코치들과 만나 다가오는 경기에 대한 경기 분석한 것을 가지고 열띤 토론을 벌였다. 그 후 팀과 선수 개개인의 상태를 파악하려고 노력했다. 며칠이 지나자 나는 훈련, 식사, 인터뷰 등의 일정에 쉴 새 없이 뛰어다녀야 했고 선수들이 방에서 문을 닫고 쉬고 있었기 때문에 비공식적인 잡담을 나누는 것조차 힘들어졌다.

> "올림픽 선수촌에서는 선수들이 방에 누워만 있었기 때문에 팀 정신이 전혀 없었고, 마치 감옥에 갇혀 있는 것 같았어요. 선수들을 만날 때마다 그들은 밖에 나갈 수 없어서 지루해하는 것 같았고요. 저는 그들보다 더 재미있었고 선수촌 밖에서 생활하는 교체 후보 선수였어요."
>
> – *예비 교체 선수*

한번은 시간을 절약하기 위해 택시를 타려고 했는데 엉뚱한 방향으로 가는 것이 아닌가. 물류와 교통 혼란으로 인해 올림픽 기간 동안 시내 도로가 재배치되었고, 우리는 정문에서 점점 더 멀리 떨어진 곳에 내려야 했다. 나는 곧 올림픽의 큰 부분이 이런 기다림, 환승, 좌절에 관한 것이라는 것을 깨달았다. 스포츠 심리학자인 내 자신이 좌절을 겪고 있는 사람이고 개입이 필요한 사람이라는 것을 깨달았다. 이것을 깨닫기 전에 나는 생각과 감정에 휩쓸려 상황을 더 잘 통제할 수 있는 방법을 찾고 있었다. '이봐, 리우야'라는 말은 더 이상 통하지 않았다. 나는 마음을 다스리고 내 자신의 가치를 받아들이고 다시 연결하려고 노력했다. 나는 내가 선수들에게 교육한 것을 실천하고 인식과 주의를 확장하려고 노력했다. 즉, 어려운 생각과 감정의 존재를 마음챙김하며 인정하는 동시에 내가 보고, 듣고, 만지고, 맛보고, 냄새 맡는 것을 알아차리려고 노력했다. 나는 좌절감 외에도 훨씬 더 많은 것이 존재한다는 것을 알아차리려고 노력했다.

스웨덴 대 독일, 8월 7일

개막식 첫 경기는 격렬한 경기였다. 주전 선수 한 명이 레드카드로 세 번의 출전 정지 처분을 받아 코트에 나서지 못할 정도였다. 그는 관중석에서 경기를 지켜보면서 독일이 승부처에서 더욱 집중력을 발휘해 승리하는 것을 지켜보아야 했다. 세계 챔피언 독일을 상대로 한 경기였기 때문에 패배는 그리 놀랍지 않았다. 우리는 패배를 꽤 잘 극복했지만 마냥 슬퍼할 시간도 주어지지 않았다. 다음 경기가 바로 다음 날이었기 때문이다. 경기장 출입이 제한되고 밤에는 선수촌에 들어갈 수 없었기 때문에 경기 후 선수들과 이야기를 나눌 수 없었으니 스포츠 심리상담가로서 제대로 업무를 수행하기가 어려웠다. 심야 팀 미팅 전에 스태프들에게 문자 메시지를 보낼 수밖에 없었다. 몇 가지 행동 요령과 디브리핑을 다시 한 번 강조하며 답답한 마음을 안고 잠자리에 들었다.

아침을 먹으러 가는 길에 전날 레드카드를 받은 주전 선수를 만나 잠시 대화를 나눴다. 그는 밤새 잠을 자지 못했다고 했다. 그는 이전에 중요한 행사가 있을 때 가끔 불면증을 경험한다고 말한 적이 있었다. 이제 이러한 문제가 다시 전면에 나타난 것이다. 미리 예견하고 준비했어야 했었다. 우리는 선수촌을 걸으며 이야기를 나누었다. 그의 이야기는 단순히 수면 부족에 관한 것이 아니었다. 개막식 경기에서 느꼈던 수치심과 죄책감에 관한 것이었다. '내가 더 잘했어야 했다. 내가 팀을 실망시켰다. 나는 내 역할에서 실수를 하면 안 되었다'. 내면은 그렇게 이야기하고 있었다.

나는 즉시 "넌 잘 싸웠어", "너도 다른 사람들처럼 실수할 수 있어"라고 말하며, 소위 엉뚱한 나무를 향해 짖어댔다. 다음 날 다시 경기를 해야 했기 때문에 내가 선수를 위로하고 상황을 재구성하려 했다는 것을 금방 깨달았다. 위로보다 그에게 중요한 질문을 던졌어야 했다. 과연 자책하는 행동이 그에게 효과가 있고 더 나은 경기력을 발휘하는 데 도움이 될까? 물론 그렇지 않았고, 내가 '상관없다'고 말할수록 그의 마음은 '상관있다'는 식으로 말하곤 했다. 나는 내가 그의 부정적인 생각을 부추기고 있다는 위험을 이해했다. 나는 오래된 은유(Pearson, Heffner & Follette, 2010; Kaplan, 2018에서 각색)를 꺼내어 그에게 말했다.

> 비치볼을 들고 수영장에 있는 자신을 상상해 보자. 공은 원치 않는 수치심과 같이 적극적으로 회피하거나 억압하고 있는 것을 나타내며, 우리는 수치심을 없애기 위해 공을 물속으로 밀어 넣는다. 물속에서 공을 잡을 수 있으면 수영장 표면이 매끄럽고 삶이 좋다고 인식한다. 그러나 동시에 수영장에서 할 수 있는 행동은 제한된다. 물 속으로 공을 계속 잡아두려는 당신의 투쟁은 수영의 즐거움을 망칠 것이다. 어느 시점에서 공이 수면 위로 튀어나와 큰 물보라를 일으키는 이런 일이 발생하면 가능한 한 빨리 필사적으로 공을 물속으로 밀어 넣어야 한다. 이렇게 하면 파도가 단기간에 가라앉을 것이다. 또한 수영장에서 계속 같은 위치에 갇혀 있을 수 있다. 따라서 수영장에서 즐거운 시간을 보내려면 비치볼을 수면 위로 떠오르게 하는 방법을 배워야 하는데, 공을 잡고 있던 손을 놓으면 공은 자유롭게 떠다니게 된다. 공은 사라지지 않고, 수영장을 떠나지 않는다. 하지만 우리가 수영장에 비치볼이 있다는 것을 받아들이면 자유롭게 움직이며 어디로 갈지 결정할 수 있다.

나는 그에게 비치볼 은유가 어떤 의미인지, 그리고 이 은유를 어떻게 자신에게 적용할 수 있는지 물었다. 그는 자신의 생각을 더 가볍게 붙잡아 보겠다고 말했다. 우리는 선수촌 식당에 도착했다. 듣는 귀가 너무 많고 소음이 너무 많아서 우리는 그냥 먹기만 했다. 나는 그와 함께 아파트로 걸어 갔다. 나는 단순히 그와 함께 있었고, 그의 안부를 확인하고, 조용히 내 지지를 표명하고, 우리가 그랬던 것처럼 경청하는 귀를 빌려주고 싶었다. 조용한 곳에서. '어쩌면 우리는 이미 끝난 게 아닐까'는 생각이 들기 시작했다. 어쩌면 올림픽 선수촌에는 소란스러운 내면의 투쟁으로 인해 내가 인식하지 못했던 평온함이 있었을지도 모른다. 스트레스를 받으며, 변화를 간절히 원하고, 비디오 분석이나 러닝 인터벌 훈련보다는 스포츠 심리학에 필요한 존재가 되고 싶었던 열망을 가진 나였을지도 모른다는 생각에 머릿속에서 싸움이 벌어졌다. 집으로 돌아오는 길에 선수에게 수면에 대해 이야기를 했다. 부분적으로는 불면에 대한 정상화를 위해, 또 부분적으로는 '하룻밤 잠을 못 잔다고 해서 경기력에 지장을 주지는 않는다'는 교훈을 주기 위해서였다. 시간에 쫓기는 상황에서 모든 현을 연주하려고 노력했지만 대부분 잘하고 싶다는 생각뿐이었다. 작업 조건이 더 좋았더라면, 예를 들어 더 많은 산책과 대화 기회를 만들어야했거나 힘든 선수들을 잠깐이라도 방에서 데리고 나오는 등 여러 벌어질 조건에 대비했어야 했다는 생각들이 떠올랐다.

스웨덴 대 이집트, 8월 9일

이집트와의 경기에서는 스웨덴은 비유럽권의 다른 경기 스타일에 대처하지 못하고 패배했다. 선수들 사이에 불만이 커졌고 역시 늦은 저녁에 열리는 회의에는 참석할 수 없었다. 대신 반성하는 마음을 담은 문자를 보냈다. 이후 내가 얻은 교훈은 말을 행동으로 옮기고, 원치 않는 생각이나 감정 등 내면의 갈등을 함께 행동으로 옮기며 팀 가치에 부합하는 사람이 되자는 것이었다. 어쨌든 우리는 프리캠프 때 준비하지 못했던 역경의 한가운데에 있었다. 나는 선수들과 함께할 시간이 더 필요하다고 느꼈다. 하지만 헤라클레스의 강물처럼 시간은 빠르게 흐르고 있었고, 선수들과 함께할 수 있는 시간은 한정되어 있었다.

함정에서 벗어나기에는 너무 늦은 시간

나는 팀의 핵심 선수를 다시 만났다. 그는 더 나은 경기를 할 수 있었지만 그 패배가 그를 괴롭혔다. 그는 팀 동료들이 겪는 괴로움에 대해 고민했고, 그들의 문제를 해결하려고 노력했다. 나는 그에게 가치에 가까워질 것인가? 멀어질 것인가에 대한 질문을 던졌다. 그는 "내 어깨에 너무 많은 짐을 지고 있어서 그것이 나 자신부터 시작해야 한다는 것을 잊게 만든다"고 대답했다.

"나는 팀 동료들에게 물어보기 전에 자신에게 무엇이 필요한지, 자신에게 어떻게 느끼는지 먼저 물어볼 필요가 있다"고 말하며 가치로 다시 돌아갈 것을 주문했다.

모든 면에서 나는 계속 달렸다. 분석과 인터벌 훈련을 모두 실행하고 선수들이 어떻게 하고 있는지 확인했다. 어떤 면에서는 선수들이 다음 경기는 내 일이고 그때만 잘하면 된다고 결론을 내림으로써 내 ACT 기반 질문을 피할 수 있다고 느꼈다. 선수들 눈에는 우리의 패배가 심판의 오심과 실책으로 인한 것이었다. 내가 보기에 우리는 심리적인 유연성이 없었다. 다시 한 번 나는 스포츠 심리학자로서 제대로 쓰임 받지 못한다는 사실에 좌절했다. 이후 슬로베니아와 폴란드에 연달아 패하며 한 경기를 남겨두고 토너먼트 탈락이 확정되었다. 오히려 메달 추격을 포기하고 우리 플레이에만 집중할 수 있게 되면서 함정에서 벗어날 수 있었다. 마지막 경기에서 우리는 브라질을 상대로 반등할 수 있었다. 경기 내용상으로도 고개를 높이 들거나 최소한 반쯤은 들 수 있는 결말이 되었다.

우리가 얻은 교훈: 성공을 반복하려는 시도는 함정이다

나는 올림픽 기간 동안 모기 한 마리를 봤었다. 사실 보지는 못했고, 전기 모기채를 사용했기에 '지지직' 비명 소리만 들었다. 그 당시 지카 바이러스 감염 등 공포스러운 뉴스에도 불구하고 선수촌은 아마도 세계에서 가장 안전한 곳이었을 거다. 그럼에도 불구하고 우리는 코트 밖에서는 역경에 대비했지만 코트 안의 역경에 대해서는 그렇지 않았다. 리우에서는 불확실성에 대처했지만 코트 안에서는 그렇지 못했다. 일부 선수들은 '핸드볼은 핸드볼일 뿐'이라고 스스로에게 말하려 했다. 우리는 성공으로 가득했던 과거와 스포츠 평론가들의 비판이 틀렸다는 것을 증명하기 위해 1등이 되어 세계를 제패해야 한다는 생각에 사로잡혀 있었다. 지금 생각해보면 선수들이 자신의 감정을 인정하고 받아들일 수 있도록 도와줬으면 좋았을 텐데 하는 아쉬움이 남는다.

올림픽이 끝난 지 한 달 후, 선수들에게 개별적으로 연락해 올림픽 경험에 대해 이야기를 나눴다. 한 선수가 이렇게 말했다.

> "제 아이들과 손주들에게 들려줄 수 있는 경험은 아니었어요. 제가 상상했던 것과는 전혀 달랐고, 런던 올림픽에 출전했던 선수들이 저에게 했던 이야기와는 전혀 달랐어요. 그래도 올림픽에 출전했으니 뭐 어때요?"

이것은 우리가 운동선수와 그 사람을 모두 발전시키려면 무엇이 중요한지에 대한 고민이 필요하다는 생각을 하게 만들었다. 결국 스포츠는 건강과 웰빙에 이어 두 번째로 중요한 것이다. 돌이켜보면 우리 대표팀은 완벽한 컨디션을 만드는 스토리에 집중하기보다는 경기력에 초점을 맞춘 다른 스토리가 필요했다. 메달을 쫓다 보니 심리적 유연성이 감소했던 것이다.

수석 코치 중 한 명이 여름 동안의 내 업무를 다음과 같이 요약했다. '잘했다는 말 밖에 더 이상 드릴 말은 없네요.' 내 생각은 달랐다. 스포츠 심리학의 필요성은 대회가 끝나고 나서야 알았지만, 현장에 있으면서 이전과는 다른 심리학적 관점으로 접근해야 했고, 다른 클럽의 접근 방식과는 달리 시간이 더 필요했다. 그때 내가 지금 알고 있는 것을 알았다면 리우에 갈 기회를 거절했을까? 리우 올림픽은 나에게는 미래를 위한 많은 유용한 경험을 제공했고, 팀에는 스포츠 심리학 전문가를 영입할 수 있는 좋은 기회였기 때문에 거절하지 못했을 것 같다. 하지만 더 잘 준비했어야 했다. 코칭 스태프와 스포츠 심리학자로서의 역할에 대해 더 많이 이야기하고, 올림픽에 다녀온 경험이 있는 스포츠 심리학자들과 접근 제한된 상태와 현실적인 문제에 어떻게 대처할지 미리 상의했어야 했다. 그리고 선수들과 함께 스포츠 심리학자로서 내 역할을 어떻게 수행할지 구체적인 계획을 세웠어야 했다. 힘든 경기속에서 내 자신의 가치를 명료화하고 선수들이 겪는 좌절에 어떻게 대처할지 고민했어야 했다. 그리고 팀원들의 공통된 이해를 위해 ACT를 더 일찍 본격적으로 소개했더라면 좋았을 것 같다. 프로메테우스처럼 해야 할 일에 대해 미리 생각해두는 것은 너무 쉬운 일이었다. 한 핵심 선수는 자신의 경험을 다음과 같이 요약했다.

> "많은 고민을 했지만 한 가지로 계속 돌아오는 것은 런던의 접근 방식이 성공적이었기 때문에 이를 모방했다는 점이었어요. 하지만 당시 우리는 다른 팀이었던 것 같아요. 물론 스태프와 주전 선수는 거의 같았지만 코트 위에서의 타이밍과 상호 작용이 런던이 더 좋았고, 우리 모두는 그때 4살 더 젊었던 거잖아요."

우리는 과거에 갇혀 있었다. '같은 강물에 두 번 발을 담그는 사람은 없다'는 헤라클레이토스의 말처럼 모든 것은 끊임없이 변하고 있었고, 선수들도 변했다. 흐르는 강물처럼 달리기 전에 지금 이 순간을 알아차리고 적응하는 것부터 시작했어야 했다. 어쩌면 우리는 그렇게 달릴 필요가 없었는지도 모른다.

참고문헌

Andersen, M. B., & Ivarsson, A. (2016). A methodology of loving kindness: How interpersonal neurobiology, compassion and transference can inform researcher—participant encounters and storytelling. *Qualitative Research in Sport, Exercise and Health, 8*(1), 1–20. doi: 10.1080/2159676X.2015.1056827

Burke, K. L. (2005). But coach doesn't understand: Dealing with team communication quagmires. In M. B. Andersen (Ed.). *Sport psychology in practice*. Champaign, IL: Human Kinetics.

Carron, A.V., & Eys, M. A. (2012). *Group Dynamics in Sport* (4th ed.). Morgantown, WV:Fitness Information Technology.

Garcia, F. (2016). Brazilian police greet tourists with 'Welcome to Hell' sign at Rio airport Retrieved fromwww.independent.co.uk/news/world/americas/brazil-rio-police-welcome-to-hell-tourists-olympics-a7108091.html

Harris, R. (2012). *The reality slap. How to find fulfilment when life hurts*. London: Constable &Robinson Ltd.

Hayes, S. C., & Strosahl, K. D. (Eds.). (2004). *A practical guide to acceptance and commitment therapy*. New York: Springer Science.

Hayes, S. C., Strosahl, K., & Wilson, K. G. (1999). *Acceptance and commitment therapy: An experiential approach to behavior change*. New York:The Guilford Press.

Heraclitus. (2013). *The Fragments of Heraclitus*. Digireads.com

Kaplan, J. (2018). *Acceptance & commitment therapy*. Retrieved December 21, 2018, from www.sohocbt.com/act

Pearson, A. N., Heffner, M., & Follette, V. M. (2010). *Acceptance & commitment therapy for body image dissatisfaction: A practitioner's guide to using mindfulness, acceptance & values-based behavior change strategies*. Oakland, CA: New Harbinger Publications.

Steiner, I. D. (1972). *Group processes and group productivity*. New York: Academic Press.TT News Agency (2012, June 16). Retrieved December 21, 2018, from www.aftonbladet.se/sportbladet/a/1kVJjG/sverige-missar-handbolls-vm

13

프로 축구와 마음챙김 훈련

앤더스 멜란트

나는 노르웨이 항공 의학 연구소에서 인적 요인 전문가로, 올림픽 훈련 센터에서 스포츠 심리학 전문가로 일하고 있다. 이 두 가지 직업을 통해 나는 공군 전투기 조종사와 운동선수들이 자신의 잠재력을 최대한 발휘할 수 있도록 심리 지원을 제공하고 있다. 전투 비행과 스포츠는 중압감이 극대화된 상황에서 집중력, 침착성, 유연성을 증진시키고, 정기적인 훈련의 질을 높이는 중요한 근본적인 과제를 공유한다. 마음챙김 훈련은 이러한 측면에서 유용한 도구가 될 수 있다(Jha, Stanley, Kiyonaga, Wong, & Gelfand, 2010). 우리는 이 분야에서 최초의 프로젝트라고 생각되는 한 연구에서 남자 프로 축구 선수와 공군 전투기 조종사들을 대상으로 명상 기반 마음챙김 개입의 타당성과 적용 가능성을 조사했다(Meland, Fonne, Wagstaff, & Pensgaard, 2015; Meland, Ishimatsu et al., 2015). 이 장에서는 축구 종목에서 명상 기반 마음챙김훈련 개입을 수행하는 방법에 대한 실용적인 통찰력을 제공하며, 훈련 준비와 계획, 예상되는 장애물 극복, 심화 단계에 이르기까지 마음챙김훈련 개입의 다양한 단계를 소개하려고 한다.

준비 및 계획

코치와의 만남

어떤 좋은 방법이라도 그룹의 리더가 지지하지 않는 개입은 성공하지 못할 가능성이 높다. 나는 2011년 가을 노르웨이 올림픽 훈련 센터에서 축구팀 감독을 처음 만났다. 스포츠 심리학 책임자인 안네 마르테 펜스가드가 감독에게 공군의 전투비행 분야의 마음챙김훈련(Mindfulness Training, MT)에 대한 연구결과를 소개해 주었는데, 감독은 호기심을 보이며, 더 많은 것을 알고 싶어 했다. 나는 누군가에게 새로운 방법을 소개할 때, 그 방법이 유용한지 아닌지 그들 스스로 결정하는 것을 좋아한다. 특히 논란이 있을 때는 더욱 그렇다. 실력이 뛰어난 남자 축구 팀에 고대 동양의 방법인 명상을 도입하겠다고 제안하는 것은 당시 분명 논란의 여지가 있었다. 나는 감독과 미팅을 하면서 다음과 같은 질문을 마음 한구석에 품고 있었다. 팀에 사전예방조치나 해결책이 필요한 문제가 있는데 마음챙김훈련이 올바른 대응책인가? 마음챙김훈련이 올바른 방법일지라도 일부 환경에서는 회의적인 시각이 여전히 존재한다. 이것은 명상이 주로 동양 철학에 뿌리를 두고 있을 뿐만 아니라 마음챙김훈련 연습이 생소하고 평소 하는 활동과 매우 이질적으로 보이기 때문이다. 나는 마음챙김훈련을 실시하려는 모든 사람들에게 이러한 부정적인 태도를 조기에 해소할 것을 권장하며, 이러한 의구심을 떨칠 수 있는 좋은 방법은 이 방법의 한계에 대해 잘 아는 것이라 생각한다.

이를 위해 마음챙김훈련의 이점을 뒷받침하는 연구는 있기는 하나, 높은 수행능력이 요구되는 환경에서 수행된 고품질 연구는 아직 부족한 실정이다 (Meland, 2016). 즉, 정확한 장점과 단점을 말하는 것은 여전히 불확실하며 마음챙김훈련이 모든 그룹의 모든 문제에 적합한 해결책은 확실히 아니다. 대부분의 것이 이미 완벽에 가까워야 하고, 깨지지 않은 것을 '깨뜨릴' 위험을 감수해야 하는 높은 수준의 성과를 내는 환경에서 작업할 때 이 점은 중요한 사항이다. 만약 당신이 순전히 유익한 것만 제시하면 마음챙김훈련의 피할 수 없는 도전에 대한 준비가 덜 된 것이다. 한계에 대해 솔직하게 이야기하면 신뢰가 쌓이고 그룹과 함께 이러한 한계를 줄이거나 피할 수 있는 예방책을 마련할 수 있게 된다. 나는 감독에게 역으로 마음챙김훈련을 도입하지 말아야

하는 이유를 다음과 같이 당돌하게 제시했다:

- 마음챙김훈련은 회의감을 유발한다. 마음챙김훈련은 의도하지 않은 회의와 혼란을 유발할 수 있다.
- 마음챙김훈련은 불편하고 상황을 악화시킬 수 있다. 마음챙김훈련은 노출 방식이다. 불안과 기타 도전적인 내적 사건에 마음을 여는 방식이다. 자칫 선수들의 정서적 혼란을 부추길 수 있다.
- 마음챙김훈련은 빠른 해결책이 아니다. 선수는 경험을 배우기 위해 시간을 투자할 준비가 되어 있어야 한다. 다른 활동에 투자할 수 있는 시간을 내야만 한다. 또한 마음챙김훈련의 효과는 측정하기 어렵고 점진적으로 나타날 수 있다.
- 마음챙김훈련은 잘못된 지도에 민감하다. 그룹의 문화적 코드에 민감하고, 마음챙김훈련과 그 활성 요소에 대한 지식과 통찰력을 갖춘 강사에 따라 결과가 확연히 달라진다.
- 마음챙김훈련은 공간을 차지한다. 물론 개별 마음챙김훈련을 위한 장소와 강의와 본격적인 마음챙김을 위한 적절한 공간이 필요하다.

이 훈련의 혜택이 무엇인가 하는 질문과 관련하여 나는 감독에게 선수들이 우리 연구에 참가한 공군 조종사들과 같다면, 일상 생활 상황과 실제 전투 비행 작전에서 스트레스를 덜 받고, 산만함이 줄어들 것으로 기대할 수 있다고 말했다(Meland, Fonne et al., 2015). 또한 팀에 대한 신뢰와 존중이 더 많아지고 갈등이 줄어들 수 있고, 업무량을 줄이거나 달리 무엇을 변경하지 않고도, 이러한 모든 이점을 기대할 수 있다고 말했다. 아무것도 바꾸지 않고 간단한 운동만 하는 것만으로도 이런 효과를 기대할 수 있다는 것은 너무 좋은 말로 들릴 수 있다. 그는 확실히 우리의 연구 결과에 깊은 인상을 받은 것 같았지만, 나는 다시 한 번 지나치게 흥분하지 않으려는 차원에서 이 결과는 축구 선수가 아닌 공군 조종사라는 점을 상기시켰다. 따라서 주요한 의문점은 남아있었다. "프로 축구 선수들로 구성된 팀에서 마음챙김훈련이 해결할 수 있는 문제는 무엇인가?" 이 시점에서 마음챙김훈련의 단점이 분명히 혜택을 능가한다면 나는 프로그램 도입을 권장하지 않았을 것이다. 하지만 감독은 이 시기를 프로축구 사상 최초로 마음챙김훈련을 훈련의 질을 높이고, 회복과 동기 부여를 촉진하며, 선수들이 압박감에 질식하는 것을 방지하는 방법으로 사용할 수 있는 기회라고 생각했다. 가장 중요한 것은 감독이 직접 이러한 결론을 도출했다는 점이다.

감독과의 첫 미팅 이후 나는 일기장에 이렇게 적었다. "대안적이고 유연하다고 여겨지는 방법에 대해 감독이 얼마나 개방적이고 긍정적인 태도를 보였는지 조금 놀랐다. 모든 선수들이 감독의 열정을 공유할 수 있을지 궁금해진다."

개입

몇 주 후, 우리는 실행 계획을 세웠고 아프가니스탄에 파병된 두 곳의 공군 전투 비행단에서 성공적으로 시행한 것과 동일한 4개월 프로그램을 제공했다 (Meland, Ishimatsu, et al., 2015).

프로그램 개요

- 이틀 연속으로 진행되는 10시간의 입문 세미나
- 셋째 주마다 2시간 동안 진행되는 4회의 전체 세션은 다음과 같이 구성했다:
  - 25분 이론 강의
  - 45분간의 마음챙김훈련
  - 그룹 토론 및 질의 응답
- 매주 2회 전체 교육 세션(20분)
- 주 2회 개별 세션(10-20분)

자세한 내용은(Meland, Fonne et al., 2015; Meland, Ishimatsu et al., 2015)를 참조.

선수들과의 만남

첫 만남을 잘 준비하는 것이 중요하다. "첫인상을 남길 기회는 두 번 다시 없다"는 말이 있다. 나는 내가 봄담았던 높은 성과가 요구되는 여러 환경에서 특히 이 말이 사실임을 알 수 있었다. 그룹이 당신을 좋아하지 않거나, 당신을 신뢰하지 않거나, 당신이 어떻게 그들을 도울 수 있는지 이해하지 못한다면, 당신은 자기네들 시간을 낭비하고 있다는 반응을 목도할 것이다. 나는 보통 이 다섯 가지 영역을 중심으로 첫 만남을 준비한다.

- 성공의 예
- 한계
- 마음챙김을 훈련하는 방법
- 마음챙김 훈련이 유용한 이유
- 기대 효과

성공 사례

어떤 방법을 받아들이는 좋은 방법은 그 방법을 통해 혜택을 받은 개인이나 그룹의 사례를 공유하는 것이다. 가급적이면 그룹이 공감할 수 있거나 존경할 수 있는 사람이면 더 좋다. 혜택을 직접 경험한 사람이 그룹과 이야기를 나누는 것도 좋은 방법이다. 프로 축구 선수들을 위해 F-16 전투기 편대장을 초청하여 공군 전투 환경에서 마음챙김훈련을 전수받은 경험에 대해 강연을 듣게 했다. 왜? 선수들이 마음챙김훈련이 높은 수행이 요구되는 환경에서 적용가능하다는 것을 알기를 원했고 당시에는 마음챙김훈련을 적용한 엘리트 축구 선수가 없었기 때문이다. 어쨌든 나는 선수들이 전투기 조종사들이 직접 체험해보고 유용하다고 생각한 방법에 시간과 노력을 들인다는 생각을 좋아했다고 생각한다.

한계

성공 사례를 소개한 후, 감독에게 설명했던 거의 같은 방식으로 마음챙김 훈련의 단점에 대해 알려주었지만 좀 더 구체적으로 설명했다. 나는 처음에는 주의력 조절이 더 나빠질 수도 있다는 사실과 스트레스 수준이 개선되기 전에 초반에 스트레스가 상승할 수 있다는 점을 자세히 설명했다. 또한 눈에 띄는 효과와 보람이 없기 때문에 때때로 정해진 마음챙김훈련 참석에 동기 부여가 되지 않을 수 있다는 점도 설명했다. 또한 이런 한계점을 최소화하는 방법에 대한 지침도 제공했다. 예를 들어, 매일의 훈련 일정에 맞춰 전체 세션을 계획하고 개별 훈련을 위해 스마트폰에 다운로드할 수 있는 오디오 파일을 제공하겠다고 강조했다. 그리고 전체 개입 기간 동안 전화로 질문을 받을 수 있다고 약속했다.

마음챙김 훈련 방법

마음챙김 훈련의 본질을 전달하는 가장 좋은 방법은 아마도 마음챙김 훈련 세션을 시연하는 것이다. 나는 보통 10분간 앉아서 명상하는 것으로 시작하며, 운동 전에 다음과 같은 지침을 제공한다.

- 똑바로 앉아서 자신에게 맞는 편안한 자세를 찾아봅니다.
- 집중력이 흐트러질 때마다 호흡에 주의를 기울이고 다시 호흡으로 돌아갑니다.
- 코, 가슴 또는 배에서 느껴지는 호흡 감각 중 하나를 선택합니다
- 마음속에 들어오고 나가는 것에 마음을 열어두세요.
- 중간에 주의를 넓혀 마음과 주변에서 일어나는 모든 것을 관찰하세요.
- '지금 여기'에 주의를 기울이고 주의가 흐트러졌다는 것을 깨달을 때마다 '지금 여기'로 돌아옵니다.
- 최선을 다하는 것만으로도 충분합니다.

나는 실습하는 동안 2–3번 다음과 같은 알림을 제공한다.

- 지금 당신의 주의는 어디에 있습니까?
- 주의력이 흐트러졌다는 것을 느끼면 호흡의 감각으로 부드럽게 돌아갑니다.

목표는 어떤 상황에서 눈에 띄는 것이 없을 때 우리가 얼마나 쉽게 주의가 산만해지는지 경험하게 하는 것이다. 따라서 안내 없이 정적감 속에서 오랜

시간을 해보게 하는 것이 중요한다. 사람들이 앉아서 명상하는 동안 집중력을 유지하는 것이 얼마나 어려운지 경험하면 이 간단한 운동이 어떻게 주의력 조절을 훈련할 수 있는지 이해하게 된다. 사람들의 머릿속에 가능한 넓은 공간에서 마음챙김훈련의 정신 모델을 구축하려고 할 때 공간의 크기를 줄이는 것도 도움이 된다. 그래서 나는 선수들에게 마음챙김훈련이 아닌 것을 이야기했다. 이는 오해의 소지를 없애고, 특히 마음챙김훈련과 혼동하기 쉬운 다른 멘탈 트레이닝 방법을 경험한 사람들에게 효과적인 설명 도구가 될 수 있다. 나는 마음챙김훈련이 '긍정적 사고'나 자신의 불안을 진정시키기 위한 '호흡법'이 아니라는 점을 강조했다. 마음챙김훈련을 하는 동안 '방해 요소를 차단하라'거나 '긴장을 풀라'는 등의 말을 하지 말아야 하며, 그런 식으로 스스로를 유도하는 것도 자제해야 한다고 설명했다.

마음챙김이 유용한 이유

나는 개인에게 강제성을 부여하며 마음챙김훈련에 시간을 투자해야 하는 이유에 대한 명확한 논리를 제시하는 것을 강력히 지지한다. 축구에서 마음챙김훈련은 본질적으로 즐겁지 않거나 축구 훈련처럼 보이지 않을 수 있기 때문에 이것이 특히 중요하다고 생각했다. 선수들은 앉아서 명상하는 동안 주의 집중의 어려움을 경험한 후 마음챙김훈련이 왜 주의 집중에 도움이 될 수 있는지 이해하는 것 같았다. 하지만 마음챙김훈련이 선수들의 스트레스 회복력에 도움이 되는 이유에 대해서는 더 많은 설명을 해주는 것이 필요했다. 이에 대한 내 생각을 요약하면 다음과 같다.

> 우리는 종종 압박감을 느낄 때 자동적으로 반응하여 원치 않는 생각과 감정을 떨쳐내거나 억누르는 방법을 찾는다. 이러한 정신적 전략은 우리를 힘들게 하고 스트레스를 더 많이 받고 도전에 대한 회복력을 떨어뜨릴 수 있다. 마음챙김훈련에서는 스트레스가 있든 없든 현재 순간의 경험에 편안하게 깨어 있는 상태를 유지하면서 떠오르는 생각이나 감정을 통제하려는 노력을 하지 않는 것이 좋다고 강조한다. 이러한 전략의 변화는 기본적으로 과거와 미래에 대한 스트레스를 유발하는 생각을 대체하는 현재 중심적 인식을 포함하기 때문에 그 자체로 스트레스를 줄이고

우리 자신을 덜 힘들게 할 수 있다. 그러나 더 중요한 것은 의식을 통과하는 모든 것에 대한 이러한 개방성과 수용적인 태도를 취하면, 더 불안한 감정 상태를 포함하여 모든 종류의 감정 상태를 서서히 더 잘 견딜 수 있다는 것이다. 이러한 상태가 유발하던 스트레스 반응이 사라질 것이고, 스트레스를 받는 상황 이후 더 쉽게 평온함으로 돌아가는 것을 느낄 수 있다. 더 이상 도전적인 생각, 감정 또는 감각을 피하거나 제거하거나 싸울 필요가 없어지면, 사용 가능한 모든 에너지를 수행 그 자체에 몰입해서 사용할 수 있다. 그렇다면 당신도 해볼 만하지 않을까?

기대 효과

'방법'과 '이유'를 설명한 후, 나는 선수들에게 마음챙김훈련에서 기대할 수 있는 효과에 관해 이야기했다. 어떤 이들은 기대하는 바를 미리 알려주는 것이 마음챙김에 도움이 되지 않는다고 주장할 수 있다. 사람들이 단지 결과만을 위해 노력한다면, 이는 역설적으로 동일한 이점을 개발하는 데 방해가 될 수 있다. 하지만 성과가 높은 사람들에 대한 내 경험에 따르면, 그들은 자신의 성과를 평가하는 데 너무 익숙해져서 어떤 말을 해도 그렇게 할 것 같다. 대신, 나는 그들이 비현실적이고 추상적인 모든 결과를 찾고 노력하는 것을 방지하기 위해 그들의 성과를 평가할 수 있는 현실적인 기준을 제시한다. 다음은 내가 선수들에게 강조한 것이다.

- 여러분은 이제 움직이거나 잠들지 않고, 앉거나 누워 있는 것에 익숙해진다.
- 주의가 산만해지더라도 더 빨리 주의를 회복하는 법을 배울 수 있다.
- 더 오랜 시간 동안 '지금 여기'에 집중할 수 있다.
- 주의를 내면으로 돌리고 방향을 전환하는 능력이 향상된다.
- 모든 종류의 생각, 감정, 감각에 더 개방적이 된다.
- 고요함과 마음의 평화를 경험할 수 있다.

선수들과의 첫미팅을 마치고 돌아오는 비행기 안에서 나는 일기장에 이렇게 적었다. "선수들이 마음챙김훈련이 어떻게 자신에게 도움이 될 수 있는지 조금은 이해했다고 생각한다. 시작하기 전까지 선수들의 마음이 바뀌지 않기를 바란다"라고 적었다.

입문 과정

늦가을에서 초겨울로 들어갈 무렵 우리는 입문 과정에 돌입하며 개입을 시작했다. 입문과정은 매일 축구 연습이 끝난 오후에 이틀에 걸쳐 10시간 동안 진행되었으며, 이 과정은 마음챙김훈련의 기본 이론을 다루는 이론 강의 50%와 마음챙김훈련 실습 50%로 구성되었다. 내가 후속 교육을 담당하고 있었기 때문에 프로그램에 약간의 변화를 주기 위해 입문 과정은 전문 마음챙김훈련 강사인 이바르빌러가 맡았다. 그는 이전 중재 프로그램에도 참여했었다. 공군 조종사들과의 개입에서 긍정적인 경험이 있었기 때문에 전처럼 선수들은 입문과정에서 배우자나 연인을 이 과정에 초대할 수 있게 했다. 이전 연구에서 조종사들은 배우자의 개인적 혜택 외에도 배우자가 마음챙김훈련에 대해 알게 된 후 마음챙김훈련에 참여 동기가 높아졌다고 보고했다. 많은 배우자가 이 훈련을 계속 받았으면 하고 지지의사를 보였다. 안정된 가정이라는 경기장의 중요성을 고려할 때, 배우자와 파트너를 입문 과정에 초대하는 것은 축구 환경에서도 바람직하고 현명한 일로 보였다. 교육 마지막에는 기본 이론을 요약한 유인물과 함께 마음챙김훈련 가이드가 녹음된 음원파일에 접근할 수 있게 했다.

돌아오는 비행기 안에서 나는 다시 일기를 썼다.

> 안도감-입문 과정은 계획대로 진행되었다. 선수들과 스태프 모두 오랜만에 마음챙김훈련에 대해 들으니 빨리 시작하고 싶어하는 것 같았다. 어떤 선수는 다른 선수들보다 더 관심이 많아 보였다. 하지만 과연 얼마나 많은 선수들이 개별 마음챙김훈련을 일상 생활에서 실천할 수 있을지에 대해서는 아직까지는 조금 지켜봐야할 것 같다.

팀을 다시 만나기 2주 전이었다.

후속 세션과 장애물

첫 번째 세션

모든 세션은 동일한 형식으로 진행되었다.

- 앉아서 하는 명상(25분)
- 경험에 대한 소감나누기(25분)
- 휴식(15분)
- 이론 강의(30분)

첫 번째 세션은 수요일 오전 10시에 시작되었다. 10시까지 약 2명의 스태프와 25명의 선수가 의자에 둥글게 앉아 등을 곧게 세우고 발을 바닥에 단단히 붙인 채 눈을 감고 호흡에 집중하기 시작했다. 나는 이런 모습을 보고 있자니 적잖이 감명을 받은 상태였다. 25분 내내 더듬거리거나 안절부절못하거나 웃는 소리는 들리지 않았고, 정적은 내가 간단히 두 번의 상기시키는 알림을 말하는 순간에만 깨졌다. "지금 당신의 주의력은 어디에 있습니까?" "주의가 흐트러진 것을 느낀다면 부드럽게 호흡의 감각으로 돌아가세요."

나는 마음챙김훈련 연습으로 후속 세션을 시작하는 것이 참가자들이 직면한 구체적인 경험과 정확한 실제적인 문제에 초점을 맞춰 토론할 수 있는 좋은 방법이라 생각한다.

첫 번째 세션에 대한 토론을 보면 모든 것이 잘 된 것 같았고 질문이 많지 않았다. 가장 인상적이었던 것은 선수들이 4번의 전체 세션 외에도 집에서 개별 마음챙김훈련을 해봤다고 것이었다. 나는 이것을 선수들이 마음챙김훈련을 진지하게 시도하고 있다는 의미로 받아들였다. 잠시 휴식을 취한 후 다음 일정은 '우선순위를 올바르게 정하라'는 이론 강의였다. 이 강의의 목적은 선수들이 일상에서 마음챙김훈련을 실행할 수 있는 가능성을 높이는 것이었는데, 이에 대한 나의 생각을 요약해 보았다.

> 모든 훈련 개입의 효과는 본질적으로 연습에 투자할 수 있는 시간의 양과 질로 귀결된다. 여러분은 일상에서 간단한 변화를 실천하고 싶은 강

한 바람이 있을지 모르지만, 막상 실행에 옮기면 그 활동을 잊어버리거나 할 일 목록에서 너무 뒤로 밀려나는 경우가 있다. 공식은 간단하다. 활동의 우선순위가 높을수록 실행 가능성이 높아진다. 앞으로 몇 주 동안은 인터넷 서핑, 아이폰으로 친구와 채팅, 게임하기, 뉴스 시청을 하는 것보다 마음챙김훈련을 우선순위에 두어야 한다. 마음챙김훈련은 간단하게 들릴 수 있지만 때로는 어렵고 도전적이라 느낄 수 있다. 따라서 마음챙김훈련에 대한 실제적인 목표를 설정하는 것을 잊지 말자. 그 누구도 시도에 실패하고 싶지 않을 거다.

이때 나는 선수들에게 '훈련 서약서'를 소개했다. 이 도구는 다음 주에 언제, 어디서, 무엇을, 어떻게 마음챙김훈련을 할 것인지 작성하는 도구이다.

예시: "월요일과 수요일 오전 11시에는(축구 연습 후) 탈의실에서 20분간 앉아서 명상을 하겠다. 금요일에는 오후 1시 30분에 체육관 매트 위에서 20분간 바디스캔을 할 것이다."

앞으로 일주일 동안의 '빈칸'을 채운 후, 우리는 헤어졌고 나는 노르웨이 오슬로로 돌아갔다. 집으로 돌아오는 길에 나는 다음과 같이 일기를 썼다.

선수들은 여전히 마음챙김훈련에 진지하게 임하기로 결심한 것 같았다. 그들은 많은 질문을 하지는 않았지만 그렇다고 반대도 없었다. 이 훈련에 대한 관심이 사라지기 시작할 때, 선수들이 앞으로 몇 주 동안 어떻게 반응할지 궁금해진다.

두 번째 세션

두 번째 세션을 위해 도착하기까지 3주가 걸렸다. 부코치가 공항에 마중 나와서 정기 훈련을 하는 팀의 경기를 보러 갔다. 축구를 직접 보면 단순히 빨리 움직이는 것만으로는 절반의 성공에 그친다는 것을 금방 알 수 있고, 선수는 정신적으로도 건강해야 한다는 것을 알게 된다. 축구는 상대보다 더 빠르고 정확하게 다음 동작을 보고, 인지하고, 결정해야 하기 때문에 집중력을 유지하고 상황에 보다 빨리 적응할 수 있는 선수가 유리한 것은 분명하다. 연습의 많은 활동은 긴박한 상황에서 인지력과 주의력 조절 능력을 향상시키기 위해 고안되었다. 감독에 따르면 이러한 활동은 매우 중요하며, 선수들에게 신체적으로 그렇게 부담이 되지 않는다면, 너무 많은 것을 할 수 없었을 것이라고 한다. 감독이 왜 마음챙김훈련과 같은 정신적인 전략을 추가하는 실험을 하려고 했는지 더 잘 이해하게 되었다. 체력적인 부담을 더하지 않으면서도 핵심 역량을 키울 수 있는 대안이었기 때문이다.

나는 실습이 끝난 후 선수들과 함께 점심을 먹으며 이전에 마음챙김훈련에 대해 회의적인 반응을 보였던 선수들 사이에 전략적으로 파고 들었다. 그들의 인식을 어떻게 개선할 수 있는지에 대한 피드백을 얻기 위해 종종 이런 식으로 한다. 좋은 소식은 회의적인 반응을 보였던 선수들도 마음챙김훈련을 꽤 많이 해봤다는 것이었다. 그러나 그들은 내가 이번 후속 세션에서 이론 발표의 제목으로 삼은 '미음챙김훈련의 세 가지 조기 장애물'에 마주치게 되었다.

마음챙김훈련의 세 가지 초기 장애물

장애물 1: "불편하다, 불안하고 지루하고 답답해진다."

생각과 감정은 마음속에서 왔다가 사라지는데, 이를 멈추기 위해 우리가 할 수 있는 일은 많지 않다. 이러한 내면의 사건에 대해 판단하거나 행동하는 대신 여러분은 그것을 관찰할 수 있다. 그것들은 일정할까? 어떻게 변화할까? 나는 사람들이 이러한 경험을 어렵게 여기고 훈련이 도움이 되는지 의문을 가질 수 있다는 것을 알고 있다. 나는 그들에게 마음챙김훈련에 대해 회의적이었던 한 전투기 조종사가 1년간의 마음챙김훈련을 마친 후 나에게 한 고백을 소개해주었다. "마음챙김훈련을 좋아해야만 혜택을 얻을 수 있는 것이 아니라 그냥 하면 된다." 그는 나중에 마음챙김훈련의 열렬한 지지자 중 한 명이 되었다.

장애물 2: "이걸로는 안될 것 같다. 마음챙김훈련을 하려면 더 최적의 조건이 필요하지 않은가?"

마음챙김훈련을 위한 최적의 조건이란 애초에 존재하지 않기 때문에 이는 흔히 오해하는 부분이다. 가만히 앉아 있는 것만으로도 충분히 힘들 수 있고, 외부의 방해 요소가 많지 않을 때 미묘한 내면의 경험을 더 쉽게 알아차릴 수 있기 때문에 처음에는 비교적 조용한 환경에서 훈련하는 것이 좋다. 그러나 자연스러운 방해 요소가 있는 환경에서 연습하면 방해 요소와 어떻게 관계를 맺는지 연습할 수 있기 때문에 실제로 마음챙김훈련 세션의 효과를 높일 수 있다. 다시 말해, 조용한 장소가 없다고 해서 마음챙김훈련에 참여하지 않을 핑계가 될 수는 없다.

장애물 3: "잠이 온다. 잠이나 자야겠다."

이것은 마음챙김훈련에서 흔히 발생하는 또 다른 장애물이다. 눈을 감고 긴장을 푸는 것은 잠을 자는 행위와 밀접한 관련이 있다. 하지만 이는 마음챙김 상태와는 정반대이기 때문에 마음챙김훈련에서는 피해야 한다. 마음챙김훈련 중 자꾸만 잠이 쏟아지는 선수들에게는 다음 중 몇 가지를 시도해 볼 것을 제안했다.

- 수면이 부족하다면 잠을 자세요(마음챙김훈련은 수면을 대체하지 않는다).
- 마음챙김훈련을 졸립지 않은 이른 시간에 하세요.
- 체력 훈련 이후가 아닌 훈련 전에 마음챙김훈련을 하세요.
- 세션을 짧게 진행하세요.
- 주로 바디스캔을 할 때 졸음이 온다면, 누워 있는 자세가 아닌 앉은 자세로 해보세요.

이 이론 강의의 목표는 선수들이 이러한 일반적인 장애물에 대해 정상화하고 준비하는 것이었다.

두 번째 세션을 마치고 돌아오는 길에 나는 일기장에 이렇게 썼다.

마음챙김훈련에 대해 감정이 엇갈리는 것은 분명해 보인다. 몇몇 선수들은 의무적으로 참석해야 하는 전체세션 외에는 마음챙김훈련에 참석하지 않겠다는 의사를 이미 밝힌 바 있다. 하지만 그룹에서 가장 경험이 많은 몇몇 선수가 가장 열정적인 모습을 보여 기쁘게 생각한다. 이런 '비공식적인 리더'들 사이에서 인정받는 것이 아무튼 중요하다.

다시 만날 때까지 3주가 더 남았다.

세 번째 세션

우리는 선수들에게 일주일에 3-5회(전체 세션 포함)의 세션을 하도록 권장했고, 식사, 샤워, 양치질 등 일상적인 1-2가지 활동이나 축구 연습장을 오갈 때에도 마음챙김을 하도록 했다. 마음챙김훈련의 양을 모니터링하지 않았기 때문에 현재로서는 선수들이 얼마나 많은 마음챙김훈련을 했는지 정확히 파악할 수 없었다. 지금까지는 마음챙김훈련을 할 때 지시와 알림을 해줬는데, 이제는 전적으로 선수들에게 책임을 지고, 명상하는 동안 묵묵히 앉아 있을 수 있도록 해야 할 때였다. 마음챙김은 기억하는 행위와 밀접한 관련이 있다. 우리는 삶의 대부분을 자동 조종 장치에 의존하며 살아가다 보면 좀 더 마음챙김을 했어야 했다는 것을 나중에서야 깨닫는 상황에 종종 직면하게 된다. 선수에게 상기시켜주는 지시 없이 조용히 앉아있게 함으로써 스스로 알아차리고 마음챙김을 기억하는 능력을 강화할 수 있다.

세 번째 세션의 경험을 나누는 자리에서 몇몇 선수들은 여전히 마음챙김훈련 중 사소한 어려움을 드러냈지만, 대부분의 선수들은 이제 마음챙김훈련 기간 동안 침착하고 평화로운 시간을 더 길게 경험하기 시작했다. 이 단계에 도달하면 보통 사람들은 정해진 훈련에 참여하기 위해 새로운 동기를 부여받는다. 안타깝게도 이 시기에는 또 다른 두 가지 장애물에 부딪힐 가능성이 높으며, 이를 인식하고 대처하기 어려울 수 있다. 나는 이 숨겨진 두 가지 장애물에 대한 이론 강의를 진행했다.

숨겨진 두 가지 장애물

장애물 1: 온전히 수용하지 못한다

마음챙김훈련에서는 모든 종류의 생각과 감정을 마음속으로 통과시키는 능력을 연습하고, 많은 사람들이 훈련 중에 평화롭고 조용한 상태를 경험하기 시작한다. 이 순간은 매우 가치 있고 보람을 느끼기에 꽉 붙잡고 싶게 만들 수 있다. 우리 모두는 마음챙김훈련에 투자하는 작업에서 긍정적인 결과를 보기를 원한다. 마음챙김훈련의 이점은 모든 종류의 생각, 감정, 감각을 받아들이는 데 있다는 것을 기억해야 한다. 이에 비해 마음챙김훈련 기간 동안 편안한 상태를 애써 유지하거나 도달하려고 노력하면, 유연하고 탄력적인 상태로부터 멀어지는 경향이 있다. 다시 말해, 편안하고 평온한 순간을 꽉 붙잡고 있으면 끊임없이 변화하는 인간의 본성을 받아들이지 못하게 되는 것이다. 의도치 않게 일부 선수들은 스트레스가 많은 상황에서 오는 혼란을 받아들이기 힘들어하고, 회복력의 감소를 경험한다. 나는 선수들에게 앞으로 몇 주 동안 스스로를 모니터링하고 이러한 숨겨진 장애물의 징후를 찾아보라고 말했다. 나는 선수들 스스로에게 자문할 수 있도록 두 가지 질문을 던졌다. (1) 마음챙김훈련 기간 동안 편안하고 이완된 상태에서 방해를 받으면 짜증이 나거나 좌절감이 드는가? (2) 마음챙김훈련 세션에 참여한 후 기분이 나빠지는 것을 온전히 받아들일 수 있는가?

장애물 2: 집중력이 떨어진다

마음챙김훈련 기간 동안 선수는 현재 순간에 집중하고 다시 집중하는 능력을 연습한다. 대부분의 선수는 처음에는 이 훈련이 상당히 어렵다고 느꼈지만, 몇 번의 세션이 지나고 나면 모두 전보다 잘할 수 있게 되었다고 말한다. 일상적인 루틴이 된 것이다. 반면, 루틴의 문제점은 우리의 뇌가 다음 순간에 어떤 일이 일어날지 안다고 잘못 믿고, 자동으로 감각이 꺼지는 무비판적 만족 상태에 빠질 수 있다는 것이다. 현재에 안주하고 현재에 주의를 기울이는 인식이 감소하는 상태는 특히 마음챙김훈련 기간 동안 피하고 싶은 상태이다. 대신 우리는 마음챙김훈련 기간 동안 차분하면서도 깨어 있는 상태를 키우고 싫어한다. 나는 마음의 자동 조종 장치에 따라 규칙적으로 일을 하는 것과 의식적으로 일상적인 일을 하는 것에는 큰 차이가 있다고 선수들에게 강조했다.

나는 선수들에게 마음챙김훈련 연습이 끝날 때마다 이러한 장애물이 있는지 스스로 점검할 수 있는 두 가지 방법을 알려주었다. (1) 실습하는 동안 시간이 빨리 지나갔는지, 천천히 지나갔는지 생각해 보자. 시간이 '날아가는 것'처럼 느껴진다면 주의력이 오래 흐트러지고 안일해진 것일 수 있고, (2) 실습하는 동안은 물론 걷기, 운전, 식사 등과 같은 일상에서도 얼마나 집중했는지 생각해 보라고 했다. 나는 일기에 다음과 같이 썼다.

> 사람들이 사물에 대한 논리적 설명에 어떻게 반응하는지 흥미롭다. 저항이 적고 호기심이 더 많으며 이번에는 뇌가 어떻게 작동하는지에 대한 호기심이 많은 것 같아 보였다. 나는 이것을 선수들이 자신의 발전을 주도한다는 신호로 받아들인다. 나는 운동선수들이 그렇게 하는 것을 보면 흐뭇하다.

마지막 네 번째 세션까지 3주가 남았다.

네 번째 세션

마지막 세션에서는 공식적인 개입 이후에도 개인 마음챙김훈련을 지속해야 하는 것의 가치를 요약하고 다루었다. 나는 이러한 측면을 강조했다.

- 우리 마음의 지속적인 활동은 길들이기 어렵지만, 마음챙김훈련은 경기장 밖 일상 생활에서 주의력 조절을 훈련하는 효과적인 방법 중 하나일 수 있다.
- 주의력을 단련하는 효과적인 방법은 반복적으로 '지금 여기'에 반복적으로 집중하는 것이다.
- 마음을 관찰하는 데 시간을 할애하면 천천히 다음과 같은 공간이 만들어진다. 어려운 생각과 감정과 싸우거나 바꾸려고 애쓰지 않고 이를 효과적으로 다룰 수 있다.
- 생각과 감정과 관계를 맺는 방식을 바꾸면, 우리는 어려움 속에서도 최

적의 성과를 내고 어려움과 고통에도 불구하고 괜찮은 삶을 살 수 있다.
- 여러분은 정말 있는 그대로의 자신을 받아들이고 지지할 수 있나?

선수들의 성찰 수준을 평가하기 위해 2–4명씩 조를 이루어 토론할 수 있는 몇 가지 문항을 제시했다.

- 나는 가혹한 자기 비판과 평가 없이도 최선을 다할 수 있다고 믿는다.
- 나는 지금과 상황이 달라졌으면 하는 바람을 접는다면, 최고의 기량을 발휘할 수 있다고 믿는다.
- 나는 내 몸에 더 자주 주의를 기울이면 너무 오랫동안 무리해서 생긴 손상을 고치려고 노력하기 보다 예방할 수 있다.

나는 전투기 조종사들에게서 보았던 것과 동일한 것을 축구 선수들에게서 보았다. 이들 모두 '현재'에 만족하면 발전의 동력이 떨어질 수 있다는 신념을 가지고 현실에 안주하지 않고, 노력의 가치를 배워 높은 성취를 이룬 사람들이었다. 나는 선수들에게 완벽에 대한 욕구는 좋은 것이지만, 이를 잠재울 수 있는 방법이 없다면 오히려 최적의 회복을 방해하거나 너무 오랫동안 너무 열심히 일하게 만들 수 있다고 말했다.

나는 선수들이 자신의 업적과 인간으로서 스스로에게 부여하는 가치 사이의 잘못된 연결 고리를 끊기를 바랬다. 나는 모든 마음챙김훈련 세션이 평가와 판단이 없는 공간, 즉 자신의 업적에 연연하지 않고 인간으로서 자신을 받아들이고 소중히 여길 수 있는 공간이어야 한다고 선수들에게 상기시켰다. 나는 마음챙김훈련이 어떻게 선수들의 자존감을 키우고 스포츠 경력에서 피할 수 없는 어려움에 대한 회복력을 키울 수 있는지에 대해 이야기했다. "당신 자신이 충분하지 않다고 느낄 때는 스스로에게 줄 수 있는 연민어린 공감과 지지가 필요하다"고 강조했다. 하지만 나는 그 순간 내가 선수들의 관심을 잃고 있다고 느꼈고, 마음챙김훈련의 이러한 효과는 설명하는 것보다 경험하는 것이 더 낫다는 것을 깨달았다. 나는 '과정'을 바꾸고 매년 몇 주 동안 마음챙김훈련을 해야 하는 간단한 두 가지 이유를 제시하며 세션을 마무리했다.

- 마음챙김훈련은 중요한 일에 더 효과적으로 집중할 수 있게 해주며, 주

의를 산만하게 하는 것을 막아준다.
- 마음챙김훈련은 필요할 때 마음을 비우고 완전한 신체적 회복 상태를 촉진하는 데 도움이 될 수 있다.

돌아오는 길에 나는 일기장에 이렇게 적었다. "변화는 사람들이 마음챙김훈련에서 어떤 것도 기대하지 않고 고쳐야 할 것이 없다는 것을 깨달을 때 온다." 두 명의 선수가 여전히 "마음챙김훈련은 형편없다"고 신랄하게 비판했다. 정말로 옳고 그른 것이 없는 활동에서 '충분히' 좋지 않다는 생각은 물론 의미가 없다. 그러나 자신을 평가하고 비난하는 것은 우리 내면 깊숙이 자리 잡고 있으며 깨뜨리기 어려운 고리가 될 수 있다. 일부 전투기 조종사들은 마음챙김훈련 기간 동안 평가와 판단을 내려놓는 데 6개월이 걸렸다. 개입이 지속된 4개월 동안 모든 축구 선수들이 이 단계에 도달했는지는 확실하지 않다.

이것이 내가 선수들과 토론할 시간을 가진 마지막 시간이었고, 한 달 후 나는 이바르르뷜러와 함께 다시 돌아와서 선수들에게 3시간 동안 두 번의 후속 세션을 더 진행했다. 여기서 선수들은 더 긴 명상을 경험하고, 동양의 심리학과 철학에 대한 짧은 강의를 들으며 마음챙김훈련의 전통적인 배경을 더 깊이 이해할 수 있었다.

평가

개입 5개월 후, 팀의 물리치료사가 프로그램에 참여한 선수들을 인터뷰했다. 흥미롭게도 그들은 마음챙김훈련에 참여함으로써 조종사들과 동일한 많은 이점을 얻었다고 보고했다. 그들은 일상 생활에서 스트레스가 줄어들고 집중력이 향상되었으며 산만함이 줄어들었다고 보고했다. 스태프들은 더 많은 신뢰와 존중을 경험했으며 팀이 더 차분하고 평화로운 분위기로 눈에 띄는 변화가 있었다고 보고했다. 사람들은 이것이 더 나은 축구 선수가 되기 위한 중요한 조건이 될 수 있다고 쉽게 주장할 수 있었다. 이러한 보고에 근거하여, 사람들은 개입이 성공적이었다고 말할 수 있었다. 그러나 마음챙김훈련을 통해 축구 실력이 향상되었다는 명백한 보고는 많지 않았다. 코치는 1년 후 프로팀을 떠났고, 나는 팀과 연락이 끊겼기 때문에 개입의 장기적인 효과나 현재 마음챙김훈련에 참여하는 선수가 있는지 여부에 대해서는 전혀 알지 못한다.

소감

개입은 여러 요소로 구성되었으며 개입의 어떤 요소가 가장 중요했는지 알기는 어렵다. 그러나 강의와 경험을 나누는 시간이 없었다면 선수들은 훈련의 이면에 숨겨진 논리를 놓치고 장애물에 쉽게 '굴복'하거나 있는 그대로의 원칙과 타협을 시도했을 것이다. 입문 과정과 관련하여 선수와 배우자의 피드백은 훌륭했다. 하지만 팀 일정에 맞추기가 어려웠고, 이로 인해 비용이 상당히 증가했다. 실제 훈련이 혜택의 기본이고, 마음챙김훈련에 대한 동기 부여가 확실하다면, 포괄적인 입문 과정 없이 마음챙김훈련 개입을 바로 시도하는 것도 가치가 있을 수 있다.

개입의 구체적인 구성 요소 외에도, 거의 모든 선수들이 자발적이었다면 참여하지 않았을 것이라고 보고했기 때문에 의무적 참여가 중요한 성공 기준이었다고 생각한다. 선수들 사이에서 개입을 광범위하게 수용하는 것도 마찬가지이다. 그룹 내에서 마음챙김훈련을 폭넓게 받아들일 수 있었던 요인을 정확히 짚어내기는 어렵다. 리더십에 대한 지원과 높은 성과를 요구하는 환경에 대한 이전 적용된 사례가 효과적이었다고 여겨진다. 또한 마음챙김훈련의 한계를 공유함으로써 신뢰와 공감을 얻을 수 있었다고 생각한다. 또한, 선수들이 훈련을 할 수 있도록 충분한 공간과 시간을 확보하고 이해관계자들이 충분한 준비를 하는 것이 중요할 것 같다. 초기 단계 이후에는 이 방법에 대해 잘 알고 있어야 이 방법의 유효한 요인을 제거하지 않고 선수들이 장애물을 극복할 수 있도록 도울 수 있다. 회의론자와 비공식적인 리더를 어떻게 다룰 것인지에 대한 계획을 세우는 것도 중요하다. 비공식적인 리더의 지원이 없었다면 개입의 모든 측면이 흔들렸을 것이다.

나는 2주에 하루 이상 팀과 함께하기에는 시간과 자원의 제약이 있었다. 선수들과 함께 보내는 시간이 너무 적다 보니 선수들을 개인적으로 잘 알지 못했다. 그래서 선수 개개인의 궤적을 따라가거나 마음챙김훈련에서의 경험을 축구 경기와 연결할 방법을 찾을 수 없었다는 단점이 있었다. 또 다른 한계점은 진행촉진자의 지원 없이 매일 훈련을 진행해야 했기 때문에 개입의 결과에 대한 책임이 팀원들에게 있었다는 점이다. 돌이켜 생각해보면, 적어도 팀에서 선수들이 얼마나 많은 마음챙김훈련을 했는지 좀 더 면밀히 모니터링했더라면 마음챙김훈련이 어느 정도의 효과를 가져올 수 있을지 어느 정도 가늠할 수 있었을 텐데 하는 아쉬움이 남는다. 마지막으로, 우리가 할 수 있었던 것보다 더 장기적인 후속 조치를 취했다면 팀에 유익했을 것 같다.

결론

이런 단점과 한계에도 불구하고, 의무적인 전체 세션과 자발적인 개별 세션을 기반으로 한 명상 기반 마음챙김훈련 개입은 남자 프로 축구의 맥락에서 충분히 적용할 수 있다.

참고문헌

Jha, A. P., Stanley, E. A., Kiyonaga, A.,Wong, L., & Gelfand, L. (2010). Examining the protective effects of mindfulness training on working memory capacity and affective experience. *Emotion, 10*(1), 54–64. doi: 10.1037/a0018438

Meland, A. (2016). *Mindfulness in High Performance Environments*. (Ph.D.), Norwegian School of Sport Sciences, Oslo, Norway.

Meland, A., Fonne,V., Wagstaff, A., & Pensgaard, A. M. (2015). Mindfulness-based mental training in a high-performance combat aviation population: A one-year intervention study and two-year follow-up. *The International Journal of Aviation Psychology, 25*(1), 48–61.

Meland, A., Ishimatsu, K., Pensgaard, A. M.,Wagstaff, A., Fonne,V., Garde, A. H., & Harris, A. (2015). Impact of mindfulness training on physiological measures of stress and objective measures of attention control in a military helicopter unit. *The International Journal of Aviation Psychology, 25*(3–4), 191–208.

14

관점 취하기와 경외심을 경험하는 원천으로서의 자연을 마주하기

안네 마르테 펜스가드

새로운 밀레니엄에 접어든 2000년 4월, 나는 노르웨이 스피츠베르겐 탐험으로 밀레니엄의 시작을 알렸다. 절친한 친구인 마릿 홀름과 나는 스피츠베르겐을 북쪽에서 남쪽으로 횡단하는 최초의 여성으로만 구성된 탐험대가 될 계획을 세웠다. 여성 탐험대라는 말이 딱 맞는 것은 아니었던 게 두 마리의 그린란드 허스키도 함께 동행했기 때문이다. 자프만은 머리가 가장 크지만 가장 친절한 수컷 허스키였다. 그의 여동생인 툰드라는 훨씬 더 고집스러운 성격이었지만, 두 마리 짝꿍으로서 완벽한 조화를 이루었기에 기꺼이 데려갔다. 탐험에 나선다는 것은 여러모로 야외에서 많은 시간을 보내고, 새로운 장비를 테스트하며, 낡은 장비를 정비하고, 자연과 어우러지는 것을 의미한다. 그리고 나서 모든 계획을 세우고, 지도와 공부할 책을 보고, 모든 것이 어떻게 될지 상상할 수 있다. 오랜 시간 동안 우리는 또 무엇을 조심해야 할까? 어떤 장비를 가져가야 할까? 여러 가지 방법으로 계획을 세우는 것이 재미의 절반이라 할 수 있겠다. 이러한 열정에 사로잡힌 우리에게는 인생이란 여정도 정말로 목적이 있다고 느낀다. 이 모든 것을 소비하는 집중력은 엘리트 운동선수가 최고의 자리에 오르는 탁월함을 향한 여정과 비슷하다. 여정에 성공하기 위해서는 반드시 모든 것을 쏟아붓는 전념 행동이 있어야한다. 위대한 극지 탐험가인 로알드 아문센이 말했듯이 성공하기 위해선 운 같은 것은 존재하지 않는다. 거기에는 오로지 철저한 준비만 있으면 된다(Amundsen, 1942, s.208).

내가 스포츠 심리학자가 되기로 결심한 것은 여러모로 계획된 모험이라기보다는 우연에 가까웠다. 사실 나는 스포츠 생리학자가 되기 위한 길을 순탄히 가고 있었다. 비슷한 시기에 두 가지 일이 나에게 일어났다. 수영을 배우고 싶어하는 우울증에 걸린 젊은 남성의 개인 상담사가 되어 달라는 요청을 받았고, 여성으로만 구성된 최초의 그린란드 빙하 횡단 원정대의 일원이 되어 달라는 요청을 받았다. 이 두 가지 경험은 나에게 결정적인 순간이었다. 무엇보다 숙달의 경험이 얼마나 중요한지 깨달았고, 이것이 얼마나 강력한지 직접 보고 경험하면서 말 그대로 내 진로를 확 바꾸게 되었다. 또한 운이 좋게도 글린 로버츠 교수가 있는 노르웨이로 이주할 수 있었고, 그 분이 박사과정의 지도교수가 되어주셨다. 그는 나에게 글로리아 밸리그, 테리 올릭, 다니엘 굴드 등 세계적인 스포츠 심리학자들을 소개해 주셨다. 테리 올릭은 자연과 탐험 생활에 대한 나의 애정과 응용 스포츠 심리학 분야 사이의 연관성을 즉시 알아차렸다. 그는 나에게 이 조합이 괜찮으니 이걸 확장해 보라고 권유했다. 나는 전념, 대처, 경외감, 집중력, 열정에 대한 내 이야기를 예로 들며 그렇게 살아왔다. 스포츠 심리학은 전통적으로 전략과 감정 조절에 강한 초점을 두어왔다. 자연 속에서 시간을 보내면 환경과 상황을 통제하려고 노력하는 대신 주변 환경과 조화를 이루고, 파도와 싸우는 대신 '파도를 타는 것'에 대해 조금 다른 관점을 갖게 된다. 나는 일반적인 스포츠 심리학에서 가정하는 것과 자연 속에서 배우는 것 사이에 약간의 불협화음이 있음을 일찍이 느꼈지만, 이 불협화음이 무엇으로 구성되어 있는지 이해하기까지는 시간이 좀 걸렸다. 여러 가지 면에서 수용전념치료(ACT)는 이러한 차이를 가장 잘 포착한 이론적 틀이었으며, 그것이 어떤 이유에서 그런지를 설명해 보려고 한다.

우리는 한밤중에 스피츠베르겐의 가장 북쪽에 위치한 이곳 베를레겐후켄에 남겨져 있었는데, 차가운 북극해가 북극과 우리를 구분 짓게 했다. 적어도 우리의 생각 속에서는 작은 언덕마다 북극곰을 발견할 수 있었다. 나는 겁이 났고, 마릿도 같은 기분이었다! 더 이상 고민할 필요 없이 스키를 신고 펄크를 자신과 개에게 고정하고 최대한 빨리 남쪽으로 스키를 타기 시작했다! 탐험대 스발바르 2000이 가고 있다!

바로 여러분이 가장 살아있음을 느끼는 순간은 공포스러울 때이다. 가슴이 두근거리고 모든 감각이 최고조에 달할 때, 우리는 지금 여기에 온전히 존재하고 있음을 느낀다! 그리고 나서 놀랍게 대조되는 장면을 볼 수 있다. 다음 날 아침 상쾌하고 맑은 날에 일어나면 커피가 난로 위에서 끓고 있고 공기 중에 약간의 휘발유 냄새가 난다(그런데 이 냄새는 항상 캠핑을 떠올리게 하고 좋은 추억을 불러 일으킨다). 비록 텐트의 작은 돔은 얇은 나일론 층에 불과하지만 보호 대피소처럼 느껴지고 텐트 지퍼를 열고 웃는 눈으로 웅크린 두 마리의 허스키를 바라보면 내가 지구상에서 가장 행복한 인간처럼 느껴진다. 동시에 인생이라는 큰 퍼즐의 작은 조각에 불과한 이 순간을 경험할 수 있는 기회를 누리고 있는 내 자신이 믿을 수 없을 정도로 운이 좋은 사람이라는 것을 느낀다.

자연의 의미

자연 속에서 시간을 보내는 것만큼 압도적인 느낌과 동시에 작지만 중요한 우주의 일부가 된 듯한 느낌을 주는 것은 많지 않다. 항상 이런 것은 아니었다. 사실 불과 몇 세기 전만 해도 인간은 자연을 추악하고 위험하며 가능한 한 피해야 할 곳으로 여겼다. 이러한 인식은 문화에 따라 다르다. 북미의 인디언들은 '어머니 지구'에 대해 이야기했지만 유럽인들은 자연과의 관계에 있어 훨씬 더 제한적인 태도를 취했다. 그러나 1700년대 후반과 1800년대 초반에 상황이 바뀌었고, 특히 지질학자들은 산의 아름다움에 눈을 뜨기 시작했다. 자연 속에서 시간을 보내는 것에 대한 매력이 더욱 커지기 시작했다.

그래서 우리가 여기까지 오게 된 것이 아닐까 싶다. 이곳에서 우리는 북극곰, 순록 등 다양한 동물과 함께 영토를 공유하며 지내게 되었다. 자연과의 나의 인연은 주말마다 산이나 바닷가, 축구 경기장에서 시간을 보내던 어린 시절로 거슬러 올라간다. 내가 처음으로 탐험을 떠난 것은 12살 때 아버지와 함께 노르웨이 고원지대 하르당에르비다로 5일간 스키 여행을 갔을 때였다. 그것은 정말로 모험 그 자체였고, 하루에 6–8시간씩 지치지 않는 리듬과 속도로 스키를 타면서 아버지와 함께 한 것이 정말 자랑스러웠다. 돌이켜 생각해보면 아버지는 결코 무리한 페이스를 강요하지 않으셨다. 그리고 항상 완벽하게 템포를 조절하셨던 그런 모습이 기억난다. 덕분에 나는 내 페이스를 따라갈 수만 있다면 필요한 거리를 얼마든지 주파할 수 있다고 생각하게 되었다. 수십년이 지난 후 마음챙김을 접했을 때, 그 느낌이 매우 익숙해서 고향집에 돌아온 것 같았다. 내면의 평온함, 존재감, 강렬한 에너지 등 모든 것이 똑같았다.

가치와 행동에 대한 전념

다시 스피츠베르겐에서의 모험으로 돌아가 자연 속에서 시간을 보내는 것이 어떻게 우리의 가장 깊은 핵심 가치에 깊은 영향을 미치고 오늘날 많은 젊은이들(그리고 나이든 사람들)이 종종 그리워하는 소속감을 제공하는지 살펴보겠다. 탐험을 떠날 때는 빈둥거릴 시간도 그럴 장소도 없다. 확실히 야외에서 일어나는 비극적인 사건의 대부분은 사전 준비 부족이나 잘못된 판단으로 인해 발생한다. 마릿과 나는 성격과 체력 면에서 상당히 다르지만 한 가지 중요한 가치, 즉 가능한 한 많은 수준에서 자연과 교감하는 것을 공유한다. 조심스럽고 겸손하며 자연의 요구에 맞서 싸우기보다는 자연 그대로의 조건에 따라 자연 속으로 들어가는 것에 있어서는 완전히 같은 수준이기 때문에 그녀와 함께 여행하는 것이 수월하다. 하지만 때로는 말처럼 쉽지 않은 경우도 있다. 예를 들어, 정해진 일정이 있는데 앞이 보이지 않아 사흘 연속으로 빙하 위 텐트 안에 갇혀 있을 때와 같이 어려운 상황도 만난다. 그러나 걱정하는 어리석음이 있을 여지가 없기에 때가 될 때까지 기다린다. 당신은 당신의 행동에 전념하고 요구되는 일을 하면 된다.

그런 상황에선 다른 세상적인 문제로 항상 주의가 산만해지지 않기 때문에 자연 속에 있을 때 당신의 가치에 따라 사는 것이 다소 쉽다. 날씨가 허락한다면 어느 정도 거리를 두고, 텐트를 치기 좋은 장소를 찾아 제대로 텐트를 고정하고, 음식을 준비해 먹고, 커피나 차를 마시며, 오늘의 감상을 일기장에 몇 줄 적고, 침낭에 누워 숙면을 취하는 것 등 몇 가지 중요한 일만 하면 된다. 그렇게 하루하루가 흘러가고 다른 걱정은 별로 하지 않는다. 1990년 그린란드 빙하를 횡단하는 최초의 여성 탐험대에 참가했던 때가 생각난다. 우리는 세 명의 여성으로, 나이는 달랐지만 유머 감각이 뛰어나 빙하 위 높은 곳에서 혹독한 환경을 마주했을 때도 기운을 잃지 않았다. 우리는 한 달 동안 집을 비웠고, 그 기간 동안 우리는 주변 세계와 통신이 끊긴 채 고립되어 있는 동안 세상에 무슨 일이 일어났을지 알 길이 없어 궁금해하곤 했다.[1] 무심코 "전쟁이 일어났을지도 모른다"고 농담을 했지만, 중동에서 실제로 전쟁이 일어났다는 사실은 빙벽에서 내려와서야 알았다.

자연과 지금 여기

탐험의 대부분의 날은 솔직히 말해서 지금 여기에 있는 것을 알아차리는 긴 마음챙김 연습이 주를 이룬다. 스피츠베르겐에서는 전체 루트를 따라 북극곰을 찾아다니게 되는데, 처음 며칠은 정말 긴장되고 언덕마다 곰이 있을 것만 같은 상상을 하게 된다. 그러나 이제 올바른 채널에 맞춰져 있고 모든 세포를 활성화할 필요가 없기 때문에 잠시 후 감각이 살아나고, 그리고 나서 약간은 이완이 될 수 있다. 이때 당신은 정말로 당신 자신보다 더 큰 무언가의 일부라고 느끼기 시작한다. 당신은 강한 경외감과 지금 이 순간 살아 있다는 느낌과 이곳에서 시간을 보내는 것에 대한 강렬한 감사와 고마워하는 마음을 느낄 것이다. 자연 밖에서 같은 느낌을 경험한 기억이 없다. 내가 처음으로 맡았던 노르웨이팀이 2000년 시드니 올림픽 여자 축구 미국과의 결승전 경기에서 서든데스 상황에서 올림픽 금메달을 땄을 때를 제외하고는 말이다. 연장 후반 11분 노르웨이의 다그니 멜그렌 선수가 득점했을 때 감정이 미친 듯 폭발하는 것 같았고, 그 순간의 정신적 청사진은 영원히 나에게 남아있다. 사실 그 순간이 있기 몇 달 전, 우리는 북쪽의 파리라고 불리는 노르웨이의 트롬쇠 주변 산에 노르웨이 축구대표팀과 지원 스태를 전부 데리고 올라간 적이 있었다. 그 높은 곳에서 북반구에서만 느낄 수 있는 마법 같은 한여름 밤을 보냈고, 나는 롤프 야콥센의 시 '북쪽'을 읽었다. 다음과 같이 시작된다.

북쪽

북쪽을 더 자주 바라보세요.
바람을 거슬러 올라가면 빰이 붉어질 거예요.
거친 길을 찾으세요.
그 길을 따라가세요.
더 짧으니까요.
북쪽이 정말 좋네요
겨울의 불타는 하늘,
여름밤의 태양의 기적.
바람을 거슬러 가세요.

산을 오르세요 북쪽을 보세요
더 자주
이 땅은 길어요.
대부분은 북쪽에 있어요
롤프 야콥센(1993, p.199)

그때 이미 자연과 산, 문화를 접목하면 건장한 노르웨이 사람들이 덤불 국가인 호주도 접수할 수 있을 거라는 생각이 들었다. 그리고 실제로 그렇게 되었다!

그래서 나는 실제로 스포츠의 놀라운 순간과 자연에서의 경험은 동일한 느낌과 감정을 포함할 수 있다고 믿는다. 그래서 많은 선수들이 자연 속에서 시간을 보내는 것을 좋아하고, 좋은 신체 훈련 세션에서 얻는 것보다 훨씬 더 많은 것을 자연 속에서 얻을 수 있다고 생각한다. 어느 올림픽 선수의 표현을 빌리자면, "산을 오르는 것은 마치 진정한 나로 변하는 것과 같아요. 다음 단계, 그 다음 단계, 그 다음 단계를 밟는 것만큼 중요한 것은 없습니다… 오직 저와 산뿐이죠!"

경외감의 개념에 대해 살펴보자. 캘리포니아 대학교 버클리 캠퍼스의 심리학 교수인 다흐터 켈트너는 이 복잡한 감정을 수년간 연구해 왔으며, 2003년에 이미 경외감에는 종종 자기 축소의 감정과 다른 사람들과의 연결성 증가가 동반된다고 말했다(Keltner & Haidt, 2003). 그것은 몰입 상태와 같다. 사람들은 자신에게 덜 집중하고 오히려 자신보다 더 큰 전체의 일부라고 느낀다(Allen, 2018). 성공적인 팀과 함께 일할 수 있을 만큼 운이 좋았던 사람들은 이러한 느낌과 '마음의 상태'를 잘 알고 있다. 2000년과 2008년, 두 개의 서로 다른 종목의 노르웨이 여자 대표팀이 각각 축구와 핸드볼에서 올림픽 금메달을 획득했을 때에도 이러한 현상이 두드러지게 나타났다. 자연 속에 있는 것이 경외감을 경험하는 데 가장 영향력 있는 환경 중 하나라는 것을 알기 때문에, 헤드폰 없이 개방적이고 수용적인 방식으로 시간을 보내야 한다는 주장은 쉽게 설득력을 얻는다. ACT와의 연관성은 분명하다. 자연은 현재에 집중하고, 긴장을 풀고, 모든 것을 있는 그대로 받아들이는 데 도움이 된다. 좀 더 자세히 살펴보겠다.

자연과 탈융합

자연 속에서 시간을 보내면 다음과 같은 주요 주제에 대해 성찰하고 숙고하는 데 많은 시간을 할애할 수 있다. 내 인생에서 무엇을 해야 할까? 나는 과연 옳은 일을 하고 있는가? 나는 왜 행복하지 않은가? 내게 주어진 삶의 진정한 의미는 무엇인가? 이러한 고민 중 일부는 가치 있고 의미 있는 일이며 엘리트 운동선수든 아니든 인간으로서 당연한 부분이다. 이러한 상황에서 자연은 진정한 가치를 찾는 데 큰 영감을 준다. 그러나 때때로 이러한 생각에 대한 답이 고통과 슬픔, 심지어 절망감을 불러일으키기도 하는데, 자신이 꿈꿔왔던 것을 성취하는 데 거의 근접하지 못했다는 결론을 내리기 때문이다. 실제로 자신이 가치 있다고 생각하는 것과는 거리가 먼 일을 하면서 시간을 보내고 있으며, 그런 자신이 비참하고 불행하다고 생각하면 이러한 생각은 지속되는 반추로 바뀔 수 있다. 그 생각이 당신을 놓아주지 않는 것 같으며 원하지 않을 때에도 끊임없이 머릿속을 두드리는 것 같다. 심지어 당신은, 때때로 이러한 생각을 믿는다. 당신은 그 생각이 사실이라고 믿고 그 생각이 당신이 누구인지 정확히 설명한다고 믿는다. 이런 순간들이 당신의 일상적인 사고 방식이 될 때, 우울한 느낌을 받고 당신이 슬프고 비참한 존재처럼 느껴지는 것은 그리 놀라운 일이 아니다. 다른 생각과 감정에 접촉하기가 어렵고, 이 상태가 몇 주 이상 지속되면 우울증이라고 부르는 상태가 된다. 당신은 당신의 생각이 되었고, 당신의 생각과 융합되었다. 탈융합 작업은 항상 나 자신뿐만 아니라 함께 일하는 선수들에게도 항상 난해한 개념이어서 작업하기 가장 어려운 과제 중 하나였다. 어쩌면 내 자신의 불확실성이 선수들에게 전이되고 있는지도 모르겠다. 잘은 모르겠지만 “당신은 당신의 생각이 아니다”라는 주장은 좀 더 철학적인 차원에서 이해하기 어려웠다. 생각은 내 머릿속에서 비롯된 것이고, 내 머릿속은 내 것이니 생각도 내 책임이라는 말이 사실이라면 왠지 좀 속은 것 같은 기분이 들기도 한다. 하지만 선수들과 대화를 나누다 보면 생각이 전적으로 우리를 정의하지 않는다고 말할 때 중요한 차이가 생긴다는 것을 깨닫기 시작한다. 즉, 우리에게는 많은 종류의 생각이 있고 어떤 생각은 다른 생각보다 더 역기능적이라는 것, 그리고 생각으로 인해 삶이 역기능적이 될 때 우리는 생각에서 벗어나 이렇게 말해야 한다는 것을 알게 된다. “이봐, 이런 생각은 별로 도움이 되지 않아! 그래, 그런 생각들이 내 머릿속에 있긴 하지만 다행히도 나는 그런 생각들의 영향력을 줄여 내 가치나 당면한 과제에 주의를 기울여 다시 정상으로 돌아갈 수 있도록 선택할 수 있어"라고 말해야 한다. 캠프파이어를 하며 모닥불 주위에 둘러앉았을 때 이 깨달음은 진정으로 내 뇌리에 확 와닿았다. 불길처럼 내 생각은 통제할 수 없지만 우리는 어떤 불길에 집중할지는 선택할 수 있었고, 사실 원한다면 전체 불길을 확대해서 관찰할 수도 있었다. 흥미롭지 않은가. 가장 중요한 정신적 기술을 꼽으라면 나는 마음속의 사물을 확대하고 축소할 수 있는 능력, 즉 우리가 보는 것과 듣는 것을 모두 확대하고 축소할 수 있는 능력이라고 생각한다.

역경을 대자연의 맥락에서 바라보기

전부는 아니더라도 우리 대부분은 인생의 선택에 대해 의구심을 품는 시기를 겪는다. 인생이 생각했던 대로 흘러가지 않았다는 사실을 깨달았을 때, 꿈을 달성하지 못한 것에 대한 후회나 절망감과 부정적 감정이 우리를 압도하는 것처럼 느껴지는데, 운동선수라도 예외는 아니다. 스트레스가 심하고 이러한 생각과 감정에 대처할 수 있는 자원이 충분하지 않다고 느껴질 때는 순식간에 마음이 무너질 수 있다. 자연에서 더 많은 시간을 보내는 것이 고통과 무력감을 완화하는 데 도움이 될 수 있다는 연구 결과가 있다(Park, Tsunetsugu, Kasetani, Kagawa, & Miyazaki, 2010). 이에 대한 한 가지 설명은 자신의 삶 전체를 관점화하고 자기자신을 맥락에 넣는다는 것이다. 이것이 메타인지적 경험이다.

> 나는 생각하는 사람이다. 나는 걱정하면서 마음이 착잡해지는 복잡한 인간이다. 자연에 들어가면 방황하고 활개치는 마음이 길들여지고 잠잠해진다. 나는 자연 속에서 평화를 찾고 내 체력과 몸을 비로소 온전히 사용하고 있음을 느낀다.
>
> *비베케 스코프테루드, 노르웨이 크로스컨트리 스키 세계선수권 우승자 및 올림픽 금메달리스트(Skofterud, 2019)*

지금으로부터 몇 년 전, ACT를 처음 접했을 때 약간 혼란스러웠지만 동시에 설레기도 했던 기억이 난다. 그때까지 나는 엄격한 인지 통제 패러다임 안에서 일해왔고 이제 막 마음챙김 훈련을 일상의 일부로 통합하기 시작했다. 스포츠 심리학자로서 내가 중요하다고 느끼는 것, 생각, 감정, 행동의 의미를 통합하고 자연 속으로 들어가는 방식에 편안함을 느끼기 시작했지만 작은 불편감이 계속 남아있었다. 그 당시 내가 참석했던 미국 응용 스포츠 심리학 협회 컨퍼런스 중 한 워크숍에서 ACT 모델을 접했다. 그 때 나는 ACT를 접하면서 엄청난 충격을 받았다. 무엇보다 탈융합 과정이 내 관심을 끌었다. 얼마 후 ACT 창시자인 스티븐 헤이즈가 노르웨이에 와서 이틀간 워크숍을 열었는데, 그때 나의 혼란이 해결되었다. 헤이즈는 매우 다양한 마음챙김 훈련 방법을 통해 생각의 영향력에서 떨어뜨리기 위해 어떻게 연습할 수 있는지 알려주었다. 나는 그 순간 사로잡혔고 그 이후로 계속 열정을 가지고 작업하고 있다. 또한 자연을 ACT의 심리유연성 6각형의 모든 부분을 연습할 수 있는 자연스러운 무대로 포함시키는 것은 나에게 매우 의미 있는 일이었다.

수용과 모든 것을 내려놓기

이제 혼란은 끝났고 퍼즐의 마지막 조각이(적어도 지금으로서는) 제자리에 놓이려고 하는데, 이것이 바로 수용의 역학과 과정이다. 이 개념을 종종 운동선수들이 혼란스러워하고, 수용을 하는 과정이 탁월함을 향한 스포츠 여정에 맞지 않는다고 생각하는 것으로 드러나기도 한다. 한 선수는 “받아들이다니요? 나는 내 실수를 받아들일 수 없다구요”라고 정색했다. “내 기준을 낮추고 최고가 아닌 것에 만족할 수는 없어요!” 최고 수준에서 경쟁하는 선수들과 많은 시간을 보내다 보면 이 말이 일견 이해가 된다. 휴식과 자기 만족을 위한 시간이 거의 없다고 봐야 한다. ‘다음에도 나는 최고가 될 것이다’는 슈퍼-G 올림픽 금메달리스트인 케틸 안드레 아모트가 쓴 책의 제목으로, 많은 운동선수들이 매일, 매 순간 더 나은 선수가 되고자 하는 충동, 즉 모든 수준에서 상대를 이기고자 하는 편집증에 시달린다. 어느 축구 골키퍼는 자신이 골을 허용하고 있다는 사실을 ‘받아들이기’ 시작하고 이에 반응하지 못하면 다음 날 바로 은퇴하는 것이 낫다고 말했다. 사실, 많이 오해하기도 하는 부분인데, ACT 훈련에서 수용이란 실수를 받아들이거나 운명을 받아들이거나 최고가 되기 위한 투쟁을 포기하는 것이 아니다. 수용은 부정적인 생각과 힘든 감정이 인생에서 자연스럽고 피할 수 없는 여행 동반자라는 사실을 받아들이는 것을 의미한다. 올림픽 메달과 같이 자신에게 소중한 것을 목표로 삼고 놓치는 것을 두려워하지 않을 수 있을까? 하지만 노르웨이 선수들은 여전히 '수용'이라는 단어의 사용을 주저하기 때문에 노르웨이 선수들에게 수용이라는 개념을 제시할 때 신중하게 다뤄야 한다는 것을 금방 깨달았다. 노르웨이에서는 수용이라는 단어에 복종하는 듯한 어감이 내재해 있기 때문에 이는 부분적으로 언어문화적인 문제이기도 한다. 굴복하는 느낌을 주어 원래의 단어로는 그 의미를 다 전달하지 못하기 때문에 우리는 다른 단어를 생각해 내야 했다. 에르크옌 erkjenne (독일어로 erkenntniss 에르켄트니스)이라는 단어는 영어로 양보, 인정으로 번역되며 많은 사람들에게 더 나은 개념으로 입증되었다. 나도 가끔씩 수용을 사용하지만 수용이 무엇을 의미하는지 설명해야 한다. 수용은 실수나 높은 기준에 미치지 못하는 것을 받아들이는 것이 아니라, 압박감 속에서 운동을 수행할 때 긴장, 걱정 또는 불안, 긴장과 불편함과 같은 어려운 생각, 감정 및 신체적 감각을 그저 받아들이는 것이다. 외부의 현실이 아닌 내면의 경험을 받아들이는 것이다. 운동선수들이 이러한 현실과 화해할 때, 높은 수준의 경기력을 발휘하기 위해 긍정적인 생각과 감정이 꼭 선행될 필요가 없다. 그리고 나서 그들은 직면한 모든 상황을 최대한 활용할 수 있게 된다.

수용 과정과 수용이 실제로 의미하는 바를 정의하는 데 약간의 어려움을 겪으면서, 나는 우리가 때때로 다른 문화에 맞게 이론과 개념을 조정하는 일을 잊어버리고 완전히 다른 것 또는 현실에 대해 이야기할 수 있다는 점을 생각해 보았다. 내게는 수용 개념이 그 좋은 예이다.

2000년 여름 노르웨이 여자 축구 대표팀과 함께 트롬쇠 인근 산 정상에 앉아 있던 때가 생각난다. 노르웨이는 항상 동계 스포츠의 강국이었지만 하계 스포츠에 있어서는 그에 미치지 못했다. 사실 다른 스칸디나비아 국가들에 비해 열등하고 실력이 떨어진다고 느꼈다. 열등감을 매개로 올림픽에 도전하는 이상적인 방법은 아니지만, 바이킹의 후예이자 사람보다 산과 피오르드가 더 많은 광활한 나라에 살고 있는 노르웨이인이라는 사실을 받아들임으로써 우리는 어떤 일이 닥쳐도 대처할 수 있을 준비가 되었다고 느꼈다. 미국과의 개막전에서 2대 0으로 패했을 때에도(사실 미국이 우리를 7대 0으로 이길 수도 있었지만), 우리는 흔들리지 않고 이를 뒤로하고 한 경기, 한 경기 최선을 다해 임했다. 어느 선수가 이렇게 설명했다.

> 나는 중국을 이길 수 있다는 믿음이 흔들리기도 하지만, 동시에 우리가 이길 것이라는 확신이 들기도 하는데, 좋은 징조일까? 왜냐하면 이기기 위해 우리가 무엇을 해야 하는지 알고 있기 때문이다. 그것은 항상 열심히 경기에 임하는 것이다!
>
> *(Pensgaard & Duda, 2002, p. 229)*

노르웨이 대표팀은 여러 면에서 선수 개개인의 역량은 다른 팀들이 더 뛰어나더라도 팀으로서 더 강하다는 것을 알고 있었다. 이 사실을 받아들임으로써 우리는 불안해하기보다는 강하다고 느꼈다. 사실 스티븐 헤이즈는 수용받는 것에 의해 위협을 받지 않는 자아가 없이는 수용은 불가능하다고 말한 적이 있다(Hayes, 2005). 나는 선수들이 최정상급 수준에서 경기할 때 이 점이 가장 중요하다고 생각한다. 솔직하고 현실적일 수 있지만 동시에 자신의 강점과 약점을 파악하고 그것을 통해 경기 환경을 자신에게 유리하게 만들 수 있다.

자연이 ACT에서 중요한 이유

멀리서 자연을 바라만 보지 말고 자연 속으로 들어가야 한다고 철학자 아르네 네스(Arne Naess, 1989)는 여러 번 말했다. 이 장에서 나는 어떻게 자연 속에 있는 것이 삶의 여러 측면에 어떤 영향을 미칠 수 있는지, 그리고 자연환경이 운동선수에게 특히 어떻게 도움이 될 수 있는지에 대해 설명하려고 했다. 모든 스포츠 심리학자는 선수들과 함께 일할 때 자신의 배경과 경험을 십분 활용하려고 한다. 개인적으로 자연 속에서 많은 시간을 보내며 자랐고 나중에 자연과 밀접하게 접촉하는 장거리 탐험을 떠났던 배경은 나의 가치뿐만 아니라 직업 철학에도 영향을 미쳤다. 노르웨이 사람들은 일요일에 가까운 주변을 산책하거나 외딴 오두막집이 있는 경우 그곳에서 시간을 보내는 것으로 유명하다. 야외 생활은 그들의 문화 유산의 일부이다. 물론 모든 문화권에서 그렇지는 않으므로 내가 여기서 설명한 방식으로 자연 속으로 들어가는 것이 모든 사람에게 해결책이 되지는 않을 것이다. 하지만 자연은 생각보다 가까이에 있다. 동네 공원을 이용하거나, 작가 크리스티나 월터스가 그녀의 저서 '불꽃 속으로'(2016)에서 설득력 있게 지적한 것처럼 정원에 있는 관엽식물이나 나무에 주목할 수 있다. 자신과 가장 가까운 것부터 시작하라. 오두막집 문밖에 사는 작은 식물들을 수년간 연구한 아르네 네스처럼. 자연 속으로 들어가기 위해 원정 탐험대를 굳이 꾸릴 필요는 없다. 자연은 이미 우리 곁에 있으니까. 마음챙김 걷기는 특히 녹색 환경에서 하기에 적합한 활동이며, 맨발로 할 수 있다면 특별한 경험이 될 수 있다. 나는 항상 함께 일하는 운동선수들에게 이어폰을 빼고, 숲이나 산에서 달리기를 해보라고 한다. 내가 요청하기 전에는 한 번도 해본 적이 없다는 선수들이 의외로 적지 않아서 놀랐었다. 그들의 반응은 항상 한결같았다. 실제 경험을 해보니 그것이 얼마나 강력한 느낌이 되는지 완전히 놀라워한다. 한 선수는 이어폰을 빼고 숲속을 달리다가 마주친 소리, 냄새, 느낌에 압도되어 눈물을 흘릴 뻔했다고 말하기도 했다. 마치 다른 세상에 온 것 같았다고 했다. 자연 속으로 들어가 주변 환경을 인식하는 것만으로도 좋은 시작이 될 수 있다. 한 활강 스키선수가 언덕 정상에서 해돋이를 찍은 사진을 인스타그램 계정에 올리면서 한 말처럼 말이다. "나는 세계 최고의 사무실을 가지고 있어!"

참고 사항

1. 우리는 실제 생활이나 죽을 수 있는 상황에 대비하기 위해 비상 위성 통신 장치를 휴대했다.
2. 미국 응용 스포츠 심리학 협회(AASP)에서 주최하는 연례 학술대회다.

참고문헌

Amundsen, R. (1942). *Sydpolen (south pole)*. Oslo: Gyldendal Forlag.

Allen, S. (2018). *The science of awe*. White Paper prepared for the John Templeton Foundation, UC Berkeley.

Hayes, S. (2005). *Get out of your life and into your mind*. Oakland, CA: New Harbinger Publications.

Jacobsen, R. (1993). North. In Jacobsen, R. *Night Open: Selected poems of Rolf Jacobsen*. Translated by Olav Grinde. (p. 199). New York:White Pine Press.

Keltner, D., & Haidt, J. (2003). Approaching awe, a moral, spiritual, and aesthetic emotion. *Cognition and Emotion*, *17*(2), 297–314. doi: http://dx.doi.org/10.1080/02699930302297

Skofterud (June, 2019). Blog, retrieved from:http://www.vibekeskofterud.no/2015/05/11/frihetsfolelse–og–jaget–etter–lykken/

Naess, A. (1989). *Ecology, community and lifestyle*. Translated and edited by Davis Rothenberg. UK: Cambridge University Press.

Park, B. J., Tsunetsugu, T., Kasetani, T., Kagawa, T., & Miyazaki, Y. (2010). The physiological effects of Shinrin–yoku (taking in the forest atmosphere or forest bathing): Evidence from field experiments in 24 forests across Japan. *Environmental Health and Preventive Medicine*, *15*, 18–26. doi: 10.1007/s12199–009–0086–9

Pensgaard, A. M., & Duda, J. (2002). "If we work hard, we can do it": A tale from an Olympic gold medalist. *Journal of Applied Sport Psychology, 14*(3), 219–236. doi: 10.1080/10413200290103518

Walters, C. (2016). *Inside the flame*. Berkeley, CA: Parallax Press.

15
스포츠에서 용기 있는 도전과 성과 향상을 위한 자기연민 활용법

에이미 발첼, 필립 뢰틀린, 괴란 켄타

이 장에서는 스포츠와 관련된 모든 종류의 스트레스로 어려움을 겪고 있는 운동선수에게 자기연민은 매우 유용하다는 점을 알려준다. 그리고 고난도의 스포츠에서 자기연민이 어떤 관련성이 있는지에 대해 논의하고자 한다. 이러한 어려움은 경기 전 불안감, 경기 중 실수, 누적된 피로, 새로운 기술 습득의 어려움, 새로운 상황이나 경기 수준에 대한 적응 및 부상 등으로 인해 나타날 수 있다. 선수들이 마주하는 이러한 스트레스성 도전은 모두 극복하기 어려울 수 있는 심리적 특성을 공유한다. 우리는 자기연민이 정신적 강인함을 넘어 이러한 도전에 대처할 수 있는 새로운 경로를 제공하는 방법이 될 수 있다는 개념적 이해를 전달하려고 한다. 특히 심리적, 정서적 고통에 다르게 대응하는 방법을 배우면 운동선수가 고통스러운 상태에서 용기가 넘치는 상태로 전환하는 데 도움이 될 수 있음을 부각시키고자 한다. 스포츠와 관련된 고통에 직면했을 때 자기연민적 접근 방식을 통합하면 운동선수는 역경에 직면했을 경우 평정심을 되찾아 경기에 더 적응하여 임할 수 있게 될 가능성이 높아진다.

이 장은 크게 두 부분으로 구성된다. 첫 번째 부분에서는 자기연민 개념을 소개하고 자기연민적 접근 방식이 선수 경험에 어떤 영향을 미칠 수 있는지에 대해 현재 알려진 내용을 간략하게 소개할 것이다. 이어서 자기연민이 수용전념치료(ACT), 특히 6가지 핵심 원칙으로 구성된 심리유연성의 6각형 모델과 개념적으로 어떻게 관련되는지 배워볼 것이다. 그리고 자기연민이 스포츠 맥락에서 ACT 프로세스에 어떻게 기여할 수 있는지에 대해 논의할 것이다. 그리고 나서 선수에게 어려운 감정 상태를 무시하거나 변화시키도록 지시하는 현재의 정신심리 접근법에 대한 대안으로 이러한 자기연민 접근법을 제공하는 것이 중요하다는 점을 설명할 것이다. 우리는 운동선수가 큰 어려움에 처했을 때 현재의 강인한 정신력을 강조하는 접근법은 실효성이 없다고 주장한다(Hayes, 2004). 대신에 우리는 운동선수들이 그러한 역경을 직접 직면하고 견뎌내는(즉, 수용하는) 접근법을 기르는 것이 효과적이라고 주장한다. 좀 더 구체적으로 말하면, 두려움을 느낄 때 선수는 어려운 감정을 경험하고 견디는(즉, 수용하는) 용기 있는 반응을 기르고, 계속 운동하는 데 필요한 것을 스스로에게 제공하도록 동기를 부여할 수 있다. 일부 운동선수의 경우, 운동과 관련된 고통에 대해 스포츠에 특화된 자기연민 대처법을 스스로에게 제공해야 할 수도 있다. 이는 상황을 회피하거나(예: 포기, 연습 건너뛰기) 괴로움에 과도하게 몰입하는 것(예: 화를 내며 경기력에 집중하지 못하게 하는 것)과는 대조적인 것이다. 자기연민이 어떻게 선수가 스트레스를 견디고 중요한 행동을 선택할 수 있는 용기를 내는 데 도움이 되는지 구체적으로 살펴보겠다(예: 레이스에서 추월당하더라도 계속 최선을 다하는 행동하기).

이 장의 두 번째 부분에서는 스포츠에서 자기연민을 어떻게 적용할 수 있는지에 대해 설명한다. 운동선수가 스포츠 관련 스트레스에 보다 현명하게 대처하는 데(즉, 가치에 기반한 행동을 선택하는 것) 도움이 되는 접근 방식인 자기연민이 스트레스에 대한 내성을 향상하는 데 어떻게 활용되는지 세 가지 주제에 맞는 사례를 제공할 것이다. 자기연민은 보다 구체적으로 운동선수를 다음과 같은 방식으로 도울 수 있다.

1. 자기연민은 문제가 있는 경쟁 불안을 경험할 때 경기를 준비할 수 있게 돕는다.
2. 본 경기 및 훈련 중 실패에 대처하고 도전적인 수행 순간을 효과적으로 처리할 수 있도록 돕는다.
3. 부상과 누적된 피로 및 탈진에 대처할 수 있도록 돕는다.

마지막으로, 스포츠 심리학 실무에 통합할 수 있는 실용적인 자기연민 기반 전략의 목록으로 이 장을 마무리하며, 이러한 전략은 사례 전반에 걸쳐 제시된 전략을 통합해서 도출될 것이다.

1부: (이론적) 배경

자기연민의 개념

연민은 원래 불교에서 유래한 개념으로, 연구자인 폴 길버트와 크리스틴 네프가 서양 심리학 연구와 치료에서 연민의 개념화에 대한 논의를 형성했다. 길버트(예: 2010)는 연민에 대한 진화론적 관점을 가지고 연민을 설명한다. 그는 개인이 유연하게 상호작용할 때 개인의 건강한 기능에 기여할 수 있는 세 가지 상호 작용하는 정서 조절 시스템이 있다고 가정한다. 위협에 대처하기 위해 진화한 위협 및 방어 시스템은 생존 메커니즘을 활성화하고 분노, 두려움, 혐오감, 수치심과 같은 부정적인 감정과 밀접하게 연관되어 있다. 예를 들어 두려움은 안전을 향해 다가가는 행동에 동기를 부여한다. 다른 두 시스템은 긍정적인 감정과 관련이 있다. 욕구 및 흥분 시스템은 음식, 성, 소유물, 성공, 지위, 권력 등의 보상이나 자원을 충족시키려는 행동에 동기를 부여한다. 만족, 진정, 소속감 시스템은 스트레스를 해소하거나 동정심 또는 공감적 자비를 촉진하기 위해 활성화된다. 예를 들어, 개인은 감정을 느낄 때 필요한 것을 스스로에게 제공하려는 동기를 가질 수 있다. 길버트(2010)는 자기연민적인 생각과 이미지가 만족, 진정, 소속 시스템을 자극하여 위협 및 방어 시스템을 억제한다고 가정한다.

길버트의 정서 조절 시스템 모델에 따르면 개인이 잘 기능하고 있을 때는 이러한 주요 정서적 욕구 간에 유연한 움직임이 있어 개인이 번창하는 데 도움이 된다. 그러나 개인이 수치심과 자기 비판을 경험하면 위협과 보호 체계의 소용돌이에 융통성 없이 휘말릴 수 있다(Gilbert, 2009). 이 장의 두 번째 부분에서는 운동선수가 과도하고 참을 수 없는 위협(즉, 스포츠 스트레스)을 경험할 때 벌어지는 경기력 저하 또는 회복에서 탈선할 수 있는 영역을 알아보고 자기연민 접근법이 어떻게 운동선수를 추진력과 흥분 시스템으로 보다 효율적으로 복귀시키는 데 도움이 될 수 있는지 실질적으로 살펴볼 것이다.

네프는 자기연민을 특히 어떤 식으로든 고통을 겪고 있을 때 스스로를 건강하고 친절하게 대하는 태도라고 설명함으로써 길버트의 개념화를 더욱 뒷받침한다. 네프의 개념화에는 자신의 고통을 인식하는 것과 동시에 이에 대해 무언가를 하려는 노력(예: 경기, 연습 또는 회복 기간에 회복하고 진정으로 중요한 것에 다시 집중할 수 있도록 자신에게 필요한 것을 주는 것)이 모두 포함된다.

자기연민은 자기 친절, 보편적인 인간경험, 마음챙김의 세 가지 측면으로 개념화된다(Neff, 2003a, 2003b).

1. *자기 친절*은 자신에 대해 친절하게 대하고(부적절하다고 느낄 때에도), 자신을 이해하는 것을 의미한다. 자신의 안녕을 기원하며, 자신에 대해 비판적이지 않고 수용적인 태도를 갖는 것을 의미한다. 자발적인 판단은 흔히 일어나는 자동적인 경험이다. '판단하지 않음'은 자발적인 자기 비판(예: "이 바보야, 넌 일을 제대로 하지 못해")이 없는 것이 아니다. 자발적이고 가혹한 자기 비판과 판단을 포함하여 발생하는 모든 고통에 대해 친절하게 반응하는 것을 포함한다.
2. *보편적 인간 경험*은 실패할 때 개인이 그런 경험을 자신만이 느낀다거나 다른 사람과 단절되었다고 느끼기보다는 모든 인간이 공유하는 보편적 경험이라는 것을 의식하는 것으로 정의된다. 자기연민 접근 방식에서는 실패가 고립을 야기하는 것이 아니라 다른 사람들과 서로 연결되고 단합할 수 있는 계기가 될 수 있다고 본다.
3. *마음챙김*은 개인적인 고통에 적용될 때 다음을 염두에 두는 것을 포함한다. 자신의 고통을 염두에 두고, 자신의 심리적 고통을 의식하며, 부정적인 경험에 대해 균형 잡힌 접근 방식을 취하여 고통스러운 감정을 회피하거나 극적으로 과장해서 표현하지 않도록 한다.

균형 잡힌 자기연민 접근법에는 현재 일어나고 있는 일을 받아들이고, 다른 사람들도 고통을 겪고 있다는 것을 이해하고, 고통을 진정시키는 데 도움이 되는 몇 가지 행동(예: 실패 후에도 여전히 사랑받고 있다는 사실을 상기시키는 것)을 취하는 등 자기자신에게 약간의 친절함을 베푸는 것이 포함된다.

관련된 연구 현황에 대한 간략한 개요

뢰틀린 등 연구진은 경쟁적인 스포츠 분야에서 최근 자기연민에 대한 연구 논문을 검토했다. 질적 연구에 따르면 운동선수들은 실패와 감정에 대처하는 능력 향상과 같은 자기연민 접근법의 이점을 기대한다. 그러나 동시에 자기연민에 참여하는 것에 회의적인 태도를 보이기도 하는데, 이는 자기연민을 강화하면 내재적 동기가 급감할 것이라는 그들의 가정 때문이다. 따라서 스포츠 심리학자들은 운동선수들이 자기연민 접근법을 통합하는 데 회의적일 수 있다는 사실을 인식해야 한다. 운동선수들이 갖게 되는 자기연민에 대한 또 다른 일반적인 오해는 자기연민을 실행하는 것이 자기 변명, 자기합리화나 약점 만들기의 한 형태로 보여 질 수 있다는 것이다. 정량적 연구에 따르면 자기연민은 운동선수의 웰빙과 스포츠 역경에 대처하는 능력에 도움이 되는 것으로 나타났다. 이러한 결론은 주로 중재 및 종단 연구의 부족으로 주로 상관관계 연구에서 도출된다. 아직까지 자기연민이 스포츠 성과와 어떻게 관련되어 있는지에 대한 이론적 또는 개념적 모델이 부족하고 그에 따른 관련 연구도 부족한 실정이다. 따라서 이 장에서는 자기연민과 밀접하게 관련된 모델인 ACT를 연결하여 향후 연구를 개선하는 데 도움이 될 수 있는 연결고리를 제공하고자 한다.

자기연민과 ACT

먼저 자기연민이 6가지 ACT 프로세스(즉, 현재 순간에 주의, 탈융합, 수용, 맥락으로서의 자기, 가치 명료화, 전념 행동, 자세한 설명은 1장 참조)와 어떻게 관련되는지 알아보자. 여기서는 자기연민이 ACT 과정과 겹치는 부분과 구별되는 부분을 모두 고려할 것이다. 표 15.1에서 6가지 ACT 프로세스를 각각 간략하게 비교해 보았다. 표를 보고 네프가 제시한 자기연민 개념화와 어떻게 일치하는지 살펴보기 바란다.

ACT 개입은 (1) 개인이 통제할 수 없는 원치 않는 사적 경험에 대한 수용 능력 개발, (2) 가치 있는 삶을 살기 위한 전념 행동이라는 두 가지 주요 프로세스에 중점을 둔다. 자기연민과 ACT 프로세스는 마음챙김의 본질적인 요소를 공유한다. 여섯 가지 ACT 프로세스 중 세 가지에는 마음챙김의 차원인 탈

표 15.1 ACT와 자기연민의 비교

여섯 가지 ACT 프로세스	자기연민과의 연계성(Neff, 2003a; 2003b) 1. 마음챙김 2. 자기 친절 3. 보편적 인간경험
현재 순간에 주의 "일어나고 있는 일에 의식적으로 주의를 기울여 연결되고 참여하는 것"(Harris, 2010, p. 9)	자기연민에는 반드시 현재 순간에 대한 주의가 포함되며, 고통받을 때 필요한 것을 스스로에게 제공할 수 있으려면 먼저 개인이 무슨 일이 일어나고 있는지 인식해야 한다.
탈융합 "한 걸음 물러서서 우리의 생각, 이미지, 기억으로부터 분리하는 법을 배우는 것; 우리는 우리의 생각을 말이나 그림 그 이상도 이하도 아닌 있는 그대로 본다"(Harris, 2010, p.9).	자기연민을 사용하면, 개인은 고통을 유발하는 가혹한 생각에 더 많은 주의를 기울이게 된다. 따라서 그러한 생각에서 자동으로 벗어나는 대신 특정 생각이 유발하는 고통을 알아차리고 분별력을 가지고 자기를 위안하는 행동을 취할 수 있다.
수용 "마음을 열고 고통스러운 감정, 감각, 충동, 감정을 위한 공간을 마련하는 것은…그들과 싸우는 대신 그대로 두는 것이다"(Harris, 2010, p.9-10)	자기연민을 위해서는 자신의 고통을 받아들이는 것이 필수적이며, 개인이 그러한 경험을 알아차리고 받아들일 수 있을 때 비로소 자기 자신에게 자기연민을 제공할 수 있다.
맥락으로서의 자기 "관찰하는 자기 vs 생각하는 자기"(Harris, 2010, p.11)	자기연민을 통해 개인은 생각하는 자기와 접촉을 유지한다. 개인은 인식 속에서만 휴식을 취하는 것이 아니다. 생각하는 자기를 달래거나 안전감을 제공하기 위한 노력으로 친절하고 부드러운 반응이 있다.
가치 "지속적인 행동의 바람직한 자질"; "우리가 행동하고 싶은 방식"(Harris, 2010, p.11)	자기연민에서는 자기 자신에 대한 친절의 초점이 궁극적으로 우리의 가치에 봉사하는 것이다. 그러나 단기적으로는 자기연민의 초점이 개인이 가치 있는 방식으로 행동할 수 있는 자유를 얻을 수 있도록 우선 자신을 달래는 것에 맞춰질 수 있다.
전념 행동 "우리의 가치에 따라 효과적인 행동을 취하는 것"(Harris, 2010, p. 11)	자기연민은 전념 행동을 위한 중요한 지원이 될 수 있다. 자기연민이 없다면 고통에 시달리는 개인은 위협과 보호 모드에 갇혀 가치 있는 목표를 향한 전념 행동을 취하지 못할 수 있다.

융합, 현재 순간에 주의, 수용이 포함되지만, 자기연민과 ACT 프로세스는 몇 가지 점에서 구별된다. 분명한 것은 자기연민이 친절과 고통스러운 경험의 정상화(각각 자기 친절과 보편적 인간 경험)를 강조한다는 점이다. 이 이론적 논의는 자기연민이 특히 개인적인 고통을 경험할 때 어려운 감정을 받아들이고 가치 있는 행동에 계속 참여하는 방식에서 여섯 가지 ACT 프로세스에 진가를

더할 수 있다는 것을 시사한다. 특히 수용에 대한 저항 및/또는 가혹한 자기 비판의 요소가 있는 경우 자기연민은 어려움을 받아들이는 데 도움이 될 수 있다. 선수가 스포츠를 하며 자기연민을 스스로 적절히 제공할 수 있다면 원치 않는 경험에 대한 수용을 못하거나 자동적으로 가혹하게 자기 비판을 하는 전형적인 반응을 견딜 수 있는 힘이 더 강해질 수 있을 것이다. 또한, 어느 정도 자기친절이 스며든 보편적인 인간성은 종종 원치 않는 경험을 피하고자 하는 저항이 점차 사라질 수 있도록 현재 일어나고 있는 일에 기꺼이 참여할 용기와 의지를 북돋을 수도 있다.

이러한 활동에 기꺼이 참여하기 위해서는 운동선수에게 용기(즉, 내적 또는 외적 두려움을 느껴도, 가치 있는 행동에 전념하는 것)가 필요하겠다.

이러한 경우 용기는 마음챙김과 자기 친절로 뒷받침될 수 있다. 다음 섹션에서는 운동선수가 수행 둑카(performance dukkha[1]) '수행자가 수행과 관련된 혐오스러운 내적 경험에 과도하게 몰입하거나 피하려고 할 때 나타나는 정신적 고통과 주의 산만'(Baltzell, 2016, p.56)을 경험하는 전형적인 상황과 이러한 상황을 돕기 위해 스포츠 심리상담가로서 자기연민 접근법을 상담에 통합한 방법을 제시하겠다.

자기연민과 용기

우리는 운동선수가 수행 둑카를 경험할 때, 스스로에게 자기연민을 제공할 수 있다면, 이러한 자기연민적 접근 방식은 용기 있는 반응을 강화하는 데 도움이 될 수 있다고 주장한다. 구체적으로, 용기를 느낄 때 선수는 포기하거나 위축되는 대신 어려운 감정에 대처하는 데 도움이 되는 자기연민이라는 도구를 가지고 있기 때문에 가치 있는 전념 행동을 기꺼이 계속 실천하게 된다.

개념적으로, 자기연민이 ACT와 통합될 때 어떻게 용기 있는 반응을 강화시키는 데 도움이 될까? 시각적 설명은 그림 15.1을 참조하시길 바란다. 운동선수가 스포츠 둑카를 경험할 때 일반적인 반응 방식은 그 경험을 피하거나(예: 훈련 거르기, 포기하기), 두려움에 과도하게 몰입하여 당면한 과제에서 주의를 분산시키는 것이다(예: 숨막힘). ACT 프로세스는 고통에 처한 운동선

1 역자주: 둑카(dukkha)는 정신적이건 육체적이건 모든 존재가 피하려고 하는 원하지 않는 괴로운 경험이며, 불교용어에서 유래했다. 불교의 고통인 '苦'는 옛 인도말인 팔리어로 둑카'라고 한다.

수가 의도적으로 산만하고 파괴적인 생각, 이미지, 그리고 심지어 기억으로부터 분리하여 고통을 수용하고 탈융합을 연습하도록 안내한다. 실제로 일부 운동선수들은 특히 경기력 저하로 인해 압박감을 느낄 때 이러한 탈융합 과정을 경험하기 어렵다는 사실을 발견했다. 어떻게 하면 운동선수들이 엄청난 고통이 느껴지는 그 순간에 집중하고, 혐오스러운 경험이 일어나고 있다는 사실을 수용하고, 현명하게 관찰하는 자기로 나아갈 수 있도록 도울 수 있을까?

우리는 자기연민을 경험하는 운동선수는 고통을 염두에 두는 것 외에도 자신의 경험이 정상(즉, 보편적인 인간의 경험)임을 동시에 인정하고, 스포츠 둑카의 어려운 순간을 견디는 데 필요한 것을 스스로에게 제공하기 위해 사려깊게 생각하고, 자신의 소중한 가치에 일치된 실천적 행동으로 행동화하려는 경향이 있다고 주장한다. 이렇게 할 수 있을 때, 선수들이 용기를 가지고 행동할 수 있는 가능성이 커질 것이다. 즉, 선수들은 스포츠 둑카의 어려운 순간에도 기꺼이 마주하려는 의지를 보여주고, 자신의 가치에 따라 행동하는 분별력 있는 결정을 내리며 전념 행동을 선택할 수 있는 존재다. 폴 길버트(2009)는 인지 행동 전략에 대한 자기연민적 접근 방식을 본질적으로 통합하여 개인이 심각한 자기 비판 및/또는 어려운 감정의 순간에 스스로를 돕는 연민어린 마음 훈련(CMT)을 개발했다.

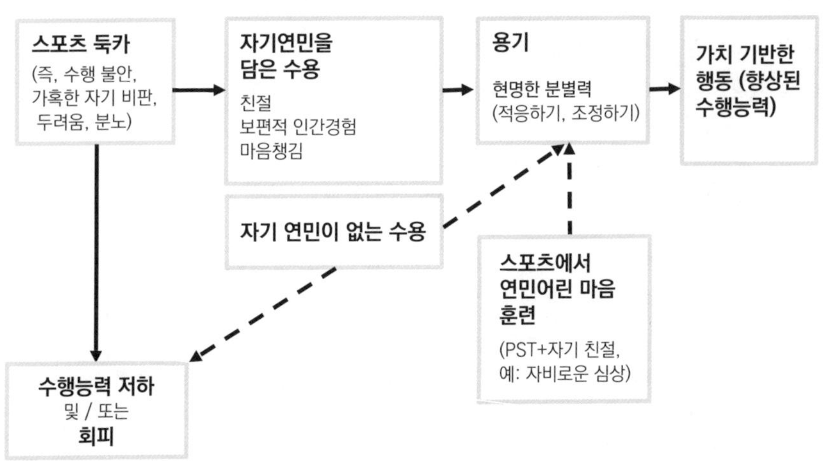

그림 15.1 ACT, 자기연민과 용기

본질적으로 자기연민은 선수가 이러한 산만한 생각과 감정을 받아들이거나 견딜 수 있도록 도와준다. 자기연민을 연습하면 선수는 현재 일어나고 있는 일을 받아들이는 능력을 강화할 수 있으며, 결과적으로 (다양한 형태의) 회피(예: 포기)를 줄일 수 있다. 그런 운동선수는 다음과 같은 가능성이 높아진다. (1) 부정적인 감정을 느낄 가능성이 높은 상황에 노출되고, (2) 이러한 상황에 머무를 수 있으며, (3) 이러한 상황에서 자신의 가치에 부합하는 행동을 할 가능성이 높다. 어려운 상황에 자신을 노출하고 이러한 상황에 머무르는 것은 용기 있는 행동으로 간주될 수 있다.

ACT와 자기연민은 테니스에서 복식경기팀으로 배정된 친한 자매처럼 많은 역사와 특성을 공유한다. 하지만, 전략적으로 활용하면 서로를 보완할 수 있는 개별적인 자산과 강점도 있다. ACT와 자기연민은 역경을 마주하며 가혹한 자기 비판과 수행 불안으로 고통받는 운동선수에게 특히 유용할 수 있다. 자기연민을 통해 용기를 키우면 운동선수들이 수행 둑카에 효율적으로 대처할 수 있겠다.

2부: 스포츠에서 자기연민 활용하기

2부에서는 다음과 같은 세 가지 상황에서 자기연민을 활용한 사례를 소개한다. (1) 극심한 경쟁 불안에 노출되었을 때 경기를 준비하기, (2) 실패에 대처하거나 어려운 수행 순간에 대처하기, (3) 부상, 피로누적 또는 탈진에 대처하기. 각각의 주제의 사례 연구를 통해 스포츠 심리학자가 자기연민을 사용하여 운동선수를 지원했던 방법이 구체적으로 소개될 것이다.

사례 연구 1 경쟁 불안에 대처하는 진우

진우는 미국 주니어 테니스에서 가장 순위가 높은 선수로, 차분한 성격과 꾸준한 성적으로 유명하다. 그가 나를 찾아왔을 때, 그는 "자신의 팔이 얼어붙었다"고 표현했다. 오른손잡이인 진우의 오른팔은 코트에 들어가면 '괜찮지만' 경기가 진행될수록 라켓을 완전히 휘두를 수 없는 상태가 된다고 말했다. 처음에는 라켓의 마지막 팔로우스루에 미묘한 어려움을 겪었다. 하지만 경기 중반이 되면 라켓을 스트로크의 절반 정도만 휘두를 수 있었고 팔이 얼어붙는 경우가 많았다. 팔의 마비 현상이 점점 더 자주 발생하기 시작하자, 더 이상 경기에서 이길 수 없는 지경에 이르렀다.

처음에 이 사례는 나에게 상당히 당황스러웠다. 나(에이미 발첼)는 대부분의 경우와 마찬가지로 진우에게 경기 며칠 전, 경기 전 몇 시간 동안 어떤 생각과 기분이었는지, 그리고 경기에 임하는 마음가짐은 어땠는지 물어보기 시작했다. 진우는 "별일이 없었고 그냥 괜찮았다"고 말했다. 다음 주 연습과 시합을 위해 나는 진우에게 다음 주 내내 자신의 기분에 정말 주의를 기울여 관찰해 보라고 했다. 알고 보니 진우는 자신의 신체적, 감정적 기분을 자동적으로 무시하고 있었다. 진우에게 마음챙김(자신의 경험에 대한 인식과 친절함)을 가져보라고 요청했을 때, 진우가 실제로 경기를 준비하면서 극심한 두려움과 불안을 느낀다는 것이 드러났다. 그는 특히 아랫배가 전체적으로 답답하다고 느꼈다. 진우가 내면을 살펴보기 시작했을 때, 그는 잘하지 못하면 어쩌지란 두려움과 공포로 가득 찬 자신의 바쁜 마음을 완전히 인식하게 되었다. 나는 진우에게 자기연민을 갖는 것과 동시에 마음챙김이 무엇인지에 대해 간단히 설명을 해주었다. 나는 직접적으로 자기연민이라는 용어를 사용하지 않았다. 대신, 나는 그가 불안감이 주는 불편함을 견디고 궁극적으로 자기 자신을 진정시키기 위해 자신에게 필요한 것이 무엇인지 고려하도록 돕는 데 집중했다. 나는 그에게 자신이 필요한 것을 스스로에게 공급해 준다면, 용기를 기르는 데 도움이 될 것이라고 제안했다. 즉, 그가 진정으로 느끼는 감정(예: 두려움)을 견딜 수 있을 것이라고 강조했다. 만약 그가 필요한 것을 스스로에게 주는 법을 배울 수 있다면, 두려움이 더 이상 팔이 얼어붙는 것으로 나타날 필요가 없을 것이라는 가설을 세웠다. 알 수는 없지만, 그가 자신의 감정과 고통을 피하고 있었기 때문에, 두려움이 팔의 얼어붙는 느낌으로 신체화되고 있는 것 같았다(그때까지 내게 비슷한 신체화 사례가 약 12건 정도 있었음). 본질적으로 내 임무는 진우에게 이전에는 알지 못했던 고통을 달래는 방법을 자신에게 적용하는 새로운 전략을 제시하는 것이었다. 몇 가지 핵심 전략에는 "내가 이런 기분을 느끼는 것은 내 잘못이 아니다", "다른 사람들도 이런 기분을 느낀다" 등의 생각을 떠올리게 하는 것이 포함되었다. 또한 나는 진우가 자기 전이나 연습 때, 시합 전에 읽을 수 있는 대본을 함께 만들었다. 여기에는 다음과 같은 문구를 포함하여 최고의 테니스와 관련된 집중력과 주의력을 가질 수 있는 내용이 포함되어 있다. "나는 잘 준비되어 있다. 나는 몰입하며 편안함 속에서 공을 본다. 나는 용기 있는 사람이다. 이런 기분이 들어도 괜찮다. 나는 이 게임을 좋아한다. 바로 이 지점. 나는 연결되고 있고, 또한 자유로운 존재다." 그는 괴로움이 닥칠 때까지 기다리지 않고, 자신이 원하는 방식으로 주의를 기울이며, 행동에 집중하는 연습을 할 수 있었다.

상담을 하면서 놀랍게도 진우의 팔이 얼어붙는 증상이 빠르게 사라졌다. 이전에는 억누르는 것으로 처리했던 두려움 같은 내면의 감정이 몸으로 굳이 표출될 필요가 없도록 처리할 수 있게 된 것이다. 진우에게 남은 과제는 이전에 차단했던 원치 않는 두려운 생각과 감정을 회피하지 않고 대처하는 방법을 배워야 한다는 것이었다. 그는 기존의 불편한 것을 무시하고 억압하는 전략에서 수용하고 가치 있는 전념 행동에 집중하는 전략으로 전환했다. 이러한 개입은 진우에게 분명 불편한 일이었지만, 그는 자기연민에 입각한 마음챙김으로 경기에 임하는 방법을 배웠다. 진우는 스스로 무슨 일이 일어나고 있는지 인식한 후에는 경기를 계속하는 데 필요한 용기를 키울 수 있도록 자신의 경험에 친절을 가져오는 것이 필수적이었다.

사례 연구 2 실패에 대한 두려움으로 고군분투하는 민규

민규는 20살의 배구 선수이다. 그는 항상 주니어 대표팀의 일원이었고 지금은 엘리트 대표팀의 확장된 선수 명단에 속해 있다. 새 시즌을 맞아 그는 리그 내의 다른 팀으로 이적했다. 원래 팀에서 핵심 선수 중 한 명이었던 그는 이제 새 팀에서 가장 어린 선수 중 한 명일 뿐이다. 새로운 팀은 민규의 영입으로 선수층이 더 두터워졌고, 이번 시즌 우승을 목표로 하고 있다. 네 명의 선수가 민규의 자리를 놓고 경쟁하고 있었던 터라 민규는 팀에서 자신의 위치에 대해 불안감을 느껴 스포츠 심리 상담을 받기로 결정했다.

민규는 나(필립 뢰틀린)에게 현재 마음이 여러가지로 힘들다고 토로했다. 코치가 가장 최근 경기에 출전시켜 주었는데 민규는 그 경기에서 자신이 선발로 나설 자격이 있다는 것을 증명하고 싶었다. 하지만 안타깝게도 민규는 생각보다 부진한 경기력을 보였다. 그리고 몇 개의 득점을 성공시킨 후 다른 선수로 교체되고야 말았다. 상대 팀도 꾸준히 민규에게 서브 공격을 넣으며 민규를 노렸다. 사실 코트에서 공을 받는 것이 자신의 강점이었지만, 민규는 한동안은 공을 받지 않기를 바랐다. 민규는 실수를 한 직후부터 집중력이 확 떨어지기 시작했다고 말했다. 이러한 집중력의 저하는 특히 시합뿐만 아니라 훈련 중에도 발생했다. 최근 경기에 집중하지 못하는 문제가 계속되자 민규는 나머지 팀원들이 자신이 왜 이적했는지 알고 있고, 실력이 형편없어 쫓겨난 것처럼 여길거라 진심으로 믿었다. 더 중요한 것은 이런 자신의 경기력이 실망스럽고 부끄럽다고 말했다. 그는 득점에 실패할 때마다 무슨 일이 일어났는지 반추하는 것에 얽매여 오랫동안 그 실패한 장면에 빠져 있었다. 그는 자신에게 화가 났고, 자신을 비난하며 배구 선수로서의 자신의 능력에 의문을 품고 있었다.

민규의 성적 부진에 대처하기 위한 상담 세션에서 심리 교육, 마음챙김, 자기 친절이라는 세 가지 주요 포인트가 제시되었다. 심리 교육과 관련하여 나는 사람들이 왜 그렇게 가혹한 생각과 감정을 갖는지에 대한 정보를 제공했다. 나는 감정 과정의 기원과 감정 기능을 설명하기 위해 길버트의 정서 조절 모델(2010)을 언급했다. 이런 정보는 민규가 자신의 반응에 대한 수치심을 줄여주는 데 도움이 되었다. 또한 민규는 상황을 더욱 어렵게 만드는 자기 비판적 반응을 더 잘 인식하게 되었다. 그 결과, 그는 다른 반응을 시도할 수 있는 마음으로 전환할 수 있게 되었다. 마음챙김은 민규에게 (1) 도움이 되지 않는 정서적, 인지적 과정이 언제 일어나고 있는지 알아차리고, (2) 이를 받아들이고, (3) 그러한 과정으로부터 벗어날 수 있게 했다. 민규의 마음챙김 기술을 향상시키기 위해 몇 가지 ACT 연습을 한 것이 도움이 되었다. 마지막으로, 나는 의도적으로 민규에게 자기 친절을 실천하도록 격려했다. 자기 친절은 단순히 '등을 두드리는 것'을 의미하지 않는다는 점을 명확히 했다. 대신 자신의 어려움을 인정하고 동시에 자신의 잠재력을 발휘하고 목표를 달성하고 이를 위해 다시 일어설 수 있는 의지를 가질 수 있는 접근 방식을 강화하려고 노력했다. 이 접근 방식에서 나는 민규가 스스로에게 친근한 말투로 말을 걸며, 자신을 이해하려는 동기를 부여하는 태도를 취함으로써 자기 친절을 실천하는 것이 중요하다는 점을 강조했다. 민규는 이러한 형태의 자기 친절에 대해 익숙했지만, 스포츠 영역에서 활용한 적은 없었다. 그 결과, 상담은 주로 민규가 이미 알고 있는 것을 강화하는 것(즉, 자신의 자원을 활성화하는 것)에 맞췄다. 좋은 친구를 응원하듯 자기자신을 응원해주자는 생각도 물론 도움이 되었다.

사례 연구 3　부상과 피로 누적에 맞서 싸우는 현아

이 사례는 24세의 나이에 여러 차례의 국가 신기록을 세우고 세계 10위권 안에 들며, 선수경력의 정점을 찍었던 중거리 달리기 선수 현아에 관한 이야기이다. 4년 후, 28세가 된 현아는 반복적이고 심각한 과사용 부상으로 고군분투하고 있다. 잦은 좌절과 심각한 재부상의 사건은 현아를 신체적으로 힘들게 했을 뿐만 아니라 스트레스와 불안, 피로 누적을 가중시키는 원인이 되었다. 현아는 이전에 스포츠 심리학자에게 도움을 요청해 보려고 했으나 여건이 좋지 못했다. 최근 몇 달 동안 현아의 스트레스와 불안 수준은 스스로 감내하기가 매우 어려운 극심한 정도였다. 현아는 다가오는 시즌을 위해 세계 선수권 대회에 출전하기 위한 마지막 담금질에 정성을 기울이고 있었다. 현아의 코치는 이러한 고통의 패턴을 감안하여 스포츠 심리학자에게 상담을 받아볼 것을 제안했다. 간단히 설명하자면, 나(괴란 켄타)는 전통적인 ACT와 네프가 개념화한 자기연민의 핵심 요소인 자기 친절, 보편적 인간경험, 마음챙김을 통합해서 상담했다. 사례의 이 선수는 경기장으로의 복귀가 매우 불확실할 정도의 장기적인 부상으로 어려움을 겪고 있었다. 현아는 긍정적인 태도를 보이고 모든 부정적인 감정을 억누르고 가두는 전통적인 정신력 강화 모델을 통해 고통, 스트레스, 정서적 역경에 맞서 싸우고 이겨내려고 노력하는 모습을 보였다. 상담의 첫 번째 중요한 단계는 현아가 불편함이라는 사적인 경험과 싸우는 것을 멈추고 마음을 열도록 돕는 것이었다. 상황을 있는 그대로 받아들이고 또 다른 부상으로 인해 선수경력이 끝날 수도 있다는 사실을 인정하는 데 상당히 큰 저항이 있었기 때문에 이 과정이 순조롭지는 않았다. 이 경우에는 수많은 좌절에도 불구하고 재기를 위해 포기하지 않고 노력해 온 자신을 인정해 주는 자기 존재에 대한 배려심이 필수적이었다. 상담가는 현아에게 자기 비난과 자기 판단 대신 두 가지 핵심 질문에 대해 생각해 보게 했다. “지금 나에게 필요한 것은 무엇인가?” 그리고 “어떻게 하면 나 자신에게 친절할 수 있을까?” 또한 현아는 모든 걱정, 불안, 불확실성에도 불구하고 매일 훈련에 최선을 다할 수 있는 체력과 용기를 가진 자기자신을 자랑스럽게 생각해 보게 했다. 이렇게 마음을 돌리는 것은 처음에는 현아 자신에게 큰 도전이었다. 현아는 통증에 대한 지나친 동일시로 인해, 통증 감각을 지속적으로 스캔해 왔으며, 실제 또는 가능한 통증의 미묘한 징후에 대한 주의를 확대해석하는 버릇을 가지고 있었다. 네프에 따르면, 마음챙김은 마음을 열고 자신의 심리적 고통에 주의를 기울이고 부정적인 경험에 대해 균형 잡힌 접근 방식을 취하여 고통스러운 감정을 피하거나 극도로 표현하지 않는 것을 의미한다. 고통스러운 감정으로 눈을 돌리고, 있는 그대로의 감정과 함께 머무를 수 있는 능력을 키우는 것이 연습의 목적이었다.

또한 나는 그녀에게 보편적 인간경험의 개념을 사용하도록 독려했다. 나는 현아에게 잠재적으로 선수경력을 끝낼 수 있는 부상으로 고생하고 있는 상태에서 모든 높은 수준의 경기력을 유지해야 하는 운동선수에게 어떤 것이 느껴지는지 보편적 인간경험의 개념을 직접 적용해볼 것을 권유했다. 현아는 이를 통해 외로움과 소외감 대신 어딘가에 소속되어 있다는 강한 긍정적 감정을 갖게 되었다. 요약하자면, 현아가 자기 친절을 실천하도록 돕는 것이 이 개입의 중요한 부분이 되었다. 생소한 개념에 대한 약간의 저항도 없지는 않았다. 하지만, 결국 현아는 자기연민 접근법을 활용할 수 있었고, 이는 궁극적으로 그녀가 전통적인 ACT 작업에 참여할 용기를 갖는 데 도움이 되었다.

적용된 아이디어 요약

앞서 설명한 사례를 통해서 스포츠 심리학 전문가(또는 공인 멘탈 퍼포먼스 상담가)는 다양한 전략을 사용하여 선수들이 자신의 경험에 대한 인식과 친절을 베풀 수 있도록 지원하여, 선수가 다시 최고의 경기력을 발휘할 수 있게 하는 과정을 잘 보여주었다. 이러한 전략 중 일부는 표 15.2에 간단히 요약해 보았다.

스포츠 심리상담가들이 사용하는 자기연민 기반 전략은 운동선수에게 제공할 수 있는 광범위한 아이디어 중 일부에 불과하다. 추가적인 아이디어를 얻을 수 있는 매우 유용한 자원 중 하나는 폴 길버트(2010)의 연민어린 마음훈련(CMT)에 관한 연구에 잘 나와있다. 연민어린 마음훈련에는 개인이 위협적인 감정 체계에서 벗어날 수 있도록 연민을 강조하는 인지 행동적 접근법(예: 이미지, 문구)을 사용하는 것이 포함된다. 운동선수를 위해 설계된 마음챙김 자기연민 기반 개입도 참고해 보면 좋을 듯하다(Baltzell & Summers, 2018).

결론

대부분의 운동선수는 어느 시점에서 혹독한 자기 비판, 수행 불안, 부상 회복의 정서적, 신체적 통증으로 고통받는다. 이러한 스트레스로 가득 찬 도전은 극복하기 어려울 수 있는 심리적 특성을 공유한다. 우리는 ACT와 함께 자기연민적 접근 방식을 도입하는 것이 어떻게 기존의 정신력 강화를 강조하는 접근 방식을 넘어 어려운 도전에 대처하는 선수들에게 새로운 대안적 경로가

표 15.2 선수의 성공과 경기력 향상을 돕는 자기연민 기반 전략

전략	세부 사항
자각하기	o 자기 비판적 반응 o 정서적, 신체적 고통을 회피하거나 극도로 과장해서 표현하지 않음(vs 그것을 무시하는 것)
심리 교육	o 스포츠에서의 마음챙김, 수용 및 탈융합 o 스포츠에서의 마음챙김과 자기연민, 용기를 불러일으키는 것(vs 연약해지거나 포기하는 것) o 감정 과정 이해하기(길버트의 감정조절 모델)
분별력 있는 대응을 준비하기	o 선수가 스포츠에서 예측 가능한 어려운 순간에 직면하기 전에 자기연민 문구를 준비하도록 지원하기 o 가치와 전념 행동으로 나아갈 수 있도록 유도하는 지시문 작성하기
이미 가지고 있는 자원 활성화하기	o 자신의 고통에 대해 자신에게 우호적인 어투를 사용하기
상담가의 의도적 접근 취하기	o 자기연민과 ACT 접근법 통합하기 o 선수가 내면의 어려움에 대해 '개방'하도록 지원하기 o 운동선수가 고통을 견뎌낸 것에 대해 감사하고 고마움과 자부심을 갖도록 유도하기
운동선수에게 물어봐야 할 필수 질문 챙기기	o "지금 나에게 무엇이 필요한가?" o "어떻게 하면 나 자신에게 친절할 수 있을까?"

될 수 있는지 개념적인 설명을 도왔다. 자기연민을 함양하는 것은 운동선수들이 어려움에 대한 용기 있는 대응을 배양하도록 도와줌으로써 6가지 ACT의 심리적 유연성 과정을 지원할 수 있다. 우리는 운동선수가 전념 행동을 통해 자신의 가치를 실현하고 싶지만, 두려움, 가혹한 자기비판, 타인과의 비교에 의해 한순간에 얼어붙는 어려운 순간에 특별히 관심을 가지려고 노력했다. 우리는 운동선수들이 이러한 순간 가장 필요한 것을 스스로에게 제공할 때, 현재 일어나고 있는 일을 수용할 수 있는 힘을 낼 수 있을 것이라 강조하고 싶다. 나아가 이를 통해 혐오스러운 생각과 감정을 회피하거나 과도하게 매몰되지 않고, 두려움에 맞서 경기를 준비하며, 본경기에 잘 임하고, 나아가 경기 후 회복에 있어서도 가장 중요한 부분에 주의를 기울이는 용기를 얻을 수 있을 것이라고 본다.

참고 사항

역자가 가독성과 사례 이해의 몰입도를 높이기 위해 원문의 헨리, 피터, 소피아를 진우, 민규, 현아라는 한국어 이름으로 바꾸었다.

참고문헌

Baltzell, A. L. (2016). Self–compassion, distress tolerance & mindfulness in performance. In A. L. Baltzell (Ed.), *Mindfulness and performance. Current perspectives in social and behavioral sciences* (pp. 53 – 77). New York: Cambridge University Press.

Baltzell, A. L., & Summers, J. (2018). *The power of mindfulness: Mindfulness meditation for sport (MMTS) 2.0*. Cham, Switzerland: Springer.

Gilbert, P. (2009). Introducing compassion–focused therapy. *Advances in Psychiatric Treatment: Journal of Continuing Professional Development, 15*, 199 – 208.

Gilbert, P. (2010). *Compassion focused therapy*. East Sussex, Hove: Routledge.

Harris, R. (2010). *ACT made simple: An easy–to–read primer on acceptance and commitment therapy*. Oakland, CA: New Harbinger.

Hayes, S. (2004).Acceptance and commitment therapy, rational frame theory, and third wave of behavioral and cognitive therapies. *Behavior Therapy*, *35*, 639 – 665.

Neff, K. D. (2003a).The development and validation of a scale to measure self–compassion. *Self and Identity*, *2*(3), 223 – 250.

Neff, K. D. (2003b). Self–compassion:An alternative conceptualization of a healthy attitude toward oneself. *Self and Identity*, *2*(2), 85 – 101.

Röthlin, P., Horvath, S., & Birrer, D. (under review). Go soft or go home? A mini review of empirical studies on the role of self–compassion in the competitive sport setting. Manuscript submitted for publication.

16
재난이 닥쳤을 때

부상당한 선수가 부상을 받아들이고 다시 집중할 수 있도록 지원하기

존 바라노프, 르네 N. 어필

운동선수에게 부상은 선수 경력에 커다란 스트레스 요인이 될 수 있다. 일반적으로 부상은 예기치 않게 발생한다. 엘리트 운동선수들은 종종 삶의 다른 측면을 희생하면서까지 운동에 상당한 시간적, 정서적 노력을 기울인다. 운동선수들은 부상 이후 충격과 분노, 슬픔, 고통과 같은 힘들고 원치 않는 내적 상태를 경험하는 것이 일반적이다. 경험적 회피라고도 하는 이러한 어려운 상태를 회피하는 것은 부상당한 운동선수들 사이에서 잘 알려져 있다[예: Gallagher, B.V., & Gardner, F. L. (2007)]. 경험적 회피에는 부상의 심각성을 최소화하거나 부상을 입고도 그것을 부정하는 것, 고통스러운 감각을 무감각하게 만들기 위해 알코올이나 약물 사용을 늘리는 것과 불편함을 이유로 재활 운동을 회피하는 것 등이 포함될 수 있다. 역설적이게도 이러한 노력은 정서적 고통을 악화시키고 그런 시간을 연장시킬 수 있다. 회피를 하는 대신에, 심리적 유연성을 개발하면 부상 선수가 고통, 불안, 분노와 같은 혐오스러운 내적 경험에 마음을 열 수 있게 되고, 부상당해 힘들어 하는 순간에도 선수에게 있어 중요한 것(예: 재활 프로토콜 준수하기, 스포츠 이외의 삶의 영역에서 가치 있는 행동을 추구하기)을 할 수 있도록 도울 수 있다.

스포츠 부상 재활의 수용전념치료(ACT) 및 인지 평가 모델

스포츠 부상에 관한 심리학은 인지적 평가 모델에 의해 주도적으로 연구되어 왔다(예: Wiese-Bjornstal, Smith, Shaffer, & Morrey, 1998). 이러한 관점에서 비롯된 개입에는 종종 이미지, 긍정적인 자기 대화(암시) 및 이완 훈련과 같은 심리기술훈련(PST)이 포함된다. 또한 정서 및 행동 재활 결과에 영향을 미치기 위해 선수의 인지를 변화시키는 데 중점을 둔다. ACT 모델은 행동 인지 및 감정에 공통적으로 초점을 맞춘다는 점에서 기존의 CBT 및 심리기술훈련 모델과 유사점을 공유한다. 이와 대조적으로 ACT는 인지 자체를 또 다른 형태의 행동(내현 행동)으로 간주한다. ACT 개입의 목표는 개인이 어려운 감각, 생각, 감정이 수반되는 경우에도 가치에 부합하는 행동을 선택하고 전념할 수 있도록 돕는 것이다.

관련된 예비 연구들은 스포츠 부상 재활에 ACT 모델을 적용하는 것의 효과성을 뒷받침해준다. DeGaetano, Wolanin, Marks, Eastin(2016)은 심리적 유연성 수준이 낮은 운동선수가 재활 활동에 대한 순응도가 낮다는 사실을 발견했다. 또한 Baranoff, Hanrahan, Connor(2015)의 연구에 따르면 전방십자인대(ACL) 수술 직후 측정한 경험적 회피 수준은 6개월 후 알코올 사용량 증가 및 우울 증상 증가와 관련이 있는 것으로 나타났다. 이전에 Gallagher, B.V., & Gardner, F. L. (2007)는 부상을 입은 40명의 대학 운동선수들을 대상으로 회피 대처가 스포츠 부상 후 정서적 고통의 증가와 관련이 있다는 사실을 발견했다.

부상당한 운동선수를 대상으로 한 ACT 기반 개입도 연구를 통해 시도되었다. 마호니와 한라한(2011)은 ACT 원칙에 기반한 4회기 교육 중재를 개발했다. 최근에는 쇼트웨이, 울라닌, 블록-레너, 마크스(2018)가 스포츠 부상에 대한 마음챙김-수용 중재 프로토콜(Return to ACTion)의 실행 가능성을 평가했다. 마지막으로, 비운동선수를 대상으로 한 만성 통증에 대한 ACT에 관한 문헌은 부상 재활기간 중 통증을 경험하는 운동선수를 위한 개입에 대해서도 유용한 정보를 제공한다(McCracken & Vowles, 2014 참조).

스포츠 부상 재활과 ACT 매트릭스

ACT 매트릭스(Polk & Schoendorff, 2014)는 운동선수의 재활 과정을 안내하는 은유 및 개념적 프레임워크로 유용할 수 있다. ACT 매트릭스는 일반적으로 횡단면 모델로 제시되지만, 종단적 재활 과정을 반영하기 위해 여러 단계에서 재검토 및/또는 반복할 수 있다. 예를 들어, ACT 매트릭스를 사용하여 사례를 개념화하고 기능 분석을 완료할 수 있는 시점은 초기 재활, 재활 중반, 스포츠 경기로의 복귀 시기 등 최소 세 번의 시기가 있을 수 있다. 스포츠 부상 재활에서 흔히 발생하는 부상재발 및 기타 회복장애의 경우 추가적인 개념화를 구성할 수 있다. 이러한 개념화는 개입을 안내하는 프레임워크로 사용될 수 있다.

다음 두 선수 사례는 스포츠 부상 재활에서 심리적 유연성이 어떻게 나타나는지, 그리고 심리적 유연성을 키우기 위해 ACT 개입을 어떻게 실행할 수 있는지 설명한다. 개입은 Kamphoff, Thomae & Hamson−Utley's (2013)의 스포츠 부상 재활의 세 가지 심리적 단계인 (1) 부상에 대한 반응, (2) 재활에 대한 반응, (3) 스포츠 복귀 단계에 걸쳐 제시된다.

사례 연구 1 엘리트 사이클선수 은혁의 오르막 훈련

22세의 사이클선수 은혁은 언덕이 많은 지형에서 격렬한 레이스를 펼친 후 만성 슬개골 건염 진단을 받았다. 처음에는 3주 동안 자전거를 완전히 쉰 후 언덕을 오르는 내성을 키우기 위해 점진적으로 부하를 늘렸다. 그는 신체 재활에 호전이 있다고 생각했을 때 통증이 재발하는 경험을 했다. 이 급성 통증으로 인해 변형된 훈련 기간이 연장되었다. 은혁은 이번 시즌에 완전한 훈련으로 복귀할 가능성이 줄어들자 점점 더 좌절감을 느꼈다. 격한 감정을 누그러뜨리고자 혼자서 술을 마시는 양이 늘었고, 교사로 일하고 집으로 돌아온 이른 오후에는 대부분 큰 잔으로 평균 6잔 정도를 마셨다. 은혁은 부상 진단 이후 지원과 지지를 해 준 코치의 제안으로 스포츠 심리학 전문가의 도움을 받기로 했다.

1단계-부상에 대한 반응

재활의 첫 단계에서 은혁은 상담가를 만나 ACT 매트릭스의 관점에서 자신의 상황을 바라보도록 권유받았다. 스포츠 부상 재활의 심리적 측면을 바라보는 방법은 여러 가지가 있을 수 있지만, 이 새로운 특정 관점은 재활의 각 단계에서 장애물이 있어도 자신에게 중요한 것을 조금 더 쉽게 선택하는 데 도움이 될 수 있다고 논의했다. 먼저, 나(존 바라노프)는 화이트보드에 수평선을 그린 후 선의 오른쪽은 '다가가기(다가가는 움직임)'로, 왼쪽은 '물러나기(물러나는 움직임)'로 화살 표시를 했다. 수직선의 점선도 그렸는데, 이 수직선의 위쪽은 오감경험('외부 세계')을 나타내고 아래쪽은 내부에서 일어나는 일과 마음에서 일어나는 내적경험('정신세계')을 나타낸다고 설명했다.

나는 은혁에게 "당신에게 누가 중요하고, 무엇이 중요한가요?"라고 물었다. 그에게 스포츠와 그의 삶 모두에 관심이 있음을 분명히 하기 위해서였다. 은혁은 자신에게 중요한 사람은 여자친구와 코치라고 말했지만, 부상당한 처지와 변형된 훈련 프로그램과 관련하여 자신에게 무엇이 중요한지 잘 모르겠다고 했다. 이를 명확히 하기 위해 은혁에게 다른 연습을 해 볼 의향이 있는지 물어보았다. 그런 다음 은혁에게 눈을 감고 사이클선수로서 미래에 은퇴식을 기념하는 파티가 열리는 생생한 장면을 머릿속에 그려보라고 요청했다. 그리고 사람들이 자신이 어떤 사람인지, 그리고 자신이 중시하는 가치인 *전문성, 끈기, 신뢰, 연결, 재미* 등에 대해 사람들이 이야기하는 모습을 상상해 보도록 했다. 이러한 가치는 매트릭스의 오른쪽 아래 사분면에 기록되었다. 은혁이 중요한 대상을 향해 다가가는 움직임을 오른쪽 상단 사분면에 기록하게 했는데, 그것은 재활 계획을 충실히 이행하고, 파트너 및 친구와 관계를 유지하며, 교사로서 학생들과 소통하는 등 은혁이 중요한 것을 향해 나아가는 구체적으로 보여지는 행동을 적었다(그림 16.1 참조).

은혁은 부상적응과 인대강화를 위해 스트레스/부하가 필요할 때 재활치료 과정을 못미더워했다. 무릎에 하중을 가해야 하는 활동은 '해를 끼치거나', '추가 부상'에 대한 두려움으로 느꼈던 것이다. 나는 은혁에게 자신의 '내면 세계'에서 어떤 경험이 자신의 가치에서 멀어지게 만들 수 있는지 물었다. 좀 더 구체적으로 알아보기 위해 은혁에게 최근 '상처가 된' 원치 않았던 경험의 예를 구체적으로 답하도록 했다. 매트릭스의 왼쪽 하단 사분면에 고통이라는 단어와 수치심, 절망감, 두려움과 같은 감정, 그리고 다음과 같은 생각을 적었다. *"나는 이것을 극복할 수 없다", "나는 다시는 경쟁에 복귀할 수 없을 것이다", "나는 다시 다칠 것 같다"*

이런 원치 않는 내적인 것에서 물러나는 움직임(재활 절차를 따르지 않음, 혼술하기, 파트너와의 단절, 학생/직장 역할과의 단절)을 왼쪽 상단 사분면에 적었고, 내부 경험과 회피 행동 사이의 상호 작용 특성을 양방향으로 화살표를 그려서 갇힌 고리가 형성됨을 명확히 했다. 우리는 중요한 대상에게 다가가려 할 때 무엇이 나타나서 방해하는지 내적 장애물에 대해 논의했다. 이 단계의 재활을 돕고, 후속 부상으로부터 그를 보호하기 위해 적절하게 부하를 증가시키는 것이 필요하다는 점을 강조했다. 또한 중요한 일로 복귀하는 데 방해가 되는 외부 장애물도 파악했다. 이러한 장애물은 제 때에 제한이 해제될 재활 진행 상황의 맥락에서 논의되었다. 필요에 따라 이 다음 단계를 표현하기 위해 새로운 매트릭스 기반 개념화를 계속 수정하며 사용할 수 있다.

이 시점에서 은혁은 자신이 이러한 회피 행동을 선택한 것처럼 느껴지지는 않지만, 자신의 내적 경험을 통해 회피행동이 실제로 뒤따른다는 것을 알 수 있었다고 말했다. 나는

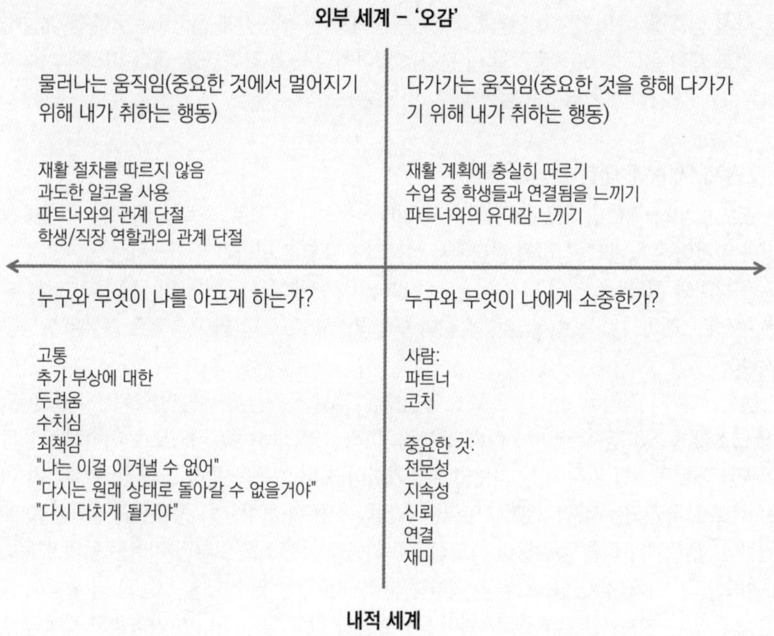

외부 세계 – '오감'

물러나는 움직임(중요한 것에서 멀어지기 위해 내가 취하는 행동)	다가가는 움직임(중요한 것을 향해 다가가기 위해 내가 취하는 행동)
재활 절차를 따르지 않음 과도한 알코올 사용 파트너와의 관계 단절 학생/직장 역할과의 관계 단절	재활 계획에 충실히 따르기 수업 중 학생들과 연결됨을 느끼기 파트너와의 유대감 느끼기
누구와 무엇이 나를 아프게 하는가?	**누구와 무엇이 나에게 소중한가?**
고통 추가 부상에 대한 두려움 수치심 죄책감 "나는 이걸 이겨낼 수 없어" "다시는 원래 상태로 돌아갈 수 없을거야" "다시 다치게 될거야"	사람: 파트너 코치 중요한 것: 전문성 지속성 신뢰 연결 재미

내적 세계

그림 16.1 은혁의 사례를 보여주는 ACT 매트릭스

매트릭스 다이어그램의 중간 지점(가로선과 세로선이 양분되는 지점)이 선수의 내적 경험과 그에 따른 행동을 모두 알아차릴 수 있는 자신을 나타내는 데 사용될 수 있다고 강조했다. 이러한 관점의 전환은 나중에 은혁이 운동선수의 역할과 융합되면서 특히 문제가 되었던 개념화된 자기에 대한 작업을 설정하는 데 도움이 되었다. 이러한 관점의 변화는 탈융합 개념의 도입으로 이어지기도 했다.

이후 세션에서 은혁은 자신의 생각을 식별하고 놓아주는 연습을 했다. 그는 자신의 불안한 생각을 '걱정거리'라고 명명하고 "또 걱정거리가 생겼네, 이런 생각에 사로잡힐 필요가 없어"라고 말하며 이런 생각에 사로잡히지 않도록 스스로에게 상기시켰다. 은혁은 트랙 사이클 선수 출신으로, 불안한 생각에서 한 발짝 물러나는 경험을 어린 시절 벨로드롬 관중석에 앉아 트랙을 도는 사이클 선수들을 바라보던 경험과 비유했다.

그 다음에는 현재의 순간과 연결하기 위해 주의를 돌렸다. '얼음 주머니'라고 부르는 체험적 연습(Shortway, K. et al. 2018)을 사용하여 은혁에게 눈을 감고 얼음 주머니를 팔에 올려놓는 동시에 그가 알아차릴 수 있는 생각, 감정, 감각에 주의를 기울이도록 했다.

나는 은혁에게 정신이 산만해지는 것은 정상이라고 설명하면서, 마음이 배회하고 있음을 알아차린 다음 다시 당면한 과제(팔에 닿은 얼음의 감각에 집중하는 것)로 돌아오도록 격려했다. 다음으로 은혁에게 이 활동을 통해 무엇을 배웠는지 생각해 보라고 권유했다.

그는 자신의 마음이 감각에 집중하지 못하고 반복적으로 멀어졌지만 의도적으로 주의를 다시 집중할 수 있었다고 언급했다. 나는 은혁이 현재 순간에 집중하는 기술을 개발하는 것과 재활 운동을 하는 동안 몸의 감각을 알아차릴 때와 같이 재활 중에 이러한 기술을 적용하는 것 사이에 연결 고리를 만들 수 있도록 도왔다.

2단계-재활에 대한 반응

스포츠 부상 재활의 두 번째 단계는 재활에 적응하는 단계로, 근력과 움직임을 다시 정립하는 것이 포함된다. 심리적 관점에서 성공적인 재활로 나아가기 위해서는 높은 수준의 동기 부여와 회복탄력성이 필요한 경우가 많다. 이 단계에서 은혁은 팀 동료들과 함께 훈련 라이드, 레이싱 또는 회복 훈련에 참여하지 않았고, 그로 인해 고립되고 단절된 느낌을 받았다.

높은 수준의 경험적 회피는 스포츠 부상 재활에서 장기간 문제를 일으키는 특별한 위험 요소일 수 있다(Baranoff et al., 2015). 따라서 물러나는 움직임으로 여겨지는 행동 목록을 매트릭스의 왼쪽 상단 사분면에 추가하여 회피 행동을 통해 고립 및 단절감이 어떤 식으로 유지되는지 평가했다. 이러한 물러나는 움직임에는 팀 동료들과 멀리 떨어져 있거나 체육관 및 다른 동료들이 사교적으로 어울리는 장소를 일부러 피하는 등의 행동이 포함되었다. 다음으로, 팀동료들과 대부분 분리되어 있는 필수 재활 활동과 팀 활동에 통합할 수 있는 활동을 분류하고, 은혁이 팀동료들과 함께 할지 아니면 기피할지 선택할 수 있는 상황을 파악했다. 나는 은혁에게 가치 있는 방향으로 이끌 목표와 행동 단계를 설정하여 전념 행동의 개념을 소개했다. 예를 들어, 은혁에게 사회적 연결은 중요했고, 그는 사회적 지원과 팀과의 연결 수준을 높이는 것과 같이 이 가치에 맞게 다가가는 행동을 찾아냈다. 대부분의 날은 팀원들과 똑같이 할 수 없었지만, 팀 회의에 참석하고 동료들과 함께 회복 라이딩을 하는 등의 행동은 그가 통제할 수 있는 범위 내에서 할 수 있는 것들이었다.

재활 후반기에 은혁은 하중을 늘렸을 때 슬개골 안팎이 장기간 부어오르는 장애물을 만났다. 이 부종으로 인해 움직일 수 없게 되자 "나의 복귀가 불투명하다", "물리치료사가 잘못했다. 괜히 말을 들었다"와 같은 생각이 들기 시작했고, 매트릭스 모델의 왼쪽 하단 사분면에 이러한 생각을 추가했다. 그런 다음 매트릭스의 왼쪽 상단 사분면에 이러한 생각에 따른 행동, 즉 운동을 미처 끝내기 전에 중단해버리고, 물리치료사와 상의하지 않고 마음대로 다른 운동으로 변경하는 것을 기록했다. 은혁은 물리치료사 모르게 자신의 운동 프로그램을 수정한 적이 있으며 다른 재활의료담당자에게 조언을 구해볼까를 고려했다고 말했다. 재활 지원팀은 일반적인 회피 행동에 대해 잘 알고 있었기 때문에 은혁과 직접적이고 신속하게 이 문제를 해결할 수 있었다. 그들은 은혁이 자신의 우려 사항을 명확하게 표현하고 물리 치료사와 공개적으로 논의하도록 격려했다. 나는 은혁이 스포츠의학 물리치료팀 담당자들과와의 상호작용에 대해 생각해 보도록 격려했다. ACT 매트릭스 모델을 사용하여 그의 행동을 분류하게 하고, 추적한 다음 신뢰와 관련된 행동을 파악했다. 그는 물리 치료 조언과 치유 과정에 대한 신뢰가 자신에게 얼마나 중요한지 확인했고, 이는 정보를 일축하기 전에 주의 깊게 경청하는 행동과 연결되었다. 나는 은혁에게 자신이 '열심히 하는 사람'이 되는 것을 중요하게 여기는 사람이라는 것을 상기시켰고, 이는 불편함이나 두려움에도 불구하고 자신에게 중요한 재활 운동을 성실히 완료하는 전념 행동으로 적용할 수 있음을 강조했다. 은혁은 그런 노력에 대한 보상이 즉각적이지 않다는 사실에 지속적으로 어려움을 겪었지만, 자신의 행동을 자신의 가치와 연결한 후에는 내재적 동기가 강화되었다고 보고했다.

나는 은혁에게 매일 실천할 가치 있는 행동을 적어서 추적관찰할 수 있는 워크시트를 제공했다. 은혁은 장기간의 부상 재활에 대한 직접적인 경험이 거의 없었기 때문에 매일 할 수 있는 이 과제는 그의 노력과 중요한 것에 주의를 집중시키는 데 도움이 되었다. 매일 행동 관찰기록지를 작성하며 은혁이 추구하는 가치와 재활에 필요한 행동 사이의 연관성을 명확히 파악할 수 있었다.

3단계-스포츠 복귀

지원팀은 은혁의 스포츠 복귀 계획을 수립할 때 부상을 둘러싼 주변 상황을 고려하는 것이 중요하다는 데 동의했다. 사이클선수가 부상 전 라이드 수준으로 복귀할 때, 교통 체증이나 부상이 발생한 방식과 관련된 특정 조건에서 라이딩하는 것에 대해 불안감을 느끼는 것은 당연하다. 노면이 젖은 상태에서 사고가 발생한 경우, 라이딩을 시작하기 전에 비가 내리기 시작하면 불안감과 긴장감을 느끼는 것이 일반적인 경험일 수 있겠다. 사고가 내리막길에서 발생한 경우 선수는 하강할 때 조금 더 조심하려 할 것이다. 은혁의 경우 특별한 사고는 없었지만 언덕을 오르는 도중 부상을 입었다. 언덕을 오르는 횟수를 늘리기 시작했을 때 은혁은 "다시 다치면 어쩌지?", "무릎이 버티지 못하면 어쩌지?"와 같은 불안을 느꼈고, 불안한 생각과 일치하는 신체 감각을 보고했다.

은혁은 이미 자신의 불안한 생각을 '걱정하는 사람'으로 분류하는 탈융합 기법을 사용하고 있었다. 그는 이러한 생각을 알아차리고 이름을 붙일 수 있었지만, 이 단계에서 탈융합 기술을 더 발전시키는 것이 도움이 될 것이라고 논의했다. 그래서 나는 은혁에게 훈련 중에 주로 떠오르는 생각을 포스트잇에 적고 세 가지 범주(미래, 과거, 자기 비판적) 중 하나에 해당하는 생각을 화이트보드에 붙여달라고 요청했다. 은혁은 재부상에 대한 두려움과 자신의 신체에 대한 실패에 대한 인식과 관련된 공통된 주제를 발견했다. 나는 은혁에게 위험하다고 인식되는 상황에서 활성화될 수 있는 신체의 안전 메커니즘(즉, 교감신경계)인 '도피 또는 투쟁 시스템'에 대해 간략하게 설명했다. 나는 마음은 잠재적인 위험으로부터 우리를 보호하기 위해 진화했으며, 연상 학습 과정을 통해 원래의 사고나 부상과 유사한 상황에서 위협을 '경계'하도록 과잉 각성될 수 있다고 설명했다. 나는 은혁에게 그의 마음을 언어적, 상징적 프로세스를 기반으로 위험을 피하도록 진화한 '작동하지 않는 기계'에 비유할 수 있다고 제안했다(예: "지난번에는 이렇게 해서 다쳤잖아, 조심해"). 위협을 감지하는 것이 일어난 일에 대한 이해할 수 있는 반응이라는 것을 이해함으로써 은혁은 자신의 마음이 자신을 안전하게 지키려고 시도하고 있지만 특정 시점에서는 도움이 되지 않는다는 것을 파악할 수 있었다. 위협과 관련된 생각은 다시 매트릭스의 왼쪽 하단 사분면으로 분류되었다. 그 후 은혁은 '작동하지 않는 기계'가 알려주는 것이 아니라 상황에서 실제로 일어나는 일을 단순히 관찰하도록 배웠고, 이러한 관찰자 관점이 매트릭스 다이어그램의 중앙에 표시될 수 있다는 사실에 다시 한 번 주목하게 되었다.

은혁은 생각을 알아차리는 능력을 키웠고 "나는 나쁜 일이 다시 일어날 것 같은 생각을 하고 있다"라는 문장을 사용하여 자신의 마음을 헤아리도록 이끌었다. 비록 ACT의 목표는 아니었지만, 시간이 지남에 따라 은혁은 떠오른 생각이 그가 두려워하는 일이 일어날 것이라는 것을 의미하지 않는다는 것을 알게 되었다. 이러한 생각, 감정, 신체적 감각에서 벗어나자 ACT 매트릭스를 사용하여 가치에 부합하는 것(매트릭스의 오른쪽 상단 사분면으로 표시됨)에 주의를 집중할 수 있었다. 은혁은 편안한 몸 자세를 유지하고 필요한 곳에 주의를 집중할 수 있도록 노력할 수 있다는 것을 확인했다.

우리는 은혁이 라이딩할 때 주의해야 할 기본적인 작업 관련 신호에 다시 집중할 수 있도록 돕기 위해 현재 순간 인식 연습을 사용했다. 현재 순간 인식의 측면에서는 상체의 위치, 페달을 밟는 페이스 또는 호흡의 움직임과 리듬에 주의를 기울여야 했다. 은혁은 자신의 몸이 하는 일에 주의를 기울이고 어떤 생각과 감각이 나타나는지 알아차리는 법을 배웠다. 이는 어렵거나 두려운 생각을 판단하지 않고 관찰하는 것, 장거리 라이딩에서 경험하는 즐거움과 같이 자전거를 좋아하는 이유를 인식하고 관찰하는 것을 의미했다. 스포츠의 즐거움은 선수 경력 후반에 잊히거나 간과되는 경우가 많다. 은혁이 즐겼던 구체적인 측면으로는 속도감과 언덕을 오를 때 안장 위에서 느껴지는 힘이나 묵직한 감각이 있었다.

점진적으로 도전의 난이도를 높게 올리는 것은 운동선수가 스포츠 복귀를 준비하는 이 재활 단계의 핵심 과제다. ACT의 관점에서 행동 목표는 중요한 일을 하는 것의 일부이며 운동선수의 가치와 연결될 수 있다. 은혁이 점차 역량을 쌓아감에 따라 나는 그에게 싸움 또는 도피 시스템인 '작동하지 않는 기계'와 관련된 생각과 감정을 기꺼이 경험하려는 자세로 과제에 접근하도록 권유했다. 은혁은 용감하고 부상에서 성공적으로 복귀한 사이클 선수로 알려지고 싶다고 말했고, 나는 그가 원하는 사이클 선수의 모습을 반영하여 불확실성과 관련된 생각이 들더라도 언덕 오르기에 도전함으로써 이러한 가치와 다시 연결되도록 격려했다. 은혁은 이후에도 다시 한 번 재발을 경험했긴 했지만, 결국 완전히 회복했고, 재활 과정에서 배운 기술을 경기력 향상에도 적용할 수 있었다.

사례 연구 2　스포츠 복귀를 위한 하영의 고군분투

하영은 국내 여자 프로 리그에서 활약하던 30세의 호주 룰스 축구 선수였다. 그녀는 시즌 마지막 경기에서 전방십자인대가 파열된 부상을 입었다. 그 사건은 3년 만에 두 번째 전방십자인대 손상이었고, 마지막 수술 받은 지 5년 만에 그녀는 세 번째 수술대에 오르게 되었다. 수술 후 극심한 통증을 겪으면서 심리 상담을 받았고, 선수 생활 중 처음으로 법조인 생활을 병행하면서 재활에 참여하려다 보니 운동과 생활의 균형을 맞추는 데 어려움을 겪었다.

1단계-부상에 대한 반응

나(존 바라노프)는 초기 재활에서 무엇이 중요한지 명확히 하기 위해 그녀에게 스위트 스팟 연습 즉 가치 명료화 전념 행동 연습에 참여하도록 초대했다. 나는 하영에게 자신의 스포츠 경험에서 자신이 하는 일의 가치를 풍부하게 전달할 수 있는 기억을 떠올려 달라고 요청했다. 그녀는 결승전에서 팀동료들과 함께 경기하는 자신의 모습을 떠올렸다. 나는 그녀에게 슬픔, 실망감 등 경험하고 싶지 않은 감정을 포함해 어떤 감정이든 최대한 생생하게 표현해 달라고 요청했다. 그리고 떠올린 순간을 "나는 …을 볼 수 있다", "나는 …을 들을 수 있다", "나는 …을 느낀다"와 같은 표현을 사용하여 현재 순간에 일어나고 있는 것처럼 묘사하도록 요청했다. 이 이미지 작업을 통해 *연결, 성취, 성장, 회복력*과 같이 하영이 중시하는 가치를 도출할 수 있었다.

하영은 무릎 통증, 가슴 답답함, 짜증, 근육 긴장뿐만 아니라 부상(예: "내 무릎이 나갔다")과 미래에 대한 도움이 되지 않는 부정적인 생각(예: "내 축구 리그 경력은 끝났다")과 통증에 대한 온갖 생각(예: "나는 통증을 감당할 수 없어")으로 어려움을 겪고 있다고 설명했다. 우리는 하영이 통증 감각(즉, 깨끗한 통증)과 관련된 생각 및 감정(더러운 통증)을 구분할 수 있도록 '깨끗한 통증'과 '더러운 통증'의 은유에 대해 논의했다. 더러운 통증이란 통증에 관한 생각(예: "이 통증은 내 십자인대가 다시 파열될 것이라는 신호다")과 회피 행동 및 통증을 통제하려는 개인의 시도가 포함된다. 하영은 실제 신체적 통증 감각에서 시작하여 마음이 반응하는 방식, 그리고 회피 행동으로 이어지는 일련의 행동, 즉 '통증 사슬'이 발생하고 있다는 것을 이해할 수 있었다. 통증 사슬을 끊기 위해 하영은 '통증을 신체화'하는 방법을 배웠고, 이를 위해 통증을 가시가 있는 빨간 공으로 상상했다. 하영은 통증의 감각 자체에 머무르는 법을 배웠고 호기심을 가지고 그 이미지를 관찰했다. 그녀는 이 단단한 물체 주위로 호흡을 확장하고 빨간 공과는 싸우거나 바꾸려고 시도하지 않고 빨간 공을 그 자리에 있도록 허용하는 연습을 했다.

재활의 초기 단계에서 하영에게 잘 알려진 ACT 은유인 '마음 기차 바라보기'를 기반으로 한 마음챙김 연습을 안내하기도 했다. 이 연습은 세 개의 철로가 놓인 철교 위에서 관찰자 관점을 취하는 것이다. 왼쪽 철로에는 생각을 담은 기차가, 가운데 철로에는 감정을 실어 나르는 기차가, 오른쪽 철로에는 행동과 충동을 실어 나르는 기차가 지나가는 것을 관찰하는 것이다. 나는 하영이 자신의 내적 경험을 관찰하고 이러한 경험을 단지 분류할 수 있도록 돕고 싶었다. 이 시점에서 나는 하영에게 ACT 매트릭스 모델을 소개하고 관찰자의 관점이 매트릭스의 중앙에 표시될 수 있다는 점에 주목하여 이전 연습과 연결시켰다.

2단계-재활에 대한 반응

하영의 재활 과정의 두 번째 단계는 부상의 특성과 연관된 재활로 인해 재활이 장기화될 가능성이 높았다. 선수가 ACL 수술 후 운동에 복귀하는 데 1년 정도가 걸리는 것은 드문 일이 아니다. 따라서 우리는 하영의 재활, 대학 및 직장과 사회생활, 취미인 농구 등의 각각의 영역에서 달성할 수 있는 목표를 설정했다. 전념 행동을 강화하기 위해 우리는 기꺼이 하기와 행동 계획을 개발했다. 하영은 체육관에서 재활에 참석하고 집에서 운동을 하고 홈 경기에 참석하는 것을 자신이 하고 싶은 행동으로 선정했다. 나는 하영의 목표가 재활 초기에 명료화한 가치와 연결되어 있는지 확인하기 위해 하영에게 질문을 던졌다. 하영이 재활에 집중하는 데 근간이 되는 가치는 *성취*, *성장*, *회복력*이었으며, 홈 경기 참석에 대한 행동의 근간이 되는 가치 중 하나는 유대감이었다.

하영은 홈 경기에 갈 때 종종 강한 슬픔과 좌절감을 느꼈지만, 팀과의 지속적인 관계를 소중히 여겼다. 하영이 소중히 여기는 것과의 연결성을 유지하면서 감정에 솔직해질 수 있도록 돕기 위해 수용 연습을 함께 했다. 수용 연습을 시작하기 전에 나는 하영에게 경기장에 가서 관중석에서 경기를 지켜보는 것을 상상해 보라고 요청했다. 나는 감정이 어떤 모습일지 시각화할 수 있도록 감정에 대한 마음챙김을 소개했다. 그런 다음 폐로 숨이 들어오는 이미지가 감정을 중심으로 확장되도록 허용하고 자신이 팀과 연결되어 있는 자신의 행동을 끝까지 수행하는 모습을 볼 수 있도록 지시했다.

나는 그녀의 기꺼이 하기와 행동 계획에 대해 동요, 짜증, 슬픔의 감정뿐만 아니라 "나는 밖에 있어야겠다"와 같은 생각을 할 수 있는 공간을 허용할 수 있도록 언급했다. 체육관 활동을 끝까지 진행하기 위해 그녀는 "지루하다", "아무 것도 얻지 못하고 있는데, 요점이 뭐냐?"와 같은 감정에 기꺼이 마음을 열었다. 세션이 끝날 무렵, 나는 하영에게 세션 동안 자신의 가치에 따라 얼마나 일관되게 행동했는지 평가해 달라고 요청했고, 시간이 지나더라도 이 정보를 추적했다.

스포츠 부상 재활의 어떤 단계에서든 개념화된 자기 개념 및 정체성과 관련된 문제가 나타날 수 있다. 재활 단계에서 맥락으로서의 자기에 대한 작업을 통해 하영은 축구 선수로서의 자신 외에도 파트너, 교사, 친구, 딸, 기타 중요한 역할 등 다양한 측면을 가지고 있다는 것을 알 수 있게 되었다. 이 작업을 통해 하영은 자신을 축구 선수 이상의 존재로 바라보기 시작했다.

3단계-스포츠 복귀

하영이 다시 운동에 복귀할 수 있도록 준비하고, 강렬한 감각이 있는 상태에서 과제에 집중할 수 있도록 마음챙김 플랭크 운동을 사용했다. 이 운동은 코어 근육을 사용하면서 5분 동안 엎드린 자세를 유지하는 것이다. 우리는 이 운동과 스포츠로 복귀할 때 그녀가 해야 할 일 사이의 유사점, 특히, 경기장에서 일어나고 있는 일에 집중하며 그녀의 '내면 세계'에 갇히지 않기 위한 방안을 논의했다.

하영은 자신이 경기에 복귀할 준비가 되었다고 말한 스포츠 트레이너와 긴밀한 관계를 유지했고, 그녀는 트레이너와 몇 시간 동안 복귀를 위해 해야 할 일들과 어떤 경기를 목표로 복귀할 것인지에 대해 논의했다. 그녀의 물리치료사는 다른 의견을 가지고 있었고, 그녀가 이번 시즌 동안 경기에는 출전하지 말아야 한다고 주장했다. 결과적으로, 스포츠 복귀 결정은 하영의 신체적 준비보다는 자신의 희망과 선호에 따라 내린 것이었다. 하영은 스포츠 트레이너와 재활물리치료사를 보는 동안 그 물리치료사와 자주 만나지 않았는데, 물리치료사가 자신을 잘 모른다는 이유로 물리치료사의 의견에 수긍하려 하지 않았다. 이것은 물리치료사가 하영의 근력이 안전한 스포츠 복귀를 위해 충분하지 않다는 신체 측정

데이터를 가지고 있었음에도 불구하고, 그렇게 결정한 것이어서 우려스러운 것이었다. 나(존 바라노프)도 그녀가 운동 복귀에 대해 상당한 불안을 겪고 있다는 점을 우려했고, 함께 팀으로 협력하여 하영의 복귀를 준비하기 위해 개선할 수 있는 사항들을 파악할 수 있었다. 같이 상의를 하게 되자 결국 하영은 다음 시즌까지 선수 복귀를 연기하는 것이 최선이라고 결정할 수 있었다. 하영은 한동안 이 결정에 대해 고민했지만, 복귀 시기를 늦춤으로써 더 지속 가능한 스포츠 복귀를 이룰 수 있었다는 것을 나중에 확인할 수 있었다.

성찰 및 사례 요약

ACT 매트릭스는 운동선수에게 심리적 유연성을 설명하는 실용적인 방법이며, 관련 ACT 과정을 목표로 하는 연습에 대한 프레임워크를 제공한다. 은혁과 하영에게 사용된 연습은 선수의 성장, 경력 및 인생 단계에 맞게 조정되었으며, ACT 매트릭스를 사용하여 이를 표현할 수 있는 과정과 연결되었다. 예를 들어, 은혁에게 사용된 은퇴식 상상하기 연습은 그에게는 적절했지만, 은퇴가 임박한 고령의 선수에게는 적절하지 않을 수 있다. 하영의 경우, 스위트 스팟 연습을 통해 자신의 가치를 실천한 장면을 쉽게 떠올릴 수 있었기 때문에 가치를 명료화 하는 데 도움이 되었다. ACT 문헌에는 실용적인 은유가 많이 소개되어 있는데, 은혁이 '트랙 위의 사이클선수'를 보는 것 같이 내담자가 직접 자신의 은유를 사용하거나 운동선수가 쉽게 공감할 수 있는 은유를 찾아서 적용하는 것이 도움이 된다. 무엇보다 탈융합 연습에서 관찰자의 관점을 취하는 데 도움을 주는 것이 가장 효과적이다.

두 사례 모두에 사용된 연습은 부상 및 관련 재활의 특성에 맞게 조정되었다. 하영은 전방십자인대 파열 후 수술을 받았고 수술 직후 무릎 통증을 경험했지만, 이러한 통증 경험이 재활 기간 내내 지속될 것으로 예상되지는 않았다. 따라서 재활의 첫 단계에서는 통증 경험을 알아차리는 데 집중하여 수용 및 탈융합 기술을 개발하고, ACT 매트릭스를 사용하여 이러한 과정을 개념화 할 수 있도록 도왔다. 은혁의 경우 재활 초기에 ACT 매트릭스를 도입하여 통증과 기타 원치 않는 생각과 감각을 그 틀 안에서 살펴보고 재활 기간 내내 그것이 어떻게 변화하는지 재검토했다.

두 선수 모두 운동 외에 일과 가족에 대한 책임감을 크게 느꼈지만, 하영과 은혁 모두 팀동료들과의 관계를 재활 중 행동의 지침이 되는 중요한 가치로 여겼다. 하영이 수행한 가치 작업은 지루함과 고립을 경험했던 오랜 재활 기간동안 특히 중요하게 여겨졌고, 아마도 놀랄 것도 없이 이러한 원치 않는 경험을 줄이기 위해 경험적 회피를 많이 사용했다. 스포츠 복귀 단계에서 플랭크 운동은 스포츠 복귀와 연결될 수 있는 신체 활동을 포함했기 때문에 하영이 스포츠 복귀를 준비하면서 심리적 유연성을 기르는 데 효과적이었다. 은혁의 경우, 고정식 자전거를 타는 동안 수행한 체험적 연습도 비슷한 목표를 달성할 수 있었다.

두 사례 모두 선수에게 치료와 조언을 제공한 다학제적 지원팀(코치, 운동상담가, 물리치료사, 스포츠 심리학자 등)이 있었다. 선수 지원팀과의 소통은 재활의 각 단계에서 매우 중요하다. 두 사례 모두 팀원들 간 선수와의 소통에 있어 일관성과 일치성이 부족하다는 점이 진전을 가로막는 잠재적 장애물이었다. 선수 치료 팀의 모든 실무자에게 필수적인 요소는 효과적이고 일관된 커뮤니케이션을 사용하여 친밀감을 형성하고 신뢰를 구축하는 것이다. 이는 특히 초기 재활 단계와 같이 어려운 시기나 좌절을 겪을 때 운동선수가 비공식적인 루트로 다른 대안적 정보를 찾아보고 다른 의견을 말할 수 있는데, 은혁과 하영에게 그랬던 것처럼 궁극적으로 계획과 지원 팀 모두에 대한 신뢰를 훼손시킬 수도 있다. 상담가는 선수에게 무엇이 가장 중요한지 파악하고, 선수가 가치에 기반한 선택을 할 수 있도록 돕는 데 중요한 역할을 할 수 있다. 또한 선수와 지원팀 간의 업무 제휴를 원활하게 촉진하여 ACT와 교육적 접근 방식에 대한 개요를 제공함으로써 지원팀이 유사한 언어를 사용하고 선수의 '다가가는 움직임'(즉, 가치 중심적인 방식으로 행동하겠다는 약속)를 강화할 수 있도록 지원할 수 있다.

스포츠 부상이 발생하면 선수 경력에 큰 차질이 생길 수 있다. 특히 엘리트 및 프로 레벨에서 운동에 투자한 시간과 노력을 고려할 때 더욱 그렇다. 또한 부상을 당했을 때 선수가 통제할 수 없는 상황이 너무 많기 때문에, 선수는 경험적 회피모드로 가는 경우가 흔하다. 따라서 ACT는 선수에게 가치 있는 방향으로 나아가는 데 필요한 행동과 부상당한 시기에 선수가 집중해야 할 부분을 파악하는 데 도움이 되는 유용한 프레임워크를 제공한다.

참고 사항

역자가 가독성과 사례 이해의 몰입도를 높이기 위해 원문의 마이클, 에린을 각각 은혁, 하영이라는 한국어 이름으로 바꾸었다.

참고문헌

Baranoff, J., Hanrahan, S. J., & Connor, J. P. (2015). The roles of acceptance and catastrophizing in rehabilitation following anterior cruciate ligament reconstruction. *Journal of Science & Medicine in Sport, 18*(3), 250 – 254.

DeGaetano, J. J.,Wolanin,A.T., Marks, D. R., & Eastin, S. M. (2016).The role of psychological flexibility in injury rehabilitation. *Journal of Clinical Sport Psychology, 10*(3), 192 – 205. doi: 10.1123/jcsp.2014 – 0023

Gallagher, B.V., & Gardner, F. L. (2007). An examination of the relationship between early maladaptive schemas, coping, and emotional response to athletic injury. *Journal of Clinical Sport Psychology, 1*(1), 47 – 67.

Kamphoff, C. S., Thomae, J., & Hamson–Utley, J. J. (2013). Integrating the psychological and physiological aspects of sport injury rehabilitation: Rehabilitation profiling and phases of rehabilitation. *Athletic Training Education Journal, 43*(3), 258 – 264.

Mahoney, J., & Hanrahan, S. J. (2011). A brief educational intervention using acceptance and commitment therapy: Four injured athletes' experiences. *Journal of Clinical Sport Psychology, 5*(3), 252 – 273.

McCracken, L. M., &Vowles, K. E. (2014).Acceptance and commitment therapy and mindfulness for chronic pain: Model, process, and progress. *American Psychologist, 69*(2), 178.

Polk, K. L., & Schoendorff, B. (Eds.). (2014). *The ACT matrix: A new approach to building psychological flexibility across settings and populations*. Oakland, CA: New Harbinger Publications.

Shortway, K. M.,Wolanin, A., Block–Lerner, J., & Marks, D. (2018). Acceptance and commitment therapy for injured athletes: Development and preliminary feasibility of the return to ACTion protocol. *Journal of Clinical Sport Psychology, 12*(1), 1 – 23. doi: 10.1123/jcsp.2017 – 0033

Wiese–Bjornstal, D. M., Smith,A. M., Shaffer, S. M., & Morrey, M.A. (1998).An integrated model of response to sport injury: Psychological and sociological dynamics. *Journal of Applied Sport Psychology, 10*, 46 – 69.

17
동양과 서양의 만남

홍콩 엘리트 스포츠와 마음챙김 개입

힌 유에(헨리) 리, 닝 수

배경

문화적 배경 덕분에 홍콩 사회에서 불교적 관념과 마음챙김은 완전히 생소한 것은 아니다. 마음챙김은 지난 10년 동안 학술 연구, 상담/치료 적용, 일상생활에서 그 영향력이 커지고 있다. 그럼에도 불구하고 홍콩 스포츠 커뮤니티에 대한 마음챙김의 영향력은 아직 초기 단계에 머물러 있다. 홍콩 스포츠 연구소(HKSI)는 정부가 지원하는 엘리트 스포츠 훈련 센터로, 장학생으로 선발된 선수들에게 엘리트 훈련과 스포츠 과학 서비스를 제공한다. 이 장의 저자들은 홍콩 스포츠 연구소 산하 스포츠 심리학 센터에서 일하는 스포츠 심리학 전문가들이다. 이 센터는 유소년 및 성인 엘리트 선수들에게 일대일 상담, 심리 교육 워크숍, 바이오 피드백 훈련, 현장 지원 등 스포츠 심리학 서비스를 제공하고 있다. 스포츠 심리학 센터는 몇 년 전부터 엘리트 스포츠 환경에서 마음챙김 훈련의 타당성, 적용 가능성 및 연구 증거를 탐색하기 시작했다. 센터의 일부 동료들은 상담에 마음챙김 개념을 점진적으로 적용했으며, 중국 본토의 운동선수들을 대상으로 사례 연구도 진행했다. 이러한 연구와 병행하여 이 센터에서 운동선수를 위한 마음챙김 훈련 매뉴얼을 개발했는데, 이 장의 뒷부분에서 자세히 설명하겠다(Si et al., 2014). 이 장에서 설명하고자 하는 사례 연구는 매뉴얼의 지침을 준수한 스포츠 심리학자의 지원하에 체계적인 마음챙김 훈련을 받은 홍콩 엘리트 선수들의 첫 번째 사례이다. 이 장의 제1저자(헨리)는 이 훈련 워크숍을 총책임졌던 스포츠 심리 실무자였다. 그는 약 10년간 홍콩 스포츠심리 전문가로 일하면서 럭비, 펜싱, 볼링, 스쿼시 등 단체 및 개인 종목에서 유소년과 성인 엘리트 선수들을 위한 서비스를 제공해왔다. 그는 주로 인지 행동 접근법과 심리 기술을 중심으로 심리 훈련을 받았지만, 박사 학위 과정 동안 뉴욕 정신과의사인 마크 엡스타인의 저서를 접한 이후 임상과 스포츠 환경 모두에서 마음챙김 요법에 큰 관심을 가져왔다(예: Epstein,, 1995). 제2저자(닝)는 중국 본토에서 수련을 받고 있는 젊은 심리상담가로, 마음챙김 훈련을 전공으로 박사 과정을 밟고 있다. 그는 약 5년 동안 엘리트 운동선수들을 대상으로 마음챙김 훈련을 연구하고 실천해 왔다.

마음챙김-수용-통찰-전념 프로그램 개발

전통적인 심리기술훈련(PST)의 기본 가정에선 운동선수가 인지, 감정, 감각과 같은 심리적 매개체를 통제(또는 부정에서 긍정으로 변화)하여 소위 최적의 정신 상태에 도달할 수 있을 때 비로소 최적의 수행 능력이 발휘될 가능성이 가장 높다고 여긴다(Hardy, Jones, & Gould, 1996). 그러나 일부 심리상담가들은 이러한 접근 방식에서 몇 가지 해결되지 않는 어려움을 겪었다(Si, 2006). 예를 들어, 최적의 정신 및 수행 상태를 경험해 본 적이 없는 어린 선수들은 시합에서 그러한 상태에 도달하는 것이 매우 어렵다는 것을 알게 된다. 또 다른 사례로 최적의 상태에 도달했다고 느끼지 못하면서도 탁월한 성과를 달성하는 운동선수가 있다는 것이다. PST의 효과에 대한 경험적 지원은 여전히 축적되고 있지만, 일부 선수들은 대체 도구나 대안적 접근 방식을 통해 더 많은 이점을 얻을 수 있다는 주장이 제기되고 있다(Gardner & Moore, 2007).

수 년간의 실천적 경험을 바탕으로 Si(2006)는 중국 선불교의 원칙에 부합하는 수용 기반 역경 대처 모델을 제안했다. 중국 선불교의 전통에선 고통은 자연스럽고 피할 수 없는 것이며 인간의 삶은 완전함과 불완전함의 조합이라고 말한다(Si, Lo, & Zhang, 2016). 수용 기반 역경 모델은 운동선수의 경기와 삶에서 역경은 자연스럽고 피할 수 없는 것이라고 가정한다. 최적의 성과는 경쟁에서 역경을 수용하고 성공적으로 대처하는 것으로 재정의할 수 있다(Si,

2006). 우리 팀 리더인 Si와 동료들(2016)은 2012년 런던 올림픽부터 중국 선수들에게 마음챙김과 수용 기반 훈련을 적용하기 시작했다. 처음에 우리 팀은 마음챙김 수용전념 접근법(MAC) (Gardner & Moore, 2007)과 같이 기존에 개발된 마음챙김 및 수용 기반 프로토콜을 직접 적용하려고 시도했는데, MAC에서 설명하는 가치와 가치 중심 행동이 개인 지향적이라는 것을 발견했다. 그래서 우리는 일부 중국 선수들이 MAC 접근법에서 겪었던 개인적 가치와 사회 문화적 가치 사이의 갈등에 대처하는 방법을 설명하지 못한 한계점을 개선하려고 했다.

마음챙김–수용–통찰–전념(MAIC) 프로그램은 중국 선불교의 수용 기반 역경 대처와 통찰에 대한 토착적인 개념을 기존 MAC에 통합한 것이다(Si et al., 2014). 중국 선불교의 통찰은 자신의 집착과 낡은 사고방식을 극복하고 다양한 가치와 세계관(예: 비판단적, 중심잡기)을 유연하게 수용하여 자신이 직면한 상황을 인식하는 방법을 배우는 것을 강조한다. 통찰은 삶에 대한 인식 또는 재발견이다. 이는 개인의 삶과 개인적 가치에 대한 유연한 이해에서 나타난다. 통찰은 중국 선수들이 중국 스포츠의 사회문화적 맥락에서 갈등과 혼란에 직면하고, 이에 대처하는 데 도움이 될 수 있다. 예를 들어, 중국 선수들은 사회 지향적 가치와 개인적 가치 사이의 갈등에 갇힐 가능성이 매우 높다. 선수들은 일반적으로 사회 지향적 가치(예: 코치나 부모와 같은 권위자에

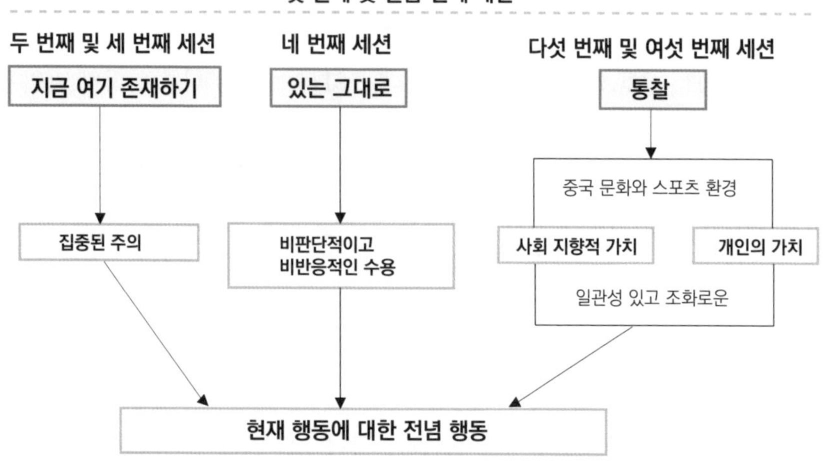

그림 17.1 마음챙김-수용-통찰-전념(MAIC) 프로그램 설계와 목표 간의 일치도

게 엄격하게 복종해야 한다)가 개인적 가치(예: 나만의 계획을 실행하고, 내 꿈을 좇음)와 충돌하는 것을 발견하게 된다. 선수들이 이러한 생각을 되새기면 대인관계와 행동에 영향을 미치게 되는데, MAIC의 통찰 구성 요소는 선수들이 이러한 강박관념에서 벗어나 새로운 이해를 발견할 수 있도록 고안되었다(예: 시합에서 좋은 성적을 내는 것이 개인과 코치의 기대에 모두 부합한다. 거의 은퇴한 선수라도 코칭 관점에서 더 많은 것을 배울 수 있고, 미래의 삶을 위한 역경 대처 훈련으로 간주할 수 있다). 선수들은 인지 부조화의 존재와 그와 관련된 감정을 받아들이는 법을 배울 수 있으며, 사회 지향적 가치와 개인적 가치의 균형을 맞추고 현재의 과제에 전념할 수 있다. Su, Si, Zhang (2019)이 언급했듯이 MAIC의 주요 목표는 중국 선수들의 능력을 다음과 같은 측면에서 향상시키는 것이다. (1) 현재 순간에 집중하는 주의력, (2) 경험에 대한 비판단적이고 비반응적인 수용, (3) 사회 지향적 가치와 개인 지향적 가치를 동기화하기 위한 통찰력 사용, (4) 사회 지향적 가치와 개인 지향적 가치에 따라 주어진 과업과 행동에 대한 전념이다(표 17.1 참조).

MAIC은 총 7번의 세션에서 17개의 수행을 실습해볼 수 있다. 심리상담가는 비밀이 적절히 보호되는 실제 사례 토론과 다양한 개념을 설명하기 위한 스토리텔링 방식을 사용해야 한다. 이러한 연습 중 일부는 다음 사례 연구에서 찾을 수 있으며, 다른 연습은 성찰 단락에서 논의될 것이다. 세션 내용 및

표 17.1 마음챙김-수용-통찰-전념(MAIC) 프로그램 개요

MAIC 프로그램은 다음과 같이 총 7번의 세션으로 구성되어 있다.

세션	주제
세션 1	MAIC 소개 및 준비
세션 2	마음챙김 소개 및 실습
세션 3	중심잡기 소개 및 실습
세션 4	수용 소개 및 실습
세션 5	가치와 통찰 소개 및 탐구하기
세션 6	전념 소개 및 실습
세션 7	종합 검토 및 통합

출처: Su 등(2019)에서 발췌, 저자의 허락을 받아 재인용.

연습 수행을 포함한 MAIC에 대한 자세한 내용은 매뉴얼(Si et al., 2014)과 논문(Su, Si, & Zhang, 2019)에 실려져 있다.

홍콩 주니어 볼링 선수들을 위한 마음챙김-수용-통찰-전념(MAIC) 프로그램 시행

주니어 팀의 심리 훈련에 대해 코치들과 논의한 후, 남자 9명, 여자 1명 총 10명의 텐핀 볼링 선수를 초청하여 MAIC 개입에 참여하도록 했다. 이들의 평균 연령은 16.6세(표준편차 2.42)였으며, 각각 3년 이상 엘리트 훈련을 해 온 선수들이었다. 이 개입은 훈련 및 연구 프로젝트였으며 다중 기준 단일 사례 설계가 적용되었다. 이 설계에는 세 단계(즉, 초기 기준 단계, 개입 단계 및 개입 후 단계)가 포함되었다. 참가자의 마음챙김, 수용, 전념 및 훈련 성과에 대한 데이터는 초기 기준 단계와 개입 후 단계에서 수집되었으며, 두 단계 모두 2주 동안 지속되었다.

측정 도구

5요인 마음챙김 척도(FFMQ, Baer, Smith, Hopkins, Krietemeyer, & Tony, 2006)를 사용했다. 이 설문지는 관찰하기, 묘사하기, 알아차리고 행동하기, 판단하지 않기, 반응하지 않기 등 5가지 마음챙김 차원의 39개 세부항목으로 5점 리커트 척도로 구성되어 있다. Deng, Liu, Rodriguez, Xia(2011)는 이 설문지를 적절한 수준의 내적 일관성을 가지고 중국어로 표준화 작업을 마쳤다.

선수들의 경험적 회피와 심리적 융통성을 평가하기 위해 7점 리커트 척도의 7개 문항으로 구성된 수용 행동 질문지(AAQ-II, Bond et al., 2011)를 사용했다. Zhang, Chung, Si, and Liu (2014)는 이를 중국어로 번역하여 타당도를 검증했다.

스포츠 심리학 센터의 심리상담가들과 해당 코치들은 선수들의 훈련 성과를 평가하는 시스템을 개발했다. 코치들은 각 선수에게 다음 사항을 평가하도록 요청했다. (1) 훈련 난이도, (2) 기술적 수준, (3) 기술적 일관성을 10점 리커트 척도로 평가하도록 요청했다. 동시에 코치들은 각 선수를 다음 항목으로 평가하도록 요청했다. (1) 훈련에 대한 전념, (2) 훈련에 대한 긍정적인 태도,

(3) 훈련 중 자기 요구 수준을 모두 10점 리커트 척도로 선수의 전념도를 반영하도록 했다.

마음챙김-수용-통찰-전념(MAIC) 프로그램 요약

기본 단계(2주) 동안 심리상담가들은 선수들에게 어떠한 교육도 제공하지 않고 자신과 앞으로의 프로젝트에 대해 간략히 소개한 후 일주일에 두 번씩 설문을 실시했다. 일부 선수들은 대회 참가를 위해 해외로 출국하거나 학교활동에 참여해야 했기 때문에 마음챙김 훈련 프로그램 자체는 3주 동안 진행되었으며, 매주 두 세션씩 총 여섯 세션이 진행되었고, 이 여섯 세션은 기본적으로 이전 세션에서 설명한 MAIC의 첫 여섯 세션이었다. 시간 제한으로 인해 마음챙김 개념을 통합하고 복습하는 것을 목표로 했던 마지막 세션은 진지한 고민 끝에 빼기로 했다. 세 번째 주에 강의 중심의 교육세션을 하나 더 추가하는 것은 마음챙김 연습과 개념에 더 집중할 수 있는 선수들의 자가 연습 시간을 부족하게 할 수 있어서, 굳이 그럴 만한 장점이 별로 크지 않았기 때문이다. 오후에는 총 3시간 동안 진행된 실제 기술 교육 세션 중 첫 60-90분 동안의 교육이 진행되었다. 각 세션은 볼링 선수들이 설문지(예: FFMQ 및 AAQ-II)를 작성하는 것으로 시작되었으며, 첫 번째 세션은 심리상담가가 향후 6회 훈련의 배경, 개요 및 과정을 설명하는 데 더 많은 시간이 소요되었다. 볼링 코치들은 심리기술훈련에 대해 잘 알고 있었지만, 마음챙김은 볼링 선수와 코치 모두에게 완전히 새로운 개념이었다. MAIC 매뉴얼에는 각 세션마다 총 17개의 실습과제가 소개하고 있으며, 각 실습은 MAIC의 다양한 개념을 설명해 준다. 코치들은 볼링 선수들이 간단한 실습을 통해 마음챙김 훈련 습관을 기를 수 있도록 설문지를 마친 후 6번의 매 세션마다 10분간 마음챙김 호흡 연습을 하도록 했다. 볼링 선수들은 세션 사이에 다른 운동을 선택할 수 있었지만, 팀원 모두가 한 가지 이상의 공통 연습을 수행했으며, 나중에 선수들이 이렇게 다 같이 함께 한 경험을 높이 평가한다는 것을 알게 되었다.

처음 두 세션에서 볼링 선수들은 (1) 지금 여기, (2) 판단하지 않기, (3) 수용하기, (4) 전념하기 등 MAIC의 핵심 개념에 대해 배웠다. 특히 마음챙김과 관련하여 선수들은 '있는 그대로'와 '지금 여기'의 개념을 소개받았다. 두 번째 세션에서는 유도된 바디 스캔 연습도 같이 해보았다. 설명에는 사진, 비디오,

스토리텔링 기법이 모두 사용되었다. 예를 들어 생각이나 마음을 나타내는 한자 '(念, 생각할 념)'은 지금 '금(今)'자, 마음 '심(心)'자의 두 글자가 합쳐진 글자이다. 스포츠 심리학자들은 이를 사용하여 마음챙김이 지금 이 순간에 집중하는 것을 은유적으로 설명했다. 문화적 배경 덕분에 젊은 볼링선수들은 이 설명을 쉽게 이해할 수 있었다.

세 번째 세션에서는 중심잡기의 개념과 실천에 초점을 맞췄다. 핵심은 볼링선수들이 과제 지향성과 자기 지향성을 구분할 수 있도록 돕는 것이었다. 우리는 자동적인 생각에 이끌리기 쉬운 자기 지향성을 자각하고 '지금 여기'로 주의를 전환하는 과정, 즉 현재 해야 할 일에 집중하는 과제 지향성을 설명했다. 한 볼링선수에게 '마음챙김 대 마음 산만함(mindful vs mind ful)'의 그림을 보여주고, 그 그림을 화이트보드에 그려보라고 요청하여 토론의 활력을 불어넣었으며, 이 세션에서는 1에서 100까지, 1에서 1,000까지 숫자를 써보는 마음챙김 연습도 소개되었다. 이는 집중력 훈련으로 호흡 훈련과 유사한 개념이다. 참가자들은 정신적인 노력이 필요하지 않은 과제(예: 숫자 쓰기)를 수행하는 데 집중해야 한다. 그런 다음 참가자들은 이 시기동안 다양한 감정, 생각 및 판단이 올라오는 것을 경험하고 부드럽게 작업에 다시 집중하도록 요청받는다.

네 번째 세션은 수용에 중점을 두었다. 감정이나 생각, 특히 부정적인 생각에 대해 판단하거나 반응하지 않으면서 그 존재를 받아들이는 것에 대해 논의했다. 산악 및 암벽 등반가인 알렉스 호놀드가 죽음의 가능성을 받아들이고 용감하고 두려움 없이 행동하는 법을 배웠다는 이야기를 그룹에서 공유하고 논의하였다. 텐핀 볼링에 비유하여 볼링 선수들은 자주 부정적인 생각을 하거나 감정을 자극하는 상황에 대해 브레인스토밍을 하도록 안내받았다. 텐핀 볼링은 스트라이크를 기록하며 300점에 도달하는 등 완벽을 추구하는 스포츠이지만, 3–8게임으로 구성된 세트에서 9핀 샷이나 스페어 미스가 빈번하게 발생하는 스포츠이기도 한다. 볼링선수들은 어렵고 불완전한 상황에 자주 직면한다는 데 동의했다. 기대치를 조정하고 이러한 상황을 여러 번 경험하는 것은 볼링선수들이 일시적인 좌절을 받아들이는 데 도움이 된다. MAIC 접근법은 볼링선수가 자신의 존재를 받아들이고 단순히 관찰함으로써 부정적인 생각(예: 자기 의심 또는 자기 패배)과 감정(예: 좌절감 또는 혐오감)과 같은 부정적인 결과를 다룰 수 있다고 제안한다. 이러한 어려운 상황에 처한 선수들을 지원하기 위해 마음챙김 호흡법을 도입했다. 스포츠 심리학자들은 10분 동안 일부 소음과 음악을 켜서 볼링 선수들의 주의를 분산시켰고, 볼링 선수들은 호흡에만 집중하는 것이 아니라 음악에 짜증이 나는 생각이나 감정이 떠오를 때마다 이것을 관찰하고, 이를 있는 그대로 받아들이는 훈련을 했다.

다섯 번째와 여섯 번째 세션에서 볼링 선수들은 텐핀 볼링에 대한 자신의 가치와 이를 위한 전념하는 방법을 탐구하도록 교육받았다. 가치는 선수가 자신의 삶과 스포츠의 의미라고 생각하는 것과 연결되며, 선수들이 가야 할 방향을 제시한다. 볼링 선수들은 (1) 볼링에서 당신의 목표는 무엇인가? (2) 볼링 선수로서 무엇을 기대하며 한 사람으로, 어떻게 기억되고 싶은가? 이 두 가지 질문은 목표와 가치를 구분하는 데 도움이 되었으며, 세션에서는 전념 행동을 소개하고 볼링선수들이 과제 지향성에 더 부합하는 가치에 일관된 행동에 전념하도록 가르쳤다. 예를 들어, 한 볼링선수는 자신의 목표는 아시아 청소년 선수권 대회에서 우승하는 것이며, 좋은 성적을 거두고 국내 볼링 커뮤니티에 기여한 훌륭한 볼링선수로 기억되고 싶다고 말했다. 스포츠 심리학자가 이에 대해 더 자세히 살펴본 결과, 그의 가치 중심 행동/과제 중 하나는 좋은 샷을 할 수 있는 모든 기회를 잡는 것(즉, 스포츠맨십과 건설적인 태도는 좋은 선수의 의미이자 상징)과 자신이 속한 볼링 커뮤니티에 대한 애정이라는 결론을 내렸다. 또 다른 볼링 선수는 자신의 목표는 대회에서 3위 안에 드는 것이며, 좋은 팀원, 좋은 스포츠맨십, 볼링에 대해 누구보다 열정적이었던 선수로 기억되고 싶다고 말했다. 스포츠 심리학 실무자는 볼링 선수가 자신의 가치 중심 행동/과제가 예의 바른 행동으로 팀을 최대한 배려하고 일시적인 결과나 예상 우승 확률에 관계없이 좋은 샷을 만들어 볼링에 대한 열정을 유지하는 것임을 명확히 깨닫도록 도와주었다.

또한, 저자들은 가치와 목표의 개념을 지도와 나침반을 든 여행자의 비유를 통해 설명했다. 여행자가 항상 목적지나 목표를 생각하되, 전술이나 행동 계획처럼 자신의 경로를 보여주는 지도와 올바른 방향을 알려주는 나침반을 의지하는 것처럼 자신의 가치를 보여주는 인생 나침반에 꾸준히 집중해야 한다고 강조했다. 이 단계에서는 모든 볼링선수들이 어깨를 나란히 하고 나란히 앉도록 하는 팀 호흡 연습이 도입되었다. 이 자세에서는 서로의 호흡과 움직임에 다소 짜증이 나고 주의가 산만해질 수 있다. 이전 세션에서 배운 개념을 통합하여 볼링 선수들이 경기와 훈련 중에 자신의 가치 중심 행동/과제에 전념하는 모습을 상상해 보도록 권장했다. 예를 들어, 나쁜 샷을 한 후 자책과 좌절감에 빠지는 대신 마음챙김 호흡을 통해 이러한 생각과 감정을 판단하지 않고 수용하고 관찰하는 것(즉, 중심 잡기와 수용)을 선택할 수 있으며, 볼링선수는 다음 샷 과정인 가치 중심 행동(즉, 중심잡기와 전념)으로 초점을 전환할 수 있다.

저자들은 '통찰력'의 관점을 활용하여 볼링선수들과 함께 사회적 가치와 개인적 가치 사이의 충돌 가능성을 그룹 내에서 논의했다. 한 볼링선수는 선수 경력 기간 동안 큰 대회에서 300점(퍼펙트 점수)을 기록한 사람으로 기억되고 싶다고 말했다. 이는 개인의 성취라는 개인적인 가치에 부합하는 결과 목표이다. 그는 실제로 부모님 앞에서 300점을 획득하고 싶었다. 이러한 가치는 홍콩 팀에 기여하는 팀 플레이어가 되는 것과 상충될 수 있다. 예를 들어, 팀 이벤트에서 한 볼링선수는 팀원들과 팀 전체가 더 높은 점수를 받을 수 있도록 특정 전술로 볼링을 치라고 조언받을 수 있다. 그러나 그 볼링선수는 자기 차례의 개인 점수가 위태로워질까봐 좌절감을 느끼고 전념을 덜 할 수 있기 때문에 그 전술에 자신감을 갖지 못할 수 있다. 이러한 가상 상황에 대한 그룹 토론을 통해 볼링선수들은 어느 한 쪽에 집착하기보다는 심리적 유연성(즉, 가치의 공존)을 추구하고 통찰력을 얻기 위해 노력할 수 있었다. 6번의 세션이 모두 끝나고 개입 후 단계에 이르렀다. 사전 단계와 마찬가지로 실무자들은 선수들에게 어떠한 교육도 제공하지 않았고, 일주일에 두 번 설문지만 배포하고, 수거했다.

결과

시각적 분석과 모든 쌍의 비중첩(NAP) 분석(Parker, Vannest, & Davis, 2011)를 설문 데이터에 적용했다. 일반적으로 대부분의 볼링선수들에게서 마음챙김, 수용, 전념 수준에서 긍정적인 결과가 나타났다. 코치들의 평가를 종합하면, 볼링 선수들의 훈련 성과에 긍정적인 영향을 미친 것으로 나타났다.

성찰

볼링 선수들과 함께 MAIC를 수행한 실무자인 헨리와 닝 두 명의 저자는 각 세션이 끝난 후 토론시간을 가졌으며, 후기 경험담을 따로 작성했다. 두 명의 저자 모두 언어적 맥락(광둥어/만다린어), 지리적 맥락(홍콩), 스포츠 맥락(텐핀 볼링) 측면에서 문화적인 측면을 고려하는 것의 중요성을 언급했다. 두 사람은 서로 다른 범위에서 문화적인 고려가 참가자의 연습 및 훈련 참여에 영향을 미치고, 이는 다시 참가자의 이해와 경험에 영향을 미친다고 생각했다.

헨리의 소감

마음챙김 개념

제1 저자인 나(헨리)는 볼링선수들과 함께 이 MAIC 프로그램을 수행하는 주요 실무자였다. MAIC 실행 경험을 되돌아보며 나 역시 많은 것을 배울 수 있었다. 첫째, 선수들은 '마음챙김'이라는 이름만 보고 그 의미를 오해하기 쉽다. 일반적인 개념과 관련 용어, 불교 전통은 홍콩 문화권 사람들에게 완전히 새로운 것은 아니지만, 운동선수들은 '마음챙김'이라는 한자를 읽을 때 각자가 다양한 해석을 할 수 있다. '마음챙김'의 번역은 여러 가지가 있다. 지금까지 가장 일반적인 것은 두 글자로 된 '正念정념'(만다린어로는 '정니안', 광둥어로는 '징님'으로 발음)으로 올바른 마음/생각 또는 좋은 마음/생각으로 해석할 수 있다. 이 번역에는 '지금 여기'와 같은 요소 대신 비판단과 비반응, 가치와 판단이 강하게 내포되어 있다(즉, 올바르고 선한). 따라서 선수들은 이 프로그램이 긍정적이고 올바르게 생각하는 방법을 가르친다고 생각할 수 있다. 또 다른 번역은 덜 일반적이지만 중국 커뮤니티에서 두 글자로 된 어휘인 '靜觀정관'(만다린어로는 '징관', 광둥어로는 '징군'으로 발음)을 사용할 수 있는데, 조용히 관찰한다는 뜻으로 해석할 수 있다. 이 번역은 마음챙김의 관찰과 비반응 요소에 더 잘 부합한다. 침묵과 관찰이 엘리트 스포츠와 경기력 향상에서 가장 두드러진 요소는 아니지만, 중국 커뮤니티의 스포츠 심리학 실무자들은 더 나은 설명을 위해 두 가지 번역을 모두 사용하면서, 프로그램의 다양한 개념이 실제로 무엇을 의미하는지 선수들과 심도 있게 논의할 것을 권장하고 있다.

프로그램 기간 및 형식

둘째, 이 프로그램은 3주 동안 총 6회의 세션으로 진행되었다. 마음챙김 스포츠 성과 향상(MSPE, Kaufman, Glass, & Arnkoff, 2009)프로그램은 매주 2.5시간씩 4회의 세션으로 구성된다. 마음챙김 스포츠 명상 훈련(Baltzell & Akhtar, 2014)은 6주 동안 12회의 30분 세션으로 구성되며, 마음챙김 수용전념 접근법(MAC, Gardner & Moore, 2007)은 주당 7–12회의 1시간 세션으로 구성된다. MAIC의 경우 이러한 마음챙김 프로토콜과 세션 길이, 세션 빈도, 총 지속 시간 범위 내에서 실행되었다. 일주일에 두 번씩 만나서 볼링 선수들과 긴밀하게 협력하는 것이 도움이 된다는 것을 알게 되었다. 한 시간 동안 진행되는 세션은 청소년 볼링선수들이 토론에 집중하기에 충분했다. 하지만 청소년들에게는 스스로 차이를 알아차리는 마음챙김 연습을 할 수 있는 시간이 충분하지 않을 수도 있다. 며칠 또는 몇 주 동안 진행되는 수련 캠프 형식과 강의 및 장기간의 운동 몰입을 결합하는 방식을 고려할 수 있지만, 아직까지 검토된 바는 없다. 개입 후 오래 지속되는 효과를 다루는 추가 연구를 통해 다양한 훈련 형식의 효과를 비교할 수 있겠다.

마음챙김 연습 선택 및 참여

MAIC 매뉴얼은 각 개념별로 2–3가지 마음챙김 연습을 제안한다. 참가자들은 17가지 실습과제를 모두 시도해 보도록 요청받았다. 일부 실습 과제는 MAC (Gardner & Moore, 2007)이나 다른 마음챙김 수행에서 차용했거나 자체 개발한 것이다. 여기에는 호흡 연습, 마음챙김 걷기, 마음챙김 음주, 마음챙김 과일 먹기의 각색된 버전이 포함된다. 공간이 허락된다면, 마음챙김 걷기는 참가자들이 자신의 운동 영역인 볼링 레인에서 움직일 것을 요구하기 때문에 선수들에게 호흡 연습 후 좋은 '다음 단계'의 연습이 될 수 있다.

수용 연습과 관련해서는 마음챙김 차 만들기, 마음챙김 씻기, '감정 형태에서 내려놓기'(Gardner & Moore, 2007), 스포츠별 역경 시나리오를 통한 안내 명상 등의 연습이 있으며, 마지막 연습은 바디 스캔으로 시작한 후 중요한 순간에 직면하게 하는 등 선수들의 잠재적인 부정적인 경험을 시각화하는 연습이다. 선수들은 호흡에 집중하고 순간을 관찰하는 동시에 떠오르는 감정이나 생각을 받아들이도록 요청받는다. 특히 선수들에게 중화권 문화와 관련성이 높은 학업 요구, 부모의 기대, 스포츠 향상의 관점에서 스트레스를 마주하는 시나리오를 상상하고 시각화하도록 요청했다.

실무자들이 6번의 세션에서 17개의 연습을 수행하며 전부 논의하거나 설명하는 것은 사실상 어려웠다. 특히 어린 볼링 선수와 같은 청소년 참가자의 경우, 이러한 연습을 얼마나 잘 따르고 실천하는지 추적하는 것은 매우 어려운 일이다. 마음챙김 훈련은 참가자의 고유한 경험을 강조하며, 참가자의 경험이 더 많은 자기 이해와 통찰력으로 이어질 수 있다고 믿는다. 따라서 참가자들의 실제 훈련 참여는 매우 중요하다. 이전 단락에서 설명한 것처럼, 젊은 볼링 선수들이 마음챙김을 경험하도록 하기 위해 매 세션마다 최소 한 번씩 마음챙김 호흡 연습에 참여하도록 했다. 다른 수행과제를 소개하는 시간을 희생해야 했지만, 볼링 선수들이 한 가지 마음챙김 연습을 지속적으로 연습할 수 있었다. 실습 과제 학습과 참여를 향상시키기 위해 모바일 앱과 소셜 미디어를 포함한 더 많은 시간과 수단을 고려할 수 있겠다.

마음챙김 연습과 볼링의 관련성

볼링은 비교적 조용하고 은밀한 고급 기술이 요구되는 스포츠이다. 긴장을 풀기 위한 호흡은 많은 볼링 선수들에게 새로운 것이 아니다. 마음챙김 호흡 연습은 호흡을 전혀 다른 각도에서 바라보는 것과 같다. 볼링선수들이 이해하기에는 그리 어렵지 않은 개념이다. 그럼에도 불구하고 다양한 스포츠에 대한 이러한 마음챙김 연습과의 관련성을 높이는 방법은 스포츠 심리상담가에게 매우 어려운 과제일 수 있다. 운동선수들이 바디 스캔이나 마음챙김이 경기와 어떻게 관련될 수 있는지 의문을 제기하는 것은 무리가 아니다. 마음챙김은 종종 고요함, 잠잠함, 절대적인 평온함으로 잘못 해석되기도 한다. 일부 운동선수들은 마음챙김이 절대적인 평온함과 통제력이 아니라 지금 여기에 집중하고, 판단하지 않고, 받아들이고, 전념하는 것이라는 사실을 정말 잘 알고 있다. 이는 스포츠와 운동 능력 향상에 더 잘 부합한다. 마음챙김이 선수와 코치들 사이에서 더 많이 받아들여지려면 스포츠에 특화된 마음챙김 교육이 제공되어야 할 것이다.

코치들의 참여

한 볼링 코치는 마음챙김 훈련에 큰 관심을 보였다. 그는 6번의 세션에 모두 참여하여 전직 볼링선수로서 자신의 경험을 스스럼없이 나누었다. 코치의 적극적인 참여로 인해 볼링 선수들이 토론 시간에 자신의 경험을 공유하고 훈련 시간 외에도 마음챙김을 실천하도록 독려하는 데 많은 도움이 되었다.

닝의 소감

닝은 헨리를 돕는 실무자이자 참관인으로서 볼링선수들과 함께 MAIC 프로그램에 참여했다. 그의 소감은 다음과 같은 주제로 요약된다.

프로그램 전달

프로그램 전달 방식에 있어 강사가 단순히 정보와 기술을 설명하고 참가자는 듣기만 하는 것이 아니라 역동적이고 체험적인 방식으로 이뤄져야 한다. 프로그램 전달에는 강사와 참가자 간의 강력한 상호 작용 요소가 포함되어야 한다. 예를 들어, 강사는 참가자에게 관련 질문을 던지고 답을 찾도록 안내함으로써 참가자가 난해한 개념을 이해하도록 유도할 수 있다. 또한 참가자와 관련된 실제 사례를 통해 긴밀하게 통합된 개념과 관련 기술을 가르치는 것도 고려해야 한다. 스토리텔링은 이러한 맥락에서 매우 유용한 것 같다. 문화적으로 특색 있는 이야기(예: 홍콩 청소년들에게 잘 알려진 운동선수의 이야기)를 수집하고 실무현장에서 공유할 것을 권장하고 싶다.

마음챙김 연습 참여

참가자가 필요에 따라 수행과제를 연습할 수 있도록 모니터링하고 보장하기 위해 일일 연습 완료여부를 기록할 수 있는 공식적인 연습 일지를 제공할 수 있다. 각 세션은 참가자가 해당 세션의 연습을 시행하고, 이전 세션의 연습을 복습할 수 있을 만큼 충분히 길어야 한다. 상담가는 참가자에게 연습을 상기시키기 위해 커뮤니케이션 앱(예: WhatsApp, WeChat)을 사용할 수도 있고,

연습에 대한 오디오 가이드라인을 개발할 수 있다. 실무자는 중재 기간 이후에도 정기적인 연습의 중요성을 끊임없이 강조해야 한다. 참가자들은 규칙적인 연습에 참여해야만 높은 수준의 마음챙김 기술 개발을 몸으로 체득할 수 있다. 연습마다 고안된 작용기능이 다르기 때문에 각 연습이 목표로 하는 기능에 대한 세부사항이 제공되어야 한다.

참가자 경험

MAIC를 실행할 때 스포츠 심리학 실무자는 참가자가 프로그램을 어떻게 경험하는지 고려해야 한다. 또한 참가자의 프로그램에 대한 수용성과 연습이 심리-정서적 스포츠 관련 경험에 미치는 영향에 대해 주의를 기울여야 한다(Baltzell &Akhtar, 2014). 참가자들이 자신의 경험을 공유하고 토론할 수 있도록 소셜 미디어 플랫폼(예: 페이스북, 트위터, 마이크로블로그)에 그룹을 만들 수 있다. 실무자는 이 그룹을 통해 일정기간 동안 참가자들이 직면한 문제를 적시에 발견하고 즉시 구체적인 제안을 제공할 수 있겠다.

사회 문화적 맥락

MAIC의 핵심 요소 중 하나인 사회문화적 맥락의 영향력을 간과해서는 안된다. 홍콩에서는 특히 주니어 선수들의 경우 부모가 선수들의 가치관에 매우 큰 영향을 미친다. 주니어 선수들이 선수 생활 내내 대학 장학금을 신청하는 것은 드문 일이 아니다. 학구열이 강한 홍콩의 부모들은 자녀의 학업 성취에 매우 높은 관심을 기울인다. 일부 부모는 자녀의 흥미를 위해서뿐만 아니라 운동을 더 좋은 대학에 입학하기 위한 발판으로 삼기 위해 자녀가 운동을 계속하도록 격려하기도 한다. 학업과 운동을 잘 하는 것이 서로 모순되는 것은 아니지만, 이러한 부모의 '지도'는 선수의 가치관 형성에 영향을 미칠 수 있다(예: "잠재력을 발휘하고 싶어서 이 운동을 하고 있다"와 "대학 입학을 위해 이 운동이 필요해서 하고 있다"의 차이). 스포츠 심리학 실무자는 가치, 통찰력, 전념에 관한 세션에서 이러한 가치와 모순되지 않는 조건을 탐구할 준비를 하는 것이 좋다. 운동선수가 자신의 가치관을 명확히 하고 적절한 가치 중심 행동에 대한 이해에 도달하면 비로소 '통찰력'이 생긴 것으로 본다.

결론

마음챙김 훈련을 받은 홍콩 엘리트 볼링 선수들은 마음챙김의 질과 수행능력 모두 향상되었다는 결과를 얻었다. 리더의 역할은 개념을 가르치는 것뿐만 아니라 마음챙김 연습을 통해 볼링 선수들의 다양한 경험을 촉진하는 것이다. 마음챙김에 대한 실무자 자신의 경험과 지속적인 문화적 고려가 프로그램 효과성을 배가시키는 핵심이 될 것으로 보인다.

참고문헌

Baer, R. A., Smith, G. T., Hopkins, J., Krietemeyer, J., & Tony, L. (2006). Using self–report assessment methods to explore facets of mindfulness. *Assessment*, *13*, 27 – 45.

Baltzell, A., & Akhtar, V. L. (2014). Mindfulness meditation training for sport (MMTS) intervention: Impact of MMTS with division I female athletes. *The Journal of Happiness & Well–Being, 2*(2), 160 – 173.

Bond, F.W., Hayes, S. C., Baer, R. A., Carpenter, K. M., Guenole, N., Orcutt, H. K.,Waltz, T., & Zettle, R. D. (2011). Preliminary psychometric properties of the Acceptance and Action Questionnaire—II: A revised measure of psychological inflexibility and experiential avoidance. *Behavior Therapy, 42*(4), 676 – 688.

Deng, Y. Q., Liu, X. H., Rodriguez, M. A., & Xia, C. Y. (2011). The five facet mindfulness questionnaire: Psychometric properties of the Chinese version. *Mindfulness*, *2*(2), 123 – 128.

Epstein, M. (1995).*Thoughts without a thinker: Psychotherapy from a Buddhist perspective*. New York: Basic Book.

Gardner, F., & Moore, Z. (2007). *The psychology of enhancing human performance:The Mindfulness–Acceptance–Commitment (MAC) approach*. New York: Springer.

Hardy, L., Jones, G., & Gould, D. (1996). *Understanding psychological preparation for sport:Theory and practice of elite performers*. New York:Wiley.

Kaufman, K., Glass, C., & Arnkoff, D. (2009). Evaluation of mindful sport performance enhancement (MSPE): A new approach to promote flow in athletes. *Journal of Clinical Sport Psychology, 3*(4), 334 – 356.

Parker, R. I.,Vannest, K. J., & Davis, J. L. (2011). Effect size in single case research:A review of nine non–overlap techniques. *Behavior Modification*, *35*, 302 – 322.

Si, G., Lo, C.–H., & Zhang, C.–Q. (2016). Mindfulness training program for

Chinese athletes and its effectiveness. In A. Baltzell (Ed.), *Mindfulness and performance* (pp. 235 – 267). New York: Cambridge University Press.

Si, G. Y. (2006). Pursuing "ideal" or emphasizing "coping": The new definition of "peak performance" and transformation of mental training pattern. *Sport Science (China), 26*(10), 43 – 48. (In Chinese)

Si, G.Y., Zhang, G. Z., Su, N., Zhang, C. Q., Jiang, X. B., & Li, H.Y. (2014). *Mindfulness training manual for athletes*. Beijing: Beijing Sport University Press.

Su, N., Si, G. Y., & Zhang, C. Q. (2019). Mindfulness and acceptance-based training for Chinese athletes: The mindfulness-acceptance-insight-commitment (MAIC) program. *Journal of Sport Psychology*, doi: 10.1080/21520704.2018.1557772

Zhang, C.-Q., Chung, P.-K., Si, G.Y., & Liu, J. D. (2014). Psychometric properties of the Acceptance and Action Questionnaire—II for Chinese college students and elite Chinese athletes. *Measurement and Evaluation in Counseling and Development*, *47*, 256 – 270.

18
심리상담가, 자신을 돌보기

긴박감 넘치는 상황에서 마음챙김을 실천하는 스포츠 심리상담가

크리스토퍼 헨릭센, 카스텐 흐비드 라센, 야콥 한센

일정이 끝났다. 지친 기분이 든다. 팀의 성공적인 경기결과를 축하하는 연회가 예정되어 있지만 기운이 나지 않는다. 3주 동안은 긴장의 연속이었다. 물론 통상적인 업무량은 그리 많지 않았다. 하지만 초조하고 긴장하는 선수들과 함께 있고, 중요한 결정을 내리고, 팀의 성과 관리를 통해 끊임없이 모니터링하고 평가받는 3주 동안 긴박감은 최고조에 달했다. 팀원들을 위해 건배를 하고 조용히 구석으로 물러나 앉았다. 지금은 선수들이 스포트라이트를 받고, 언론과 재치 있게 이야기하며, 팀원들이 파티를 즐길 수 있는 시간이다. 조용히 구석에 앉아 있자니 마음이 여전히 과열되어 있는 것 같다. 스포츠 심리상담가로 내 자신의 성과는 만족스러웠을까? 내가 변화에 어느 정도 일조했나? 올림픽 기간 동안 내가 목표로 했던 차분하고 따뜻하며 공감하는 상담가로 과연 최선을 다했는가? 질문이 너무 거창하다. 질문에 대한 답변은 나중으로 미루기로 결정하고, 일단은 일어나서 맥주를 한 잔 마시고 편안히 앉아 휴식을 취해본다.

운동선수가 가치에 충실하며, 도전에 직면했을 때 자신의 가치에 전념하고, 과제에 집중하며, 가치와 목표를 추구하면서 맞는 필연적인 좌절을 수용하고, 내면의 삶을 살피는 것은 이전 장에서 충분히 살펴본 것처럼 운동선수가 스포츠와 인생에서 성공하기 위한 열쇠이다(Gardner &Moore, 2004). 왜 그럴까? 여러 가지 이유가 있겠지만, 무엇보다도 운동선수는 결국 인간이며 인간의 마음은 쉽게 통제되지 않기 때문이다.

이는 스포츠 심리학 실무자에게도 마찬가지이다. 우리에게는 전문가로서 추구하고자 하는 가치와 지향하는 방식이 있다. 우리는 압박감을 받고 좌절감을 주는 상황에 놓이게 되며, 높은 중압감을 느끼는 상황에 내성을 갖고 있지 않아 종종 의심, 불안 또는 이와 유사한 내적인 어려움을 경험한다. 상담가로서 내면의 삶을 의식하지 않고, 발생할 수 있는 다양한 생각과 감정에 기꺼이 마음을 열고자 하지 않는다면, 자신의 소중한 가치와 주어진 과제를 놓칠 위험이 있다. 스포츠 심리상담가인 우리도 인간이기 때문이다.

이 장에서는 스포츠 심리상담가가 선수들과 함께 일하는 것에서 심리상담가 자신으로 관심을 전환한다. 팀 덴마크(덴마크 국립 엘리트 스포츠 기관)에서 근무하는 저자들은 각각 약 10년 동안 최정상급 엘리트 스포츠 및 올림픽 선수들과 함께 일하며 8번의 올림픽을 치러냈고, 수많은 세계 선수권 대회에 참가했다. 그동안 우리는 멋진 성공 스토리를 가지고 있다. 하지만 냉혹한 현실을 여전히 직시하고 있다. 아무리 노련한 스포츠 심리학 전문가가 팀에 있어도 때때로 팀 성적이 저조할 때가 있다. 이러한 상황에서 선수들은 당황하고 코치들은 스트레스를 받게 되며 스포츠 심리학자는 진정한 시험대에 오르게 된다(Henriksen, 2015). 이 장에서는 극심한 압박감에 시달리면서도 ACT 프로세스를 사용하여(또는 잊어버리고) 정상 궤도를 유지한 세 가지 사례를 소개한다. 이 세 가지 사례는 챔피언십 기간에 일어났다는 점에서 도전이 되며, 긴장감을 주는 맥락을 공유한다. 챔피언십은 우리가 직면하는 모든 도전 과제를 확대경으로 보는 것과 같으며, 모든 것이 실적과 성과 이슈로 귀결된다(McCann, 2008).

마음챙김을 실천하는 스포츠 심리상담가

Siegel(2010)은 '마음챙김 치료자'란 책에서 치료자의 마음챙김(또는 그 부족)이 협업과 결과의 질에 어떤 영향을 미칠 수 있는지 탐구했다. 특히 그는 현존감, 조율, 공명의 특성을 언급했다. 현존감은 실무자의 주의력과 마음챙김하는 자기 자신의 존재를 챙기는 특성이다. 마음챙김을 할 때 우리는 순간에 주의를 기울이고, 판단하거나 비교하지 않으며, 호기심을 갖고, 다시 집중할 수 있다. 이러한 현존감은 내담자에 대한 치료자의 세심함, 공감 및 이해에 영향을 미치는 방식이다. 조율에는 개인의 내적 과정과 대인 관계 과정이 모두 포함되는데, 다시 말해, 조율은 상담가의 마음챙김의 현존감이 내담자와 연결되는 기반이 되는 방식과 관련이 있다. 현재 순간에 상담가의 인식이 내담자에 집중되어 있는가? 내 존재의 특성(예: 자세/몸짓, 감정, 질문, 성찰)이 비판적이지 않고, 자비를 갖고, 수용적이며, 호기심을 갖고, 열려 있는가? 공명은 상담가와 내담자 모두가 마음속으로 서로에게 집중하고 조율된 연결 상태이다. 협력적 동맹 관계에서는 내담자가 언어, 정서, 자세를 통해 자기 자신으로서 '느껴진다'는 느낌과 이해받고 있다는 느낌을 전달하는 순간에 공명을 느낄 수 있다. 따라서 상담가의 가치관과의 연결, 그 순간에 있을 수 있는 능력, 내적 경험에 대한 인식과 수용은 치료 동맹을 구축하는 데 있어 핵심이자, 치료 성공의 가장 기본적인 요소이다(Mannion & Andersen, 2015).

혼란에 빠지는 스포츠 심리상담가

실무자로서 우리는 종종 선수들과의 상담작업을 교과서적인 예시처럼 간단하고 깔끔하며 효과적인 상담 스크립트로 작성하고 싶다는 생각을 하게 된다. 그러나 대부분의 교과서와 달리 현실의 개입은 정말 어렵고, 때로는 혼란스러우며, 결과가 불확실한 '선택의 여지가 있는 모험' 옵션으로 가득 차 있다. 윌리엄스와 앤더슨(2012, p.149)이 이런 특성을 다음과 같이 탁월하게 묘사하고 있다.

> 응용 스포츠 심리학은 혼란스럽기 마련이며, 팀과 함께 여행할 때는 더욱 예측하기 어려운 그야말로 난장판이 된다. 우리는 선수들과 비행기, 경기장, 호텔에서 긴 시간 동안 밀접하게 접촉하는 경우가 많다. 스포츠 심리학자들은 다양한 상황에서 도움을 요청받는 경우가 많으며, 진정으로 팀의 일원이 되고자 한다면 그렇게 해야 한다. 모든 경계가 모호해지는 것을 관리하는 것은 큰 일이며, 마음챙김하는 스포츠 상담가는 경계가 모호해지기 시작하면 잠시 멈추고 다음과 같은 질문을 할 수 있다. 나는 무엇을 느끼는가? 나는 무엇을 하고 있는가? 이것이 선수와 코치에게 진정으로 도움이 되는 일인가, 아니면 나의 개인적 욕구를 충족시키기 위한 일인가? 이러한 주의 깊은 성찰은 상담가가 올바른 길을 찾고 효과적인 일을 하는 데 도움이 될 것이다.

스포츠 심리상담가로서 우리는 여러 상황에서 압박과 경계가 모호해지는 것을 경험한다. 예를 들어, 다양한 수행 스태프들이 모두 결과에 대해 이야기할 때, 우리가 선수들이 그 과정에 집중하기를 원할 때, 선수와의 상담을 끝내고 코치들이 그 선수에게 무슨 일이 일어나고 있는지 '다 알아야겠다'며 다가올 때, 기자들이 팀이나 선수에 대한 내부 정보를 얻기 위해 연락할 때, 선수들이 팀 규칙에 맞지 않게 행동하거나 식당에서 잘못된 음식을 먹는 것을 볼 때(단속해야 하나? 말아야 하나?), 수행 스태프의 다른 멤버들이 관리에 대한 불만을 표출할 때 등이 그런 경우라 할 수 있다. 이 장의 나머지 부분에서는 긴박감 넘치는 경기 상황에서 스포츠 심리학을 제공하면서 개인적으로 경험한 세 가지 이야기를 들려드리겠다.

저조한 올림픽 성적을 받고 나서 드는 생각

세계 선수권 대회나 올림픽을 앞둔 마지막 한 달 동안, 특히 최종 준비가 잘 되었다면 많은 선수들이 감정이 뜨거워지며, 성공에 대한 열망이 커지면서 메달에 대한 꿈을 꾸기도 한다. 때때로 그들은 이전에 이런 열정과 승리의 아드레날린을 경험했으며 승리가 어떻게 국민들을 하나되게 하고 조국의 국민들을 자랑스럽게 만드는지 보았을 수도 있다. 또는 다른 선수들이 승리하는 것을 보고 그 뒤에 따르는 영광을 목격했거나, 짜릿한 승리를 경험하는 것을 꿈꾸기도 한다. 심리상담가로서 나(야콥 한센)는 그러한 열정이 커질 때 짜릿한 분위기를 느끼며 그것이 상당한 전염성이 있다는 것을 알았다. 그것은 분명 나에게도 영향을 미치고 결국 선수들의 성공적인 결과를 기원하게 된다. 또한 메달에 대한 꿈과 결과에 대한 지나친 집중이 선수나 리더의 집중력을 떨어뜨릴 수 있는 위험성도 보았다. 그런 꿈은 부메랑처럼 날아와 자신을 망치게 할 수도 있다.

올림픽에서의 또 다른 패배

나는 지금 올림픽의 한가운데에 있다. 나는 메달을 꿈꾸는 선수들과 함께 일하고 있다. 국민과 언론이 함께 달콤한 우승의 꿈을 꾸고 있다. 그러나 팀은 지고 있다. 플레이오프에 진출하기 위해 조별리그에서 연달아 경기를 치르고 있는데, 우리는 중간 순위에 머물러 있고, 점수표에서 팀은 결코 유망해 보이지 않는 상태다. 팀원들은 신체적, 정신적으로 잘 준비되었다고 생각하지만 어떤 이유에서인지 최고의 경기력을 발휘하지 못하고 있다. 선수들의 표정에선 당혹스러운 좌절감을 엿볼 수 있다. 그들은 과정에 집중하고 가치에 따라 행동하는 등 모든 옳은 일을 하고 있지만 그 어느 것도 원하는 대로 진행되지 않고 있다.

나는 관중석에서 내려와 라커룸으로 향하고 있다. 방금 또 다른 패배를 목격했다. 내려가면서 몇 분 후면 선수들과 코치가 믹스드존을 바쁘게 빠져나가는 모습을 마주하게 될 거라는 걸 직감한다. 나 자신을 돌아볼 때 실망스럽고, 슬프다는 생각이 들면서 또 한 번의 패배를 감당해야 하는 힘든 과정을 겪어야 한다는 사실에 지친 기분이 든다. 포기하고 싶은 충동을 느끼지만 그냥 흘려보내고 도우미로서 어떤 사람이 되고 싶은지 다시 생각해 본다. 몇 초 후, 나는 라커룸에 서 있고 선수들이 들어오는 것을 지켜본다. 나는 선수들과 하이파이브를 하고 패배의 순간에 대한 이해와 연민, 지지를 표하는 몸짓과 표정을 보낸다. 그 누구도 아무 말도 하지 않는다. 그냥 고개만 숙이고 있다. 실망하고 슬퍼하는 선수도 있고 좌절하고 화난 표정을 짓는 선수도 있다. 코치가 짧은 브리핑을 한다. 일부 선수들은 무엇이 잘못되었고 무엇을 다르게 할 수 있었는지 아쉬움에 논리적으로 토론하기 시작한다. 다른 선수들은 여전히 감정적이고 논리적으로 분석할 준비가 되지 않았으며, 모든 일을 다 했다고 생각하지만 그들이 흘린 땀에 대한 정당한 보상을 받지 못했다고 여긴다. 나도 마찬가지이다. 다음 날 아침에 팀 회의를 열어 평가하고, 힘든 결과를 받아들이고, 앞으로 나아갈 방향을 모색하기로 결정하고 각자의 자리로 흩어진다.

이제서야 말할 수 있는 개인적 이야기

선수촌으로 돌아가는 버스 안에서 나는 다시 한 번 실망감을 느끼는 내 자신을 발견한다. 팀원들과 함께 식당에 가서 식사를 한다. 밥을 먹으면서 이 문제에 어떻게 접근해야 할지 고민한다. 침묵을 지켜야 할까? 경기에 대해 이야기할까? 전혀 다른 얘기를 할까? 모든 것이 괜찮을 것이라고 안심을 주며 말할까? 나는 의심의 눈초리를 가진 채, 밥을 먹으면서도 별 말이 없었고, 선수촌 아파트로 걸어가서 내 방으로 갔다. 문이 내 뒤에서 닫히고 나는 혼자가 되었다. 나는 내 직업적 역할에서 잠시 벗어나는 것을 허용하기로 했다. 몇 분 동안은 애써 지지나 연민을 표출할 필요도 없고, 전망과 신뢰, 희망으로 차분하고 안정된 바위가 될 필요도 없다. 나는 감정의 칵테일 속에 서 있다. 실망과 슬픔을 느낀다. 팀원들의 고통과 좌절감을 함께 느낀다. 스포츠 심리학자로서 좌절감도 느껴진다. "우리는 왜 이렇게 운이 없는 걸까? 어째서 왜 최선의 경기력을 발휘하지 못하는 걸까?"와 같은 생각이 떠오른다. 또한 나 자신에 대한 생각도 든다. "내가 뭔가 잘못했나? 내가 잘하고 있는 것이 맞나? 나는 충분한 자격이 있는 게 맞나? 사람들은 내 일에 대해 어떻게 생각할까?" 다음 순간 나는 이런 자신의 생각이 부끄러워진다는 것을 알게 된다. 또 다른 생각이 떠오른다. "이렇게 결과가 좋지 않은데 가족과 3주 동안 떨어져 있는 것이 과연 합당한가?" 나는 감정에 휩싸인 채 방에 서 있다.

나는 내 이야기를 비로소 털어놓아야 한다는 것을 깨달았다. 나는 자리에 앉아 심호흡을 하기 시작한다. 지금이 바로 마음챙김을 연습하고 3R 프로세스로 작업해야 할 순간이라는 것을 알았다(등록하기, 놓아주기, 다시 집중하기. 자세한 설명은 4장 참조). 다양한 생각과 감정을 *등록하기* 시작한다. 나는 자기비판적이지 않는 것이 어렵다는 것을 느낀다. 내 생각과 감정이 부끄럽게 느껴진다. 하지만 생각이 계속 떠오르도록 내버려두고 수용과 연민으로 알아차리려고 노력한다. 한동안 그렇게 하면서 호흡과 신체 감각을 느끼기도 한다. 그리고는 *놓아주기*로 넘어간다. 생각과 감정을 분류하고 이름을 붙이기 시작한다. 평소 자주 만나는 두 명의 용의자와 인사를 나눈다. 하나는 결과라는 이름을 가진 용의자다. 그는 어린 시절부터 스포츠 선수로 성장할 때부터 나와 함께 쭉 붙어 다녔다. 결과씨(Mr. Outcome)가 다시 말한다. "결과씨는 좌절했다. 결과씨는 다른 사람들이 생각하는 것을 걱정하고 있다." 나는 내 생각과 감정의 많은 부분이 선수들이 느끼는 바와 같을 것이라는 사실을 깨달았다. 특히 함께 여행하고, 함께 밥을 먹고, 기복을 함께 겪어야 하는 스포츠계에서 장기적인 업무 관계에서는 감정이 전염될 수 있다. 마지막으로 나는 내 사명과 가치에 *다시 집중하기*로 들어간다. "나의 사명은 선수들이 어려운 생각과 감정에 직면했을 때에도 목적과 방향을 가지고 앞으로 나아가고, 의미 있는 삶을 살 수 있도록 돕는 것이다"라고 스스로에게 다짐한다. 나는 인간애와 자비로 선수들을 만나는 내 가치관을 다시 되새긴다. 선수들이 불편함을 직면할 수 있도록 용기를 북돋아주고, 불편한 상황 속으로 한 발짝 더 나아가 이를 극복할 수 있도록 돕는다. 호기심을 갖고 지금 이 순간에 머무르기로 한다.

경기 계획에 전념하기

다음 날 아침, 나는 다음 팀 회의를 위한 경기 계획을 세우고 있었다. 일부 선수는 경기에 대해 애써 이야기하지 않으려는 경향이 있다는 것을 알고 있다. 그들은 평가받거나 분석당하고 싶지 않고 그저 성공하기만을 바랄 뿐이다. 그러나 우리는 토너먼트에서 지금까지 쭉 해 왔기 때문에 우리가 배운 것과 승리를 위한 경기 전략을 조정하는 방법에 대해 이야기해야 한다는 것을 알고 있다. 나는 최대한 빨리 끝내고 싶고, 짧은 만남을 통해 표면만 긁다가 빨리 덮어놓고 싶은 충동을 느낀다. 하지만 나는 내 가치에 충실하고 경기 계획에 전념하며 불편함이 내 행동을 좌우하도록 허용하지 않는다. 속도를 늦추면 회의가 잘 진행된다. 나는 팀원들이 자신들의 가치를 재확인하고 다음 경기를 위한 계획을 조정할 수 있도록 돕고, 희망에 찬 마음으로 회의를 떠난다.

남은 토너먼트에서는 여전히 고군분투하고 있었다. 결과만 놓고 보면 우리는 분명히 실패했다고 말할 수 있다. 하지만 역경 속에서도 팀원들과 함께 우리의 가치를 잃지 않고 마음의 중심을 다잡은 것이 자랑스럽게 느껴졌다.

올림픽에 임하는 스포츠 심리학자의 다짐

나(크리스토퍼 헨릭센)는 리우데자네이루에서 덴마크 대표팀 중 한 팀의 스포츠 심리학자였다. 리우데자네이루는 나의 두 번째 올림픽이었는데, 지난 런던 올림픽 때보다 훨씬 더 자신감이 넘쳤다. 지난 런던 올림픽을 평가하면서 스포츠 심리학 동료들과 나는 중요한 깨달음을 얻었다. 스포츠 심리 전문가와 신뢰 관계가 형성되지 않았고, 스포츠 심리 업무에 대한 구체적인 계획이 없는 선수들은 막상 어려움을 겪을 때 스포츠 심리 전문가에게 상담하러 오지 않는 경우가 많았다는 것이다. 그렇기에 문제가 생겼을 때 도움을 주려고 대회에 참석하는 것은 최적의 전략이 아니었다. 그래서 나는 이번에는 미리 준비를 많이 했다. 팀과 함께 여러 차례 압박이 심한 컴플레인 현장 속으로 직접 찾아들어갔다. 압박감 속에서 선수들이 어떤 반응을 보이는지 잘 알고 있었고, 코치들과도 좋은 관계를 맺고 있었다. 모든 선수들과 올림픽 기간 동안 어떻게 함께 일할 수 있을지에 대해 이야기를 나눴다. 나는 사전에 분명한 계획이 있었다. 오전에는 일부 선수들과, 오후에는 다른 선수들과 약속이 잡혀 있었다. 어떤 선수들과는 공식적인 마음챙김 연습을 하고, 어떤 선수들과는 매일 경기력 평가에 참여하기로 계획을 세웠다. 몇몇 선수들은 대회 기간 동안 나와의 상담서비스를 받지 않기로 사전에 결정하기도 했다. 대회가 열리기 얼마 전 전체 설정을 점검했다. 나는 이런 계획에 자신감이 있었고, 업무에 지장을 주지 않으면서 언제 휴식을 취할 수 있는지도 알고 있었다. 나에게 있어 달리기를 하거나 소설을 읽는 것은 개인적인 회복을 위해 매우 중요한 부분이었다.

스포츠 심리학자로서 나는 용기를 갖고 삶의 어려움을 해결하려고 노력한다. 나는 현재에 충실하고 호기심을 가지며 선수 역할을 하는 한 사람에게 관심을 갖기 위해 노력한다. 나는 선수의 승패에 관계없이 바위처럼 단단하게 선수를 지원하며, 같은 방식으로 행동하기 위해 노력한다. 선수들의 곁에 있을 뿐만 아니라 선수들이 할 수 없는 일을 내가 먼저 솔선수범하려고 노력한다. 마지막으로, 다른 사람을 도울 수 있는 능력의 전제 조건으로 내 자신의 건강(정신건강, 신체적 건강)을 돌보기 위해 노력한다.

또 다른 밤

대회가 일주일 정도 남은 어느 날 밤이었다. 팀 내 몇몇 선수들은 이미 경기에 출전했고 다른 선수들은 이제 막 경기를 시작하려고 했다. 나만의 루틴이 자리를 잡아가고 있었다. 이날은 두 명의 선수로 구성된 한 팀이 이틀 연속 (결과 면에서) 좋지 않은 하루를 보내고 있었다. 두 선수를 보니 컨디션이 좋지 않다는 것을 알 수 있었다. 그들은 어느 때보다 긴장해 보였고 팀에서 고립되어 있었다. 내가 도움이 될 수 있을 것 같았지만 대회 기간 동안 나와의 상담서비스를 이용하지 않기로 결정한 선수들이었다. 그때부터 저녁 식사를 하며 그들을 예의주시하기 시작했다.

내가 도움을 줄 수 있고 기꺼이 도와줄 수 있다는 것을 보여주기 위해 나는 선수들 곁에 있으려고 노력했다. 저녁 식사 때 일부러 그 선수들 가까이에 앉았다. 그리고 눈을 마주치려고 노력했다. 왜? 어떻게든 나의 존재를 알려, 눈에 띄어 보려고 했기 때문이다. 돌이켜 생각해 보건대 그런 노력을 하는 와중에 "내 행동이 그들이 정신적인 문제가 있다고 암시해 상황을 악화시키면 어쩌지?", "만약 그들이 내가 도와줄 수 없다고 생각하면 어쩌지?", "그 말이 맞으면 어쩌지?"라는 어려운 생각이 저절로 떠올랐다. "상담을 안 받기로 한 선수가 이런 행동을 두고 내가 선을 넘었다고 생각하면 어쩌지?", "결국 올림픽 기간 동안 스포츠 심리상담가와 함께 만나지 않기로 결정했잖아?" 이런 생각은 불쾌한 불안감을 불러 일으켰다. 결국 나는 스트레스를 많이 받은 두 선수의 주변에 있으려는 몸짓을 보내며, 그들이 도움을 요청하는 어려운 결정을 내릴 때까지 그들 가까이에서 대기했다. 당연히 그들은 도움을 요청하지 않았고, 내 행동에 대한 단기적인 강화 효과인 안도감이 즉각적으로 나타났다. 그것은 그들의 선택이었으며 결국 나는 그 순간이라도 언제든 이용할 수 있는 존재로 머물 수밖에 없었다.

공짜 티켓!

이제 고백할 게 있다. 나는 공짜 티켓이 있었다. 바로 그날 밤, 나는 올림픽 스타디움에서 육상 경기를 가까이서 볼 수 있는 티켓을 가지고 있었다. 크리스마스를 기다리는 어린아이처럼 이런 날을 손꼽아 기다렸다. 올림픽 기간에 근무하다 보면 가끔 (자주 있는 일은 아니지만) 경기를 직접 관람할 기회가 생기곤 하는데, 그것은 내가 있어야 할 정비소를 잠시 떠나는 것을 의미한다. 나에게 이것은 전형적인 올림픽 딜레마에 해당한다. 동시에 일이 없어야만 갈 수 있다는 것을 알고 있다. 하지만 일이란 무엇일까? 일이 없는 시간이 있기를 원했다면 바로 이 때가 아니었을까?

나는 매일 밤 약속이 끝나면 몇 시간 동안 일을 할 수 있었다. 그리고 이 시간은 결코 시간 낭비가 아니었다. 사소한 대화들은 종종 더 중요한 대화로 이어지곤 했다. 하지만 팀원들이 나 없이도 밤을 보낼 수 있을까? 물론이다! 올림픽 이벤트를 경험하고 싶다는 것은 당연한 소망인가? 당연하다! 게다가 나는 회복 시간이 필요했다. 한편으로는 선수들을 위해 함께하고 싶고, 다른 한편으로는 내 정신 건강을 돌보고 인생의 큰 선물을 경험할 수 있도록 이 순간에 선택해야 하는 딜레마에 빠졌다. 공짜 티켓이 선수들을 대하는 내 행동에 영향을 미치지 않았다고 믿고 싶다.

일을 바로잡기

나는 육상 경기를 보러 갔다. 매 순간이 즐거웠다. 하지만 그날 밤 방으로 돌아와서는 마음의 평온을 찾는 데 어려움을 겪었다. 나는 마음챙김 명상을 했다. 불쑥 죄책감과 일을 충분히 잘하지 못했다는 생각이 들었다. 내 가치를 다시 돌아보니 선수들 주변을 얼쩡대는 것이 내 가치의 표현이 아니었다는 게 분명해졌다. 방에서 조용히 전체 시나리오를 생각해보니 내가 어떻게 했으면 좋았을지 분명해졌다. 코치에게 다가가 내 고민을 털어놓았더라면 좋았을 텐데. 내 예상대로 코치가 내 도움을 고맙게 생각했다면 선수들에게 잠깐만 시간을 내 달라고 부탁하고 싶었을 것이다. 내 우려를 공유하고 내가 선수들에게 도움이 될 수 있을지 물어봤을 것이다. 그렇게 함으로써 나는 용기 있게 다가갈 수 있었을 것이다. 선수들을 인격체로 존중하고 그들의 고통을 십분 이해하고 있다는 것을 보여줬을 것이다. 그렇다면 내가 먼저 나섰을 것 같다.

다음 날 아침, 나는 바로 그렇게 했다. 대회 전까지 시간이 많지 않았지만 그들은 내 제안을 수락했다. 우리는 그들이 처한 상황에 대해 이야기했다. 우리는 그들이 이 어려운 상황에서 어떤 사람이 되고 싶은지에 대해 이야기했고, 그들의 가치와 연결하면서, 폭풍 한가운데서 내면의 평화의 장소인 '허리케인의 눈'을 찾는 데 초점을 맞춘 마음챙김 명상을 했다. 그날 놀라운 기적을 만들지는 못했지만 이전 날보다 더 나은 성과를 거두었다. 무엇보다도 그들은 다른 사람들이 모두 자신들을 피하고 있다고 느끼는 상황에서 내가 그들에게 손을 내밀어 준 것에 대해 고마움을 표했다.

이 사례의 경우, 내가 가치와 연결되고, 가치에 따라 행동하지 않게 된 이유를 이해하고, 불쾌한 감정을 받아들이면서 옳은 일을 하겠다는 신중한 선택을 하는 데 꼬박 하룻밤이 걸렸다. 하룻밤은 너무 길 수도 있지만, 아무 것도 안 하는 것보다는 늦게라도 하는 것이 나았다.

압박감을 느끼는 코치

나는(카스텐 흐비드 라센) 덴마크 아이스하키 국가대표팀에서 일한 지 1년이 채 되지 않았을 때(주로 20세 이하 팀과 일함) 핀란드에서 열리는 세계 선수권 대회를 준비하는 18세 이하 유스팀을 도와달라는 요청을 받았다. 세계 선수권 대회 기간 동안 내가 한 일은 선수들을 돌보는 것에 집중되었지만, 이 글은 코치들과 함께 일한 이야기이다. 스포츠 심리학자로서 나는 코치들에게 접근하는 방식에서 일관성을 유지하려고 노력한다. 나는 침착하고 차분한 태도를 유지하려고 노력하며, 압박감 속에서도 좋은 때를 만들고, 같은 방식으로 행동하려고 노력한다. 코치들의 부정적인 인식을 바꿔보기 위해 노력한다. 마지막으로, 대회 기간 동안 코치들을 도울 수 있는 능력을 갖추기 위한 전제 조건으로 내 자신의 건강(정신적, 신체적)을 돌보기 위해 노력한다.

불꽃 튀는 경기

슬로바키아와의 경기는 매우 중요했다. 경기 전 코치들과 선수들은 정말 긴장한 모습이었다. 내가 보기에는 그런 긴장감이 경기 전 루틴에 영향을 미치지는 않는 것 같았다. 선수들은 스틱에 테이프를 붙이고 준비운동을 하고 장비를 착용했고, 코치들은 경기 전술을 설명했다. 전반 1피리어드는 슬로바키아가 예상보다 강한 팀이라는 것을 보여줬다. 우리는 점수를 따라잡기 위해 고군분투했다. 내 생각에 이런 고전은 집중력 부족이 아니라 기술력 부족의 결과였다. 코치들은 1피리어드에 고전하는 우리 선수들에게 감정적으로 반응했다. 감독은 소리를 지르면서 선수들의 경기 수준을 끌어올리려고 노력했다. 그러나 감독이 바라는 수준으로 개선되지는 않았다. 덴마크는 굴욕적인 패배를 당했고 코치들은 좌절하고 분노하며 아이스링크장을 떠났다.

경기가 끝난 후 코치들은 패배에 대한 원인을 찾기 시작하면서 긴장감을 가지고 분석에 임했다. 결국 코치들의 분석하는 회의에 내가 차출되었다. 특히 전 국가대표 선수 출신이자 강인하고 성실한 성격의 부코치는 선수들의 정신력 부족말고 경기에서 다른 패배의 원인을 찾기 위해 고심했다. 그는 3개월 동안 나와 함께 일하면서 선수들이 경기에서 더 나은 경기력을 발휘하는 데 필요한 심리적 기술을 개발했어야 한다고 소리를 높였다. 이내 긴장감은 전염되었고 나는 내 자신의 경기력에 의문을 품기 시작했다. "왜 선수들이 더 잘 할 수 있도록 준비시키지 못했을까? 내가 그들을 과연 정신적으로 더 강하게 만들 수 있었을까?" 코치실에 앉아있을 때 나는 엄청난 패배에 대한 책임을 지고 있는 것처럼 느껴졌다. 코치들이 나를 몰아붙이기 시작했고 내 첫 번째 반응은 자기의심과 방어였다. 순간 나는 내 철학, 서비스, 접근 방식, 판단력

뿐 아니라 자기 자신을 불신하기 시작했다. 상담가로서뿐만 아니라 한 인간으로서도 내 자신에 대한 불안감을 느꼈다. 나는 그들의 말에 방어적으로 행동했다. 그들은 그 짧은 시간에 무엇을 기대했을까? 나에겐 캠프에서 기적을 일으킬 만큼 충분한 시간이 주어지지 않았다. 그들은 침착하지도 그렇게 분석적이지도 않았다. 중요한 경기에서 방금 패배하고 이유를 몰라 명백하게 좌절한 두 명의 코치와 관련된 한 가지 상황 때문에 나는 이 경기의 패배자로서 원인을 제공한 사람처럼 이 모든 혼란을 경험했다. 자신을 의심하고 방어하던 초기 반응 이후, 나는 생각에서 벗어나 내 가치에 다시 집중할 수 있었다. 침착하고 차분해야 한다는 내 가치를 다시 되새겼다. 침착하게 코치들에게 패배한 경기를 논리적으로 분석해달라고 정중히 요청했다. 그 결과 우리는 함께 경기의 좋은 점과 나쁜 점을 모두 살펴보면서 코치들이 선수들의 패배를 극복하고 앞으로 나아갈 수 있도록 도울 수 있는 탄탄한 토대를 마련할 수 있었다.

일반적인 상황인가?

이 사건을 돌이켜 보면 코치들이 표준적 상황이라고 부를 만한 것이 눈에 띈다. 스포츠 심리상담가들은 빠르게 진행되고 압박을 받는 코치들과 협력하면서 거의 필연적으로 죄인으로 몰리는 이러한 상황에 직면하게 된다. 이러한 상황에서 불안감을 느끼는 것은 정상이다. 불안감 때문에 방어적으로 되고 반격하는 식으로 행동하게 되면 코치와의 관계를 망칠 위험이 있다. 반면에 불안감을 해소하고 자신의 가치와 다시 연결될 수 있다면 그 순간 코치에게 큰 도움을 줄 수 있고, 상황을 반전시킬 수 있는 계기를 마련할 수 있다.

성찰과 조언

일반적으로 치료 결과의 결정적 요인으로서 협업 관계의 질이 얼마나 중요한지는 이미 충분히 입증된 바 있다(Mannion & Andersen, 2015; Sharp & Hodge, 2011, 2014). 팀, 선수 또는 코치와의 견고한 협력 관계에는 현존감, 조율, 공명이 필요하다. 그러나 이러한 덕목과 기술은 실무자가 팀과 함께 주요 경기에 참가할 때 상당한 압박과 도전에 직면하게 되는 상황에서 활용하기가 쉽지 않다. 앞의 각 사례에서 상담가는 자기의심, 불안, 좌절과 혼란을 경험했다.

운동선수들과 마찬가지로 스포츠 심리학 전문가도 확실한 목표 아래에서 목표를 달성하기 위해 노력하고, 자기 관리와 자기연민에 참여하며, 자신이 가르치는 기술을 실천하기 위해 애를 쓴다. 예를 들어, 그들은 자신을 믿지 못하는 생각과 불쾌한 감정, 그리고 이러한 불편함이 최선의 방법보다는 단기적인 안도감을 느끼려는 시도에 대해 성찰한다. 확고한 직업적 가치관과 자신의 내면에 대한 인식(일반적으로 마음챙김 수련을 통해 길러짐)을 통해서만 높은 중압감을 느끼는 상황에서도 현명한 결정을 내리고 팀 승리에 진정한 기여를 할 수 있다.

가장 빛나야 할 시기에 고통받는 선수들의 내면을 함께 들여다보면서, 스포츠 심리상담가들은 더 나은 성과를 위해 이런 혼란을 개선하고자 노력한다. 우리는 윌리엄스와 앤더슨(2012)의 '우리가 그들을 가장 고치려고 애쓸 때, 치료 효과가 가장 낮았다'라고 한 중요한 통찰에 동의한다. 그렇기에 상담가 자신을 위한 지속적인 슈퍼비전과 마음챙김 훈련은 우리의 경험상 격랑의 바다를 헤쳐나가기 위해 경계해야 할 때를 자각하고 진정한 자기 자신을 찾게 하는 핵심 경로가 될 수 있다.

괜찮다면, 몇 가지 간단한 조언으로 마무리하겠다. 팀과 함께 중요한 대회에 참가했을 때 상담가인 자기 자신에 집중하면서 얻은 교훈이다.

- 스포츠심리상담가로서 어떤 사람이 되고 싶은지 자신의 가치를 명확히 정하자.
- 집에서, 그리고 팀과 함께 여행할 때 정기적으로 마음챙김을 지속하라.
- 일부러라도 속도를 늦추자. 선수들과 작업하는 현장에서는 속도가 너무 빠를 때가 많다.
- 동료와 함께 정규적인 슈퍼비전 일정을 잡자. 모든 것이 통제되고 있다고 생각될 때에도 누군가와 아이디어를 나누고 어려움을 논의하는 것이 필요하다.
- 스스로 운동도 하고, 잘 먹고, 충분히 자고, 가끔은 복잡한 일상에서 벗어나 휴식을 취하라.
- 자신과 관계에 대해 자기연민을 길러보자.
- 스포츠 심리학자로서 매순간 감사하는 마음을 갖고 활기차고 의미 있는

삶을 살아보자. 우리는 우리가 생각하는 것보다 더 소중하고 꼭 필요한 존재임을 잊지 않았으면 좋겠다.

참고문헌

Gardner, F. E., & Moore, Z. (2004). A mindfulness–acceptance–commitment–based approach to athletic performance enhancement: Theoretical considerations. *Behavior Therapy*, *35*, 707 – 723.

Henriksen, K. (2015). Sport psychology at the Olympics:The case of a Danish sailing crew in a head wind. *International Journal of Sport and excercise Psychology*, *13*(1), 43 – 55. doi: http://dx.doi.org/10.1080/1612197X.2014.944554

Mannion, J., & Andersen, M. B. (2015). Mindfulness, therapeutic relationships, and neuroscience in applied exercise psychology. In M. B.Andersen & S. J. Hanrahan (Eds.), *Doing Exercise Psychology*. Champaign, IL: Human Kinetics.

McCann, S. (2008).At the Olympics, everything is a performance issue. *International Journal of Sport and excercise Psychology*, *6*, 267 – 276. doi: 10.1080/1612197X.2008.9671871

Sharp, L. A., & Hodge, K. (2011). Sport psychology consulting effectiveness: The sport psychology consultant's perspective. *Journal of Applied Sport Psychology*, *23*(3), 360 – 376. doi: 10.1080/10413200.2011.583619

Sharp, L. A., & Hodge, K. (2014). Sport psychology consulting effectiveness: The athlete's perspective. *International Journal of Sport and Exercise Psychology*, *12*(2), 91 – 105. doi: 10.1080/1612197X.2013.804285

Siegel, D. J. (2010). *The mindful therapist: A clinician's guide to mindsight and neural integration*.New York: Norton.

Williams, D. E., & Andersen, M. B. (2012). Identity, wearing many hats, and boundary blurring:The mindful psychologist on the way to the Olympic and Paralympic Games. *Sport Psychology in Action*, *3*, 139 – 152. doi: 10.1080/21520704.2012.683090

INDEX